W9-ABK-887

Teatro español del Siglo de Oro

THE SCRIBNER SPANISH SERIES
General Editor, Juan R.-Castellano

AGUSTÍN MORETO Y CABAÑA

TIRSO DE MOLINA

MIGUEL DE CERVANTES

CALDERÓN DE LA BARCA

LOPE DE VEGA

Masterpieces by
Lope de Vega, Calderón, and Their Contemporaries
Edited with Introduction, Notes, and Vocabulary

TEATRO ESPAÑOL DEL SIGLO DE ORO

BRUCE W. WARDROPPER
Duke University

CARL A. RUDISILL LIBRARY
LENOIR-RHYNE COLLEGE

CHARLES SCRIBNER'S SONS · *New York*

Picture Acknowledgments

Agustín Moreto y Cabaña (Moreto): Work by Geoffroy (?), nineteenth century French School. Courtesy of THE HISPANIC SOCIETY OF AMERICA, New York.

Fray Gabriel Téllez (Tirso de Molina): Work by B. Maura. Courtesy of THE HISPANIC SOCIETY OF AMERICA, New York. In the Library of THE HISPANIC SOCIETY OF AMERICA, New York.

Pedro Calderón de la Barca (Calderón): Work by Juan Alfaro y Gómez. Courtesy of AMPLIACIONES Y REPRODUCCIONES MAS, Barcelona, Spain.

Lope Félix de Vega Carpio (Lope de Vega): Work by Luis Tristín. Courtesy of AMPLIACIONES Y REPRODUCCIONES MAS, Barcelona, Spain.

Miguel de Cervantes Saavedra (Cervantes): Work by Juan Jauriguí. Courtesy of AMPLIACIONES Y REPRODUCCIONES MAS, Barcelona, Spain.

PQ
6217
.W35
1970
Sept. 1999

Copyright © 1970 Charles Scribner's Sons

This book published simultaneously in the
United States of America and in Canada—
Copyright under the Berne Convention

All rights reserved. No part of this book
may be reproduced in any form without the
permission of Charles Scribner's Sons.

A–1.70

Printed in the United States of America
Library of Congress Catalog Card Number 70–92861

PREFACE

This book presents some masterpieces of the Spanish classical theater which have not been available in American college editions. Custom has dictated that American undergraduates should always read from the same very small repertoire. The repeated publishing of such outstanding plays as *Fuenteovejuna* and *La vida es sueño* has imposed an unfortunate limitation on the student's acquaintance with Golden Age drama, for imported texts are often unreliable, or insufficiently annotated, or difficult to acquire. There is a considerable number of other plays, great works of art, which lend themselves to classroom study. This anthology seeks to widen the range of the instructor's choice.

The collection leans heavily on works by Lope de Vega and Calderón. The decision to omit entirely such dramatists as Ruiz de Alarcón and Rojas Zorrilla was taken with regret. It was felt that a significant experience of dramatic poetry depended on the possibility of collating several works by the major playwrights. An unusual feature is the inclusion of an *entremés* and an *auto sacramental*.

The edition aims at providing a set of carefully prepared texts, with full notes and a glossary. It stops short of being a critical edition, for the main criterion has been to give American students sound texts which they could handle shortly after mastering the modern language. But it is assumed that these students are intelligent and cultured. Spelling is modernized to the extent that prosody permits, but no other concession is made to indolence.

The theater of the Golden Age has long been a popular course in the curriculum of American colleges. It is frequently one of the earliest literature courses taken. Experience shows that many students, working with plain texts or with texts designed for scholars, have only the vaguest understanding of the plays they have "read." Increasingly and properly, instructors are demanding of their students a detailed grasp of literary texts; and they are teaching these texts by referring their students to these details. Teachers of drama feel the need to point out the barely noticeable motif in Act I which is picked up in Act III, the significance of some easily skipped lines in a boring *relación* for the interpretation of the dénouement, or the illumination shed by a sonnet on the whole action. This more sophisticated teaching cannot be done if the student has gleaned little more than the outline of the plot. Yet to many beginners the language is difficult, the allusions are recondite, the customs of the country and age are mystifying. To help this new generation of instructors and students the texts in this volume are accompanied by very full explanations, designed to make it possible for each detail and each line to be clearly understood. Advanced students may ignore much of this elucidation, but few of us are so expert that we need no help of any kind.

There are many ways of reading Golden Age plays. The introductions to each text are not planned to provide the student with a ready-made interpretation of the play. Instead they hint at some understanding that he may reach by himself, and they point out a few significant facts and textual considerations which he should not overlook. The student needs to gain experience in interpreting the texts; he needs to develop his own method of critical reading. Each introduction is followed by a short list of critical articles and books against which he may evaluate his own conclusions. The bibliographies make no claim to completeness. The studies have been chosen as much for their value as pedagogical stimuli as for their scholarly authority. The General Introduction sketches the background of the Golden Age theater, and offers some useful tips. The serious student will amplify the information given in this General Introduction by reading as widely as he can among the works recommended for further reading.

B.W.W.

CONTENTS

GENERAL INTRODUCTION

I. *Some Observations on the Nature of Golden Age Drama*

As long as plays were ordinarily written in verse they were thought of as poetry rather than drama. It was not until the nineteenth century that prose became the accepted medium of drama. It is true that frequent experiments had been made with the use of prose: for example, by the authors of medieval Latin comedies, by Machiavelli, Shakespeare, and Molière, and in Spain by Lope de Rueda and Cervantes. These works are dramatic in the sense that it is the action which predominates: their meaning is revealed through *what happens*. In verse plays the action is subordinated to the theme: the meaning resides more in *what is said*. This distinction is of course oversimplified, for words and acts cannot in practice be considered separately. Nevertheless, it will be helpful for the student to keep this broad truth in mind. In studying the Golden Age drama of Spain he is chiefly concerned with what is today called poetic drama.

In classical antiquity, in the Middle Ages, in the Spanish Golden Age — periods when plays were habitually written in verse — the common term was not poetic drama but dramatic poetry. Writing for the theater was a matter of choosing one of the three branches into which poetry is divided: epic, lyric, and dramatic. A writer for the stage did not consider himself to be a dramatist, but a poet. In the Golden Age therefore he is always referred to as *el poeta*. In passing it should be noted that *el autor* was the impresario or producer, the man who *authorized* the show.

Poetry demands a particular kind of reading. The poet is a writer who has had an intuition of a truth which cannot be conveyed by the ordinary means of logic. Accordingly he manipulates words and their meanings, forcing them into unaccustomed molds in an often desperate effort to communicate what it is that he has imagined. He relies on such verbal phenomena as connotation, juxtaposition, ambiguity, metaphor, imagery, figures of speech. A reader educated to the ways of poetry, one who has cultivated his sensibility, is best equipped to share fully the poet's original intuition. It is the goal of this edition to sharpen the student's response to the poetry of Golden Age drama.

Poetry, being measured speech, could not survive the breakdown of Latin into the Romance languages. The Spanish theater is thus separated from the Latin theater of Plautus, Terence, and Seneca by centuries of linguistic change and the accompanying political upheavals. Drama had to be, so to speak, reinvented in the Middle Ages. Just how this happened is the subject of some scholarly debate. Some, like Benjamin Hunningher, stress the fact that the acting tradition, if not the texts, survived intact from Roman times. When we consider the texts, however, we take note of the considerable evidence that a primitive drama emerged from the services of the medieval church. Alongside the unvarying canonical liturgy there existed an unofficial paraliturgy: short passages called tropes which were inserted into the Mass and some other offices. Some of these tropes acquired a dramatic character, and they were in fact acted out before the altar. A common one is known as the *Quem quaeritis*? (Whom do you seek?). In one version angels ask the Nativity shepherds: "Whom do you seek in the manger, shepherds, pray tell?" They answer: "The Savior, Christ the Lord, a babe wrapped in swaddling clothes, as the angel has said." The reply to this is: "The little one is here with Mary, his mother." The shepherds worship Christ, and sing "A child is born."

The basic questing form, appropriately modified, also served to dramatize the visit of the three Maries to the sepulcher at Easter. Tropes of this kind became more complex, and eventually they were translated into the vernacular. These extended plays are called liturgical dramas. In most European countries they developed into the great mystery cycles of the Middle Ages, performed over long periods of time by entire villages like the Passion play which is still produced at Oberammergau. But there is no clear evidence that mystery plays arose in Spain. Indeed there is a lack of authentic dramatic texts in Castilian between the middle of the twelfth century and the middle of the fifteenth. When Gómez Manrique and Juan del Encina resume the writing of plays at this late date, they start again at the stage of the liturgical drama.

The only liturgical play in Spanish is the anonymous *Auto de los Reyes Magos*, composed about the same time as the *Cantar de Mio Cid*. It is associated with the Epiphany *Officium Stellae* (the Office of the Star). The rebirth of drama three centuries later is associated with the Christmas Eve *Officium Pastorum* (the Office of the Shepherds). The two services and their drama represent opposite poles of the twelve days of Christmas. At the beginning of the season Christ's birth is announced to illiterate shepherds; at its end the birth is revealed to the Magi, the highly educated Wise Men. Because the educated need to have their doubts resolved, the possibilities for dialogue, for dialectic, for drama are great in the plays derived from the

Officium Stellae. But it was Spain's fate that the roots of its sixteenth-century drama were planted in the unpropitious *Officium Pastorum.* The shepherds, with their simple faith, instantly believe the angelic message, so that there is little opportunity for dialogue and dramatic tension. Even when, later, the Nativity shepherds are crossed with the sophisticated noble shepherds of the Renaissance pastoral myth, simplicity is still the rule. Pastoral drama is intrinsically unpromising. To give the Spanish pastoral plays form, unity, and dramatic interest the playwrights of the sixteenth century learned to impose on them a metaphysical pattern of poetic themes; and the great dramatists of the seventeenth century followed their example. In the classical Spanish drama, then, a very great stress is laid on poetry.

There have been several attempts to define the drama of the Golden Age. Most critics have concluded that it is unique. Alexander A. Parker, for example, says that it "speaks a language of its own which we must first learn before we can properly understand what it says." He characterizes this theater as

> a structure governed by five principles: (1) the primacy of action over character drawing; (2) the primacy of theme over action, with the consequent irrelevance of realistic verisimilitude; (3) dramatic unity in the theme and not in the action; (4) the subordination of the theme to a moral purpose through the principle of poetic justice, which is not exemplified only by the death of the wrongdoer; and (5) by the elucidation of the moral purpose by means of dramatic causality.

The student will want to consult Parker's important pamphlet *The Approach to the Spanish Drama of the Golden Age* to see how these principles are applied critically to specific plays, and to discover the reasons for their existence. He will also need to read Arnold G. Reichenberger's article on "The Uniqueness of the *Comedia*," where he will learn about another fundamental principle:

> A Spanish play follows the pattern from order disturbed to order restored. "All's well that ends well," and everything ends well when *honra* has been restored to everyone who has lost it, or when a sinning soul is snatched from the devil and saved.

To these splendid introductions, however, some supplementary remarks may be appended.

The Spanish play of the Golden Age is usually referred to generically as a *comedia*. Occasionally other terms — such as *tragedia* or *tragicomedia* — are used. But ordinarily *comedia* means not "comedy" but something as ill-defined as the English word "play." The fact is, however, that the *comedia* emerged from the classical definitions of comedy. In comedy the characters get their just deserts. This is why the principle of poetic justice is generally applicable to the *comedia* in general. When, however, the play is clearly conceived as a tragedy — like *El caballero de Olmedo* — it may be unwise to press the point of poetic justice too hard, for tragedy ensues when the punishment exceeds the protagonist's guilt. The true comedy of the Golden Age is the *comedia de capa y espada*. Examples in this volume are *El perro del hortelano* and *El lindo don Diego*. A more or less contemporary setting, an action involving unmarried people in the sweet agony of courtship, a mere suggestion of risk to life or honor, the marriage of the couples at the end — such are the features of Spanish comedy. In between the extremes of tragedy and comedy there are some plays of high seriousness, which may have some comic moments, but which treat transcendental themes. These are, on the whole, the masterpieces of the *comedia*; when we say the word *comedia* it is of these great works that we usually think. *El villano en su rincón*, *El condenado por desconfiado*, *El médico de su honra*, and *El príncipe constante* are good examples. It is not satisfactory to think of these plays as tragicomedies, for this is a "self-contradictory term, which tells us only that humor and pathos may alternate in a play, but does not define that kind of play in which humor and pathos may alternate." These words are quoted from Lionel Abel's book *Metatheatre, A New View of Dramatic Form*. There would seem to be some advantage in appropriating this term metatheater to characterize more precisely the serious dramatic works of the Golden Age.

Abel describes metatheater as "theatre pieces about life seen as already theatricalized." He goes on:

> By this I mean that the persons appearing on the stage in these plays are there not simply because they were caught by the playwright in dramatic postures as a camera might catch them, but because they themselves knew they were dramatic before the playwright took note of them. What dramatized them originally? Myth, legend, past literature, they themselves. They represent to the playwright the effect of dramatic imagination before he has begun to exercise his own; on the other hand, unlike figures in tragedy, they are aware of their own theatricality. Now, from a certain modern point of view, only that life which has ac-

> knowledged its inherent theatricality can be made interesting on the stage. From the same modern view, events, when interesting, will have the quality of having been thought, rather than of having simply occurred. But then the playwright has the obligation to acknowledge in the very structure of his play that it was his imagination which controlled the event from beginning to end.

The definition of metatheater thus rests on two basic postulates: the world is a stage, and life is a dream.

In the serious plays of the seventeenth century in Spain the life man leads on earth is held in considerable contempt. While it is true that Christ's incarnation sanctified the world of time, it remains nevertheless an unreal place to which man is exiled for a time from the real world of eternity. Reality thus exists before birth and after death. Man's life on earth is a dream from which he will wake up to eternal reality. The poets (especially Calderón) go to great pains to insist on the insubstantiality of the world we perceive with our senses. A good example is found, at the beginning of *El príncipe constante*, in Muley's description of the Portuguese fleet, in which ships and rocks and waves can scarcely be discriminated among by his vision. Life in this uncertain world has of course its point. This dream-like life in time is a proving ground for man. By his deeds he makes himself worthy of an eternal life of bliss or damnation. He is called upon to act a part in the theater of the world. It is not the part itself which determines his fate, but the quality of his performance in the part assigned to him. *El gran teatro del mundo* is a schematic representation of man's condition in a world of time that is directed toward eternity. But all serious plays of the period are based to a considerable degree on this conception of the meaning of life on earth. Naturally, man in his blindness does not always accept this view of his role in life. He is all too prone to regard everyday living as reality. The dramatists therefore feel called upon to remove the scales from his eyes with a flash of illumination called *el desengaño*. The student should resist the temptation to think of *desengaño* in terms of the English word "disillusionment," although in a precise etymological sense this is what the word means. Man is constantly deluded both by the wickedness of those who would lead him astray by a contrived *burla* and by the deceptiveness of his own sensory perceptions. *Desengaño* therefore means recognizing the universal *engaño*, opening the eyes to the illusory nature of the world of time; hence the experience of *desengaño* is a "moment of truth." Spanish dramatists continually present such revelations to their characters, and through them to their public.

If the student will think about these implications of the idea of metatheater, and will read Abel's book, he will find that this conception of a certain kind of drama will enrich his understanding of the serious *comedia*. He will also realize that the Spanish *comedia* is not after all unique. The emphasis which has been laid on the special nature of the *comedia* has sometimes lent it an air of arcane mystery which has unnecessarily put off and confused the modern, or non-Spanish, reader.

Even the uniqueness of Spanish honor has been exaggerated. Othello's sense of conjugal honor is not so very different from that of Don Gutierre in *El médico de su honra*. Both see honor not only as "self-respect" but also as "the respect of others." It does not hurt to study the code, or sentiment, of honor as it has been analyzed by such scholars as Américo Castro or Alfonso García Valdecasas. But however foreign to our times the conception of honor may be, the principles involved are all clearly stated in each play. The logic of the play is autonomous and perfect in itself. The reader *needs* to know no more than what the dramatist tells him. Of course, the problem of honor is interesting in its own right, as a chapter in the history of ideas or in an existentialist history of the Spanish people, such as the one Américo Castro is engaged in writing. If the student's interests lie in this direction, it is legitimate for him to satisfy them. The ordinary student of drama will probably be content with the simple explanation of conjugal honor given to Anselmo by Lotario in *Don Quixote* (Part I, Chapter 33). There we are reminded that man and wife have been converted into a single flesh by the sacrament of matrimony. A defect or blemish in any extremity of that united flesh offends the head, that is, the husband. Christ said that an offending limb should be cut off. Some wrong-thinking husbands in drama interpret this to mean that they may amputate their wives. Since husband and wife have two souls, there can of course be no Christian justification of wife-murder. But this insane error of reasoning was sometimes committed. The reader must judge whether the dramatist condones or abhors the crime. In any event it is necessary to draw a firm distinction between a calculated killing for the sake of restoring one's honor and the spontaneous *crime passionnel* with which we are familiar today.

Honor has ramifications which go beyond conjugal relations. If a Don Gutierre is in our eyes excessively obsessed with a concern for what others may think about him, Diana (in *El perro del hortelano*) has a legitimate concern for the good name of her family; and the Portuguese nobles (in *El príncipe constante*) are within the bounds of propriety when they speak of the rewards of their African campaign as being greater glory for God and greater honor for themselves. Don Gutierre's anxiety is for the preservation of his existential honor; to paraphrase Ortega y Gasset, he is himself and his circumstance. The Portuguese nobles cultivate a more essential honor, as indeed does Diana: they are anxious to be above all true to themselves. Honor for them involves a recognition of who they are (*sé quien soy*) and behavior proper to the persons they are (*soy quien soy*). Diana is the head of a noble house, and she acts accordingly; in Act I Don Fernando is a noble Portuguese prince, and he acts accordingly. Don Gutierre, on the other hand, mistakes his true identity: who he essentially is is a gentleman of Seville, but he acts *as if* he were something else, the living embodiment of the metaphor which makes him the physician of his honor. The question of being who one is is of great importance in the literature of the period. The serious student will investigate this problem in the article of Leo Spitzer.

Existential honor is in conflict with the Christian precepts of meekness and forgiveness. Essential honor, however, has a positive value as fame. The Golden Age held firmly to the belief that durability is a criterion of worth. So the temporal life is worth much less than the eternal life. But the life of honor deserves great respect since a man's reputation survives the death of his body. In the *Coplas por la muerte de su padre* the fifteenth-century poet Jorge Manrique has the personification of Death express this scale of values in a way still accepted two hundred years later:

> Aunque esta vida de honor
> tampoco no es eternal
> ni verdadera,
> mas con todo es muy mejor
> que la otra temporal
> perecedera.

The life of time and the life of honor are recreated poetically in their essential natures in the *comedia*. A common way of doing this is through imagery. Certain patterns are repeated. The student will soon learn to recognize and interpret them. Imagery based on celestial bodies and phenomena (the sun, the moon, stars, *arrebol*, etc.) is extremely common; it evokes human beauty and royal majesty. The sun rises, for example, when the beloved or the king approaches. Most of the common images contribute to the expression of love. They have long roots in literary tradition and are therefore familiar to the audience; the dramatist has no need to explain them. Paradox is the essence of love. It gives both pain and relief. Accordingly it is described in terms of sickness and healing: the lover speaks of his *pena* or his *dolor*, or of his need to find a *remedio* (remedy, medical treatment). The symptoms of this malady are *escalofríos*, feverish alternations of fire and ice. The lover *se abrasa* or *se hiela*. He describes his love as a *llama* or a *fuego*. Extreme passion is beyond the imagery of medicine. It brings either spiritual death or spiritual life. *Muero por ti*, says the rejected suitor; *el verte me da vida*, says the lover whose lady smiles kindly on him. Courtship, the exteriorization of love, requires a different set of images. These are mostly based on the techniques of warfare. The lady is seen as a virtually impregnable fortress, whose resistance must be slowly worn down by a long siege in preparation for the final assault on her cold disdain. Verbs like *rendir*, *rendirse*, *vencer*, *sitiar*, *resistir* convey the battle between the sexes.

With Calderón a new type of imagery emerges: one based on the four elements of earth, fire, air, and water. Each element has its creatures, both animate and inanimate. Earth has beasts and rocks; fire, salamanders and comets; air, birds and clouds; water, fish and ships. Each of these creatures has its attributes. The beast has fur; the comet, a tail; the bird, a wing; the ship, a sail. By transferring the attribute of the creature of one element to the creature of another, Calderón is able to exploit for the expression of beauty an imagery which is wholly consonant with his cosmology. The student of Calderón must study Edward M. Wilson's important article on this imagery.

SUGGESTED READING:

LIONEL ABEL, *Metatheatre: A New View of Dramatic Form* (New York, 1963).

CHARLES VINCENT AUBRUN, *La Comédie espagnole* (*1600–1680*) (Paris, 1966). Unsound in many details, nevertheless a useful survey for the student who is prepared to be very critical.

AMÉRICO CASTRO, "Algunas observaciones acerca del concepto del honor en los siglos XVI y XVII," *Revista de Filología Española*, III (1916), 1–50, 357–386. Reprinted in *Semblanzas y estudios españoles* (Princeton, 1956), pp. 319–382. The classical study of the honor question in history and fiction.

———, *De la edad conflictiva* (Madrid, 1961). The author's second thoughts, almost fifty years later, on the same question. A somewhat difficult book in which honor is related to the concept of purity of blood.

ALFONSO GARCÍA VALDECASAS, *El hidalgo y el honor* (Madrid, 1948).

BENJAMIN HUNNINGHER, *The Origin of the Theater* (Amsterdam, 1955 and New York, 1961). An interesting alternative to the trope thesis for the rise of the medieval theater. Not concerned with Spain.

FERNANDO LÁZARO CARRETER, "Prólogo" to *Teatro medieval* (Madrid, 1965). The best introductory survey, with some new conclusions, of the texts and documentary evidence relating to the Spanish theater in the Middle Ages.

HUMBERTO LÓPEZ MORALES, *Tradición y creación en los orígenes del teatro castellano* (Madrid, 1968). An important reconsideration of the medieval Spanish theater.

RAMÓN MENÉNDEZ PIDAL, "Del honor en el teatro español" in *De Cervantes y Lope de Vega* (Colección Austral).

EDWIN S. MORBY, "Some Observations on *tragedia* and *tragicomedia* in Lope," *Hispanic Review*, XI (1943), 185–209.

ALEXANDER A. PARKER, *The Approach to the Spanish Drama of the Golden Age* (London, 1957). Reprinted as an article in *Tulane Drama Review*, IV (1959), 42–59.

———, "Towards a Definition of Calderonian Tragedy," *Bulletin of Hispanic Studies*, XXXIX (1962), 222–237.

ARNOLD G. REICHENBERGER, "The Uniqueness of the *Comedia*," *Hispanic Review*, XXVII (1959), 303–316.

LEO SPITZER, "Soy quien soy," *Nueva Revista de Filología Hispánica*, I (1947), 113–127.

ALAN S. TRUEBLOOD, "Rôle-playing and the Sense of Illusion in Lope de Vega," *Hispanic Review*, XXXII (1964), 305–318. Useful for extending the concept of metatheater to Spanish literature.

BRUCE W. WARDROPPER, "Approaching the Metaphysical Sense of Gil Vicente's Chivalric Tragicomedies," *Bulletin of the Comediantes*, XVI (1964), 1–9. Contains an expanded discussion of the problem of creating drama from the *Officium Pastorum* tradition.

II. *The Dramatists*

It is customary to divide the drama of the Golden Age into two schools or cycles: that of Lope de Vega (1562–1635) and that of Calderón (1600–1681). Lope's followers or disciples are usually considered to include such writers as Mira de Amescua (1574?–1644), Vélez de Guevara (1574–1644), Ruiz de Alarcón (1581?–1639), and Tirso de Molina (1584?–1648). Calderón's include Rojas Zorrilla (1607–1648) and Moreto (1618–1669). In this volume an adequate representation of the two major poets could only be given at the expense of the lesser ones. In any case, the differences between Lope and his followers and between Calderón and his are at least as great as the similarities. It might be better to think of them as belonging to different generations. Moreto, for example, is eighteen years younger than Calderón; he belongs to what Ortega would call a polemical generation, one which largely rejects what the previous one stood for. The differences between the art and the attitudes to life of Lope and Calderón are, on the other hand, even greater. Lope is hedonistic; Calderón, theologically committed. Lope's art is spontaneous and based on the esthetic principle of "following Nature"; Calderón's is highly structured and based on the principle of "creating Art."

The biographies of the dramatists may be read in capsule form in the histories and dictionaries of literature, or they may be read in full-length biographies. The nature of their art can best be studied by reading their works. For those, however, who wish to begin with some fundamental notions we list a few helpful critical works.

SUGGESTED READING:

RUTH LEE KENNEDY, *The Dramatic Art of Moreto* (Philadelphia, 1932).

RAMÓN MENÉNDEZ PIDAL, "Lope de Vega: el arte nuevo y la nueva biografía," in *De Cervantes y Lope de Vega* (Colección Austral). Discusses the important problem of Art and Nature in the esthetics of the time.

HUGO A. RENNERT AND AMÉRICO CASTRO, *Vida de Lope de Vega* (Madrid, 1919). Revised edition (Salamanca, 1968) Still the best biography.

ALBERT E. SLOMAN, *The Dramatic Craftsmanship of Calderón* (Oxford, 1958).

KARL VOSSLER, *Lecciones sobre Tirso de Molina* (Madrid, 1965).

———, *Lope de Vega y su tiempo* (Madrid, 1933).

BRUCE W. WARDROPPER, ed., *Critical Essays on the Theatre of Calderón* (New York, 1965).

———, "On the Fourth Centenary of the Birth of Lope de Vega," *Drama Survey*, II (1962), 117–129. An attempt to characterize and compare the arts of Lope and Calderón.

III. *Performance of the Plays*

The stage in Madrid arose in much the same way and at about the same time as the London innyard theater. Beginning in 1568 plays were presented in adapted courtyards or *corrales* under the auspices of religious sodalities, who ensured that a portion of the profits went to the support of their hospitals. In the *corral* a stage was erected, and the surrounding building was adapted to some extent to its new purpose. An awning was sometimes drawn over the open space to protect the spectators from the sun. Along either side platforms (*tablados* or *gradas*) were set up to serve as seats for those who were willing to pay extra to sit down. The windows surrounding the yard served as boxes (*aposentos*) for people of privilege or money. The groundlings (*mosqueteros*), who paid only for general admission, stood in the pit, that is, on the ground of the courtyard. Men and women were separated in the audience, but on the stage they acted together.

The stage was a large wooden platform, which had a curtain at its rear. The curtain concealed the *vestuario* or dressing room. It could also be drawn aside during a performance to permit the sudden revelation of a dead body or some other unexpected sight; on these occasions the *vestuario* was in effect incorporated into the stage. There was no front curtain. There were two entrances, on either side of the stage. An upper level, *lo alto del teatro*, allowed balcony scenes to be played or enabled an actor to simulate the descent from a mountain. This upper level also represented the walls of a city or castle. Some stage machinery (*tramoyas*) existed, such as winches to raise dying souls to heaven and trapdoors through which flames might appear to suggest that the villain was dropping straight into hell. The pit and the stage were connected by a ramp (*palenque*), and sometimes by means of it animals were brought on stage. Naturally, as the public theaters developed, the stage machinery and the sets (generally very simple flats) became more complicated. It was, however, only at court performances, especially at the Buen Retiro, that scenery in depth (*perspectivas*) was used.

In the *comedias* which were performed in public theaters only very sketchy scenery was used. The spectator was called upon to imagine the changes of scenes. Whenever the stage was cleared of actors, a new scene was implied. If the same characters continued their dialogue in another place, the actors simply exited and, after a pause, reëntered. The modern reader must exercise his imagination in this same way. He must visualize a bare stage as representing, now a street, now the interior of a house, now a wooded hill. With a little practice the reader will find that his imagination makes the transitions with ease. In the texts we have followed the modern custom of giving a hint of the location of each scene in a stage direction.

The shows were generally long, complex affairs, given in daylight hours. In addition to the main play, divided into three acts (*jornadas*), there were a prologue (*loa*), which might or might not be appropriate to the play, the recital of ballads in thieves' slang (*jácaras*), dances, and between the acts a couple of farces or interludes (*entremeses*).

The *autos sacramentales* were staged on platforms erected in public squares or plazas. To the sides of them were attached carts (*carros*) containing the scenery. The carts transported scenery and players from one square to the next.

For the plays in this anthology extremely simple sets must be imagined. A change of scene was represented by clearing the stage. If a character was needed in two successive scenes, he symbolized the change by exiting through one door and immediately entering from the other. For the most part the spectators had to supply scenery with their imagination, and so must the modern reader.

The plays generally contained a few stock characters. The leading man was called the *galán*, and the leading lady, the *dama*. Venerable old men (*viejos*, *ancianos*) commonly played the part of fathers. But no play was complete without its *gracioso* (fool, clown). Much given to punning and joking, he served to give the antiheroic point of view of the events enacted on the stage.

SUGGESTED READING:

W. SOMERSET MAUGHAM, *Don Fernando* (London, 1935), Chapter VIII. Contains a lively, if not quite scholarly, account of a typical stage performance. It will entertain the reader, and give him a rough idea of how a Golden Age play must have been presented.

JOSÉ F. MONTESINOS, "Algunas observaciones sobre la figura del donaire en el teatro de Lope de Vega," *Homenaje a Menéndez Pidal* (Madrid, 1925), I, 469–504. Reprinted in *Estudios sobre Lope* (México, 1951), pp. 13–70. A classical study of the *gracioso*.

JUANA DE JOSÉ PRADES, *Teoría sobre los personajes de la comedia nueva* (Madrid, 1963). Based on lesser known plays, a study of stock characters.

N. D. SHERGOLD, *A History of the Spanish Stage from Medieval Times until the End of the Seventeenth Century* (Oxford, 1967). Much of the printed information about the Spanish stage is erroneous guesswork. This book is extremely reliable, based on years of archival research. It is the only work the student can consult with confidence.

IV. *Linguistic Problems in the Plays*

The vocabulary, from which are excluded only particles and the most common words, contains most of the orthographic and phonological variants encountered in these plays. In the notes, however, no explanation is given of repeated characteristics of the Spanish of the seventeenth century. Those who are about to read works of this period for the first time will find it helpful to study the following section, in which some standard peculiarities of the older language are listed or disucussed.

Archaic Forms

Agora is commonly used for *ahora*; *ansí* for *así*; *apriesa* for *a prisa*; *aqueste* and *aquese*, for *este* and *ese* (and similarly with feminine, neuter, and plural forms); *conceto* for *concepto* (similarly *efeto* and *perfeto*); *de espacio* for *despacio*; *felice* for *feliz* (similarly *infelice*); *habemos* for *hemos*; *hobieron* for *hubieron* (and similar vowel changes in the roots of other strong preterits and imperfect subjunctives, e.g. *trujo, venisteis, vido* for *vio*); *lición* for *lección* (similarly *perfición*); *riyendo* for *riendo*; *vamos* and *vais* for subjunctive *vayamos* and *vayáis*; *vía* for *veía*; *y* for *e* before words beginning with *i* (e.g. *y ignorancia*).

Problems of meaning

Certain words relate to archaic or peculiarly Spanish customs. To say good-bye the modern *adiós* may be used, or one of several variants, as for example: *Quédate a Dios; Quedaos con Dios..., Con él os quedad; Que vais con Dios; Guárdete el cielo; Adiós te queda.* In greeting royalty and some other superiors the feet are kissed, either literally or figuratively, with phrases like: *Dadme esas plantas; Os beso los pies.* Embracing is commonly referred to with some form of *dar los brazos.* Oaths commonly take the form of *¡Vive Dios!* (By God!) or *¡Por vida de...!* A servant who brings good news asks for a gratuity with the exclamation *¡Albricias!*; he may announce that he brings good news with an expression like *Dame albricias* or *Pido albricias.* No actual recompense is expected when such a phrase is spoken by a member of the upper class. Courtly love brought into existence the idea that the lover is his mistress' humble servant: *servir* accordingly often means "to love" or "to woo." In the psychology of the time the mind was thought to consist of three *potencias* (faculties): *voluntad, memoria*, and *entendimiento* (or *razón*). Since love was regarded as a function of the will, *voluntad* often means "love."

Other words have a range of meaning with which the student of modern Spanish may be unfamiliar. *Bien* and *mal*, as nouns, respectively mean "happiness," "good," "prosperous fortune" and "unhappiness," "evil," "adverse fortune." An *hombre de bien* is a "well-bred" or "reliable" man. The expression *en buen(a) hora* (or *enhorabuena*) is a sign of approval or a blessing: "good luck," "bless you." As a noun *enhorabuena* means of course "congratulations." The opposite *en hora mala* is a mild curse: "damn you." *Fuerza es* is, along with *es menester, es preciso*, etc., a way of saying "it is necessary." *Razón*, as well as "reason," means "word" or "speech." *Razonar* means "to talk." The archaic meaning of *herir*, "to strike," is used alongside the modern sense "to wound." *Morir* may be used transitively (to kill), as may *volver* (in the sense of the modern *devolver*, "to return," "to restore"). The expressions *¿Es mucho que...?* and *¿Qué mucho que...?* mean "Is it surprising that . . .?", "Is it to be wondered at that . . .?"

Syntactical Problems

The biggest difficulty faced by the beginner is hyperbaton, the often radical rearrangement of normal word order in sentences. It is common in all poetry. Only the most extreme cases are explained in the notes. The student should begin by parsing sentences until he acquires the habit of identifying subject and object readily. The problem is complicated by some normal linguistic phenomena of the Golden Age which are themselves hyperbata from the point of view of modern Spanish. For example, enclitic pronouns may precede a positive imperative: *te sienta* for *siéntate.* The effect of this is that sometimes an imperative appears to be a third-person singular form in the present tense: *me da* means either "give me" or "he gives me." Similarly with infinitives: *se concertar* for *concertarse.*

Enclitic pronouns may cause assimilation. With the infinitives the liquid consonants often combine to form a palatal: *resistillo* for *resistirlo, decille* for *decirle.* They may also give rise to metathesis with second-person plural imperatives: *sacalde* for *sacadle, decildes* for *decidles.* The enclitic pronouns are subject to considerable instability as a result of wide-spread *leísmo* and *loísmo. Le* may be accusative (masculine or feminine) in reference to things: *le leeré* (with reference to *el papel*) for the more normal *lo leeré.* On the other hand *lo,* but especially *la,* may be dative: *la hablé,* "I spoke to her."

Forms of address may seem confusing. *Usted* was making its appearance at this time, but the older form *vuestra merced* was predominant. Servants, criminals, and fashionable young people might have recourse to transitional forms like *vusarcé* or *voarcé,* or even *él* (you). (*Seor* in such groups might replace *señor.*) *Tú* was much employed, even in addressing superiors. In these plays, however, *vos* with the second-person plural is the most common way of saying "you" in the singular: *vos me decís* for *usted me dice, me oíd* for *óigame usted.* The degree of familiarity represented by *tú* and *vos* varies a great deal from one play to another and, perhaps, within a given play. The interested student will find the fluctuations in *El médico de su honra* among *tú, vos, tu Alteza, vuestra Alteza,* etc. worthy of study as symptoms of the changing attitudes and relationships among the characters.

The future subjunctive (*amare, comieres, vivieren, dijere, leyereis,* etc.) was still in common use: *Cuando viniere, le mataremos* for *Cuando venga...; Si venciéremos, nos honrarán* for *Si vencemos....* The forms — roughly imperfect subjunctive paradigms ending in *-re* rather than *-ra* — may be found in any complete Spanish grammar. The *-ra* form of the imperfect subjunctive commonly served as the conditional tense and, occasionally, as the pluperfect indicative (from which Latin tense it derives). The semivowel yod may disappear from second-person plural endings: *vistes* for *visteis.* In any tense the endings *-áis* and *-éis* may assume the older forms *-ades* and *-edes.*

Ser may be the auxiliary in the compound tenses of those verbs which in French or Italian require *être* or *essere*: *eres ido* for *has ido*; *es nacido* for *ha nacido. Haber* is not necessarily an auxiliary; it often substitutes for *tener.* "To have to" is usually *tener de* (for the modern *tener que*). "To speak of" is usually *hablar en* (for the modern *hablar de*). The preposition is usually omitted from the phrase *echar de menos*: *le eché menos*, "I missed him." *A* or *de* with the infinitive forms a conditional phrase: *a creerlo, te ayudaría,* "if I believed it, I would help you." While *al* with the infinitive was used (as in *al cerrar la puerta*, "upon closing the door"), *en* with the gerund was a common substitute: *en descansando*, "after resting," *En llegando Fernando, se salvará la ciudad,* "When Fernando arrives. . . ."

Apocopation was more arbitrary than it is today. *Primero, postrero, bueno*, etc. might be placed unmodified before masculine singular nouns (and *grande* before singular nouns of either gender). On the other hand, apocopation may occur before feminine nouns: *la primer salva, en buen hora.* Contractions with *de* are common: *desto* for *de esto, dese* for *de ese, dél* for *de él.*

Feminine nouns beginning with tonic *a* sometimes take the definite article *la: la hambre, la agua.* Conversely, feminine nouns beginning with unstressed *a* may take the article *el: el amistad, el aurora.* Genders were less stable than today, especially of nouns ending in *-or: la color* as well as *el color* (*la fantasma* and *el fantasma*). *Mi dueño*, though masculine, commonly means "my mistress" in accordance with the courtly love tradition (cf. Provençal *midons*, from *meus dominus*, "my lady"). *Guarda*, referring to a man, is often grammatically feminine. Abstract nouns used in the plural normally are concretized into particular acts: *la arrogancia*, "arrogance," but *sus arrogancias*, "his arrogant deeds." The singular is often used for the plural with adjectives of quantity: *tanto navío*, "so many ships," *mucho religioso*, "many monks." To complicate still further the problem of hyperbaton, a series of singular subjects, especially if related in meaning, may govern a singular verb: *La lealtad y el honor es....*

Questions are sometimes introduced with interrogative words that seem strange today. *¿Qué?* or *¿Cómo?* may replace *¿Por qué?* to ask for a reason. *¿Cómo?*, followed by an infinitive, is best translated "What do you mean": *¿Cómo saltar?*, "What do you mean, 'jump'?" Questions beginning with *¿Si?* may be rendered "I wonder if": *¿Si viene?*, "I wonder if he is coming." As in modern Spanish, *¿Dónde?* may replace *¿Adónde?*: *¿Dónde vas?* But *¿Adónde?* may also be used for *¿Dónde?*: *¿Adónde está?* The singular *¿Quién?* is often used in plural references: *¿Quién son esas damas?* Similarly as a relative pronoun: *Las damas, quien me trataron con cariño....* And the relative *quien* may refer to an antecedent which is not a person: *El caballo, quien....*

Clauses in the subjunctive introduced with *porque* are often final rather than causal: *porque no me viese*, "so that he would not see me."

Unless it is a relative pronoun, *que* at the beginning of a sentence or a clause in the indicative often has a slight causal sense. It may be translated "for" or omitted altogether: *Que de noche le mataron,* "For it was at night that they killed him" or "They killed him at night." Sometimes, however, the initial *Que* expresses mild wonderment: *Que fuera él,* "To think that it was he"; *Que ella salió con él,* "Just imagine, she went out with him." In exclamations *quién* with the imperfect subjunctive is the equivalent of *ojalá*: *¡ Quién estuviera libre!,* "Would I were free!" If a sentence begins with *A que,* a form of the verb *apostar* should be understood to precede it: *A que no es verdad,* "I'll bet it isn't true." As in modern Spanish, *en mi vida* before a verb is negative: *En mi vida vi tal cosa,* "Never in my life have I seen such a thing." *De* plus an adjective is causal: *de tan turbado,* "because I am (he is, etc.) so disturbed."

Finally, it should be remembered that the accusative *a* (personal *a*) is often inserted or omitted in ways quite different from those which pertain in modern Spanish.

Note: The indication Covarrubias refers to Sebastián de Covarrubias, *Tesoro de la lengua castellana o española según la impresión de 1611, con las adiciones de Benito Remigio Noydens publicadas en la de 1674,* ed. Martín de Riquer (Barcelona, 1943). Acad. refers to the *Diccionario manual e ilustrado de la lengua española,* ed. Real Academia Española (Madrid, 1950).

LOPE DE VEGA

El perro del hortelano

INTRODUCTION

The title refers to a common proverb: "el perro del hortelano ni come las berzas, ni las deja comer a otro." The English equivalent is the churlish "dog in the manger," who, unwilling or unable to eat his food, prevents any other dog from eating it either. In this comedy Diana is the dog: during most of the action she both refuses to accept Teodoro's hand in marriage and denies her servant Marcela the right to his affection. There is a social difficulty. Diana is a high-born countess; Teodoro and Marcela, employees in her household, have a much lower station in life. Diana, although she loves Teodoro, cannot admit her love publicly or think of marrying him. To do so would make her look ridiculous in the eyes of her social equals and — more seriously — would prejudice the good name of her noble house. In such situations comedy requires acceptance of the belief that "love will find a way." Amor or Cupid was indeed credited in much Renaissance literature with the phenomenal power to erase social differences. The late fifteenth-century dramatist Juan del Encina wrote several plays exemplifying this belief. The traditional short titles of two of them plainly make the point: *El escudero que se tornó pastor* and *Los pastores que se tornaron palaciegos.* The pastoral myth indeed was predicated on the assumption that all men were equal in the sight of nature and that social barriers cease to exist for those who go to live in the country. Lope de Vega may well have continued holding fast to this belief in the redemptive power of love — even amidst the urban complexities of the seventeenth century. His biography is an illustration of his readiness to abandon all conventions for the sake of love. But the city is not the country. If a lover means to continue living in the city, social obstacles cannot be overcome by natural means. Artificial means must be sought. The lover must have recourse to art.

Teodoro indeed wins Diana by means of an artificial, even an artistic, solution. His servant Tristán — in Spain even secretaries have servants! — devises a ruse, an *engaño,* whereby the rich Ludovico may be persuaded that Teodoro is his long-lost son. The circumstances are right for a rigged recognition scene. Ludovico accepts the secretary as his son, thereby conferring wealth and status on him. Teodoro can, and does, marry Diana without giving offense to the socially conscious city of Naples. But it may be that by this deceit Nature triumphs over Art. For we cannot be sure at the end that

Teodoro is not in fact the son whom Ludovico lost so many years before. The ending is shrouded in a mysterious ambiguity: the falsehood may still be a lie, or it may have been converted into truth.

The problem of the impact of fiction on truth and of truth on fiction was in the air in the early years of the seventeenth century. Don Quixote transformed fiction into reality. His author Cervantes, striving to blur the distinction between history and story, created out of the frankly incredible romances of chivalry the modern genre of the novel, which achieves its effects by persuading the reader to accept as true events and characters that are simply imagined. Tristán thus writes the novel of Teodoro's life, and inveigles a whole city into accepting it as true. The countess, presented as a historical being even though she is a product of Lope's imagination, marries the fictional Teodoro whom Tristán has invented. Fiction enclosed within fiction makes its appeal to our credulity. As spectators or readers we are being willingly duped.

This artistic problem, rather than some anachronistic theory of social equality, is what makes *El perro del hortelano* an interesting play. Yet, if we are critical, we recognize the play for what it is: an artificial construction built around lives that could never have been lived. The *comedia de capa y espada* — the genre of the Golden Age comedy to which the play belongs — is often called "realistic." It is no such thing. Countesses were never like Diana, and the real Naples was never like Lope's Naples. The poet presents an imagined world in which it is possible to imagine how human beings might act if they were reduced to nothing but their essential selves, if the consequences of their acts existed only in their imagination. The result is a gross oversimplification of human life, deprived of its existential circumstance. It is above all an amusing reduction to absurdity, designed to make one laugh. But the artistic world in which the marionnettes gesticulate has much in common with the world we will see reflected in the serious plays of the period: it is confusing, deceptive, illusory because it is set in time, not in eternity. There is a lesson for man to learn in comedy, just as there is in high seriousness.

SUGGESTED READING:

EUGÈNE KOHLER, "Introduction" to Lope de Vega, *Comedia del Perro del hortelano* (Paris, 1951).

R. D. F. PRING-MILL, "Introduction" to Lope de Vega, *Five Plays*, tr. Jill Booty (New York, 1961), pp. xxvi–xxviii.

ROY O. JONES, "*El perro del hortelano* y la visión de Lope," *Filología*, X (1964), 135–142.

BRUCE W. WARDROPPER, "Comic Illusion: Lope de Vega's *El perro del hortelano*," *Kentucky Romance Quarterly*, XIV (1967), 101–111.

El perro del hortelano

PERSONAS

DIANA, *condesa de Belflor.*
TEODORO, *su secretario.*
ANARDA, MARCELA, DOROTEA, *de su cámara.*
OTAVIO, *su mayordomo.*
FABIO, *su gentilhombre.*
EL CONDE FEDERICO.
EL CONDE LUDOVICO.
RICARDO, *marqués.*
TRISTÁN, *lacayo.*
LEONIDO, *criado.*
ANTONELO, *lacayo.*
FURIO.
LIRANO.
CELIO, *criado.*
CAMILO.
UN PAJE.

La escena es en Nápoles.

ACTO PRIMERO

Sala en el palacio de la condesa

Salen TEODORO *y* TRISTÁN; *vienen huyendo.*

TEODORO. Huye, Tristán, por aquí.
TRISTÁN. Notable desdicha ha sido.
TEODORO. ¿Si nos habrá conocido?
TRISTÁN. No sé; presumo que sí. *Vanse.*

Sale DIANA.

DIANA. ¡Ah gentilhombre!, esperad. 5
Teneos, oíd: ¿qué digo?
¿Esto se ha de usar conmigo?
Volved, mirad, escuchad.
¡Hola! ¿No hay aquí un criado?
¡Hola! ¿No hay un hombre aquí? 10
Pues no es sombra lo que vi,

ni sueño que me ha burlado.
¡Hola! ¿Todos duermen ya?

Sale FABIO.

FABIO. ¿Llama vuestra señoría?
DIANA. Para la cólera mía 15
gusto esa flema me da.
Corred, necio, enhoramala,
pues merecéis este nombre,
y mirad quién es un hombre
que salió de aquesta sala. 20
FABIO. ¿Desta sala?
DIANA. Caminad,
y responded con los pies.
FABIO. Voy tras él.
DIANA. Sabed quién es.
FABIO. ¡Hay tal traición, tal maldad! *Vase.*

Sale OTAVIO.

OTAVIO. Aunque su voz escuchaba, 25
a tal hora no creía
que era vuestra señoría
quien tan aprisa llamaba.
DIANA. ¡Muy lindo Santelmo hacéis!
¡Bien temprano os acostáis! 30
¡Con la flema que llegáis!
¡Qué despacio que os movéis!
Andan hombres en mi casa
a tal hora, y aún los siento
casi en mi propio aposento 35
(que no sé yo dónde pasa
tan grande insolencia, Otavio);
y vos, muy a lo escudero,
cuando yo me desespero,
¿ansí remediáis mi agravio? 40
OTAVIO. Aunque su voz escuchaba,
a tal hora no creía
que era vuestra señoría
quien tan aprisa llamaba.
DIANA. Volveos; que no soy yo: 45
acostaos; que os hará mal.

OTAVIO. Señora...

Sale FABIO.

FABIO. No he visto tal.
Como un gavilán partió.
DIANA. ¿Viste las señas?
FABIO. ¿Qué señas?
DIANA. ¿Una capa no llevaba 50
con oro?
FABIO. Cuando bajaba
la escalera...
DIANA. ¡Hermosas dueñas
sois los hombres de mi casa!
FABIO. A la lámpara tiró
el sombrero y la mató. 55
Con esto los patios pasa,
y en lo escuro del portal
saca la espada y camina.
DIANA. Vos sois muy lindo gallina.
FABIO. ¿Qué querías?
DIANA. ¡Pesia tal! 60
Cerrar con él y matalle.
OTAVIO. Si era hombre de valor,
¿fuera bien echar tu honor
desde el portal a la calle?
DIANA. ¡De valor aquí! ¿Por qué? 65
OTAVIO. ¿Nadie en Nápoles te quiere,
que mientras casarse espere,
por donde puede te ve?
¿No hay mil señores que están,
para casarse contigo, 70
ciegos de amor? Pues bien digo,
si tú le viste galán,
y Fabio tirar bajando
a la lámpara el sombrero.
DIANA. Sin duda fue caballero 75
que, amando y solicitando,
vencerá con interés
mis criados; que criados
tengo, Otavio, tan honrados.
Pero yo sabré quién es. 80

Plumas llevaba el sombrero,
y en la escalera ha de estar.
(*A Fabio.*) Ve por él.

FABIO. ¿Si le he de hallar?

DIANA. Pues claro está, majadero;
que no había de bajarse 85
por él cuando huyendo fue.

FABIO. Luz, señora, llevaré. *Vase.*

DIANA. Si ello viene a averiguarse,
no me ha de quedar culpado
en casa.

OTAVIO. Muy bien harás; 90
pues cuando segura estás,
te han puesto en este cuidado.
Pero aunque es bachillería,
y más estando enojada,
hablarte en lo que te enfada, 95
esta tu injusta porfía
de no te querer casar
causa tantos desatinos,
solicitando caminos
que te obligasen a amar. 100

DIANA. ¿Sabéis vos alguna cosa?

OTAVIO. Yo, señora, no sé más
de que en opinión estás
de incansable cuanto hermosa.
El condado de Belflor 105
pone a muchos en cuidado.

Sale FABIO.

FABIO. Con el sombrero he topado;
mas no puede ser peor.

DIANA. Muestra. ¿Qué es esto?

FABIO. No sé.
Éste aquel galán tiró. 110

DIANA. ¿Éste?

OTAVIO. No le he visto yo
más sucio.

FABIO. Pues éste fue.

DIANA. ¿Éste hallaste?

FABIO. Pues ¿yo había
de engañarte?
OTAVIO. ¡Buenas son
las plumas!
FABIO. Él es ladrón. 115
OTAVIO. Sin duda a robar venía.
DIANA. Haréisme perder el seso.
FABIO. Este sombrero tiró.
DIANA. Pues las plumas que vi yo,
y tantas, que aun era exceso, 120
¿en esto se resolvieron?
FABIO. Como en la lámpara dio,
sin duda se las quemó,
y como estopas ardieron.
Ícaro ¿al sol no subía, 125
y abrasándose las plumas,
cayó en las blancas espumas
del mar? Pues esto sería.
El sol la lámpara fue,
Ícaro el sombrero; y luego 130
las plumas deshizo el fuego,
y en la escalera le hallé.
DIANA. No estoy para burlas, Fabio.
Hay aquí mucho que hacer.
OTAVIO. Tiempo habrá para saber 135
la verdad.
DIANA. ¿Qué tiempo, Otavio?
OTAVIO. Duerme agora; que mañana
lo puedes averiguar.
DIANA. No me tengo de acostar,
no, por vida de Diana, 140
hasta saber lo que ha sido.
Llama esas mujeres todas. *Vase* FABIO.
OTAVIO. Muy bien la noche acomodas.
DIANA. Del sueño, Otavio, me olvido
con el cuidado de ver 145
un hombre dentro en mi casa.
OTAVIO. Saber después lo que pasa
fuera discreción, y hacer
secreta averiguación.

DIANA. Sois, Otavio, muy discreto; 150
que dormir sobre un secreto
es notable discreción.

Salen FABIO, MARCELA, DOROTEA, ANARDA.

FABIO. Las que importan he traído;
que las demás no sabrán
lo que deseas, y están 155
rindiendo al sueño el sentido.
Las de tu cámara solas
estaban por acostar.

ANARDA. (*Ap.*) (De noche se altera el mar,
y se enfurecen las olas.) 160

FABIO. ¿Quieres quedar sola?

DIANA. Sí.
Salíos los dos allá.

FABIO. (*Ap. a Otavio.*) (¡Bravo examen!

OTAVIO. Loca está.

FABIO. Y sospechosa de mí.) *Vanse* OTAVIO *y* FABIO.

DIANA. Llégate aquí, Dorotea. 165

DOROTEA. ¿Qué manda vuseñoría?

DIANA. Que me dijeses querría
quién esta calle pasea.

DOROTEA. Señora, el marqués Ricardo,
y algunas veces el conde 170
Paris.

DIANA. La verdad responde
de lo que decirte aguardo,
si quieres tener remedio.

DOROTEA. ¿Qué te puedo yo negar?

DIANA. ¿Con quién los has visto hablar? 175

DOROTEA. Si me pusieses en medio
de mil llamas, no podré
decir que, fuera de ti,
hablar con nadie los vi
que en aquesta casa esté. 180

DIANA. ¿No te han dado algún papel?
¿Ningún paje ha entrado aquí?

DOROTEA. Jamás.

DIANA. Apártate allí.

MARCELA. (*Ap. a Anarda.*) (¡Brava inquisición!
ANARDA. Cruel.)
DIANA. Oye, Anarda.
ANARDA. ¿Qué me mandas? 185
DIANA. ¿Qué hombre es este que salió?
ANARDA. ¿Hombre?
DIANA. Desta sala; y yo
sé los pasos en que andas.
¿Quién le trajo a que me viese?
¿Con quién habla de vosotras? 190
ANARDA. No creas tú que en nosotras
tal atrevimiento hubiese.
¡Hombre, para verte a ti,
había de osar traer
criada tuya, ni hacer 195
esa traición contra ti!
No, señora, no lo entiendes.
DIANA. Espera, apártate más;
porque a sospechar me das,
si engañarme no pretendes, 200
que por alguna criada
este hombre ha entrado aquí.
ANARDA. El verte, señora, ansí,
y justamente enojada,
dejada toda cautela, 205
me obliga a decir verdad,
aunque contra la amistad
que profeso con Marcela.
Ella tiene a un hombre amor,
y él se le tiene también; 210
mas nunca he sabido quién.
DIANA. Negarlo, Anarda, es error.
Ya que confiesas lo más,
¿para qué niegas lo menos?
ANARDA. Para secretos ajenos 215
mucho tormento me das,
sabiendo que soy mujer;
mas basta que hayas sabido
que por Marcela ha venido.
Bien te puedes recoger; 220

que es sólo conversación,
y ha poco que se comienza.

DIANA. ¡Hay tan cruel desvergüenza!
¡Buena andará la opinión
de una mujer por casar! 225
¡Por el siglo, infame gente,
del conde mi señor!...

ANARDA. Tente,
y déjame disculpar;
que no es de fuera de casa
el hombre que habla con ella, 230
ni para venir a vella
por esos peligros pasa.

DIANA. En efeto, ¿es mi criado?

ANARDA. Sí, señora.

DIANA. ¿Quién?

ANARDA. Teodoro.

DIANA. ¿El secretario?

ANARDA. Yo ignoro 235
lo demás; sé que han hablado.

DIANA. Retírate, Anarda, allí.

ANARDA. Muestra aquí tu entendimiento.

DIANA. (*Ap.* Con más templanza me siento,
sabiendo que no es por mí.) 240
Marcela...

MARCELA. Señora...

DIANA. Escucha.

MARCELA. ¿Qué mandas? (*Ap.* Temblando llego.)

DIANA. ¿Eres tú de quien fiaba
mi honor y mis pensamientos?

MARCELA. Pues ¿qué te han dicho de mí, 245
sabiendo tú que profeso
la lealtad que tú mereces?

DIANA. ¿Tú, lealtad?

MARCELA. ¿En qué te ofendo?

DIANA. ¿No es ofensa que en mi casa,
y dentro de mi aposento, 250
entre un hombre a hablar contigo?

MARCELA. Está Teodoro tan necio
que donde quiera me dice

dos docenas de requiebros.
DIANA. ¿Dos docenas? ¡Bueno a fe! 255
Bendiga el buen año el cielo,
pues se venden por docenas.
MARCELA. Quiero decir que, en saliendo
o entrando, luego a la boca
traslada sus pensamientos. 260
DIANA. ¿Traslada? Término extraño.
¿Y qué te dice?
MARCELA. No creo
que se me acuerde.
DIANA. Sí hará.
MARCELA. Una vez dice: "Yo pierdo
el alma por esos ojos." 265
Otra: "Yo vivo por ellos;
esta noche no he dormido,
desvelando mis deseos
en tu hermosura." Otra vez
me pide sólo un cabello 270
para atarlos, porque estén
en su pensamiento quedos.
Mas ¿para qué me preguntas
niñerías?
DIANA. Tú a lo menos
bien te huelgas.
MARCELA. No me pesa; 275
porque de Teodoro entiendo
que estos amores dirige
a fin tan justo y honesto,
como el casarse conmigo.
DIANA. Es el fin del casamiento 280
honesto blanco de amor.
¿Quieres que yo trate desto?
MARCELA. ¡Qué mayor bien para mí!
Pues ya, señora, que veo
tanta blandura en tu enojo 285
y tal nobleza en tu pecho,
te aseguro que le adoro,
porque es el mozo más cuerdo,
más prudente y entendido,

	más amoroso y discreto,	290
	que tiene aquesta ciudad.	
DIANA.	Ya sé yo su entendimiento	
	del oficio en que me sirve.	
MARCELA.	Es diferente el sujeto	
	de una carta, en que les pruebas	295
	a dos títulos tu deudo,	
	de verle hablar más de cerca,	
	en estilo dulce y tierno,	
	razones enamoradas.	
DIANA.	Marcela, aunque me resuelvo	300
	a que os caséis, cuando sea	
	para ejecutarlo tiempo,	
	no puedo dejar de ser	
	quien soy, como ves que debo	
	a mi generoso nombre;	305
	porque no fuera bien hecho	
	daros lugar en mi casa.	
	(*Ap.* Sustentar mi enojo quiero.)	
	Pues ya que todos lo saben,	
	tú podrás con más secreto	310
	proseguir ese tu amor;	
	que en la ocasión yo me ofrezco	
	a ayudaros a los dos;	
	que Teodoro es hombre cuerdo,	
	y se ha criado en mi casa;	315
	y a ti, Marcela, te tengo	
	la obligación que tú sabes,	
	y no poco parentesco.	
MARCELA.	A tus pies tienes tu hechura.	
DIANA.	Vete.	
MARCELA.	Mil veces los beso.	320
DIANA.	Dejadme sola.	
ANARDA.	(*Ap. a Marcela.*) (¿Qué ha sido?	
MARCELA.	Enojos en mi provecho.	
DOROTEA.	¿Sabe tus secretos ya?	
MARCELA.	Sí sabe, y que son honestos.)	

MARCELA, DOROTEA *y* ANARDA *hacen tres reverencias a la condesa, y se van.*

DIANA.	Mil veces he advertido en la belleza,	325

gracia y entendimiento de Teodoro,
que a no ser desigual a mi decoro,
estimara su ingenio y gentileza.
Es el amor común naturaleza;
mas yo tengo mi honor por más tesoro, 330
que los respetos de quien soy adoro,
y aun el pensarlo tengo por bajeza.
La envidia bien sé yo que ha de quedarme;
que si la suelen dar bienes ajenos,
bien tengo de que pueda lamentarme, 335
porque quisiera yo que, por lo menos,
Teodoro fuera más, para igualarme,
o yo, para igualarle, fuera menos. *Vase.*

Salen TEODORO, TRISTÁN

TEODORO. No he podido sosegar.
TRISTÁN. Y aun es con mucha razón; 340
que ha de ser tu perdición
si lo llega a averiguar.
Díjete que la dejaras
acostar, y no quisiste.
TEODORO. Nunca el amor se resiste. 345
TRISTÁN. Tiras, pero no reparas.
TEODORO. Los diestros lo hacen ansí.
TRISTÁN. Bien sé yo que si lo fueras,
el peligro conocieras.
TEODORO. ¿Si me conoció?
TRISTÁN. No y sí; 350
que no conoció quién eras,
y sospecha le quedó.
TEODORO. Cuando Fabio me siguió
bajando las escaleras,
fue milagro no matalle. 355
TRISTÁN. ¡Qué lindamente tiré
mi sombrero a la luz!
TEODORO. Fue
detenelle y deslumbralle,
porque si adelante pasa,
no le dejara pasar. 360
TRISTÁN. Dije a la luz al bajar:

"Di que no somos de casa";
y respondióme: "Mentís."
Alcé y tiréle el sombrero;
¿quedé agraviado?

TEODORO. Hoy espero 365
mi muerte.

TRISTÁN. Siempre decís
esas cosas los amantes
cuando menos pena os dan.

TEODORO. Pues ¿qué puedo hacer, Tristán,
en peligros semejantes? 370

TRISTÁN. Dejar de amar a Marcela,
pues la condesa es mujer
que si lo llega a saber,
no te ha de valer cautela
para no perder su casa. 375

TEODORO. Y ¿no hay más sino olvidar?

TRISTÁN. Liciones te quiero dar
de cómo el amor se pasa.

TEODORO. ¿Ya comienzas desatinos?

TRISTÁN. Con arte se vence todo: 380
oye, por tu vida, el modo
por tan fáciles caminos.
Primeramente has de hacer
resolución de olvidar,
sin pensar que has de tornar 385
eternamente a querer;
que si te queda esperanza
de volver, no habrá remedio
de olvidar; que si está en medio
la esperanza, no hay mudanza. 390
¿Por qué piensas que no olvida
luego un hombre a una mujer?
Porque, pensando volver,
va entreteniendo la vida.
Ha de haber resolución 395
dentro del entendimiento,
con que cesa el movimiento
de aquella imaginación.
¿No has visto faltar la cuerda

de un reloj, y estarse quedas 400
sin movimiento las ruedas?
Pues desa suerte se acuerda
el que tienen las potencias,
cuando la esperanza falta.

TEODORO. Y la memoria, ¿no salta 405
luego a hacer mil diligencias,
despertando el sentimiento
a que del bien no se prive?

TRISTÁN. Es enemigo que vive
asido al entendimiento, 410
como dijo la canción
de aquel español poeta;
mas por eso es linda treta
vencer la imaginación.

TEODORO. ¿Cómo?

TRISTÁN. Pensando defetos, 415
y no gracias; que olvidando,
defetos están pensando,
que no gracias, los discretos.
No la imagines vestida
con tan linda proporción 420
de cintura, en el balcón
de unos chapines subida.
Toda es vana arquitectura;
porque dijo un sabio un día
que a los sastres se debía 425
la mitad de la hermosura.
Como se ha de imaginar
una mujer semejante,
es como un disciplinante
que le llevan a curar. 430
Esto sí; que no adornada
del costoso faldellín.
Pensar defetos, en fin,
es medecina aprobada.
Si de acordarte que vías 435
alguna vez una cosa
que te pareció asquerosa,
no comes en treinta días;

acordándote, señor,
de los defetos que tiene, 440
si a la memoria te viene,
se te quitará el amor.

TEODORO. ¡Qué grosero cirujano!
¡Qué rústica curación!
Los remedios al fin son 445
como de tu tosca mano.
Médico impírico eres;
no has estudiado, Tristán.
Yo no imagino que están
desa suerte las mujeres, 450
sino todas cristalinas,
como un vidrio transparentes.

TRISTÁN. ¡Vidrio! Sí, muy bien lo sientes,
si a verlas quebrar caminas;
mas si no piensas pensar 455
defetos, pensarte puedo,
porque ye he perdido el miedo
de que podrás olvidar.
Pardiez, yo quise una vez,
con esta cara que miras, 460
a una alforja de mentiras,
años cinco veces diez;
y entre otros dos mil defetos,
cierta barriga tenía,
que encerrar dentro podía, 465
sin otros mil parapetos,
cuantos legajos de pliegos
algún escritorio apoya,
pues como el caballo en Troya
pudiera meter cien griegos. 470
¿No has oído que tenía
cierto lugar un nogal,
que en el tronco un oficial
con mujer y hijos cabía,
y aun no era la casa escasa? 475
Pues desa misma manera,
en esta panza cupiera
un tejedor y su casa.

Y queriéndola olvidar
(que debió de convenirme), 480
dio la memoria en decirme
que pensase en blanco azar,
en azucena y jazmín,
en marfil, en plata, en nieve,
y en la cortina, que debe 485
de llamarse el faldellín,
con que yo me deshacía.
Mas tomé más cuerdo acuerdo,
y di en pensar, como cuerdo,
lo que más le parecía; 490
cestos de calabazones,
baúles viejos, maletas
de cartas para estafetas,
almofrejes y jergones;
con que se trocó en desdén 495
el amor y la esperanza,
y olvidé la dicha panza
por siempre jamás amén;
que era tal, que en los dobleces
(y no es mucho encarecer) 500
se pudieran esconder
cuatro manos de almireces.

TEODORO. En las gracias de Marcela
no hay defetos que pensar.
Yo no la pienso olvidar. 505

TRISTÁN. Pues a tu desgracia apela,
y sigue tan loca empresa.

TEODORO. Toda es gracias: ¿qué he de hacer?

TRISTÁN. Pensarlas hasta perder
la gracia de la condesa. 510

Sale DIANA.

DIANA. Teodoro...

TEODORO. (*Ap.*) (La misma es.)

DIANA. Escucha.

TEODORO. A tu hechura manda.

TRISTÁN. (*Ap.*) (Si en averiguarlo anda,
de casa volamos tres.)

DIANA. Hame dicho cierta amiga 515
que desconfía de sí
que el papel que traigo aquí
le escriba: a hacerlo me obliga
la amistad, aunque yo ignoro,
Teodoro, cosas de amor; 520
y que le escribas mejor
vengo a decirte, Teodoro.
Toma y léele.
TEODORO. Si aquí,
señora, has puesto la mano,
igualarle fuera en vano, 525
y fuera soberbia en mí.
Sin verle, pedirte quiero
que a esa señora le envíes.
DIANA. Léele.
TEODORO. Que desconfíes
me espanto: aprender espero 530
estilo que yo no sé;
que jamás traté de amor.
DIANA. ¿Jamás, jamás?
TEODORO. Con temor
de mis defetos, no amé;
que soy muy desconfiado. 535
DIANA. Y se puede conocer
de que no te dejas ver,
pues que te vas rebozado.
TEODORO. ¡Yo, señora! ¿Cuándo o cómo?
DIANA. Dijéronme que salió 540
anoche acaso, y te vio
rebozado el mayordomo.
TEODORO. Andaríamos burlando
Fabio y yo, como solemos,
que mil burlas nos hacemos. 545
DIANA. Lee, lee.
TEODORO. Estoy pensando
que tengo algún envidioso.
DIANA. Celoso podría ser.
Lee, lee.
TEODORO. Quiero ver

ese ingenio milagroso. (*Lee.*) 550
"Amar por ver amar, envidia ha sido;
y primero que amar estar celosa
es invención de amor maravillosa,
y que por imposible se ha tenido.
De los celos mi amor ha procedido 555
por pesarme que, siendo más hermosa,
no fuese en ser amada tan dichosa,
que hubiese lo que envidio merecido.
Estoy sin ocasión desconfiada,
celosa sin amor, aunque sintiendo: 560
debo de amar, pues quiero ser amada.
Ni me dejo forzar ni me defiendo;
darme quiero a entender sin decir nada:
entiéndame quien puede; yo me entiendo."

DIANA. ¿Qué dices?

TEODORO. Que si esto es 565
a propósito del dueño,
no he visto cosa mejor;
mas confieso que no entiendo
cómo puede ser que amor
venga a nacer de los celos, 570
pues que siempre fue su padre.

DIANA. Porque esta dama, sospecho
que se agradaba de ver
este galán, sin deseo;
y viéndole ya empleado 575
en otro amor, con los celos
vino a amar y a desear.
¿Puede ser?

TEODORO. Yo lo concedo;
mas ya esos celos, señora,
de algún principio nacieron, 580
y ése fue amor; que la causa
no nace de los efetos,
sino los efetos della.

DIANA. No sé, Teodoro: esto siento
desta dama, pues me dijo 585
que nunca al tal caballero
tuvo más que inclinación,

y en viéndole amar, salieron
al camino de su honor
mil salteadores deseos, 590
que le han desnudado el alma
del honesto pensamiento
con que pensaba vivir.

TEODORO. Muy lindo papel has hecho:
yo no me atrevo a igualarle. 595

DIANA. Entra y prueba.

TEODORO. No me atrevo.

DIANA. Haz esto, por vida mía.

TEODORO. Vuseñoría con esto
quiere probar mi ignorancia.

DIANA. Aquí aguardo: vuelve luego. 600

TEODORO. Yo voy. *Vase.*

DIANA. Escucha, Tristán.

TRISTÁN. A ver lo que mandas vuelvo,
con vergüenza destas calzas;
que el secretario, mi dueño,
anda salido estos días; 605
y hace mal un caballero,
sabiendo que su lacayo
le va sirviendo de espejo,
de lucero y de cortina,
en no traerle bien puesto. 610
Escalera del señor,
si va a caballo, un discreto,
nos llamó, pues a su cara
se sube por nuestros cuerpos.
No debe de poder más. 615

DIANA. ¿Juega?

TRISTÁN. ¡Pluguiera a los cielos!
Que a quien juega, nunca faltan,
desto o de aquello, dineros.
Antiguamente los reyes
algún oficio aprendieron, 620
por, si en la guerra o la mar
perdían su patria y reino,
saber con qué sustentarse:
¡dichosos los que pequeños

aprendieron a jugar! 625
Pues en faltando, es el juego
un arte noble que gana
con poca pena el sustento.
Verás un grande pintor,
acrisolando el ingenio, 630
hacer una imagen viva,
y decir el otro necio
que no vale diez escudos;
y que el que juega, en diciendo
"paro," con salir la suerte, 635
le sale a ciento por ciento.

DIANA. En fin, ¿no juega?

TRISTÁN. Es cuitado.

DIANA. A la cuenta será cierto
tener amores.

TRISTÁN. ¡Amores!
¡Oh qué donaire! Es un hielo. 640

DIANA. Pues un hombre de su talle,
galán, discreto y mancebo,
¿no tiene algunos amores
de honesto entretenimiento?

TRISTÁN. Yo trato en paja y cebada, 645
no en papeles y requiebros.
De día te sirve aquí;
que está ocupado sospecho.

DIANA. Pues ¿nunca sale de noche?

TRISTÁN. No le acompaño; que tengo 650
una cadera quebrada.

DIANA. ¿De qué, Tristán?

TRISTÁN. Bien te puedo
responder lo que responden
las malcasadas, en viendo
cardenales en su cara 655
del mojicón de los celos:
"Rodé por las escaleras."

DIANA. ¿Rodaste?

TRISTÁN. Por largo trecho.
Con las costillas conté
los pasos.

DIANA. Forzoso es eso, 660
si a la lámpara, Tristán,
le tirabas el sombrero.

TRISTÁN. (*Ap.*) (¡Oxte, puto! ¡Vive Dios,
que se sabe todo el cuento!)

DIANA. ¿No respondes?

TRISTÁN. Por pensar 665
cuándo..., pero ya me acuerdo:
Anoche andaban en casa
unos murciélagos negros;
el sombrero les tiraba,
fuese a la luz uno de ellos, 670
y acerté, por dar en él,
en la lámpara, y tan presto
por la escalera rodé,
que los dos pies se me fueron.

DIANA. Todo está muy bien pensado; 675
pero un libro de secretos
dice que es buena la sangre
para quitar el cabello
(desos murciélagos digo);
y haré yo sacarla luego, 680
si es cabello la ocasión,
para quitarla con ellos.

TRISTÁN. (*Ap.*) (¡Vive Dios, que hay chamusquina,
y que por murciegalero
me pone en una galera!) 685

DIANA. (*Ap.*) (¡Qué traigo de pensamientos!)

Sale FABIO.

FABIO. Aquí está el marqués Ricardo.

DIANA. Poned esas sillas luego.

Salen RICARDO *y* CELIO, *y vanse* FABIO *y* TRISTÁN.

RICARDO. Con el cuidado que el amor, Diana,
pone en un pecho que aquel fin desea 690
que la mayor dificultad allana,
el mismo quiere que te adore y vea:
solicito mi causa, aunque por vana
esta ambición algún contrario crea,

que dando más lugar a su esperanza, 695
tendrá menos amor que confianza.
Está vuseñoría tan hermosa,
que estar buena el mirarla me asegura;
que en la mujer (y es bien pensada cosa)
la más cierta salud es la hermosura; 700
que en estando gallarda, alegre, airosa,
es necedad, es ignorancia pura,
llegar a preguntarle si está buena,
que todo entendimiento la condena.
Sabiendo que lo estáis, como lo dice 705
la hermosura, Diana, y la alegría,
de mí, si a la razón no contradice,
saber, señora, cómo estoy querría.

DIANA. Que vuestra señoría solenice
lo que en Italia llaman gallardía 710
por hermosura, es digno pensamiento
de su buen gusto y claro entendimiento.
Que me pregunte cómo está, no creo
que soy tan dueño suyo que lo diga.

RICARDO. Quien sabe de mi amor y mi deseo 715
el fin honesto a este favor se obliga.
A vuestros deudos inclinados veo
para que en lo tratado se prosiga;
sólo falta, señora, vuestro acuerdo,
porque sin él las esperanzas pierdo. 720
Si, como soy señor de aquel estado
que con igual nobleza heredé agora,
lo fuera desde el sur más abrasado
a los primeros paños del aurora;
si el oro, de los hombres adorado, 725
las congeladas lágrimas que llora
el cielo, o los diamantes orientales
que abrieron por el mar caminos tales
tuviera yo, lo mismo os ofreciera;
y no dudéis, señora, que pasara 730
adonde el sol apenas luz me diera,
como a sólo serviros importara:
en campañas de sal pies de madera
por las remotas aguas estampara,

hasta llegar a las australes playas, 735
del humano poder últimas rayas.

DIANA. Creo, señor marqués, el amor vuestro;
y satisfecha de nobleza tanta,
haré tratar el pensamiento nuestro,
si al conde Federico no le espanta. 740

RICARDO. Bien sé que en trazas es el conde diestro,
porque en ninguna cosa me adelanta;
mas yo fío de vos que mi justicia
los ojos cegará de su malicia.

Sale TEODORO.

TEODORO. Ya lo que mandas hice.

RICARDO. Si ocupada 745
vuseñoría está, no será justo
hurtarle el tiempo.

DIANA. No importara nada,
puesto que a Roma escribo.

RICARDO. No hay disgusto
como en día de cartas dilatada
visita.

DIANA. Sois discreto.

RICARDO. En daros gusto. 750
(*Ap. a él.*) (Celio, ¿qué te parece?

CELIO. Que quisiera
que ya tu justo amor premio tuviera.)

Vanse RICARDO *y* CELIO.

DIANA. ¿Escribiste?

TEODORO. Ya escribí,
aunque bien desconfiado;
mas soy mandado y forzado. 755

DIANA. Muestra.

TEODORO. Lee.

DIANA. Dice así (*Lee*):
"Querer por ver querer envidia fuera,
si quien lo vio sin ver amar no amara,
porque si antes de ver, no amar pensara,
después no amara, puesto que amar viera. 760
Amor, que lo que agrada considera
en ajeno poder, su amor declara;

que como la color sale a la cara,
sale a la lengua lo que al alma altera.
No digo más, porque lo más ofendo 765
desde lo menos, si es que desmerezco
porque del ser dichoso me defiendo.
Esto que entiendo solamente ofrezco;
que lo que no merezco no lo entiendo,
por no dar a entender que lo merezco." 770

DIANA. Muy bien guardaste el decoro.
TEODORO. ¿Búrlaste?
DIANA. ¡Plugiera a Dios!
TEODORO. ¿Qué dices?
DIANA. Que de los dos,
el tuyo vence, Teodoro.
TEODORO. Pésame, pues no es pequeño 775
principio de aborrecer
un criado, el entender
que sabe más que su dueño.
De cierto rey se contó
que le dijo a un gran privado: 780
"Un papel me da cuidado,
y si bien le he escrito yo,
quiero ver otro de vos,
y el mejor escoger quiero."
Escribióle el caballero, 785
y fue el mejor de los dos.
Como vio que el rey decía
que era su papel mejor,
fuese, y díjole al mayor
hijo, de tres que tenía: 790
"Vámonos del reino luego;
que en gran peligro estoy yo."
El mozo le preguntó
la causa, turbado y ciego;
y respondióle: "Ha sabido 795
el rey que yo sé más que él";
— que es lo que en este papel
me puede haber sucedido.
DIANA. No, Teodoro; que aunque digo
que es el tuyo más discreto, 800

es porque sigue el conceto
de la materia que sigo;
y no para que presuma
tu pluma que, si me agrada,
pierdo el estar confiada 805
de los puntos de mi pluma.
Fuera de que soy mujer
a cualquier error sujeta,
y no sé si muy discreta,
como se me echa de ver. 810
Desde lo menos, aquí
dices que ofendes lo más;
y amando, engañado estás,
porque en amor no es ansí;
que no ofende un desigual 815
amando, pues sólo entiendo
que se ofende aborreciendo.

TEODORO. Ésa es razón natural;
mas pintaron a Faetonte
y a Ícaro despeñados, 820
uno en caballos dorados,
precipitado en un monte;
y otro, con alas de cera,
derretido en el crisol
del sol.

DIANA. No lo hiciera el sol 825
si, como es sol, mujer fuera.
Si alguna dama quisieres
alta, sírvela y confía;
que amor no es más que porfía:
no son piedras las mujeres. 830
Yo me llevo este papel;
que despacio me conviene
verle.

TEODORO. Mil errores tiene.

DIANA. No hay error ninguno en él.

TEODORO. Honras mi deseo; aquí 835
traigo el tuyo.

DIANA. Pues allá
le guarda..., aunque bien será

rasgarle.

TEODORO. ¿Rasgarle?

DIANA. Sí;

que no importa que se pierda,
si se puede perder más. *Vase.* 840

TEODORO. Fuese. ¿Quién pensó jamás
de mujer tan noble y cuerda
este arrojarse tan presto
a dar su amor a entender?
Pero también puede ser 845
que yo me engañase en esto.
Mas no me ha dicho jamás,
ni a lo menos se me acuerda:
"Pues ¿qué importa que se pierda,
si se puede perder más?" 850
Perder más, bien puede ser
por la mujer que decía...
— Mas todo es bachillería,
y ella es la misma mujer.
Aunque no; que la condesa 855
es tan discreta y tan varia,
que es la cosa más contraria
de la ambición que profesa.
Sírvenla príncipes hoy
en Nápoles, que no puedo 860
ser su esclavo. Tengo miedo,
que en grande peligro estoy.
Ella sabe que a Marcela
sirvo, pues aquí ha fundado
el engaño y me ha burlado... 865
— Pero en vano se recela
mi temor, porque jamás
burlando salen colores.
¿Y el decir con mil temores
que se puede perder más? 870
¿Qué rosa, al llorar la aurora,
hizo de las hojas ojos,
abriendo los labios rojos
con risa a ver cómo llora,
como ella los puso en mí, 875

bañada en púrpura y grana;
o qué pálida manzana
se esmaltó de carmesí?
Lo que veo y lo que escucho,
yo lo juzgo (o estoy loco) 880
para ser de veras poco,
y para de burlas mucho.
Mas teneos, pensamiento,
que os vais ya tras la grandeza,
aunque si digo belleza, 885
bien sabéis vos que no miento;
que es bellísima Diana,
y en discreción sin igual.

Sale MARCELA.

MARCELA. ¿Puedo hablarte?
TEODORO. Ocasión tal
mil imposibles allana; 890
que por ti, Marcela mía,
la muerte me es agradable.
MARCELA. Como yo te vea y hable,
dos mil vidas perdería.
Estuve esperando el día, 895
como el pajarillo solo;
y cuando vi que en el polo
que Apolo más presto dora,
le despertaba la aurora,
dije: "Yo veré mi Apolo." 900
Grandes cosas han pasado;
que no se quiso acostar
la condesa hasta dejar
satisfecho su cuidado.
Amigas que han envidiado 905
mi dicha con deslealtad,
le han contado la verdad;
que entre quien sirve, aunque veas
que hay amistad, no lo creas,
porque es fingida amistad. 910
Todo lo sabe en efeto;
que si es Diana la luna,

siempre a quien ama importuna,
salió y vio nuestro secreto.
Pero será, te prometo, 915
para mayor bien, Teodoro;
que del honesto decoro
con que tratas de casarte
le di parte, y dije aparte
cuán tiernamente te adoro. 920
Tus prendas le encarecí,
tu estilo, tu gentileza;
y ella entonces su grandeza
mostró tan piadosa en mí,
que se alegró de que en ti 925
hubiese los ojos puesto,
y de casarnos muy presto
palabra también me dio,
luego que de mí entendió
que era tu amor tan honesto. 930
Yo pensé que se enojara
y la casa revolviera,
que a los dos nos despidiera
y a los demás castigara;
mas su sangre ilustre y clara, 935
y aquel ingenio en efeto
tan prudente y tan perfeto,
conoció lo que mereces.
¡Oh, bien haya amén mil veces
quien sirve a señor discreto! 940

TEODORO. ¿Que casarme prometió
contigo?

MARCELA. Pues ¿pones duda
que a su ilustre sangre acuda?

TEODORO. (*Ap.*) (Mi ignorancia me engañó.
¡Qué necio pensaba yo 945
que hablaba en mí la condesa!
De haber pensado me pesa
que pudo tenerme amor;
que nunca tan alto azor
se humilla a tan baja presa.) 950

MARCELA. ¿Qué murmuras entre ti?

TEODORO. Marcela, conmigo habló;
pero no se declaró
en darme a entender que fui
el que embozado salí 955
anoche de su aposento.

MARCELA. Fue discreto pensamiento,
por no obligarse al castigo
de saber que hablé contigo,
si no lo es el casamiento; 960
que el castigo más piadoso
de dos que se quieren bien
es casarlos.

TEODORO. Dices bien,
y el remedio más honroso.

MARCELA. ¿Querrás tú?

TEODORO. Seré dichoso. 965

MARCELA. Confírmalo.

TEODORO. Con los brazos,
que son los rasgos y lazos,
de la pluma del amor,
pues no hay rúbrica mejor
que la que firman los brazos. 970

Sale DIANA.

DIANA. Esto se ha enmendado bien.
Agora estoy muy contenta;
que siempre a quien reprehende
da gran gusto ver la enmienda.
No os turbéis ni os alteréis. 975

TEODORO. Dije, señora, a Marcela
que anoche salí de aquí
con tanto disgusto y pena
de que vuestra señoría
imaginase en su ofensa 980
este pensamiento honesto
para casarme con ella
que me he pensado morir;
y dándome por respuesta
que mostrabas en casarnos 985
tu piedad y tu grandeza,

dile mis brazos; y advierte
que si mentirte quisiera,
no me faltara un engaño;
pero no hay cosa que venza, 990
como decir la verdad,
a una persona discreta.

DIANA. Teodoro, justo castigo
la deslealtad mereciera
de haber perdido el respeto 995
a mi casa; y la nobleza
que usé anoche con los dos
no es justo que parte sea
a que os atreváis ansí;
que en llegando a desvergüenza 1000
el amor, no hay privilegio
que al castigo le defienda.
Mientras no os casáis los dos,
mejor estará Marcela
cerrada en un aposento; 1005
que no quiero yo que os vean
juntos las demás criadas,
y que por ejemplo os tengan
para casárseme todas. —
¡Dorotea! ¡Ah Dorotea! 1010

Sale DOROTEA.

DOROTEA. Señora...

DIANA. Toma esta llave,
y en mi propia cuadra encierra
a Marcela; que estos días
podrá hacer labor en ella.
No diréis que esto es enojo. 1015

DOROTEA. (*Ap. a ella.*) (¿Qué es esto, Marcela?

MARCELA. Fuerza
de un poderoso tirano
y una rigurosa estrella.
Enciérrame por Teodoro.

DOROTEA. Cárcel aquí no la temas, 1020
y para puertas de celos
tiene amor llave maestra.)

Vanse MARCELA *y* DOROTEA.

DIANA. En fin, Teodoro, ¿tú quieres
casarte?

TEODORO. Yo no quisiera
hacer cosa sin tu gusto; 1025
y créeme, que mi ofensa
no es tanta como te han dicho;
que bien sabes que con lengua
de escorpión pintan la envidia;
y que si Ovidio supiera 1030
qué era servir, no en los campos,
no en las montañas desiertas
pintara su escura casa;
que aquí habita y aquí reina.

DIANA. Luego ¿no es verdad que quieres 1035
a Marcela?

TEODORO. Bien pudiera
vivir sin Marcela yo.

DIANA. Pues díceme que por ella
pierdes el seso.

TEODORO. Es tan poco,
que no es mucho que le pierda; 1040
mas crea vuseñoría
que, aunque Marcela merezca
esas finezas en mí,
no ha habido tantas finezas.

DIANA. Pues ¿no le has dicho requiebros 1045
tales que engañar pudieran
a mujer de más valor?

TEODORO. Las palabras poco cuestan.

DIANA. ¿Qué le has dicho, por mi vida?
¿Cómo, Teodoro, requiebran 1050
los hombres a las mujeres?

TEODORO. Como quien ama y quien ruega,
vistiendo de mil mentiras
una verdad, y ésa apenas.

DIANA. Sí; pero ¿con qué palabras? 1055

TEODORO. Extrañamente me aprieta
vuseñoría. "Esos ojos
(le dije), esas niñas bellas,

	son luz con que ven los míos;	
	y los corales y perlas	1060
	desa boca celestial..."	
DIANA.	¿Celestial?	
TEODORO.	Cosas como éstas	
	son la cartilla, señora,	
	de quien ama y quien desea.	
DIANA.	Mal gusto tienes, Teodoro.	1065
	No te espantes de que pierdas	
	hoy el crédito conmigo,	
	porque sé yo que en Marcela	
	hay más defetos que gracias,	
	como la miro más cerca.	1070
	Sin esto, porque no es limpia,	
	no tengo pocas pendencias	
	con ella... Pero no quiero	
	desenamorarte della;	1075
	que bien pudiera decirte	
	cosas... Pero aquí se quedan	
	sus gracias o sus desgracias;	
	que yo quiero que la quieras,	
	y que os caséis en buen hora.	
	Mas pues de amador te precias,	1080
	dame consejo, Teodoro,	
	(ansí a Marcela poseas)	
	para aquella amiga mía,	
	que ha días que no sosiega	
	de amores de un hombre humilde.	1085
	Porque si en quererle piensa,	
	ofende su autoridad;	
	y si de quererle deja,	
	pierde el jüicio de celos;	
	que el hombre, que no sospecha	1090
	tanto amor, anda cobarde,	
	aunque es discreto, con ella.	
TEODORO.	Yo, señora, ¿sé de amor?	
	No sé por Dios cómo pueda	
	aconsejarte.	
DIANA.	¿No quieres,	1095
	como dices, a Marcela?	

¿No le has dicho esos requiebros?
Tuvieran lenguas las puertas,
que ellas dijeran...

TEODORO. No hay cosa
que decir las puertas puedan. 1100

DIANA. Ea, que ya te sonrojas,
y lo que niega la lengua,
confiesas con las colores.

TEODORO. Si ella te lo ha dicho, es necia.
Una mano le tomé, 1105
y no me quedé con ella,
que luego se la volví;
no sé yo de qué se queja.

DIANA. Sí; pero hay manos que son
como la paz de la Iglesia, 1110
que siempre vuelven besadas.

TEODORO. Es necísima Marcela.
Es verdad que me atreví,
pero con mucha vergüenza,
a que templase la boca 1115
con nieve y con azucenas.

DIANA. ¿Con azucenas y nieve?
Huelgo de saber que tiempla
ese emplasto el corazón.
Ahora bien, ¿qué me aconsejas? 1120

TEODORO. Que si esa dama que dices
hombre tan bajo desea,
y de quererle resulta
a su honor tanta bajeza,
haga que con un engaño, 1125
sin que la conozca, pueda
gozarle.

DIANA. Queda el peligro
de presumir que lo entienda.
¿No será mejor matarle?

TEODORO. De Marco Aurelio se cuenta 1130
que dio a su mujer Faustina,
para quitarle la pena,
sangre de un esgrimidor;
pero estas romanas pruebas

son buenas entre gentiles. 1135

DIANA. Bien dices; que no hay Lucrecias;
ni Torcatos ni Virginios
en esta edad; y en aquélla
hubo Faustinas, Teodoro,
Mesalinas y Popeas. 1140
Escríbeme algún papel
que a este propósito sea,
y queda con Dios. ¡Ay Dios! (*Cae.*)
Caí. ¿Qué me miras? Llega,
dame la mano.

TEODORO. El respeto 1145
me detuvo de ofrecella.

DIANA. ¡Qué graciosa grosería!
¡Que con la capa la ofrezcas!

TEODORO. Así cuando vas a misa
te la da Otavio.

DIANA. Es aquella 1150
mano que yo no le pido,
y debe de haber setenta
años que fue mano, y viene
amortajada por muerta.
Aguardar quien ha caído 1155
a que se vista de seda,
es como ponerse un jaco
quien ve al amigo en pendencia;
que mientras baja, le han muerto.
Demás que no es bien que tenga 1160
nadie por más cortesía,
aunque melindres lo aprueban,
que una mano, si es honrada,
traiga la cara cubierta.

TEODORO. Quiero estimar la merced 1165
que me has hecho.

DIANA. Cuando seas
escudero, la darás
en el ferreruelo envuelta;
que agora eres secretario:
con que te he dicho que tengas 1170
secreta aquesta caída,

	si levantarte deseas. *Vase.*	
TEODORO.	¿Puedo creer que aquesto es verdad? Puedo,	
	si miro que es mujer Diana hermosa.	
	Pidió mi mano, y la color de rosa,	1175
	al dársela, robó del rostro el miedo.	
	Tembló, yo lo sentí: dudoso quedo.	
	¿Qué haré? Seguir mi suerte venturosa;	
	si bien, por ser la empresa tan dudosa,	
	niego al temor lo que al valor concedo.	1180
	Mas dejar a Marcela es caso injusto;	
	que las mujeres no es razón que esperen	
	de nuestra obligación tanto disgusto.	
	Pero si ellas nos dejan cuando quieren	
	por cualquiera interés o nuevo gusto,	1185
	mueran también como los hombres mueren.	

ACTO SEGUNDO

Calle, en frente de una iglesia

Salen EL CONDE FEDERICO *y* LEONIDO.

FEDERICO.	¿Aquí la viste?	
LEONIDO.	Aquí entró,	
	como el alba por un prado,	
	que a su tapete bordado	
	la primera luz le dio;	
	y según la devoción,	5
	no pienso que tardarán;	
	que conozco al capellán	
	y es más breve que es razón.	
FEDERICO.	¡Ay si la pudiese hablar!	
LEONIDO.	Siendo tú su primo, es cosa	10
	acompañarla forzosa.	
FEDERICO.	El pretenderme casar	
	ha hecho ya sospechoso	
	mi parentesco, Leonido;	
	que antes de haberla querido	15
	nunca estuve temeroso.	
	Verás que un hombre visita	

una dama libremente
por conocido o pariente,
mientras no la solicita; 20
pero en llegando a querella,
aunque de todos se guarde,
menos entra, y más cobarde,
y apenas habla con ella.
Tal me ha sucedido a mí 25
con mi prima la condesa;
tanto, que de amar me pesa,
pues lo más del bien perdí,
pues me estaba mejor vella
tan libre como solía. 30

Salen RICARDO *y* CELIO, *que se quedan lejos de* FEDERICO *y* LEONIDO.

CELIO. A pie digo que salía,
y alguna gente con ella.
RICARDO. Por estar la iglesia enfrente,
y por preciarse del talle,
ha querido honrar la calle. 35
CELIO. ¿No has visto por el oriente
salir serena mañana
el sol con mil rayos de oro,
cuando dora el blanco Toro
que pace campos de grana 40
(que así llamaba un poeta
los primeros arreboles)?
Pues tal salió con dos soles,
más hermosa y más perfeta,
la bellísima Diana, 45
la condesa de Belflor.
RICARDO. Mi amor te ha vuelto pintor
de tan serena mañana;
y hácesla sol con razón,
porque el sol en sus caminos 50
va pasando varios sinos,
que sus pretendientes son.
Mira que allí Federico
aguarda sus rayos de oro.
CELIO. ¿Cuál de los dos será el toro 55

	a quien hoy al sol aplico?	
RICARDO.	Él, por primera aflicción,	
	aunque del nombre se guarde,	
	que yo, por entrar más tarde,	
	seré el signo del león.	60
FEDERICO.	¿Es aquél Ricardo?	
LEONIDO.	Él es.	
FEDERICO.	Fuera maravilla rara	
	que deste puesto faltara.	
LEONIDO.	Gallardo viene el marqués.	
FEDERICO.	No pudieras decir más,	65
	si tú fueras el celoso.	
LEONIDO.	¿Celos tienes?	
FEDERICO.	¿No es forzoso?	
	De alabarle me los das.	
LEONIDO.	Si a nadie quiere Diana,	
	¿de qué los puedes tener?	70
FEDERICO.	De que le puede querer;	
	que es mujer.	
LEONIDO.	Sí, mas tan vana,	
	tan altiva y desdeñosa,	
	que a todos os asegura.	
FEDERICO.	Es soberbia la hermosura.	75
LEONIDO.	No hay ingratitud hermosa.	
CELIO.	Diana sale, señor.	
RICARDO.	Pues tendrá mi noche día.	
CELIO.	¿Hablarásla?	
RICARDO.	Eso querría,	
	si quiere el competidor.	80

Salen DIANA, OTAVIO, FABIO; *y detrás,* MARCELA, DOROTEA *y* ANARDA, *con mantos.*

FEDERICO.	(*A Diana.*) Aquí aguardaba con deseo de veros.	
DIANA.	Señor conde, seáis muy bien hallado.	
RICARDO.	Y yo, señora, con el mismo agora	
	a acompañaros vengo y a serviros.	
DIANA.	Señor marqués, ¿qué dicha es esta mía?	85
	¡Tanta merced!	
RICARDO.	Bien debe a mi deseo	
	vuseñoría este cuidado.	

FEDERICO. (*A su criado.*) Creo
que no soy bien mirado y admitido.
LEONIDO. Háblala; no te turbes.
FEDERICO. ¡Ay Leonido!
Quien sabe que no gustan de escuchalle, 90
¿de qué te admiras que se turbe y calle? *Vanse.*

Sala del palacio de la condesa

Sale TEODORO.

TEODORO. Nuevo pensamiento mío,
desvanecido en el viento,
que con ser mi pensamiento,
de veros volar me río, 95
parad, detened el brío,
que os detengo y os provoco;
porque si el intento es loco,
de los dos lo mismo escucho,
aunque donde el premio es mucho, 100
el atrevimiento es poco.
Y si por disculpa dais
que es infinito el que espero,
averigüemos primero,
pensamiento, en qué os fundáis. 105
Vos a quien servís amáis;
diréis que ocasión tenéis,
si a vuestros ojos creéis;
pues, pensamiento, decildes
que sobre pajas humildes 110
torres de diamante hacéis.
Si no me sucede bien,
quiero culparos a vos;
mas teniéndola los dos,
no es justo que culpa os den; 115
que podréis decir también
cuando del alma os levanto,
y de la altura me espanto
donde el amor os subió,
que el estar tan bajo yo 120
os hace a vos subir tanto.
Cuando algún hombre ofendido,

al que le ofende defiende,
que dio la ocasión se entiende:
del daño que os ha venido, 125
sed en buen hora atrevido;
que aunque los dos nos perdamos,
esta disculpa llevamos:
que vos os perdéis por mí,
y que yo tras vos me fui, 130
sin saber adónde vamos.
Id en buen hora, aunque os den
mil muertes por atrevido;
que no se llama perdido
el que se pierde tan bien. 135
Como a otros dan parabién
de lo que hallan, estoy tal,
que de perdición igual
os le doy; porque es perderse
tan bien, que puede tenerse 140
envidia del mismo mal.

Sale TRISTÁN.

TRISTÁN. Si en tantas lamentaciones
cabe un papel de Marcela,
que contigo se consuela
de sus pasadas prisiones, 145
bien te le daré sin porte,
porque a quien no ha menester
nadie le procura ver,
a la usanza de la corte.
Cuando está en alto lugar 150
un hombre (y ¡qué bien lo imitas!),
¡qué le vienen de visitas
a molestar y a enfadar!
Pero si mudó de estado,
como es la fortuna incierta, 155
todos huyen de su puerta
como si fuese apestado.
¿Parécete que lavemos
en vinagre este papel?

TEODORO. Contigo, necio, y con él 160

entrambas cosas tenemos.
Muestra; que vendrá lavado,
si en tus manos ha venido.
(*Lee.*) "A Teodoro, mi marido."
¿Marido? ¡Qué necio enfado! 165
¡Qué necia cosa!

TRISTÁN. Es muy necia.

TEODORO. Pregúntale a mi ventura
si, subida a tanta altura,
esas mariposas precia.

TRISTÁN. Léele, por vida mía, 170
aunque ya estés tan divino;
que no hace desprecio el vino
de los mosquitos que cría;
que yo sé cuando Marcela,
que llamas ya mariposa, 175
era águila caudalosa.

TEODORO. El pensamiento, que vuela
a los mismos cercos de oro
del sol, tan baja la mira,
que aun de que la ve se admira. 180

TRISTÁN. Hablas con justo decoro;
mas ¿qué haremos del papel?

TEODORO. Esto.

TRISTÁN. ¿Rasgástele?

TEODORO. Sí.

TRISTÁN. ¿Por qué, señor?

TEODORO. Porque ansí
respondí más presto a él. 185

TRISTÁN. Ése es injusto rigor.

TEODORO. Ya soy otro; no te espantes.

TRISTÁN. Basta; que sois los amantes
boticarios del amor;
que, como ellos las recetas, 190
vais ensartando papeles.
Récipe celos crueles,
agua de azules violetas.
Récipe un desdén extraño,
Sirupi del *borrajorum*, 195
con que la sangre *templorum*,

para asegurar el daño.
Récipe ausencia: tomad
un emplasto para el pecho;
que os hiciera más provecho 200
estaros en la ciudad.
Récipe de matrimonio:
allí es menester jarabes,
y tras diez días süaves
purgalle con antimonio. 205
Récipe *signum celeste,*
que *Capricornius dicetur:*
ese enfermo *morietur,*
si no es que paciencia preste.
Récipe que de una tienda 210
joya o vestido *sacabis:*
con tabletas *confortabis*
la bolsa que tal emprenda.
A esta traza, finalmente,
van todo el año ensartando. 215
Llega la paga: en pagando,
o viva o muera el doliente,
se rasga todo papel.
Tú la cuenta has acabado,
y el de Marcela has rasgado 220
sin saber lo que hay en él.

TEODORO. Ya tú debes de venir
con el vino que otras veces.

TRISTÁN. Pienso que te desvaneces
con lo que intentas subir. 225

TEODORO. Tristán, cuantos han nacido
su ventura han de tener;
no saberla conocer
es el no haberla tenido.
O morir en la porfía, 230
o ser conde de Belflor.

TRISTÁN. César llamaron, señor,
a aquel duque que traía
escrito por gran blasón:
"César o nada"; y en fin 235
tuvo tan contrario el fin,

que al fin de su pretensión
escribió una pluma airada:
"César o nada, dijiste,
y todo, César, lo fuiste, 240
pues fuiste César y nada."

TEODORO. Pues tomo, Tristán, la empresa,
y haga después la fortuna
lo que quisiere.

Salen MARCELA *y* DOROTEA, *sin reparar en* TEODORO *y* TRISTÁN.

DOROTEA. Si a alguna
de tus desdichas le pesa, 245
de todas las que servimos
a la condesa, soy yo.

MARCELA. En la prisión que me dio,
tan justa amistad hicimos,
y yo me siento obligada 250
de suerte, mi Dorotea,
que no habrá amiga que sea
más de Marcela estimada.
Anarda piensa que yo
no sé cómo quiere a Fabio. 255
Pues della nació mi agravio;
que a la condesa contó
los amores de Teodoro.

DOROTEA. Teodoro está aquí.

MARCELA. ¡Mi bien!...

TEODORO. Marcela, el paso detén. 260

MARCELA. ¿Cómo, mi bien, si te adoro,
cuando a mis ojos te ofreces?

TEODORO. Mira lo que haces y dices;
que en palacio los tapices
han hablado muchas veces. 265
¿De qué piensas que nació
hacer figuras en ellos?
De avisar que detrás dellos
siempre algún vivo escuchó.
Si un mudo viendo matar 270
a un rey, su padre, dio voces,
figuras que no conoces

pintadas sabrán hablar.

MARCELA. ¿Has leído mi papel?

TEODORO. Sin leerle le he rasgado; 275
que estoy tan escarmentado,
que rasgué mi amor con él.

MARCELA. ¿Son los pedazos aquéstos?

TEODORO. Sí, Marcela.

MARCELA. Y ya ¿mi amor
has rasgado?

TEODORO. ¿No es mejor 280
que vernos por puntos puestos
en peligros tan extraños?
Si tú de mi intento estás,
no tratemos desto más
para excusar tantos daños. 285

MARCELA. ¿Qué dices?

TEODORO. Que estoy dispuesto
a no darle más enojos
a la condesa.

MARCELA. En los ojos
tuve muchas veces puesto
el temor desta verdad. 290

TEODORO. Marcela, queda con Dios.
Aquí acaba de los dos
el amor, no el amistad.

MARCELA. ¡Tú dices eso, Teodoro,
a Marcela!

TEODORO. Yo lo digo; 295
que soy de quietud amigo,
y de guardar el decoro
a la casa que me ha dado
el ser que tengo.

MARCELA. Oye, advierte. 300

TEODORO. Déjame.

MARCELA. ¿De aquesta suerte
me tratas?

TEODORO. ¡Qué necio enfado! *Vase.*

MARCELA. ¡Ah Tristán, Tristán!

TRISTÁN. ¿Qué quieres?

MARCELA. ¿Qué es esto?

TRISTÁN. Una mudancita:
que a las mujeres imita 305
Teodoro.
MARCELA. ¿Cuáles mujeres?
TRISTÁN. Unas de azúcar y miel.
MARCELA. Dile...
TRISTÁN. No me digas nada;
que soy vaina desta espada,
nema de aqueste papel, 310
caja de aqueste sombrero,
fieltro deste caminante,
mudanza deste danzante,
día deste vario hebrero,
sombra deste cuerpo vano, 315
posta de aquesta estafeta,
rastro de aquesta cometa,
tempestad deste verano;
y finalmente, yo soy
la uña de aqueste dedo, 320
que en cortándome, no puedo
decir que con él estoy. *Vase.*
MARCELA. ¿Qué sientes desto?
DOROTEA. No sé;
que a hablar no me atrevo.
MARCELA. ¿No?
Pues yo hablaré.
DOROTEA. Pues yo no. 325
MARCELA. Pues yo sí.
DOROTEA. Mira que fue
bueno el aviso, Marcela,
de los tapices que miras.
MARCELA. Amor en celosas iras
ningún peligro recela. 330
A no saber cuán altiva
es la condesa, dijera
que Teodoro en algo espera,
porque no sin causa priva
tanto estos días Teodoro. 335
DOROTEA. Calla; que estás enojada.
MARCELA. Mas yo me veré vengada...

Ni soy tan necia, que ignoro
las tretas de hacer pesar.

Sale FABIO.

FABIO. ¿Está el secretario aquí? 340
MARCELA. ¿Es por burlarte de mí?
FABIO. Por Dios, que le ando a buscar;
que le llama mi señora.
MARCELA. Fabio, que sea o no sea,
pregúntale a Dorotea 345
cuál puse a Teodoro agora.
¿No es majadero cansado
este secretario nuestro?
FABIO. ¡Qué engaño tan necio el vuestro!
¿Querréis que esté deslumbrado 350
de lo que los dos tratáis?
¿Es concierto de los dos?
MARCELA. ¿Concierto? ¡Bueno!
FABIO. Por Dios,
que pienso que me engañáis.
MARCELA. Confieso, Fabio, que oí 355
las locuras de Teodoro;
mas yo sé que a un hombre adoro,
harto parecido a ti.
FABIO. ¿A mí?
MARCELA. Pues ¿no te pareces
a ti?
FABIO. Pues ¡a mí, Marcela! 360
MARCELA. Si te hablo con cautela,
Fabio, si no me enloqueces,
si tu talle no me agrada,
si no soy tuya, mi Fabio,
máteme el mayor agravio, 365
que es el querer despreciada.
FABIO. Es engaño conocido,
o tú te quieres morir,
pues quieres restituir
el alma que me has debido. 370
Si es burla o es invención,
¿a qué camina tu intento?

DOROTEA. Fabio, ten atrevimiento
y aprovecha la ocasión;
que hoy te ha de querer Marcela 375
por fuerza.

FABIO. Por voluntad
fuera amor, fuera verdad.

DOROTEA. Teodoro más alto vuela;
de Marcela se descarta.

FABIO. Marcela, a buscarle voy. 380
Bueno en sus desdenes soy,
si amor te convierte en carta,
el sobrescrito a Teodoro,
y en su ausencia denla a Fabio.
Mas yo perdono el agravio, 385
aunque ofenda mi decoro,
y de espacio te hablaré,
siempre tuyo en bien o en mal. *Vase.*

DOROTEA. ¿Qué has hecho?

MARCELA. No sé; estoy tal,
que de mí misma no sé. 390
Anarda ¿no quiere a Fabio?

DOROTEA. Sí quiere.

MARCELA. Pues de los dos
me vengo; que amor es dios
de la envidia y del agravio.

Salen DIANA *y* ANARDA.

DIANA. (*Ap. a Anarda.*) (Ésta ha sido la ocasión; 395
no me reprehendas más.

ANARDA. La disculpa que me das
me ha puesto en más confusión.)
Marcela está aquí, señora,
hablando con Dorotea. 400

DIANA. Pues no hay disgusto que sea
para mí mayor agora.
Salte allá fuera, Marcela.

MARCELA. Vamos, Dorotea, de aquí.
(*Ap.* Bien digo yo que de mí 405
o se enfada o se recela.)

Vanse MARCELA *y* DOROTEA.

ANARDA. ¿Puédote hablar?
DIANA. Ya bien puedes.
ANARDA. Los dos que de aquí se van
ciegos de tu amor están;
tú en desdeñarlos, excedes 410
la condición de Anajarte,
la castidad de Lucrecia;
y quien a tantos desprecia...
DIANA. Ya me canso de escucharte.
ANARDA. ¿Con quién se piensa casar? 415
¿No puede el marqués Ricardo,
por generoso y gallardo,
si no exceder, igualar
al más poderoso y rico?
Y la más noble mujer, 420
¿también no lo puede ser
de tu primo Federico?
¿Por qué los has despedido
con tan extraño desprecio?
DIANA. Porque uno es loco, otro necio, 425
y tú, en no haberme entendido,
más, Anarda, que los dos.
No los quiero, porque quiero,
y quiero porque no espero
remedio.
ANARDA. ¡Válame Dios! 430
¿Tú quieres?
DIANA. ¿No soy mujer?
ANARDA. Sí, pero imagen de hielo,
donde el mismo sol del cielo
podrá tocar y no arder.
DIANA. Pues esos hielos, Anarda, 435
dieron todos a los pies
de un hombre humilde.
ANARDA. ¿Quién es?
DIANA. La vergüenza me acobarda,
que de mi propio valor
tengo: no diré su nombre; 440
basta que sepas que es hombre
que puede infamar mi honor.

ANARDA. Si Pasife quiso un toro,
Semíramis un caballo,
y otras los monstruos que callo 445
por no infamar su decoro,
¿qué ofensa te puede hacer
querer hombre, sea quien fuere?
DIANA. Quien quiere puede, si quiere,
como quiso, aborrecer. 450
Esto es lo mejor: yo quiero
no querer.
ANARDA. ¿Podrás?
DIANA. Podré;
que si cuando quise amé,
no amar en queriendo espero. *Tocan dentro.*
¿Quién canta?
ANARDA. Fabio con Clara. 455
DIANA. ¡Ojalá que me diviertan!
ANARDA. Música y amor conciertan
bien; en la canción repara. *Cantan dentro.*

¡Oh quién pudiera hacer, oh quién hiciese
que en no queriendo amar aborreciese! 460
¡Oh quién pudiera hacer, oh quién hiciera
que en no queriendo amar aborreciera!

ANARDA. ¿Qué te dice la canción?
¿No ves que te contradice?
DIANA. Bien entiendo lo que dice; 465
mas yo sé mi condición,
y sé que estará en mi mano,
como amar, aborrecer.
ANARDA. Quien tiene tanto poder
pasa del límite humano. 470

Sale TEODORO.

TEODORO. Fabio me ha dicho, señora,
que le mandaste buscarme.
DIANA. Horas ha que te deseo.
TEODORO. Pues ya vengo a que me mandes,
y perdona si he faltado. 475
DIANA. Ya has visto a estos dos amantes...

	estos dos mis pretendientes.	
TEODORO.	Sí, señora.	
DIANA.	Buenos talles	
	tienen los dos.	
TEODORO.	Y muy buenos.	
DIANA.	No quiero determinarme	480
	sin tu consejo. ¿Con cuál	
	te parece que me case?	
TEODORO.	Pues ¿qué consejo, señora,	
	puedo yo en las cosas darte	
	que consisten en tu gusto?	485
	Cualquiera que quieras darme	
	por dueño, será el mejor.	
DIANA.	Mal pagas el estimarte	
	por consejero, Teodoro,	
	en caso tan importante.	490
TEODORO.	Señora, en casa, ¿no hay viejos	
	que entienden de casos tales?	
	Otavio, tu mayordomo,	
	con experiencia lo sabe,	
	fuera de su larga edad.	495
DIANA.	Quiero yo que a ti te agrade	
	el dueño que has de tener.	
	¿Tiene el marqués mejor talle	
	que mi primo?	
TEODORO.	Sí, señora.	
DIANA.	Pues elijo al marqués: parte,	500
	y pídele las albricias. *Vanse la condesa y* ANARDA.	
TEODORO.	¿Hay desdicha semejante?	
	¿Hay resolución tan breve?	
	¿Hay mudanza tan notable?	
	¿Estos eran los intentos	505
	que tuve? ¡Oh, sol, abrasadme	
	las alas con que subí,	
	pues vuestro rayo deshace	
	las más atrevidas plumas	
	a la belleza de un ángel!	510
	Cayó Diana en su error.	
	¡Oh, qué mal hice en fiarme	
	de una palabra amorosa!	

¡Ay! ¡Cómo entre desiguales
mal se concierta el amor! 515
Pero ¿es mucho que me engañen
aquellos ojos a mí,
si pudieran ser bastantes
a hacer engaños a Ulises?
De nadie puedo quejarme, 520
sino de mí. Pero en fin,
¿qué pierdo cuando me falte?
Haré cuenta que he tenido
algún accidente grave,
y que mientras me duró, 525
imaginé disparates.
No más; despedíos de ser,
oh pensamiento arrogante,
conde de Belflor; volved
la proa a la antigua margen; 530
queramos nuestra Marcela;
para vos Marcela baste.
Señoras busquen señores;
que amor se engendra de iguales;
y pues en aire nacistes, 535
quedad convertido en aire;
que donde méritos faltan,
los que piensan subir, caen.

Sale FABIO.

FABIO. ¿Hablaste ya con mi señora?
TEODORO. Agora,
Fabio, la hablé, y estoy con gran contento, 540
porque ya la condesa mi señora
rinde su condición al casamiento.
Los dos que viste, cada cual la adora;
mas ella, con su raro entendimiento,
al marqués escogió.
FABIO. Discreta ha sido. 545
TEODORO. Que gane las albricias me ha pedido;
mas yo, que soy tu amigo, quiero darte,
Fabio, aqueste provecho: parte presto,
y pídelas por mí.

FABIO. Si debo amarte,
muestra la obligación en que me has puesto. 550
Voy como un rayo, y volveré a buscarte,
satisfecho de ti, contento desto.
Y alábese el marqués; que ha sido empresa
de gran valor rendirse la condesa. *Vase.*

Sale TRISTÁN.

TRISTÁN. Turbado a buscarte vengo. 555
¿Es verdad lo que me han dicho?
TEODORO. ¡Ay Tristán! Verdad será,
si son desengaños míos.
TRISTÁN. Ya, Teodoro, en las dos sillas
los dos batanes he visto 560
que molieron a Diana;
pero que hubiese elegido,
hasta agora no lo sé.
TEODORO. Pues, Tristán, agora vino
ese tornasol mudable, 565
esa veleta, ese vidrio,
ese río junto al mar,
que vuelve atrás, aunque es río;
esa Diana, esa luna,
esa mujer, ese hechizo, 570
ese monstruo de mudanzas,
que sólo perderme quiso
por afrentar sus vitorias;
y que dijese me dijo
cuál de los dos me agradaba; 575
porque sin consejo mío
no se pensaba casar.
Quedé muerto, y tan perdido,
que no responder locuras
fue de mi locura indicio. 580
Díjome, en fin, que el marqués
le agradaba, y que yo mismo
fuese a pedir las albricias.
TRISTÁN. Ella, en fin, ¿tiene marido?
TEODORO. El marqués Ricardo.
TRISTÁN. Pienso 585

que, a no verte sin jüicio,
y porque dar aflicción
no es justo a los afligidos,
que agora te diera vaya
de aquel pensamiento altivo 590
con que a ser conde aspirabas.

TEODORO. Si aspiré, Tristán, ya expiro.

TRISTÁN. La culpa tienes de todo.

TEODORO. No lo niego; que yo he sido
fácil en creer los ojos 595
de una mujer.

TRISTÁN. Yo te digo
que no hay vasos de veneno
a los mortales sentidos,
Teodoro, como los ojos
de una mujer.

TEODORO. De corrido, 600
te juro, Tristán, que apenas
puedo levantar los míos.
Esto pasó, y el remedio
es sepultar en olvido
el suceso y el amor. 605

TRISTÁN. ¡Qué arrepentido y contrito
has de volver a Marcela!

TEODORO. Presto seremos amigos.

Sale MARCELA, *sin reparar en* TEODORO *y* TRISTÁN.

MARCELA. (*Para sí.*) ¡Qué mal que finge amor quien no le tiene!
¡Qué mal puede olvidarse amor de un año, 610
pues mientras más el pensamiento engaño,
más atrevido a la memoria viene!

Pero si es fuerza y al honor conviene,
remedio suele ser del desengaño
curar el propio amor amor extraño; 615
que no es poco remedio el que entretiene.

Mas ¡ay! que imaginar que puede amarse
en medio de otro amor, es atreverse
a dar mayor venganza por vengarse.

Mejor es esperar que no perderse; 620
que suelen alguna vez, pensando helarse

amor, con los remedios encenderse.

TEODORO. Marcela...

MARCELA. ¿Quién es?

TEODORO. Yo soy.

¿Así te olvidas de mí?

MARCELA. Y tan olvidada estoy, 625

que a no imaginar en ti

fuera de mí misma voy.

Porque si en mí misma fuera,

te imaginara y te viera;

que para no imaginarte, 630

tengo el alma en otra parte,

aunque olvidarte no quiera.

¿Cómo me osaste nombrar?

¿Cómo cupo en esa boca

mi nombre?

TEODORO. Quise probar 635

tu firmeza, y es tan poca,

que no me ha dado lugar.

Ya dicen que se empleó

tu cuidado en un sujeto

que mi amor sostituyó. 640

MARCELA. Nunca, Teodoro, el discreto

mujer ni vidrio probó.

Mas no me des a entender

que prueba quisiste hacer;

yo te conozco, Teodoro: 645

unos pensamientos de oro

te hicieron enloquecer.

¿Cómo te va? ¿No te salen

como tú los imaginas?

¿No te cuestan lo que valen? 650

¿No hay dichas que las divinas

partes de tu dueño igualen?

¿Qué ha sucedido? ¿Qué tienes?

Turbado, Teodoro, vienes.

¿Mudóse aquel vendaval? 655

¿Vuelves a buscar tu igual,

o te burlas y entretienes?

Confieso que me holgaría

que dieses a mi esperanza,
Teodoro, un alegre día. 660

TEODORO. Si le quieres con venganza,
¿qué mayor, Marcela mía?
Pero mira que el amor
es hijo de la nobleza;
no muestres tanto rigor; 665
que es la venganza bajeza
indigna del vencedor.
Venciste: yo vuelvo a ti,
Marcela; que no salí
con aquel mi pensamiento. 670
Perdona el atrevimiento,
si ha quedado amor en ti.
No porque no puede ser
proseguir las esperanzas
con que te pude ofender, 675
mas porque en estas mudanzas
memorias me hacen volver.
Sean, pues, estas memorias
parte a despertar la tuya,
pues confieso tus vitorias. 680

MARCELA. No quiera Dios que destruya
los principios de tus glorias.
Sirve, bien haces, porfía,
no te rindas; que dirá
tu dueño que es cobardía. 685
Sigue tu dicha; que ya
voy prosiguiendo la mía.
No es agravio amar a Fabio,
pues me dejaste, Teodoro,
sino el remedio más sabio; 690
que aunque el dueño no mejoro,
basta vengar el agravio.
Y quédate a Dios; que ya
me cansa el hablar contigo;
no venga Fabio, que está 695
medio casado conmigo.

TEODORO. Tenla, Tristán; que se va.

TRISTÁN. Señora, señora, advierte

que no es volver a quererte
dejar de haberte querido. 700
Disculpa el buscarte ha sido,
si ha sido culpa ofenderte.
Óyeme, Marcela, a mí.

MARCELA. ¿Qué quieres, Tristán?

TRISTÁN. Espera.

Salen DIANA *y* ANARDA.

DIANA. (*Ap.*) (¡Teodoro y Marcela aquí!) 705

ANARDA. (*Ap. a la condesa.*) (Parece que el ver te altera
que estos dos se hablen ansí.

DIANA. Toma, Anarda, esa antepuerta,
y cubrámonos las dos.)
(*Ap.*) (Amor con celos despierta.) 710

Ocúltanse DIANA *y* ANARDA.

MARCELA. Déjame, Tristán, por Dios.

ANARDA. (*Ap. a Diana.*) (Tristán a los dos concierta,
que deben estar reñidos.)

DIANA. (*Ap.*) (El alcahuete lacayo
me ha quitado los sentidos.) 715

TRISTÁN. No pasó más presto el rayo,
que por sus ojos y oídos
pasó la necia belleza
desa mujer que le adora.
Ya desprecia su riqueza; 720
que más riqueza atesora
tu gallarda gentileza.
Haz cuenta que fue cometa
aquel amor. Ven acá,
Teodoro.

DIANA. (*Ap.*) (¡Brava estafeta 725
es el lacayo!)

TEODORO. Si ya
Marcela, a Fabio sujeta,
dice que le tiene amor,
¿por qué me llamas, Tristán?

TRISTÁN. ¡Otro enojado!

TEODORO. Mejor 730

los dos casarse podrán.
TRISTÁN. ¿Tú también? ¡Bravo rigor!
Ea, acaba, llega, pues,
dame esa mano, y después
que se hagan las amistades. 735
TEODORO. Necio, ¿tú me persüades?
TRISTÁN. Por mí quiero que le des
la mano esta vez, señor.
TEODORO. ¿Cuándo he dicho yo a Marcela
que he tenido a nadie amor? 740
Y ella me ha dicho...
TRISTÁN. Es cautela
para vengar tu rigor.
MARCELA. No es cautela; que es verdad.
TRISTÁN. Calla, boba. — Ea, llegad.
¡Qué necios estáis los dos! 745
TEODORO. Yo rogaba; mas por Dios,
que no he de hacer amistad.
MARCELA. Pues a mí me pase un rayo.
TRISTÁN. No jures.
MARCELA. (*Ap. a Tristán.*) (Aunque le muestro
enojo, ya me desmayo. 750
TRISTÁN. Pues tente firme.)
DIANA. (*Ap.*) (¡Qué diestro
está el bellaco lacayo!)
MARCELA. Déjame, Tristán; que tengo
que hacer.
TEODORO. Déjala, Tristán.
TRISTÁN. Por mí, vaya.
TEODORO. Tenla.
MARCELA. Vengo, 755
mi amor.
TRISTÁN. ¿Cómo no se van
ya? Que a ninguno detengo.
MARCELA. ¡Ay, mi bien!, no puedo irme.
TEODORO. Ni yo, porque no es tan firme
ninguna roca en la mar. 760
MARCELA. Los brazos te quiero dar.
TEODORO. Y yo a los tuyos asirme.
TRISTÁN. Si yo no era menester,

	¿por qué me hiciste cansar?	
ANARDA.	(*Ap. a la condesa.*)	
	(¿Desto gustas?	
DIANA.	Vengo a ver	765
	lo poco que hay que fiar	
	de un hombre y una mujer.)	
TEODORO.	¡Ay! ¡Qué me has dicho de afrentas!	
TRISTÁN.	Yo he salido ya, con veros	
	juntar las almas contentas;	770
	que es desgracia de terceros	
	no se concertar las ventas.	
MARCELA.	Si te trocare, mi bien,	
	por Fabio ni por el mundo,	
	que tus agravios me den	775
	la muerte.	
TEODORO.	Hoy de nuevo fundo,	
	Marcela, mi amor también;	
	y si te olvidare, digo	
	que me dé el cielo en castigo	
	el verte en brazos de Fabio.	780
MARCELA.	¿Quieres deshacer mi agravio?	
TEODORO.	¿Qué no haré por ti y contigo?	
MARCELA.	Di que todas las mujeres	
	son feas.	
TEODORO.	Contigo, es claro.	
	Mira qué otra cosa quieres.	785
MARCELA.	En ciertos celos reparo,	
	ya que tan mi amigo eres;	
	que no importa que esté aquí	
	Tristán.	
TRISTÁN.	Bien podéis por mí,	
	aunque de mí mismo sea.	790
MARCELA.	Di que la condesa es fea.	
TEODORO.	Y un demonio para mí.	
MARCELA.	¿No es necia?	
TEODORO.	Por todo extremo.	
MARCELA.	¿No es bachillera?	
TEODORO.	Es cuitada.	
DIANA.	(*Ap. a Anarda.*)	
	(Quiero estorbarlos; que temo	795

	que no reparen en nada,	
	y aunque me hielo, me quemo.	
ANARDA.	¡Ay señora! No hagas tal.)	
TRISTÁN.	Cuando queráis decir mal	
	de la condesa y su talle,	800
	a mí me oíd.	
DIANA.	(*Ap.*) (¿Escuchalle	
	podré desvergüenza igual?)	
TRISTÁN.	Lo primero...	
DIANA.	(*Ap.*) (Yo no aguardo	
	a lo segundo; que fuera	
	necedad.)	
MARCELA.	Voyme, Teodoro.	805

Adelántanse DIANA *y* ANARDA; MARCELA *hace una reverencia a la condesa, y se va.*

TRISTÁN.	¡La condesa!	
TEODORO.	(*Ap.*) (¡La condesa!)	
DIANA.	Teodoro...	
TEODORO.	Señora, advierte...	
TRISTÁN.	(*Ap.*) (El cielo a tronar comienza:	
	no pienso aguardar los rayos.) (*Vase.*)	
DIANA.	Anarda, un bufete llega.	810
	Escribiráme Teodoro	
	una carta de su letra,	
	pero notándola yo.	
TEODORO.	(*Ap.*) (Todo el corazón me tiembla.	
	¿Si oyó lo que hablado habemos?)	815
DIANA.	(*Ap.*) (Bravamente amor despierta	
	con los celos a los ojos.	
	¡Que aquéste amase a Marcela,	
	y que yo no tenga partes	
	para que también me quiera!	820
	¡Que se burlasen de mí!)	
TEODORO.	(*Ap.*) (Ella murmura y se queja;	
	bien digo yo que en palacio,	
	para que a callar aprenda,	
	tapices tienen oídos,	825
	y paredes tienen lenguas.)	
ANARDA.	Este pequeño he traído,	

y tu escribanía.

DIANA. Llega,
Teodoro, y toma la pluma.

TEODORO. (*Ap.*) (Hoy me mata o me destierra.) 830

DIANA. Escribe.

TEODORO. Di.

DIANA. No estás bien
con la rodilla en la tierra;
ponle, Anarda, una almohada.

TEODORO. Yo estoy bien.

DIANA. Pónsela, necia.

TEODORO. (*Ap.*) (No me agrada este favor 835
sobre enojos y sospechas;
con quien honra las rodillas,
cortar quiere la cabeza.)
Yo aguardo.

DIANA. Yo digo ansí.

TEODORO. (*Ap.*) (Mil cruces hacer quisiera.) 840

Siéntase la condesa en una silla alta: ella dicta y él va escribiendo.

DIANA. "Cuando una mujer principal se ha declarado
con un hombre humilde, es lo mucho el término
de volver a hablar con otra; mas quien no estima su fortuna, quédese para necio."

TEODORO. ¿No dices más?

DIANA. Pues ¿qué más?
El papel, Teodoro, cierra.

ANARDA. (*Ap. a Diana.*) (¿Qué es esto que haces, señora?

DIANA. Necedades de amor llenas. 845

ANARDA. Pues ¿a quién tienes amor?

DIANA. ¿Aún no le conoces, bestia?
Pues yo sé que le murmuran
de mi casa hasta las piedras.)

TEODORO. Ya el papel está cerrado; 850
sólo el sobreescrito resta.

DIANA. Pon, Teodoro, para ti;
y no lo entienda Marcela;
que quizá le entenderás
cuando de espacio le leas. 855

Vanse la condesa y ANARDA.

TEODORO. ¡Hay confusión tan extraña!
¡Que aquesta mujer me quiera
con pausas, como sangría,
y que tenga intercadencias
el pulso de amor tan grandes! 860

Sale MARCELA.

MARCELA. ¿Qué te ha dicho la condesa,
mi bien?, que he estado temblando
detrás de aquella antepuerta.

TEODORO. Díjome que te quería
casar con Fabio, Marcela;
y este papel que escribí 865
es que despacha a su tierra
por los dineros del dote.

MARCELA. ¿Qué dices?

TEODORO. Sólo que sea
para bien, y pues te casas, 870
que de burlas ni de veras
tomes mi nombre en tu boca.

MARCELA. Oye.

TEODORO. Es tarde para quejas. *Vase.*

MARCELA. No, no puedo yo creer
que aquésta la ocasión sea. 875
Favores de aquesta loca
le han hecho dar esta vuelta;
que él está como arcaduz,
que cuando baja, le llena
del agua de su favor, 880
y cuando sube, le mengua.
¡Ay de mí, Teodoro ingrato,
que luego que su grandeza
te toca al arma, me olvidas!
Cuando te quiere me dejas, 885
cuando te deja me quieres.
¿Quién ha de tener paciencia?

Salen RICARDO *y* FABIO.

RICARDO. No pude, Fabio, detenerme un hora.
Por tal merced le besaré las manos.

FABIO. Dile presto, Marcela, a mi señora 890
que está el marqués aquí.
MARCELA. (*Ap.*) (Celos tiranos,
celos crueles, ¿qué queréis agora,
tras tantos locos pensamientos vamos?)
FABIO. ¿No vas?
MARCELA. Ya voy.
FABIO. Pues dile que ha venido
nuestro nuevo señor y su marido. *Vase* MARCELA. 895
RICARDO. Id, Fabio, a mi posada; que mañana
os daré mil escudos y un caballo
de la casta mejor napolitana.
FABIO. Sabré, si no servillo, celebrallo.
RICARDO. Este es principio solo; que Diana 900
os tiene por criado y por vasallo,
y yo por solo amigo.
FABIO. Esos pies beso.
RICARDO. No pago ansí; la obligación confieso.

Sale DIANA.

DIANA. ¡Vuseñoría aquí!
RICARDO. Pues ¿no era justo,
si me enviáis con Fabio tal recado, 905
y que después de aquel mortal disgusto,
me elegís por marido y por criado?
Dadme esos pies; que de manera el gusto
de ver mi amor en tan dichoso estado
me vuelve loco, que le tengo en poco, 910
si me contento con volverme loco.
¿Cuándo pensé, señora, mereceros,
ni llegar a más bien que desearos?
DIANA. No acierto, aunque lo intento, a responderos.
¡Yo he enviado a llamaros! O ¿es burlaros? 915
RICARDO. Fabio, ¿qué es esto?
FABIO. ¿Pude yo traeros
sin ocasión agora, ni llamaros,
menos que de Teodoro prevenido?
DIANA. Culpa, Ricardo, de Teodoro ha sido.
Oyóme anteponer a Federico 920
vuestra persona, como primo hermano

y caballero generoso y rico,
y presumió que os daba ya la mano.
A vuestra señoría le suplico
perdone aquestos necios.

RICARDO. Fuera en vano 925
dar a Fabio perdón, si no estuviera
adonde vuestra imagen le valiera.
Bésoos los pies por el favor, y espero
que ha de vencer mi amor esta porfía. *Vase.*

DIANA. ¿Paréceos bien aquesto, majadero? 930

FABIO. ¿Por qué me culpa a mí, vuseñoría?

DIANA. Llamad luego a Teodoro. (*Ap.* ¡Qué ligero
este cansado pretensor venía,
cuando me matan celos de Teodoro!)

FABIO. (*Ap.*) (Perdí el caballo y mil escudos de oro.) *Vase.* 935

DIANA. ¿Qué me quieres, amor? Ya, ¿no tenía
olvidado a Teodoro? ¿Qué me quieres?
Pero responderás que tú no eres,
sino tu sombra, que detrás venía.
¡Oh celos! ¿Qué no hará vuestra porfía? 940
Malos letrados sois con las mujeres,
pues jamás os pidieron pareceres
que pudiese el honor guardarse un día.
Yo quiero a un hombre bien; mas se me acuerda
que yo soy mar y que es humilde barco, 945
y que es contra razón que el mar se pierda.
En gran peligro, amor, el alma embarco;
mas si tanto el honor tira la cuerda,
por Dios, que temo que se rompa el arco.

Salen TEODORO *y* FABIO.

FABIO (*Ap. a Teodoro.*) (Pensó matarme el marqués; 950
pero, la verdad diciendo,
más sentí los mil escudos.

TEODORO. Yo quiero darte un consejo.

FABIO. ¿Cómo?

TEODORO. El conde Federico
estaba perdiendo el seso 955
porque el marqués se casaba.
Parte, y di que el casamiento

	se ha deshecho, y te dará	
	esos mil escudos luego.	
FABIO.	Voy como un rayo.	
TEODORO.	Camina.) *Vase* FABIO.	960
TEODORO.	¿Llamábasme?	
DIANA.	Bien ha hecho	
	ese necio en irse agora.	
TEODORO.	Un hora he estado leyendo	
	tu papel, y bien mirado,	
	señora, tu pensamiento,	965
	hallo que mi cobardía	
	procede de tu respeto;	
	pero que ya soy culpado	
	en tenerle, como necio,	
	a tus muchas diligencias;	970
	y así, a decir me resuelvo	
	que te quiero, y que es disculpa	
	que con respeto te quiero.	
	Temblando estoy, no te espantes.	
DIANA.	Teodoro, yo te lo creo.	975
	¿Por qué no me has de querer,	
	si soy tu señora y tengo	
	tu voluntad obligada,	
	pues te estimo y favorezco	
	más que a los otros criados?	980
TEODORO.	Ese lenguaje no entiendo.	
DIANA.	No hay más que entender, Teodoro,	
	ni pasar el pensamiento	
	un átomo desta raya.	
	Enfrena cualquier deseo;	985
	que de una mujer, Teodoro,	
	tan principal, y más siendo	
	tus méritos tan humildes,	
	basta un favor muy pequeño	
	para que toda la vida	990
	vivas honrado y contento.	
TEODORO.	Cierto que vuseñoría	
	(perdóneme si me atrevo)	
	tiene en el jüicio a veces,	
	que no en el entendimiento,	995

mil lúcidos intervalos.
¿Para qué puede ser bueno
haberme dado esperanzas
que en tal estado me han puesto,
pues del peso de mis dichas 1000
caí, como sabe, enfermo
casi un mes en una cama.
Luego ¿qué tratamos desto
si cuando ve que me enfrío
se abrasa de vivo fuego, 1005
y cuando ve que me abraso
se hiela de puro hielo?
Dejárame con Marcela.
Mas viénele bien el cuento
del perro del hortelano. 1010
No quiere, abrasada en celos,
que me case con Marcela;
y en viendo que no la quiero,
vuelve a quitarme el jüicio,
y a despertarme si duermo. 1015
Pues coma o deje comer;
porque yo no me sustento
de esperanzas tan cansadas;
que si no, desde aquí vuelvo
a querer donde me quieren. 1020

DIANA. Eso no, Teodoro: advierto
que Marcela no ha de ser.
En otro cualquier sujeto
pon los ojos; que en Marcela
no hay remedio.

TEODORO. ¿No hay remedio? 1025
Pues ¿quiere vuseñoría
que, si me quiere y la quiero,
ande a probar voluntades?
¿Tengo yo de tener puesto,
adonde no tengo gusto, 1030
mi gusto por el ajeno?
Yo adoro a Marcela, y ella
me adora, y es muy honesto
este amor.

DIANA. ¡Pícaro, infame!
Haré yo que os maten luego. 1035
TEODORO. ¿Qué hace vuseñoría?
DIANA. Daros, por sucio y grosero,
estos bofetones.

Salen FEDERICO *y* FABIO.

FABIO. (*Ap. a Federico.*) (Tente.
FEDERICO. Bien dices, Fabio; no entremos.
Pero mejor es llegar.) 1040
Señora mía, ¿qué es esto?
DIANA. No es nada: enojos que pasan
entre criados y dueños.
FEDERICO. ¿Quiere vuestra señoría
alguna cosa?
DIANA. No quiero 1045
más de hablaros en las mías.
FEDERICO. Quisiera venir a tiempo
que os hallara con más gusto.
DIANA. Gusto, Federico, tengo;
que aquéstas son niñerías. 1050
Entrad y sabréis mi intento
en lo que toca al marqués. *Vase.*
FEDERICO. (*Ap. a Fabio.*) (Fabio...
FABIO. Señor...
FEDERICO. Yo sospecho
que en estos disgustos hay
algunos gustos secretos. 1055
FABIO. No sé, por Dios. Admirado
de ver, señor conde, quedo
tratar tan mal a Teodoro;
cosa que jamás ha hecho
la condesa mi señora. 1060
FEDERICO. Bañóle de sangre el lienzo.)

Vanse FEDERICO *y* FABIO.

TEODORO. Si aquesto no es amor, ¿qué nombre quieres
amor, que tengan desatinos tales?
Si así quieren mujeres principales,
furias las llamo yo, que no mujeres. 1065
Si la grandeza excusa los placeres

que iguales pueden ser en desiguales,
¿por qué, enemiga, de crueldad te vales,
y por matar a quien adoras, mueres?
¡Oh mano poderosa de matarme! 1070
¡Quién te besara entonces, mano hermosa,
agradecido al dulce castigarme!
No te esperaba yo tan rigurosa;
pero si me castigas por tocarme,
tú sola hallaste gusto en ser celosa. 1075

Sale TRISTÁN.

TRISTÁN. Siempre tengo de venir
acabados los sucesos.
Parezco espada cobarde.
TEODORO. ¡Ay Tristán!
TRISTÁN. Señor, ¿qué es esto?
¡Sangre en el lienzo!
TEODORO. Con sangre 1080
quiere amor que de los celos
entre la letra.
TRISTÁN. Por Dios,
que han sido celos muy necios.
TEODORO. No te espantes; que está loca
de un amoroso deseo, 1085
y como el ejecutarle
tiene su honor por desprecio,
quiere deshacer mi rostro,
porque es mi rostro el espejo
adonde mira su honor, 1090
y véngase en verle feo.
TRISTÁN. Señor, que Juana o Lucía
cierren conmigo por celos,
y me rompan con las uñas
el cuello que ellas me dieron; 1095
que me repelen y arañen
sobre avieriguar por cierto
que les hice un peso falso,
vaya: es gente de pandero,
de media de cordellate 1100
y de zapato frailesco;

pero que tan gran señora
se pierda tanto el respeto
a sí misma, es vil acción.

TEODORO. No sé, Tristán; pierdo el seso 1105
de ver que me está adorando,
y que me aborrece luego.
No quiere que sea suyo
ni de Marcela; y si dejo
de mirarla, luego busca 1110
por hablarme algún enredo.
No dudes: naturalmente
es del hortelano el perro.
Ni come ni comer deja,
ni está fuera ni está dentro. 1115

TRISTÁN. Contáronme que un doctor,
catedrático y maestro,
tenía un ama y un mozo
que siempre andaban riñendo.
Reñían a la comida, 1120
a la cena, y hasta el sueño
le quitaban con sus voces;
que estudiar, no había remedio.
Estando en lición un día,
fuele forzoso corriendo 1125
volver a casa, y entrando
de improviso en su aposento,
vio el ama y mozo acostados
con amorosos requiebros,
y dijo: "¡Gracias a Dios, 1130
que una vez en paz os veo!"
Y esto imagino de entrambos,
aunque siempre andáis riñendo.

Sale DIANA.

DIANA. Teodoro...

TEODORO. Señora...

TRISTÁN. (*Ap.*) (¿Es duende
esta mujer?)

DIANA. Sólo vengo 1135
a saber cómo te hallas.

TEODORO. Ya ¿no lo ves?

DIANA. ¿Estás bueno?

TEODORO. Bueno estoy.

DIANA. ¿Y no dirás:
"A tu servicio"?

TEODORO. No puedo
estar mucho en tu servicio, 1140
siendo tal el tratamiento.

DIANA. ¡Qué poco sabes!

TEODORO. Tan poco
que te siento y no te entiendo,
pues no entiendo tus palabras,
y tus bofetones siento. 1145
Si no te quiero te enfadas,
y enójaste si te quiero;
escríbesme si me olvido,
y si me acuerdo te ofendo;
pretendes que yo te entienda, 1150
y si te entiendo soy necio.
Mátame o dame la vida;
da un medio a tantos extremos.

DIANA. ¿Hícete sangre?

TEODORO. Pues ¿no?

DIANA. ¿Adónde tienes el lienzo? 1155

TEODORO. Aquí.

DIANA. Muestra.

TEODORO. ¿Para qué?

DIANA. ¿Para qué? Esta sangre quiero.
Habla a Otavio, a quien agora
mandé que te diese luego
dos mil escudos, Teodoro. 1160

TEODORO. ¿Para qué?

DIANA. Para hacer lienzos. *Vase.*

TEODORO. ¡Hay disparates iguales!

TRISTÁN. ¿Qué encantamientos son éstos?

TEODORO. Dos mil escudos me ha dado.

TRISTÁN. Bien puedes tomar al precio 1165
otros cuatro bofetones.

TEODORO. Dice que son para lienzos,
y llevó el mío con sangre.

TRISTÁN. Pagó la sangre, y te ha hecho
doncella por las narices. 1170
TEODORO. No anda mal agora el perro,
pues después que muerde, halaga.
TRISTÁN. Todos aquestos extremos
han de parar en el ama
del doctor.
TEODORO. ¡Quiéralo el cielo! 1175

ACTO TERCERO

Calle

Salen FEDERICO, RICARDO *y* CELIO.

RICARDIO. ¿Esto vistes?
FEDERICO. Esto vi.
RICARDO. ¿Y que le dio bofetones?
FEDERICO. El servir tiene ocasiones,
mas no lo son para mí;
que al poner una mujer 5
de aquellas prendas la mano
al rostro de un hombre, es llano
que otra ocasión puede haber.
Y bien veis que lo acredita
el andar tan mejorado. 10
RICARDO. Ella es mujer y él criado.
FEDERICO. Su perdición solicita.
La fábula que pintó
el filósofo moral
de las dos ollas, ¡qué igual 15
hoy a los dos la vistió!
Era de barro la una,
la otra de cobre o hierro,
que un río a los pies de un cerro
llevó con varia fortuna. 20
Desvióse la de barro
de la de cobre, temiendo
que la quebrase: y yo entiendo

pensamiento tan bizarro
del hombre y de la mujer, 25
hierro y barro, y no me espanto,
pues acercándose tanto,
por fuerza se han de romper.

RICARDO. La altivez y bizarría
de Diana me admiró, 30
y bien puede ser que yo
viese y no viese aquel día;
mas ver caballos y pajes
en Teodoro, y tantas galas,
¿qué son sino nuevas alas? 35
Pues criados, oro y trajes
no los tuviera Teodoro
sin ocasión tan notable.

FEDERICO. Antes que desto se hable
en Nápoles, y el decoro 40
de vuestra sangre se ofenda,
sea o no sea verdad,
ha de morir.

RICARDO. Y es piedad
matarle, aunque ella lo entienda.

FEDERICO. ¿Podrá ser?

RICARDO. Bien puede ser; 45
que hay en Nápoles quien vive
de eso y en oro recibe
lo que en sangre ha de volver.
No hay más de buscar un bravo,
y que le despache luego. 50

FEDERICO. Por la brevedad os ruego.

RICARDO. Hoy tendrá su justo pago
semejante atrevimiento.

FEDERICO. (*Viendo venir a Tristán y otros tres.*)
¿Son bravos éstos?

RICARDO. Sin duda.

FEDERICO. El cielo ofendido ayuda 55
vuestro justo pensamiento.

Salen TRISTÁN, *vestido de nuevo*, FURIO, ANTONELO *y* LIRANO.

FURIO. Pagar tenéis el vino en alboroque

del famoso vestido que os han dado.
ANTONELO. Eso bien sabe el buen Tristán que es justo.
TRISTÁN. Digo, señores, que de hacerlo gusto. 60
LIRANO. Bravo salió el vestido.
TRISTÁN. Todo aquesto
es cosa de chacota y zarandajas,
respeto del lugar que tendré presto.
Si no muda los bolos la fortuna,
secretario he de ser del secretario. 65
LIRANO. Mucha merced le hace la condesa
a vuestro amo, Tristán.
TRISTÁN. Es su privanza,
es su mano derecha, y es la puerta
por donde se entra a su favor. Dejemos
favores y fortunas, y bebamos. 70
FURIO. En este tabernáculo sospecho
que hay lágrima famosa y malvasía.
TRISTÁN. Probemos vino greco; que deseo
hablar en griego, y con beberlo basta.
RICARDO. (*Ap. a Federico.*)
(Aquel moreno, del color quebrado, 75
me parece el más bravo, pues que todos
le estiman, hablan y hacen cortesía.)
Celio...
CELIO. Señor.
RICARDO. De aquellos gentileshombres
llama al descolorido.
CELIO. (*A Tristán.*) ¡Ah caballero!
Antes que se entre en esa santa ermita, 80
el marqués, mi señor, hablarle quiere.
TRISTÁN. (*A sus amigos.*)
Camaradas, allí me llama un príncipe:
no puedo rehusar el ver qué manda.
Entren, y tomen siete u ocho azumbres,
y aperciban dos dedos de formache, 85
en tanto que me informo de su gusto.
ANTONELO. Pues despachad a prisa.
TRISTÁN. Iré volando.
Vanse FURIO, ANTONELO *y* LIRANA.
¿Qué es lo que manda vuestra señoría?

RICARDO. El veros entre tanta valentía
nos ha obligado al conde Federico 90
y a mí, para saber si seréis hombre
para matar un hombre.

TRISTÁN. (*Ap.*) (¡Vive el cielo,
que son los pretendientes de mi ama,
y que hay algún enredo! Fingir quiero.)

FEDERICO. ¿No respondéis?

TRISTÁN. Estaba imaginando 95
si vuestra señoría está burlando
de nuestro modo de vivir; pues vive
el que reparte fuerzas a los hombres,
que no hay en toda Nápoles espada
que no tiemble de sólo el nombre mío. 100
¿No conocéis a Héctor? Pues no hay Héctor
adonde está mi furibundo brazo;
que si él lo fue de Troya, yo de Italia.

FEDERICO. Éste es, marqués, el hombre que buscamos.
Por vida de los dos, que no burlamos; 105
sino que si tenéis conforme al nombre
el ánimo, y queréis matar a un hombre,
que os demos el dinero que quisiéredes.

TRISTÁN. Con doscientos escudos me contento,
y sea el diablo.

RICARDO. Yo os daré trescientos, 110
y despachadle aquesta noche.

TRISTÁN. El nombre
del hombre espero y parte del dinero.

RICARDO. ¿Conocéis a Diana, la condesa
de Belflor?

TRISTÁN. Y en su casa tengo amigos.

RICARDO. ¿Mataréis un criado de su casa? 115

TRISTÁN. Mataré los criados y criadas
y los mismos frisones de su coche.

RICARDO. Pues a Teodoro habéis de dar la muerte.

TRISTÁN. Eso ha de ser, señores, de otra suerte,
porque Teodoro, como yo he sabido, 120
no sale ya de noche, temeroso
por ventura de haberos ofendido;
que le sirva estos días me ha pedido:

dejádmele servir, y yo os ofrezco
de darle alguna noche dos mojadas, 125
con que el pobrete *in pace requiescat*,
y yo quede seguro y sin sospecha.
¿Es algo lo que digo?

FEDERICO. No pudiera
hallarse en toda Nápoles un hombre
que tan seguramente le matara. 130
Servilde, pues, y así al descuido un día
pegalde, y acudid a nuestra casa.

TRISTÁN. Yo he menester agora cien escudos.

RICARDO. Cincuenta tengo en esta bolsa; luego
que yo os vea en su casa de Diana, 135
os ofrezco los ciento, y muchos cientos.

TRISTÁN. Eso de muchos cientos no me agrada.
Vayan vuseñorías en buen hora;
que me aguardan Mastranzo, Rompe-muros,
Mano de hierro, Arfuz y Espanta-diablos; 140
y no quiero que acaso piensen algo.

RICARDO. Decís muy bien: adiós.

FEDERICO. ¡Qué gran ventura!

RICARDO. A Teodoro contalde por difunto.

FEDERICO. El bellacón, ¡qué bravo talle tiene!

Vanse FEDERICO, RICARDO *y* CELIO.

TRISTÁN. Avisar a Teodoro me conviene. 145
Perdone el vino greco y los amigos.
A casa voy; que está de aquí muy lejos.
Mas éste me parece que es Teodoro.

Sale TEODORO.

TRISTÁN. Señor, ¿adónde vas?

TEODORO. Lo mismo ignoro;
porque de suerte estoy, Tristán amigo, 150
que no sé adónde voy ni quién me lleva.
Solo y sin alma, el pensamiento sigo,
que al sol me dice que la vista atreva.
¿Ves cuánto ayer Diana habló conmigo?
Pues hoy de aquel amor se halló tan nueva, 155
que apenas jurarás que me conoce,
porque Marcela de mi mal se goce.

TRISTÁN. Vuelve hacia casa; que a los dos importa
que no nos vean juntos.
TEODORO. ¿De qué suerte?
TRISTÁN. Por el camino te diré quién corta 160
los pasos dirigidos a tu muerte.
TEODORO. ¡Mi muerte! Pues ¿por qué?
TRISTÁN. La voz reporta,
y la ocasión de tu remedio advierte.
Ricardo y Federico me han hablado,
y que te dé la muerte concertado. 165
TEODORO. ¿Ellos a mí?
TRISTÁN. Por ciertos bofetones
el amor de tu dueño conjeturan,
y pensando que soy de los leones
que a tales homicidios se aventuran,
tu vida me han trocado a cien doblones, 170
y con cincuenta escudos me aseguran.
Yo dije que un amigo me pedía
que te sirviese, y que hoy te serviría,
donde más fácilmente te matase,
a efecto de guardarte desta suerte. 175
TEODORO. ¡Pluguiera a Dios que alguno me quitase
la vida, y me sacase desta muerte!
TRISTÁN. ¿Tan loco estás?
TEODORO. ¿No quieres que me abrase
por tan dulce ocasión? Tristán, advierte
que si Diana algún camino hallara 180
de disculpa, conmigo se casara.
Teme su honor, y cuando más se abrasa,
se hiela y me desprecia.
TRISTÁN. Si te diese
remedio, ¿qué dirás?
TEODORO. Que a ti se pasa
de Ulises el espíritu.
TRISTÁN. Si fuese 185
tan ingenioso, que a tu misma casa
un generoso padre te trajese,
con que fueses igual a la condesa,
¿no saldrías, señor, con esta empresa?
TEODORO. Eso es sin duda.

TRISTÁN. El conde Ludovico, 190
caballero ya viejo, habrá veinte años
que enviaba a Malta un hijo de tu nombre,
que era sobrino de su gran maestre.
Cautiváronle moros de Biserta,
y nunca supo dél, muerto ni vivo. 195
Éste ha de ser tu padre, y tú su hijo,
y yo lo he de trazar.

TEODORO. Tristán, advierte
que puedes levantar alguna cosa
que nos cueste a los dos la honra y vida. *Vanse.*

Sala del palacio de la condesa

Salen TEODORO *y* TRISTÁN.

TRISTÁN. A casa hemos llegado. A Dios te queda; 200
que tú serás marido de Diana
antes que den las doce de mañana. *Vase.*

TEODORO. Bien al contrario pienso yo dar medio
a tanto mal, pues el amor bien sabe
que no tiene enemigo que le acabe 205
con más facilidad que tierra en medio.
Tierra quiero poner, pues que remedio,
con ausentarme, amor, rigor tan grave,
pues no hay rayo tan fuerte que se alabe
que entró en la tierra, de tu ardor remedio. 210
Todos los que llegaron a este punto,
poniendo tierra en medio te olvidaron;
que en tierra al fin le resolvieron junto.
Y la razón que de olvidar hallaron
es que amor se confiesa por difunto, 215
pues que con tierra en medio le enterraron.

Sale DIANA.

DIANA. ¿Estás ya mejorado
de tus tristezas, Teodoro?

TEODORO. Si en mis tristezas adoro,
sabré estimar mi cuidado. 220
No quiero yo mejorar
de la enfermedad que tengo,

pues sólo a estar triste vengo
cuando imagino sanar.
¡Bien hayan males que son 225
tan dulces para sufrir,
que se ve un hombre morir,
y estima su perdición!
Sólo me pesa que ya
esté mi mal en estado, 230
que he de alejar mi cuidado
de donde su dueño está.

DIANA. ¡Ausentarte! Pues ¿por qué?

TEODORO. Quiérenme matar.

DIANA. Sí harán.

TEODORO. Envidia a mi mal tendrán 235
que bien al principio fue.
Con esta ocasión, te pido
licencia para irme a España.

DIANA. Será generosa hazaña
de un hombre tan entendido; 240
que con esto quitarás
la ocasión de tus enojos,
y aunque des agua a mis ojos,
honra a mi casa darás.
Que desde aquel bofetón 245
Federico me ha tratado
como celoso, y me ha dado
para dejarte ocasión.
Vete a España; que yo haré
que te den seis mil escudos. 250

TEODORO. Haré tus contrarios mudos
con mi ausencia. Dame el pie.

DIANA. Anda, Teodoro. No más.
Déjame; que soy mujer.

TEODORO. (*Ap.*) (Llora; mas ¿qué puedo hacer?) 255

DIANA. En fin, Teodoro, ¿te vas?

TEODORO. Sí, señora.

DIANA. Espera... Vete...
Oye.

TEODORO. ¿Qué mandas?

DIANA. No, nada;

vete.

TEODORO. Voyme.

DIANA. (*Ap.*) (Estoy turbada.
¿Hay tormento que inquiete 260
como una pasión de amor?)
¿No eres ido?

TEODORO. Ya, señora.
Me voy. *Vase.*

DIANA. ¡Buena quedo agora!
¡Maldígate Dios, honor!
Temeraria invención fuiste, 265
tan opuesta al propio gusto.
¿Quién te inventó? Mas fue justo,
pues que tu freno resiste
tantas cosas tan mal hechas.

Vuelve TEODORO.

TEODORO. Vuelvo a saber si hoy podré 270
partirme.

DIANA. Ni yo lo sé,
ni tú, Teodoro, sospechas
que me pesa de mirarte,
pues que te vuelves aquí.

TEODORO. Señora, vuelvo por mí, 275
que no estoy en otra parte;
y como me he de llevar,
vengo para que me des
a mí mismo.

DIANA. Si después
te has de volver a buscar, 280
no me pidas que te dé.
Pero vete; que el amor
lucha con mi noble honor,
y vienes tú a ser traspié.
Vete, Teodoro, de aquí; 285
ne te pidas, aunque puedas;
que yo sé que si te quedas,
allá me llevas a mí.

TEODORO. Quede vuestra señoría
con Dios. *Vase.*

DIANA. ¡Maldita ella sea, 290
pues me quita que yo sea
de quien el alma quería!
¡Buena quedo yo, sin quien
era luz de aquestos ojos!
Pero sientan sus enojos: 295
quien mira mal, llore bien;
ojos, pues os habéis puesto
en cosa tan desigual,
pagad el mirar tan mal;
que no soy la culpa desto; 300
mas no lloren; que también
tiempla el mal llorar los ojos;
pero sientan sus enojos:
quien mira mal, llore bien;
aunque tendrán ya pensada 305
la disculpa para todo;
que el sol los pone en el lodo,
y no se le pega nada.
Luego bien es que no den
en llorar. Cesad, mis ojos. 310
Pero sientan sus enojos:
quien mira mal, llore bien.

Sale MARCELA.

MARCELA. Si puede la confianza
de los años de servirte
humildemente pedirte 315
lo que justamente alcanza,
a la mano te ha venido
la ocasión de mi remedio,
y poniendo tierra en medio,
no verme si te he ofendido. 320
DIANA. ¿De tu remedio, Marcela?
¿Cuál ocasión? Que aquí estoy.
MARCELA. Dicen que se parte hoy,
por peligros que recela,
Teodoro a España, y con él 325
puedes, casada, enviarme,
pues no verme es remediarme.

DIANA. ¿Sabes tú que querrá él?
MARCELA. Pues ¿pidiérate yo a ti,
sin tener satisfación, 330
remedio en esta ocasión?
DIANA. ¿Hasle hablado?
MARCELA. Y él a mí,
pidiéndome lo que digo.
DIANA. (*Ap.*) (¡Qué a propósito me viene
esta desdicha!)
MARCELA. Ya tiene 335
tratado aquesto conmigo,
y el modo con que podemos
ir con más comodidad.
DIANA. (*Ap.*) (¡Ay necio honor!, perdonad;
que amor quiere hacer extremos. 340
Pero no será razón,
pues que podéis remediar
fácilmente este pesar.)
MARCELA. ¿No tomas resolución?
DIANA. No podré vivir sin ti, 345
Marcela, y haces agravio
a mi amor, y aun al de Fabio,
que sé yo que adora en ti.
Yo te casaré con él;
deja partir a Teodoro. 350
MARCELA. A Fabio aborrezco; adoro
a Teodoro.
DIANA. (*Ap.*) (¡Qué cruel
ocasión de declararme!;
mas teneos, loco amor.)
Fabio te estará mejor. 355
MARCELA. Señora...
DIANA. No hay replicarme. *Vase.*
MARCELA. ¿Qué intentan imposibles mis sentidos,
contra tanto poder determinados?
Que celos poderosos declarados
harán un desatino, resistidos. 360
Volved, volved atrás, pasos perdidos,
que corréis a mi fin precipitados;
árboles son amores desdichados,

a quien el hielo marchitó floridos.
Alegraron el alma las colores 365
que el tirano poder cubrió de luto;
que hiela ajeno amor muchos amores.
Y cuando de esperar daba tributo,
¿qué importa la hermosura de las flores,
si se perdieron esperando el fruto? *Vase.* 370

Sala en casa del conde LUDOVICO

Salen EL CONDE LUDOVICO *y* CAMILO.

CAMILO. Para tener sucesión,
no te queda otro remedio.
LUDOVICO. Hay muchos años en medio,
que mis enemigos son,
y aunque tiene esa disculpa 375
el casarse en la vejez,
quiere el temor ser jüez,
y ha de averiguar la culpa.
Y podría suceder
que sucesión no alcanzase, 380
y casado me quedase;
y en un viejo una mujer
es en un olmo una hiedra,
que aunque con tan varios lazos
la cubre de sus abrazos, 385
él se seca y ella medra.
Y tratarme casamientos
es traerme a la memoria,
Camilo, mi antigua historia
y renovar mis tormentos. 390
Esperando cada día
con engaños a Teodoro
veinte años ha que le lloro.

Sale UN PAJE.

PAJE. Aquí a vuestra señoría
busca un griego mercader. 395
LUDOVICO. Di que entre.

Avisa EL PAJE *y salen* TRISTAN *y* FURIO *con traje griego.*

TRISTÁN. Dadme esas manos,

y los cielos soberanos,
con su divino poder,
os den el mayor consuelo
que esperáis.

LUDOVICO. Bien seáis venido. 400
Mas ¿qué causa os ha traído
por este remoto suelo?

TRISTÁN. De Constantinopla vine
a Chipre, y della a Venecia
con una nave cargada 405
de ricas telas de Persia.
Acordéme de una historia
que algunos pasos me cuesta;
y con deseos de ver
a Nápoles, ciudad bella, 410
mientras allá mis criados
van despachando las telas,
vine, como veis, aquí,
donde mis ojos confiesan
su grandeza y hermosura. 415

LUDOVICO. Tiene hermosura y grandeza
Nápoles.

TRISTÁN. Así es verdad.
Mi padre, señor, en Grecia
fue mercader, y en su trato,
el de más ganancia era 420
comprar y vender esclavos;
y ansí, en la feria de Azteclias
compró un niño, el más hermoso
que vio la naturaleza,
por testigo del poder 425
que le dio el cielo en la tierra.
Vendíanle algunos turcos,
entre otra gente bien puesta,
a una galera de Malta
que las de un bajá turquescas 430
prendieron en Chafalonia.

LUDOVICO. Camilo, el alma me altera.

TRISTÁN. Aficionado al rapaz,
compróle y llevóle a Armenia,

CARL A. RUDISILL LIBRARY
LENOIR-RHYNE COLLEGE

donde se crio conmigo 435
y una hermana.

LUDOVICO. Amigo, espera,
espera; que me traspasas
las entrañas.

TRISTÁN. (*Ap.*) (¡Qué bien entra!)

LUDOVICO. ¿Dijo cómo se llamaba?

TRISTÁN. Teodoro.

LUDOVICO. ¡Ay cielo!, ¡qué fuerza 440
tiene la verdad de oírte!
Lágrimas mis canas riegan.

TRISTÁN. Serpalitonia, mi hermana,
y este mozo (¡nunca fuera
tan bello!) con la ocasión 445
de la crianza, que engendra
el amor que todos saben,
se amaron desde la tierna
edad; y a dieciséis años,
de mi padre en cierta ausencia, 450
ejecutaron su amor,
y creció de suerte en ella,
que se le echaba de ver,
con cuyo temor se ausenta
Teodoro, y para parir 455
a Serpalitonia deja.
Catiborrato, mi padre,
no sintió tanto la ofensa
como el dejarle Teodoro.
Murió en efeto de pena, 460
y bautizamos su hijo;
que aquella parte de Armenia
tiene vuestra misma ley,
aunque es diferente iglesia.
Llamamos al bello niño 465
Terimaconio, que queda
un bello rapaz agora
en la ciudad de Tepecas.
Andando en Nápoles yo
mirando cosas diversas, 470
saqué un papel en que traje

deste Teodoro las señas,
y preguntando por él,
me dijo una esclava griega
que en mi posada servía: 475
"¿Cosa que ese mozo sea
el del conde Ludovico?"
Diome el alma una luz nueva,
y doy en que os he de hablar;
y por entrar en la vuestra, 480
entro, según me dijeron,
en casa de la condesa
de Belflor, y al primer hombre
que pregunto...

LUDOVICO. Ya me tiembla
el alma.

TRISTÁN. veo a Teodoro. 485

LUDOVICO. ¡A Teodoro!

TRISTÁN. Él bien quisiera
huirse; pero no pudo;
dudé un poco, y era fuerza,
porque el estar ya barbado
tiene alguna diferencia. 490
Fui tras él, asíle en fin,
hablóme, aunque con vergüenza,
y dijo que no dijese
a nadie en casa quién era,
porque el haber sido esclavo 495
no diese alguna sospecha.
Díjele: "Si yo he sabido
que eres hijo en esta tierra
de un título, ¿por qué tienes
la esclavitud por bajeza?" 500
Hizo gran burla de mí;
y yo, por ver si concuerda
tu historia con la que digo,
vine a verte, y a que tengas,
si es verdad que éste es tu hijo, 505
con tu nieto alguna cuenta;
o permitas que mi hermana
con él a Nápoles venga,

no para tratar casarse,
aunque le sobra nobleza; 510
mas porque Terimaconio
tan ilustre abuelo vea.

LUDOVICO. Dame mil veces tus brazos:
que el alma con sus potencias
que es verdadera tu historia 515
en su regocijo muestran.
¡Ay, hijo del alma mía,
tras tantos años de ausencia
hallado para mi bien!
Camilo, ¿qué me aconsejas? 520
¿Iré a verle y conocerle?

CAMILO. ¿Eso dudas? Parte, vuela,
y añade vida en tus brazos
a los años de tus penas.

LUDOVICO. Amigo, si quieres ir 525
conmigo, será más cierta
mi dicha; si descansar,
aquí aguardando te queda;
y dente por tanto bien
toda mi casa y hacienda; 530
que no puedo detenerme.

TRISTÁN. Yo dejé, puesto que cerca,
ciertos diamantes que traigo,
y volveré cuando vuelvas.
Vamos de aquí, Mercaponios. 535

FURIO. Vamos, señor.

TRISTÁN. Bien se entrecas
el engañifo.

FURIO. Muy bonis.

TRISTÁN. Andemis. *Vanse* TRISTÁN *y* FURIO.

CAMILO. ¡Extraña lengua!

LUDOVICO. Vente, Camilo, tras mí. *Vanse.*

Calle

Sale TRISTÁN, *en el portal de una casa, cuya puerta está cerrada;* FURIO *está delante de la puerta.*

TRISTÁN. (*Abriendo un poco la puerta.*)

¿Trasponen?

FURIO. El viejo vuela, 540

sin aguardar coche o gente.

TRISTÁN. ¿Cosa que esto verdad sea,

y que éste fuese Teodoro?

FURIO. ¿Mas si en mentira como ésta

hubiese alguna verdad? 545

TRISTÁN. Estas almalafas lleva;

que me importa desnudarme,

porque ninguno me vea

de los que aquí me conocen.

FURIO. Desnuda presto.

TRISTÁN. ¡Que pueda 550

esto el amor de los hijos!

FURIO. ¿Adónde te aguardo?

TRISTÁN. Espera,

Furio, en la choza del olmo.

FURIO. Adiós. *Vase.*

TRISTÁN. ¡Qué tesoro llega

al ingenio! (*Sale a la calle.*) Aquí debajo 555

traigo la capa revuelta,

que como medio sotana

me la puse, porque hubiera

más lugar en el peligro

de dejar en una puerta, 560

con el armenio turbante,

las hopalandas gregüescas.

Salen RICARDO *y* FEDERICO.

FEDERICO. Digo que es éste el matador valiente

que a Teodoro ha de dar muerte segura.

RICARDO. ¡Ah hidalgo!, ¿ansí se cumple entre la gente 565

que honor profesa y que opinión procura,

lo que se prometió tan fácilmente?

TRISTÁN. Señor...

FEDERICO. ¿Somos nosotros por ventura

de los iguales vuestros?

TRISTÁN. Sin oírme,

no es justo que mi culpa se confirme. 570

Yo estoy sirviendo al mísero Teodoro,
que ha de morir por esta mano airada;
pero puede ofender vuestro decoro
públicamente ensangrentar mi espada.
Es la prudencia un celestial tesoro, 575
y fue de los antiguos celebrada
por única virtud: estén muy ciertos
que le pueden contar entre los muertos.
Estáse melancólico de día,
y de noche cerrado en su aposento; 580
que alguna cuidadosa fantasía
le debe de ocupar el pensamiento.
Déjenme a mí; que una mojada fría
pondrá silencio a su vital aliento;
y no se precipiten desa suerte; 585
que yo sé cuándo le he de dar la muerte.

FEDERICO. Paréceme, marqués, que el hombre acierta.
Ya que le sirve, ha comenzado el caso.
No dudéis, matarále.

RICARDO. Cosa es cierta.
Por muerto le contad.

FEDERICO. Hablemos paso. 590

TRISTÁN. En tanto que esta muerte se concierta,
vuseñorías, ¿no tendrán acaso
cincuenta escudos? Que comprar querría
un rocín, que volase el mismo día.

RICARDO. Aquí los tengo yo. Tomad, seguro 595
de que, en saliendo con aquesta empresa,
lo menos es pagaros.

TRISTÁN. Yo aventuro
la vida, que servir buenos profesa.
Con esto, adiós; que no me vean, procuro,
hablar desde el balcón de la condesa 600
con vuestras señorías.

FEDERICO. Sois discreto.

TRISTÁN. Ya lo verán al tiempo del efeto. *Vase.*

FEDERICO. Bravo es el hombre.

RICARDO. Astuto y ingenioso.

FEDERICO. ¡Qué bien le ha de matar!

RICARDO. Notablemente.

Sale CELIO.

CELIO. ¿Hay caso más extraño y fabuloso? 605
FEDERICO. ¿Qué es esto, Celio? ¿Dónde vas? Detente.
CELIO. Un suceso notable y riguroso
para los dos. ¿No veis aquella gente
que entra en casa del conde Ludovico?
RICARDO. ¿Es muerto?
CELIO. Que me escuches te suplico. 610
A darle van el parabién contentos
de haber hallado un hijo que ha perdido.
RICARDO. Pues ¿qué puede ofender nuestros intentos,
que le haya esa ventura sucedido?
CELIO. ¿No importa a los secretos pensamientos 615
que con Diana habéis los dos tenido,
que sea aquel Teodoro, su criado,
hijo del conde?
FEDERICO. El alma me has turbado.
RICARDO. ¿Hijo del conde? Pues ¿de qué manera
se ha venido a saber?
CELIO. Es larga historia, 620
y cuéntanla tan varia, que no hubiera
para tomarla tiempo ni memoria.
FEDERICO. ¡A quién mayor desdicha sucediera!
RICARDO. Trocóse en pena mi esperada gloria.
FEDERICO. Yo quiero ver lo que es.
RICARDO. Yo, conde, os sigo. 625
CELIO. Presto veréis que la verdad os digo. *Vanse.*

Sala en el palacio de la condesa

Salen TEODORO, *de camino y* MARCELA.

MARCELA. En fin, Teodoro, ¿te vas?
TEODORO. Tú eres causa desta ausencia;
que en desigual competencia
no resulta bien jamás. 630
MARCELA. Disculpas tan falsas das
como tu engaño lo ha sido;
porque haberme aborrecido
y haber amado a Diana
lleva tu esperanza vana 635

sólo a procurar su olvido.
TEODORO. ¿Yo a Diana?
MARCELA. Niegas tarde,
Teodoro, el loco deseo
con que perdido te veo
de atrevido y de cobarde: 640
cobarde en que ella se guarde
el respeto que se debe;
y atrevido, pues se atreve
tu bajeza a su valor;
que entre el honor y el amor 645
hay muchos montes de nieve.
Vengada quedo de ti,
aunque quedo enamorada,
porque olvidaré vengada;
que el amor olvida ansí. 650
Si te acordares de mí,
imagina que te olvido
porque me quieras; que ha sido
siempre error que suele hacer
que vuelva un hombre a querer, 655
pensar que es aborrecido.
TEODORO. ¡Qué de quimeras tan locas,
para casarte con Fabio!
MARCELA. Tú me casas; que al agravio
de tu desdén me provocas. 660

Sale FABIO.

FABIO. Siendo las horas tan pocas
que aquí Teodoro ha de estar,
bien haces, Marcela, en dar
ese descanso a tus ojos.
TEODORO. No te den celos enojos 665
que han de pasar tanto mar.
FABIO. En fin, ¿te vas?
TEODORO. ¿No lo ves?
FABIO. Mi señora viene a verte.

Salen DIANA, DOROTEA *y* ANARDA.

DIANA. ¡Ya, Teodoro, desta suerte!

TEODORO. Alas quisiera en los pies, 670
cuanto más, señora, espuelas.

DIANA. ¡Hola! ¿Está esa ropa a punto?

ANARDA. Todo está aprestado y junto.

FABIO. (*Ap. a Marcela.*) (En fin, ¿se va?

MARCELA. ¡Y tú me celas!)

DIANA. (*A Teodoro.*) Oye aquí aparte.

TEODORO. Aquí estoy 675
a tu servicio.

DIANA. Teodoro,
tú te partes, yo te adoro.

TEODORO. Por tus crueldades me voy.

DIANA. Soy quien sabes; ¿qué he de hacer?

TEODORO. ¿Lloras?

DIANA. No; que me ha caído 680
algo en los ojos.

TEODORO. ¿Si ha sido
amor?

DIANA. Sí debe de ser;
pero mucho antes cayó,
y agora salir querría.

TEODORO. Yo me voy, señora mía; 685
yo me voy, el alma no.
Sin ella tengo de ir;
no hago al serviros falta,
porque hermosura tan alta
con almas se ha de servir. 690
¿Qué me mandáis? Porque yo
soy vuestro.

DIANA. ¡Qué triste día!

TEODORO. Yo me voy, señora mía;
yo me voy, el alma no.

DIANA. ¿Lloras?

TEODORO. No; que me ha caído 695
algo, como a ti, en los ojos.

DIANA. Deben de ser mis enojos.

TEODORO. Eso debe de haber sido.

DIANA. Mil niñerías te he dado,
que en un baúl hallarás; 700
perdona, no pude más.

Si le abrieres, ten cuidado
de decir, como a despojos
de vitoria tan tirana:
"Aquéstos puso Diana 705
con lágrimas de sus ojos."

ANARDA. (*Ap. a Dorotea.*) (Perdidos los dos están.
DOROTEA. ¡Qué mal se encubre el amor!
ANARDA. Quedarse fuera mejor.
Manos y prendas se dan. 710
DOROTEA. Diana ha venido a ser
el perro del hortelano.
ANARDA. Tarde le toma la mano.
DOROTEA. O coma o deje comer.)

Salen LUDOVICO *y* CAMILO.

LUDOVICO. Bien puede el regocijo dar licencia, 715
Diana ilustre, a un hombre de mis años
para entrar desta suerte a visitaros.
DIANA. Señor conde, ¿qué es esto?
LUDOVICO. Pues ¿vos sola
no sabéis lo que sabe toda Nápoles?
Que en un instante que llegó la nueva, 720
apenas me han dejado por las calles,
ni he podido llegar a ver mi hijo.
DIANA. ¿Qué hijo? Que no te entiendo el regocijo.
LUDOVICO. ¿Nunca vuseñoría de mi historia
ha tenido noticia, y que ha veinte años 725
que enviaba un niño a Malta con su tío,
y que le cautivaron las galeras
de Alí Bajá?
DIANA. Sospecho que me han dicho
ese suceso vuestro.
LUDOVICO. Pues el cielo
me ha dado a conocer el hijo mío 730
después de mil fortunas que ha pasado.
DIANA. Con justa causa, conde, me habéis dado
tan buena nueva.
LUDOVICO. Vos, señora mía,
me habéis de dar, en cambio de la nueva,
el hijo mío, que sirviéndoos vive, 735

bien descuidado de que soy su padre.
¡Ay, si viviera su difunta madre!

DIANA. ¿Vuestro hijo me sirve? ¿Es Fabio acaso?

LUDOVICO. No, señora, no es Fabio, que es Teodoro.

DIANA. ¡Teodoro!

LUDOVICO. Sí, señora.

TEODORO. ¿Cómo es esto? 740

DIANA. Habla, Teodoro, si es tu padre el conde.

LUDOVICO. Luego, ¿es aquéste?

TEODORO. Señor conde, advierta
vuseñoría...

LUDOVICO. No hay qué advertir, hijo,
hijo de mis entrañas, sino sólo
el morir en tus brazos.

DIANA. ¡Caso extraño! 745

ANARDA. ¡Ay señora! ¿Teodoro es caballero
tan principal y de tan alto estado?

TEODORO. Señor, yo estoy sin alma, de turbado.
¿Hijo soy vuestro?

LUDOVICO. Cuando no tuviera
tanta seguridad, el verte fuera 750
de todas la mayor. ¡Qué parecido
a cuando mozo fui!

TEODORO. Los pies te pido,
y te suplico...

LUDOVICO. No me digas nada;
que estoy fuera de mí. ¡Qué gallardía!
Dios te bendiga. ¡Qué real presencia! 755
¡Qué bien que te escribió naturaleza
en la cara, Teodoro, la nobleza!
Vamos de aquí; ven luego, luego toma
posesión de mi casa y de mi hacienda;
ven a ver esas puertas coronadas 760
de las armas más nobles deste reino.

TEODORO. Señor, yo estaba de partida a España,
y así me importa.

LUDOVICO. ¿Cómo a España? ¡Bueno!
España son mis brazos.

DIANA. Yo os suplico,
señor conde, dejéis aquí a Teodoro 765

hasta que se reporte, y en buen hábito
vaya a reconoceros como hijo;
que no quiero que salga de mi casa
con aqueste alboroto de la gente.

LUDOVICO. Habláis como quien sois tan cuerdamente. 770
Dejarle siento por un breve instante;
mas porque más rumor no se levante,
me iré, rogando a vuestra señoría
que sin mi bien no me anochezca el día.

DIANA. Palabra os doy.

LUDOVICO. Adiós, Teodoro mío. 775

TEODORO. Mil veces beso vuestros pies.

LUDOVICO. Camilo,
venga la muerte agora.

CAMILO. ¡Qué gallardo
mancebo que es Teodoro!

LUDOVICO. Pensar poco
quiero este bien, por no volverme loco.

Vanse LUDOVICO *y* CAMILO.

DOROTEA. Danos a todos las manos. 780

ANARDA. Bien puedes, por gran señor.

DOROTEA. Hacernos debes favor.

MARCELA. Los señores que son llanos
conquistan las voluntades.
Los brazos nos puedes dar. 785

DIANA. Apartaos, dadme lugar;
no le digáis necedades.
Déme vuestra señoría
las manos, señor Teodoro.

TEODORO. Agora esos pies adoro, 790
y sois más señora mía.

DIANA. Salíos todos allá;
dejadme con él un poco.

MARCELA. (*Ap. a él.*) (¿Qué dices, Fabio?

FABIO. Estoy loco.)

DOROTEA. (*Ap. a Anarda.*) (¿Qué te parece?

ANARDA. Que ya 795
mi ama no querrá ser
el perro del hortelano.

DOROTEA. ¿Comerá ya?

ANARDA. Pues ¿no es llano?
DOROTEA. Pues reviente de comer.)

Vanse MARCELA, FABIO, DOROTEA *y* ANARDO.

DIANA. ¿No te vas a España?
TEODORO. ¿Yo? 800
DIANA. ¿No dice vuseñoría:
"Yo me voy, señora mía,
yo me voy, el alma no"?
TEODORO. ¿Burlas de ver los favores
de la fortuna?
DIANA. Haz extremos. 805
TEODORO. Con igualdad nos tratemos,
como suelen los señores,
pues todos lo somos ya.
DIANA. Otro me pareces.
TEODORO. Creo
que estás con menos deseo: 810
pena el ser tu igual te da.
Quisiérasme tu criado,
porque es costumbre de amor
querer que sea inferior
lo amado.
DIANA. Estás engañado; 815
porque agora serás mío,
y esta noche he de casarme
contigo.
TEODORO. No hay más que darme:
fortuna, tente.
DIANA. Confío
que no ha de haber en el mundo 820
tan venturosa mujer.
Vete a vestir.
TEODORO. Iré a ver
el mayorazgo que hoy fundo,
y este padre que me hallé
sin saber cómo o por dónde. 825
DIANA. Pues adiós, mi señor conde.
TEODORO. Adiós, condesa.
DIANA. Oye.
TEODORO. ¿Qué?

DIANA. ¡Qué! Pues ¿cómo? ¿A su señora
así responde un criado?

TEODORO. Está ya el juego trocado, 830
y soy yo el señor agora.

DIANA. Sepa que no me ha de dar
más celitos con Marcela,
aunque este golpe le duela.

TEODORO. No nos solemos bajar 835
los señores a querer
las criadas.

DIANA. Tenga cuenta
con lo que dice.

TEODORO. Es afrenta.

DIANA. Pues ¿quién soy yo?

TEODORO. Mi mujer. *Vase.*

DIANA. No hay más que desear; tente, fortuna, 840
como dijo Teodoro, tente, tente.

Salen FEDERICO *y* RICARDO.

RICARDO. En tantos regocijos y alborotos,
¿no se da parte a los amigos?

DIANA. Tanta
cuanta vuseñorías me pidieren.

FEDERICO. De ser tan gran señor vuestro criado 845
os las pedimos.

DIANA. Yo pensé, señores,
que las pedís, con que licencia os pido,
de ser Teodoro conde y mi marido. *Vase.*

RICARDO. ¿Qué os parece de aquesto?

FEDERICO. Estoy sin seso.

RICARDO. ¡Oh, si le hubiera muerto este picaño! 850

FEDERICO. Veisle, aquí viene.

Sale TRISTÁN.

TRISTÁN. (*Ap.*) (Todo está en su punto.
¡Brava cosa! ¡Que pueda un lacaifero
ingenio alborotar a toda Nápoles!)

RICARDO. Tente, Tristán, o como te apellidas.

TRISTÁN. Mi nombre natural es "Quita-vidas." 855

FEDERICO. ¡Bien se ha echado de ver!

TRISTÁN. Hecho estuviera,
a no ser conde de hoy acá este muerto.
RICARDO. Pues ¿eso importa?
TRISTÁN. Al tiempo que el concierto
hice por los trecientos solamente,
era para matar, como fue llano, 860
un Teodoro criado, mas no conde.
Teodoro conde es cosa diferente,
y es menester que el galardón se aumente;
que más costa tendrá matar un conde
que cuatro o seis criados, que están muertos, 865
unos de hambre y otros de esperanzas,
y no pocos de envidia.
FEDERICO. ¿Cuánto quieres?,
y mátale esta noche.
TRISTÁN. Mil escudos.
RICARDO. Yo los prometo.
TRISTÁN. Alguna señal quiero.
RICARDO. Esta cadena.
TRISTÁN. Cuenten el dinero. 870
FEDERICO. Yo voy a prevenillo.
TRISTÁN. Yo a matalle.
¿Oyen?
RICARDO. ¿Qué? ¿Quieres más?
TRISTÁN. Todo hombre calle.
Vanse RICARDO *y* FEDERICO.

Sale TEODORO.

TEODORO. Desde aquí te he visto hablar
con aquellos matadores.
TRISTÁN. Los dos necios son mayores 875
que tiene tan gran lugar.
Esta cadena me han dado,
mil escudos prometido
porque hoy te mate.
TEODORO. ¿Qué ha sido
esto que tienes trazado? 880
Que estoy temblando, Tristán.
TRISTÁN. Si me vieras hablar griego,
me dieras, Teodoro, luego

más que estos locos me dan.
¡Por vida mía, que es cosa 885
fácil el greguecizar!
Ello en fin no es más de hablar;
mas era cosa donosa
los nombres que les decía:
Azteclias, Catiborratos, 890
Serpalitonia, Xipatos,
Atecas, Filimoclía....
Que esto debe de ser griego,
como ninguno lo entiende,
y en fin, por griego se vende. 895

TEODORO. A mil pensamientos llego
que me causan gran tristeza,
pues si se sabe este engaño,
no hay que esperar menos daño
que cortarme la cabeza. 900

TRISTÁN. ¿Agora sales con eso?

TEODORO. Demonio debes de ser.

TRISTÁN. Deja la suerte correr,
y espera el fin del suceso.

TEODORO. La condesa viene aquí. 905

TRISTÁN. Yo me escondo; no me vea. *Ocúltase.*

Sale DIANA.

DIANA. ¿No eres ido a ver tu padre,
Teodoro?

TEODORO. Una grave pena
me detiene; y finalmente,
vuelvo a pedirte licencia 910
para proseguir mi intento
de ir a España.

DIANA. Si Marcela
te ha vuelto a tocar el alma,
muy justa disculpa es ésa.

TEODORO. ¿Yo Marcela?

DIANA. Pues ¿qué tienes? 915

TEODORO. No es cosa para ponerla
desde mi boca a tu oído.

DIANA. Habla, Teodoro, aunque sea

mil veces contra mi honor.
TEODORO. Tristán, a quien hoy pudiera 920
hacer el engaño estatuas,
la industria versos, y Creta
rendir laberintos, viendo
mi amor, mi eterna tristeza,
sabiendo que Ludovico 925
perdió un hijo, esta quimera
ha levantado conmigo,
que soy hijo de la tierra,
y no he conocido padre
más que mi ingenio, mis letras 930
y mi pluma. El conde cree
que lo soy; y aunque pudiera
ser tu marido, y tener
tanta dicha y tal grandeza,
mi nobleza natural 935
que te engañe no me deja,
porque soy naturalmente
hombre que verdad profesa.
Con esto, para ir a España
vuelvo a perdirte licencia; 940
que no quiero yo engañar
tu amor, tu sangre y tus prendas.
DIANA. Discreto y necio has andado:
discreto en que tu nobleza
me has mostrado en declararte; 945
necio en pensar que lo sea
en dejarme de casar,
pues he hallado a tu bajeza
el color que yo quería;
que el gusto no está en grandezas, 950
sino en ajustarse al alma
aquello que se desea.
Yo me he de casar contigo;
y porque Tristán no pueda
decir aqueste secreto, 955
hoy haré que cuando duerma,
en ese pozo de casa
le sepulten.

TRISTÁN. (*Saliendo.*) Guarda afuera.
DIANA. ¿Quién habla aquí?
TRISTÁN. ¿Quién? Tristán,
que justamente se queja 960
de la ingratitud mayor
que de mujeres se cuenta.
Pues ¡siendo yo vuestro gozo,
aunque nunca yo lo fuera,
en el pozo me arrojáis! 965
DIANA. ¡Qué!, ¿lo has oído?
TRISTÁN. No creas
que me pescarás el cuerpo.
DIANA. Vuelve.
TRISTÁN. ¿Que vuelva?
DIANA. Que vuelvas.
Por el donaire te doy
palabra de que no tengas 970
mayor amiga en el mundo;
pero has de tener secreta
esta invención, pues es tuya.
TRISTÁN. Si me importa que lo sea,
¿no quieres que calle?
TEODORO. Escucha. 975
¿Qué gente y qué grita es ésta?

Salen LUDOVICO, FEDERICO, RICARDO, CAMILO, FABIO, MARCELA, ANARDA *y* DOROTEA.

RICARDO. (*Dentro.*) Queremos acompañar
a vuestro hijo.
FEDERICO. (*A Ludovico.*) La bella
Nápoles está esperando
que salga, junto a la puerta. 980
LUDOVICO. (*A Teodoro.*) Con licencia de Diana,
una carroza te espera,
Teodoro, y junta, a caballo,
de Nápoles la nobleza.
Ven, hijo, a tu propia casa 985
tras tantos años de ausencia;
verás adonde naciste.

DIANA. Antes que salga y la vea,
quiero, conde, que sepáis
que soy su mujer.
LUDOVICO. Detenga 990
la fortuna, en tanto bien,
con clavo de oro la rueda.
Dos hijos saco de aquí,
si vine por uno.
FEDERICO. Llega,
Ricardo, y da el parabién. 995
RICARDO. Darle, señores, pudiera
de la vida de Teodoro;
que celos de la condesa
me hicieron que a este cobarde *Por* TRISTÁN.
diera, sin esta cadena, 1000
por matarle mil escudos.
Haced que luego le prendan,
que es encubierto ladrón.
TEODORO. Eso no; que no profesa
ser ladrón quien a su amo 1005
defiende.
RICARDO. ¿No? Pues ¿quién era
este valiente fingido?
TEODORO. Mi criado; y porque tenga
premio el defender mi vida,
sin otras secretas deudas, 1010
con licencia de Diana,
le caso con Dorotea,
pues que ya su señoría
casó con Fabio a Marcela.
RICARDO. Yo doto a Marcela.
FEDERICO. Y yo 1015
a Dorotea.
LUDOVICO. Bien queda
para mí, con hijo y casa,
el dote de la condesa.
TEODORO. Con esto, senado noble,
que a nadie digáis se os ruega 1020
el secreto de Teodoro,

dando, con licencia vuestra,
del *Perro del hortelano*
fin la famosa comedia.

NOTES TO ACT I

6 **Teneos** for **Deteneos,** "Halt!"

7 "Is this how you treat me?"

15–16 "In view of my anger your phlegm (calm) is really something!" Literally, "pleases me," an ironic statement. Choler and phlegm are two of the humors of the body in ancient physiology. Choler, or bile, was supposed to be the source of irritability; phlegm caused sluggishness.

22 Diana means: Do not answer me back; run!

29 "A fine will-o'-the-wisp you make!" St. Elmo's fire is the electrically induced elusive light which appears at the top of a ship's mast in stormy weather.

36–37 "I don't know how far such insolent behavior may go, Otavio."

40 **Remediar** and **el remedio** are terms, originally from medicine, commonly used in the complex plots of the Golden Age theater to refer to possible solutions of difficulties of any kind, but especially of love. Cf. 173. Ovid's *Remedia Amoris* is an important precedent.

41–44 The majordomo's stupidity and sleepiness are underlined by his verbatim repetition of his previous feeble excuse.

49 **las señas,** "his appearance."

52–53 "You men are fine duennas in my house!" The duenna, an older lady serving as a chaperone, was a figure of fun in the Golden Age.

55 **la mató,** "he extinguished it."

59 "You're a fine chicken-hearted fellow!"

60 **¡Pesia tal!,** "God damn it!" A fairly forceful oath.

61 (I wanted you to) "close in on him and kill him."

62–64 **hombre de valor,** "a man of worth," "a nobleman." Otavio implies that the scandal arising from killing a well-known man at Diana's door would dishonor her.

66–68 "Is there no one in Naples who loves you and hopes to marry you who doesn't try to see you whenever he can?"

71 **Pues bien digo,** "Well, I'm right."

73–74 "and Fabio (saw him) throw his hat at the lamp as he ran downstairs."

77 "will bribe and corrupt."

78–79 The reader must always be alert to the possibility of irony.

85–86 "he wouldn't stoop to pick it up while he was making his escape."

88–90 "If it (my suspicion) is verified, not a single guilty (servant) will remain in my house."

96–100 "your unreasonable insistence on not wanting to get married causes such extravagant behavior among those who seek some way to make you love them."

103–104 "that you have a reputation for being as insufferable as you are beautiful."

105–106 "Your being Countess of Belflor is a cause of great concern to many men."

121 "have they been reduced to this (mess)?"

124 "they burned like kindling." **Estopa** is strictly "tow," the coarse and broken part of flax, hemp, or jute, separated by the hatchel or swingle, and ready for spinning.

125 Icarus, wearing wings of wax and feathers made for him by his father Daedalus, flew too close to the sun, which melted the wax and caused his downfall. He usually symbolizes pride. Fabio is comically grandiloquent for the situation he is describing.

143 "You're certainly planning our night for us!"

153 "I have brought all (the serving women) who can be of any help."

156 "sleeping." Fabio, a pompous man, says literally: "subjugating their senses to sleep."

158 **por** for **para:** "were about to go to bed."

163 **¡Bravo examen!,** "A fine interrogation this will be!"

168 **pasear la calle,** "to court a lady by prowling up and down the street on which she lives."

178 **fuera de ti,** "except for you."

188 "I know how involved you are."

190 "With which of you (servants) is he negotiating?"

193–196 **criada** is the subject, **Hombre** the object, of the sentence. **Ni** for **y.** Anarda is thinking negatively: No servant of yours would do such a thing.

198 **apártate más.** Diana draws Anarda to one side so that the other servants will not hear.

205 Anarda promises to throw caution to the winds and tell her mistress everything.

212 **negarlo,** "to refuse to name him."

221 "they haven't got beyond the talking stage."

225 **por casar,** "unmarried."

226–227 Diana swears by the memory of her late husband.

238 **aquí,** "in this situation."

239 **con más templanza,** "more reassured."

256–257 An agricultural metaphor. "It has been such a good year that (words of love) are being sold by the dozen."

259–260 "he immediately transfers his thoughts to his lips." A grandiose expression for a servant to use, as Diana notes.

262–263 "I don't think I remember. — Well, you will."

268–269 "my desires stayed awake thinking of your beauty."

271–272 "so that they (his desires) may be kept motionless in his mind."

274–275 "You at least are having a good time."

282 "Do you want me to take care of it?" Diana offers to use her authority to ensure that Teodoro really does marry Marcela.

283 "Nothing would please me more!"

294–299 "The subject matter of a letter, in which you try out your relationship with two nobles, is a very different thing from seeing (your lover) at really close quarters, speaking words of love in a sweet affectionate style." **Sujeto** could mean the same as **asunto. Título,** "one who has a title of nobility." Marcela in this somewhat ambiguous speech lets Diana know she is aware of her correspondence with Ricardo and Paris.

304 **quien soy,** "the woman I am." **Soy quien soy** is a formula much used to refer to one's essence as a person, and especially to the nobility or integrity of one of good birth. It has its origins in God's self-declaration **sum qui sum** (Exodus 3, 14). For a full account of the tradition see Leo Spitzer, "Soy quien soy," **Nueva Revista de Filología Hispánica,** I (1947), 113–127.

307 **lugar,** "liberty."

318 "and a certain kinship." Diana means that Marcela is, so to speak, one of the family.

319 Marcela, making the ritual statement that she prostrates herself to kiss Diana's feet, refers to herself as the creation (**hechura**) of her mistress' instruction.

322 "annoyance that has turned to my advantage."

325 **he advertido en,** "I have been struck by."

329 The meaning is that love is by its nature common to all men.

330–332 "but I consider my honor a greater treasure, for I like to see my person respected, and I even consider thinking such a thing (i.e. about Teodoro's good qualities) a base act."

334–335 "for if another's happiness usually engenders it (envy), I have every reason to feel sorry for myself." Diana's incipient jealousy makes her wish (336–338) that she and Teodoro were more nearly equal in social rank.

343–345 The allusion is to Diana, who, being still up, surprises Marcela and Teodoro. The latter replies that love is impatient (**nunca se resiste**).

346 "you shoot, but you don't consider the consequences."

352 "and a doubt was left in her mind."

374–375 "no precaution will save you from being driven out of her house."

378 "of how love can be forgotten."

381–382 Tristán will tell Teodoro the way (**modo**) to supress love in a few easy lessons (**tan fáciles caminos**).

389 **está en medio,** "intervenes."

309–400 "Haven't you seen a clock run down?"

402–404 "Well, in the same way a man possessed by the power (of love) comes to his senses when he gives up all hope." This translation is rather free: the **potencias** are the three faculties of the mind recognized by ancient psychology: understanding, will, and memory.

405–408 "And doesn't the memory leap at once into busy activity, alerting man's emotion not to deprive itself of happiness?"

409–410 The idea is that the capacity to feel (to love) is hostile to the understanding and yet inseparable from it.

412 The courtly love poetry of the fifteenth century is full of allusions to the faculties of the mind, couched in the imagery of warfare. The idea that Reason or Understanding is the enemy of Sensuality or Passion survives, though less intensively, in the Italianate poetry of the Renaissance. It is not known which traditional **canción** or Renaissance **canzone** Tristán may have had in mind.

413–414 "yet for that very reason it is a smart trick to defeat the imagination." The imagination, which represents the beloved in all her beauty and virtue, may be induced to dwell on her all too human defects.

416–418 "for wise men, to forget, think about (the beloved's) defects, not her charms."

422 **chapines.** The exaggeratedly high soles and heels of this footwear was often commented on and, as here, ridiculed. See B. B. Ashcom, "By the Altitude of a Chopine," in **Homenaje al Prof. Rodríguez-Moñino** (Madrid, 1966).

424 **un sabio.** The **gracioso** often cites as authority for his folk wisdom an unidentified and (usually) unidentifiable **sabio.**

429–430 A **disciplinante** is a penitent who has lacerated his flesh by means of self-flagellation. As a kind of lover's spiritual exercise Teodoro is urged to imagine his lady as a bloody, unsightly penitent being taken to have his wounds attended to.

447 **impírico,** for **empírico.** Teodoro, like his contemporaries, scorned empirical medicine in favor of the purely theoretical medicine studied in the classical handbooks of antiquity, such as those of Hippocrates and Galen.

456 **pensarte puedo.** Tristán is playing on the verb *pensar.* "I can think of **your** defects."

461–462 "a baggage of falsehoods, fifty years old."

466 **parapetos,** "cuirasses," "armor." A grotesque allusion to petticoats.

467–468 "all the files of documents (a lawyer's) desk could support."

480 "which must have been in my interest."

482 **azar,** for **azahar,** "orange blossoms."

488 "as a result of which thoughts I fell to pieces."

498 "forever and ever, amen."

500 "it is no great exaggeration to say."

506 "Then accept your misfortune."

512 "Your creature is yours to command."

513–514 "If she is investigating this matter, we'll all three be shown the door."

516 "who has no self-confidence."

547 "that someone must be envious of me."

551–554 "To love because one sees others love is a result of envy; and to be jealous before one has loved is a miraculous invention of love which has been regarded as impossible."

563 "I want to hint at my meaning without being explicit."

565–571 The mystery of how love could proceed from jealousy is an important theme of the play, here memorably stated in lyric form. The commonplace is that love engenders jealousy. Lope regarded the sonnet as the successor of the epigram, hence the dense abstract complexities of this sonnet.

588–593 The imagery represents the lady's desires as highwaymen infesting the road of her honor, and waylaying the soul to strip it bare of its former modesty.

594 "You have composed a very pretty letter."

602 **vuelvo.** Tristán was about to leave with Teodoro when Diana called him back.

604–605 "for my master, your secretary, is broke these days." There is an insolent overtone since **andar salida** is said of a bitch in heat.

607–610 Since a servant reflects (**espejo**), accompanies (as the morning star does the day), and adorns (**cortina**), he should be well dressed. Tristán is ashamed of his breeches (602).

613 **nos llamó,** i.e. **a los lacayos.**

615 "I guess he can't do any more for me," being without money.

616 "Does he gamble? — I wish he did." **¡Pluguiera a los cielos!**, "Would to heaven!"

618 **desto o de aquello,** "from one source or another."

626 **en faltando,** "in case of need."

630 "by the refinement of his skill."

635 **con salir la suerte,** "if luck is on his side."

636 "He wins a hundred per cent (of his stake)."

638 **A la cuenta,** "by all accounts."

645 "I deal in straw and fodder (for my master's horses)."

654 **en viendo,** "when someone notices."

656 "from the punch of jealousy." The jealous husband's abuse of his wife is referred to.

663 **¡Oxte, puto!**, a powerful oath.

671 **por dar en él,** "instead of hitting it."

674 "that both feet slipped under me."

675–682 Diana makes a veiled threat to cut off Tristán's head, while overtly saying that in due course she will seize opportunity by the forelock.

683 "By God, there's a burning to come," an allusion to the burning of heretics.

684 **murciegalero,** a corruption of **murcielaguero,** "bat hunter," by contamination with **galera,** "a galley ship used for penal purposes."

686 "What thoughts run through my head!"

692 **el mismo,** i.e. **el amor.** "Love wants me to adore you and pay you this visit."

693 **solicito mi causa,** "I plead my case."

698 **estar buena,** "that you are well."

704 The antecedent of **la** is **la necedad** or **la ignorancia.**

708 **cómo estoy,** "how you regard me."

709 **solenice,** for **solemnice,** "should exalt."

714 **tan dueño suyo,** "so close to you."

718 **lo tratado,** "my enterprise," i.e. Ricardo's plan to woo and marry Diana.

722 **con igual nobleza,** "with a legitimate title of nobility."

723 **lo,** i.e. **señor,** "lord," "ruler."

724 "to the first flushes of dawn," i.e. the East. Ricardo's point is that if he commanded the riches of the tropics and the Orient he would present them to Diana (**lo mismo os ofreciera,** 729).

726–727 The frozen tears of heaven are no doubt pearls.

728 "which opened up such vast sea routes (to traders and adventurers)."

733–734 "I would make wooden footprints on fields of salt." The ships' keels are compared to clogs, and the ocean to a prairie.

739 "I will cause negotiations for our marriage to begin."

743 **mi justicia,** "the justice of my cause."

748 The mail service to Rome from Naples is more frequent than the one to Spain.

757–770 Teodoro's revised version of Diana's sonnet shows subtle but considerable differences. The epigrammatic first quatrain might be rendered: "To love because one has seen others love would be envy if the one who saw that other love did not love without seeing others love; because if, before seeing, he (or she) did not plan to love, afterward he (she) would not love even though he (she) saw others love." **la color,** "blushing." **lo más ofendo desde lo menos,** "I offend the greater (Diana, the Countess) by speaking from my lowly position (as a secretary)." A parallel meaning is that Diana has a greater poetic talent than Teodoro ascribes to himself. The references to Diana and Teodoro are inferred — not made explicit — because the sonnet is written abstractly to fit other lovers' circumstances. **del ser dichoso me defiendo,** "I do not allow myself to be happy."

794 **ciego,** "blind to the danger."

805–806 "I am losing confidence in the merits of my pen," i.e. in my writing ability.

810 "as you can see."

815–817 Diana's point is that a socially inferior lover gives no offense because love is always flattering.

819 Phaethon, like Icarus, symbolizes undue pride. He asked his father Helios (the Sun) to let him drive his chariot for one day; the horses bolted, and Phaethon fell (not into a mountain, according to the legend, but into a river.)

830 "women are not hard — unmoved — as stones."

835 **el tuyo** refers to Diana's sonnet.

840 Diana scarcely conceals the sentiments she now feels for Teodoro. Teodoro clearly understands her intention (844).

851–852 Teodoro speculates about the possibility that Diana was speaking as if she were the woman on whose behalf she claimed to have written the sonnet.

858 The allusion is to Diana's determination to preserve her honor.

860 "such noble princes that I cannot (hope to) be her slave."

864 **aquí ha fundado,** "in this knowledge she has based."

871 **al llorar la aurora,** "when the dawn wept dew-drops upon it."

876 "(her face) covered with red flushes and scarlet blushes." **púrpura,** "una color roja escura" (Covarrubias). **grana,** "cochineal."

881–882 "too insignificant to be true, too important to be a joke."

890 "smooths away countless impossibilities."

898 **Apolo,** the sun.

908 **entre quien sirve,** "among servants."

912 The mythological Diana was the moon goddess. The moon importunes lovers by shedding an unwanted light on their furtive meetings.

919 **le di parte,** "I informed her."

929 **luego que,** "as soon as."

939–940 "A thousand times blessed — amen — is the servant who serves an understanding master."

942–943 "Do you doubt that she will act in conformity with her noble blood?"

950 **entre ti,** "to yourself."

967 **rasgos y lazos,** "strokes and loops" of handwriting.

984 "and when she answered me."

995–996 "if you had lost respect for my house."

998 "it is not right that it should be the cause."

1008–1009 "and that they should quote you as a reason why I should arrange marriages for them all."

1018 **estrella,** "destiny."

1028–1034 Envy is depicted in allegorical woodcuts in Renaissance emblem-books. Ovid (**Metamorphoses,** II) describes Envy's house as "filthy with dark and noisome slime. It is hidden away in the depths of the valleys, where the sun never penetrates, where no wind blows through."

1054 **y ésa apenas,** "and that one truth is only just a truth."

1060 Coral and pearl as images for lips and teeth are a legacy from Petrarchan love poetry, by this time reduced to clichés.

1062–1064 "This sort of thing is child's play, my lady, to a lover."

1066–1067 "Don't be surprised if today you lose all my confidence."

1076 **aquí se quedan,** "let's not talk about."

1098–1099 "If doors had tongues, they would say."

1105–1108 Teodoro insists that he only flirted with Marcela.

1110 **paz de la iglesia,** the paten which the communicant kisses as the priest says: "Pax tecum."

1115–1116 "to refresh my mouth with snow and lilies," i.e. to kiss Marcela.

1130–1135 Teodoro's story is that Marcus Aurelius gave his wife a gladiator's blood to drink in order to relieve her pain. He does not approve of killing for therapeutic reasons among Christians. In other words, he answers Diana's question (1129) in the negative.

1136–1140 The names evoke famous cruel deeds performed by the Romans.

1148 Teodoro, out of respect, hesitates to help Diana rise by giving her his bare hand. Instead, as custom demanded, he wrapped his hand in the end of his cloak. **Dar la mano, pedir la mano** also conveys the suggestion that Diana is obliquely asking Teodoro to marry her.

1154 Otavio's aged hand is "shrouded" because it is — practically — dead.

1163–1164 Diana says that an honorable hand does not need to cover its face, its palm.

1172 Diana hints that Teodoro may rise in the world (by marrying her).

NOTES TO ACT II

3 **tapete bordado,** i.e. the field strewn with wild flowers.

8 **es razón,** "is proper."

10–11 **es cosa...forzosa,** "it is natural."

22 **aunque de todos se guarde,** "even though he distrusts everybody," takes every precaution.

34 "and to show off her beauty."

39 **Toro,** the sign of the Zodiac through which the sun passes at the height of spring.

43 **dos soles,** i.e. her two bright eyes.

47 "My love has turned you into a painter."

51 **sinos,** for **signos,** "signs of the Zodiac."

58 "even though he disclaims the name" of suitor.

74 "she reduces you all to silence." No one dares declare his love.

78 "Then my gloom will be dispelled."

83 **el mismo,** understand **deseo.**

88 **bien mirado y admitido,** "favored."

92 **pensamiento.** In this soliloquy Teodoro apostrophizes his ambitious thought of marrying Diana, his social superior.

98 "I am told the same thing by both" (**mi intento** and **mi locura**).

103 **el que espero,** i.e. **el premio.**

114 **teniéndola,** i.e. **la culpa. los dos,** i.e. Teodoro and his thought.

126 "be rash, and good luck to you."

132 **Id en buen hora,** "Do as you will, and good luck to you."

134–135 **perdido, perderse** — as well as "lost," "get lost" — mean "in love," "fall in love."

136–139 "As others are congratulated for what they find (for their good luck), I am in such a state that I congratulate you, thought, for what I am losing (for my bad luck)."

145 "the imprisonment she is suffering."

147–148 "for no one tries to see someone he has no need of." Marcela needs to see Teodoro.

152 **qué...de visitas,** "how many visitors."

157 "as if he had the plague."

158–159 Vinegar was used to remove ink marks. Tristán suggests erasing the whole of Marcela's letter.

161 **entrambas cosas,** i.e. vinegar and the plague.

162 **vendrá lavado,** "it must be well washed" with sweat.

167–169 "Ask my good fortune if, now it is flying so high, it has any respect for (earth-bound) moths," such as Marcela.

171 **divino,** "god-like."

172–173 "Wine does not scorn the mosquitoes it breeds." An allusion to a folk belief.

176 "was a royal eagle."

181 "You speak as befits your station in life." **Decoro** in stagecraft refers to the appropriateness of the speech or costume to the character using it.

192 **Récipe,** imperative of Latin **recipere,** the first word — abbreviated ℞ — of prescriptions. In each case translate: "Prescription for."

193 **azules violetas.** Blue traditionally symbolizes jealousy.

195–196 Tristán speaks a Macarronic Latin, in imitation of the language of prescriptions: "syrup of borage with which to cool the blood." **Templorum,** though it has a substantival ending, clearly is intended for the verb **templar.** Borage is associated with courage and good cheer.

197 "to soothe the hurt."

201 The idea is that the jilted lover is better off in the busy city than, as traditionally claimed, in the solitude of the country.

206–207 "Prescription for the celestial sign called Capricorn." A reference to cuckoldry.

208 **morietur,** "will die."

210–211 "Prescription against buying clothing or jewelry" for one's lady.

212–213 "you will relieve with splints the purse that is tempted to make such a purchase."

218 "the bills are all torn up."

219 "You have settled your bill."

222–223 "You must be drunk, as on other occasions."

224 **te desvaneces,** "you take pride."

225 "in your plan to rise" in the world.

232–235 Cesare Borgia (died 1507) is alleged to have adopted the ambitious motto "Aut Caesar aut nihil."

238 **pluma airada,** that of Iacopo Sannazzaro, who wrote the following epigram.

242 **tomo...la empresa,** "I adopt this motto."

244–247 "If any one of the Countess' servants is suffering because of your misfortunes it is I."

267 **figuras,** "representations of the human figure."

273 **pintadas,** an allusion to the weaving in colors on the tapestries.

281 **por puntos,** "at every turn."

283 "If you agree with me."

288–290 "In your eyes I have often found the fear of this truth."

304 **mudancita,** "a slight change of plan." Teodoro imitates women in their fickleness.

309–322 Tristán's series of metaphors conveys the idea that he is inseparable from his master Teodoro, "hand-in-glove" with him. **nema,** "envelope." **mudanza,** a "figure" in a dance. **hebrero,** "February." **cometa,** though feminine here, "comet."

334–335 **priva tanto,** "is in such favor."

339 "schemes to make him regret it."

344 "Fabio, whether it be so or not."

346 **cuál puse,** "how I treated."

352 "Is it something you have cooked up together?"

365–366 "may I be killed by the greatest outrage a woman can suffer: to be scorned by the man she loves."

367 "It is a well-worn trick."

370 Fabio believes that Marcela "owes" him her soul, her love, because he loves her.

372 "What are you aiming at?"

376–377 "If she loved me of her own free will (not from necessity), it would be true love."

381 "I'll do (as a lover) when he spurns you."

387 **de espacio,** "when I am less rushed."

388 **en bien y en mal,** "in good times and in bad."

395–398 As Diana and Anarda come on stage, they are concluding a conversation, possibly about Diana's harsh treatment of Marcela.

403 "Leave this room, Marcela."

408 **Los dos,** i.e. Ricardo and Federico.

411 **Anajarte,** Anaxarete, whose disdain for her lover was so great that he hanged himself at her door.

412 **Lucrecia,** Lucretia, a model of chastity, who, after being raped, stabbed herself to death.

421 **lo,** i.e. **mujer**, "wife."

428 **porque quiero,** "because I am in love" with someone else.

436 "were all placed at the feet."

442 "who may sully my high reputation."

443–444 Pasiphae, who gave birth to the Minotaur, and Semiramis are examples of unnatural loving in classical mythology.

448–449 "A woman in love, can, if she wants, hate as much as she has loved."

454 **Tocan dentro,** "Music is heard off stage."

457 **conciertan,** "harmonize," "get on together."

459–462 "Would that I could, would that I might succeed in hating, since I no longer want to love!" The song is parallelistic, the final couplet differing from the first only in an insignificant substitution of a verb form.

467 **en mi mano,** "in my power."

470 "is superhuman."

487 **dueño.** Teodoro will accept as his master any husband his mistress may choose.

495 **fuera de,** "as well as."

502–515 Teodoro is furious with himself for having, by his silence, forced Diana into a hasty decision so contrary to his ambitious self-interest.

514–515 "Oh, how badly love works out between socially unequal persons!"

519 Ulysses was noted for his cunning, for his ability to resist deception.

522 "what will I lose if she spurns me?"

524 **accidente,** "fever."

527 **despedíos de ser,** "give up the idea of being."

535–536 Teodoro continues addressing his **pensamiento.**

542 "is bent on marriage."

654–571 A series of metaphors representing fickleness. The river changes the direction of its flow under pressure from an incoming tide (567–568).

573 Diana insults the man she has captivated.

584 "So she has (chosen) a husband?"

600 **de corrido,** "with mortification."

610 **amor de un año,** "a love that has lasted a year."

615 **amor extraño,** "a new love."

616 **entretiene,** "distracts," "diverts attention."

626 **imaginar,** "think."

637 "that I was prevented from doing it."

641–642 Because glass and a woman break if tested. Cf. Cervantes' tale of **El curioso impertinente.**

646 "golden thoughts" and "thoughts of gold" (avaricious ones): both meanings are implied.

661–662 "If you want a day brightened with revenge, what better one than this, Marcela?"

673 **no puede ser,** "it is impossible."

677 "the memory of you makes me return to you."

681–682 "God forbid that I should destroy the basis of your happiness."

695 **no venga Fabio,** "don't let Fabio find me here with you."

721–722 "Your graceful elegance holds more riches for him" than Diana's wealth.

725 **Brava estafeta,** "a fine courier of love."

764 "why did you bother me so much?"

769 **Yo he salido ya,** "I have triumphed at last."

771–772 "It's a misfortune for the middleman when a sale doesn't go through."

784 **contigo,** "in comparison with you."

789–790 "You may speak out freely as far as I am concerned, even about me."

805 Marcela, having noticed the Countess, takes her leave with great self-control.

810 "bring up a writing table."

827–828 **pequeño,** understand **bufete. escribanía,** "desk set" of writing utensils.

836 **sobre,** "coming on the heels of."

840 It was customary, and sometimes still is, to trace a cross at the head of a letter. For Teodoro the present act is the equivalent of crossing himself wildly to ward off an expected evil.

841 (the letter in prose). **es lo mucho el término,** "it is going too far for him . . ."

843 "Seal the letter, Teodoro."

848 **le murmuran,** "murmur his name."

852 "Write your own name on it, Teodoro."

859 **intercadencias,** "intermittencies."

871 "neither in fun nor seriously."

875 **la ocasión,** "the cause" of his sudden change of heart.

884 **toca al arma,** "sound the call to arms."

899 "I will honor this gift, even though I hardly deserve it."

903 "This is not compensation for your services; I am obliged to you."

910 **que le tengo en poco,** "that I pay little heed to it."

915 **¿es burlaros?,** "are you making fun of me?"

918 "unless by Teodoro's instructions."

921 **primo hermano,** "first cousin."

925–927 "In vain would you ask me to forgive Fabio, were he not in a place where your presence protects him."

929 **esta porfía,** "the stubbornness" of your refusal to marry me.

946 The more reasonable thing would be that the ship would get lost (that Teodoro should be madly in love, not the Countess).

948–949 "but if honor pulls the string so taut, I'm afraid, by God, that the bow will break."

964–965 **bien mirado**...**tu pensamiento,** "having considered your thought carefully."

969 **tenerle,** i.e. **tener respeto.**

1008 "You should have left me with Marcela."

1025 **no hay remedio,** "it's out of the question."

1028 "I should go in search of love elsewhere."

1029–1031 "Am I to exchange my pleasure for someone else's, in whom I take no pleasure?"

1061 Fabio refers to the bleeding caused by Diana's slapping Teodoro. His collar is bloodstained.

1066 **excusa,** "refuses."

1070 **poderosa de matarme,** "powerful enough to kill me."

1074 **por tocarme,** "for the sake of touching me."

1078 "I'm like a coward's sword."

1086–1087 "and as her honor disdains to give it free rein."

1092 **Juana o Lucía,** random names, meaning "any girl."

1093 **cierren conmigo,** "pick a quarrel."

1095 **cuello,** "collar."

1098–1101 "that I played a dirty trick on them, all right; they are low-class people in coarse stockings and worn shoes."

1118 "had a housekeeper and a yardboy."

1124 "One day, while he was teaching."

1143 "That I hear you and don't understand you." Teodoro also implies "I feel" your slap.

1153 "put an end to all these tortures."

1170 **doncella,** "a virgin." The allusion is to menstruation.

1175 **doctor.** Tristán alludes to his story about the professor's servants.

NOTES TO ACT III

3–4 "Service has its ups and downs, but I suspect there's more to it in this case."

9–10 "You can see that the improvement in his situation makes it credible."

12 **Su,** "Her."

14 For Lope the Moral Philosopher by antonomasia is Ecclesiasticus. In Chapter XIII we read: "Ditiori tu ne socius fueris. Quid communicabit cacabus ad ollam? Quando enim se colliserint, confringetur." Alciato's emblem book also contains an illustration of this parable.

15–16 "how perfectly today she applied it to the two of them!" (to herself and to Teodoro).

24 "such a daring comparison."

29–30 **altivez y bizarría** are to be considered a singular concept, subject of **admiró.**

32 "I saw without really seeing that day."

34 **en Teodoro,** "associated with Teodoro."

35 **alas,** i.e. wings of ambition or pride, like those of Icarus.

43 **piedad,** "act of charity."

48 "what is to be turned into blood," i.e. the corpse of the murdered man.

49 **bravo,** "mobster," a technical term for a member of the underworld.

51 "Let it be done quickly, I beg you."

57 **alboroque,** "agasajo que se hace a los que intervienen en una venta" (Acad.), "lagniappe."

62–63 "is a mere nothing, considering the lofty position I'm going to occupy shortly."

64 "If fortune doesn't change the rules of the game."

71 **tabernáculo,** "tabernacle," but in Furio's slang "tavern."

72 **lágrima,** "lachryma Christi." **malvasía,** "malmsey." Kinds of wine.

75 **color quebrado,** "pale color." Cf. **descolorido** (79).

80 **santa ermita,** "holy hermitage," i.e. the tavern.

85 "let them prepare two fingers' length of cheese." **formache** is an Italianism.

92 **¡Vive el cielo...!,** "By heavens!"

97–98 "well, here's to the man who distributes strength to other men," the hired criminal.

106–107 "if your courage matches your name" of Hector, the Trojan hero.

108 **que demos.** The subjunctive depends on the idea of *jurar* implied in the oath **Por vida de los dos.**

110 "and the devil with it." Tristán suggests that he kills as much "for the hell of it" as for money.

117 "and even the Frisian horses of her coach."

125 **mojadas,** "wettings," slang for "stabs."

126 "with which the poor fellow will R.I.P." The Latin phrase is from the Mass for the Dead.

128 "Is what I say all right by you?"

137 Tristán, posing as an honest criminal, means that he will stand by the original agreement.

139–140 Tristán invents thug-like names for his companions.

153 "which tells me I should dare to gaze on the sun," i.e. that he should set his sights on winning Diana.

155 **tan nueva,** "so innocent," "so unaware."

157 "so that Marcela may enjoy my discomfiture."

160–161 "As we go, I'll tell you who is preventing the steps being taken to kill you."

162 **La voz reporta,** "Speak more softly."

171 "with a down payment of fifty escudos they've engaged me."

175 "so as to protect you in this way."

177 **desta muerte.** Teodoro speaks figuratively of the "death" he is suffering because of Diana's treatment of him.

181 **de disculpa,** "to justify her action."

184–185 "That you surpass the cunning of Ulysses."

187 **un generoso padre,** "a noble father," one who belongs to the nobility.

193 **su gran maestre,** the Grand Master of the Order of the Knights of Malta.

203 **dar medio,** "resolve."

206 **tierra en medio,** "distance between us." Teodoro plans to absent himself from Naples. **Tierra** symbolizes "distance" throughout this sonnet, including the verb **enterrar,** "to inter" of 216.

219–220 "Since in my sadness I'm in love, I'll be able to set a proper value on my loving thoughts."

234 **Sí harán,** "I suspected as much."

264 "God damn you, honor."

269 "so many evil acts."

273 "how much it hurts me to see you."

275 "I have come back to collect my own person." Teodoro means that Diana is in possession of his soul (since he loves her), and must return his soul to him before he departs.

284 "and you have become my stumbling-block."

286–288 "don't ask for yourself, as well you may; for I know that, though you stay here with me, you're taking me with you."

290 **ella,** i.e. **señoría,** the sign of her social incompatibility with Teodoro.

295 "But let them (my eyes) feel their misfortune" by weeping.

296–306 Diana urges her eyes, which are guilty of bad looking (of settling on a socially unacceptable object of love), to weep well for the unhappiness they have caused her.

307–308 The sun looks (**pone los ojos**) on the mud, and no mud soils its splendor by sticking to it. In other words, there is no harm in a noble lady's contemplating the love of a common man provided she does not go beyond contemplation.

316 "what it may justly hope to receive."

317–318 "a chance to improve my lot has come your way."

324 "because of certain dangers he fears."

333 **lo que digo,** i.e. marriage (cf. **casada,** 326).

334 **a propósito,** "opportunely." Diana speaks ironically.

348 **en ti,** i.e. **a ti.**

356 "Don't answer me back."

365 **las colores,** i.e. the colors of the blossoms which the frost would kill.

368 "And when it (the beauty of the flowers) gave grounds for hope."

371 **sucesión,** "a successor," "an heir."

373–374 Ludovico's old age (**muchos años**) is an obstacle to his ever having a child to inherit his name and wealth.

377–378 "fear insists on being the judge, and is determined to assess the guilt."

385 **la** refers to both **hiedra** and **mujer.**

386 As the ivy flourishes at the expense of the elm, so the young wife flourishes to the detriment of the old husband.

389 **mi antigua historia,** the earlier period of Ludovico's life when he lost his son.

392 **con engaños,** "always in vain."

402 **este remoto suelo,** "this distant land," i.e. Naples, far from his native Greece.

408 **algunos pasos,** "some efforts."

415 **su,** i.e. of Naples.

428 **bien puesta,** "well born."

430 "which the Turkish galleys of a pasha."

431 **Chafalonia,** Kephallenia, a Greek island.

437–438 "You pierce my heart. — How well he's swallowing the bait!"

444–445 **¡nunca fuera tan bello!,** "if only he hadn't been so handsome!"

451 "they consummated their love."

454 **con cuyo temor,** "for fear of which."

458–459 "wasn't angry at Teodoro's abuse of his confidence so much as at his departure."

463 **ley,** "religion."

475 **servía,** "was a servant."

476 "Can this young man be."

478 "My soul receives still another enlightenment."

479 **doy en que,** "I realize that."

480 "instead of entering yours (your house)."

496 "should render him suspect," giving people a bad impression of him.

504–506 **vine...a que tengas con tu nieto alguna cuenta,** "I have come to ask you to make some recognition of your grandson."

510 "even though he has plenty of nobility to spare" (to make an extremely good match).

513 "Let me embrace you over and over again."

514 **potencias,** i.e. Understanding, Will, Memory. In fact, Ludovico's powers of the soul deceive him; he is the dupe of Tristán and his own desires.

523–524 "in embracing your son begin a new life after so many years of unhappiness."

535 **Mercaponios,** the pseudo-Greek name which Furio has adopted for the interview with Ludovico.

536–538 **entrecas, engañifo, bonis, andemis,** vaguely Greek-sounding Spanish words to lend color to their pretense. "The swindle's working out well. — Very well. — Let's go."

540 **¿Trasponen?,** "Are they out of sight yet?"

542–544 **¿Cosa que...?,** "I wonder if . . ." **¿Mas si...?,** "What if . . .?

545 **almalafas,** long robes worn by Moors. They are part of the disguise worn by the "Greek merchants."

546 **desnudarme,** "change clothes."

550–551 "To think that (Ludovico's) paternal love can go this far."

553 **choza del olmo,** possibly the name of a tavern.

554–555 "What resources the mind has!"

558–559 **porque hubiera más lugar en el peligro,** "so that it would be easier, in case of danger."

562 **hopalandas,** "academic robe," or similar ample garment. **gregüescos,** "breeches," derives ultimately from Latin **graeciscus,** "Greek." Here used abnormally as an adjective, "Grecian gown."

574 "for my sword to shed blood in public."

590 **paso,** "quietly."

594 "a horse, to take off on that very same day" of the murder.

597 **lo menos es pagaros,** "your least worry will be collecting your money."

621 **tan varia,** "in so many different ways."

622 **tomarla,** "to grasp it."

623 "What greater misfortune could have occurred to us!"

629–630 "from rivalry among unequals good never came."

632 **tu engaño.** Marcela refers to Teodoro's having pretended to love her.

640 "because of your rashness and cowardice."

646 **montes de nieve,** i.e. impassable obstacles. The idea is that there can be no compromise between a lady's honor and an inferior's love.

659 **tú me casas,** "it is you who are forcing me to marry" Fabio.

663–664 "you do well, Marcela, to feast your eyes on him."

669 "So, Teodoro, you're leaving like this?"

672 **a punto,** "packed and ready."

674 **Y tú me celas,** "And you still keep a jealous eye on me."

679 "I am the woman you know me to be (i.e. noble and honorable); what else am I to do?"

697 **mis enojos,** "my irritation" at your leaving.

704 "of so cruel a victory."

713 "It's too late for her to hold his hand."

721 "they would scarcely let me go down the street," pressing forward to congratulate him.

731 **fortunas,** "misfortunes."

736 **descuidado,** "ignorant."

744 **hijo de mis entrañas,** "my dearly beloved son."

749–751 "Even if I didn't have complete assurance (that you are my son), the sight of you would be the fullest (assurance) possible."

755 **real,** "royal," "distinguished."

762 **de partida,** "on the point of departing."

764 **¿Cómo a España?,** "What do you mean, to Spain?"

765 "Spain is my embrace," i.e. your only destination now is my fatherly embrace.

767 **hasta que se reporte,** "until he recovers."

770 "you speak wisely, like the sensible woman all know you to be."

774 "to restore to me my happiness before nightfall."

777 **venga la muerte agora,** "I can die happily now."

778–779 "I don't want to dwell too much on my happiness for fear of going mad (with joy)."

784 "deserve affection."

791 "you are even more 'my lady.'"

798 "Will she eat now? — Of course, isn't it obvious?" An allusion to the proverb: the dog in the manger **will** eat now.

805 **Haz extremos,** "Go on, then, be outrageous." Teodoro is now authorized to act extravagantly as a lover may whose love can be returned by his social equal.

811 "you are sorry that I am your equal."

815 **lo amado,** "the object of love."

818 "There are no other favors you can bestow on me."

819 **fortuna, tente,** "stop, Fortune." Teodoro is afraid — and also Diana (840–841) — that Fortune may yet give another turn to her wheel, and plunge them all once more into unhappiness.

828 Diana mocks Teodoro for the ease with which he slips into the curt language of an equal, forsaking the ceremonious speech expected of a servant.

830 "The rules of the game have changed."

843–846 "doesn't one pass on the news to one's friends? — All the news your Graces request. — We are asking for information about how your servant became so great a lord."

852–853 "To think that a lackeyish ingenuity could so upturn the city of Naples!" **lacaifero,** Tristán is still coining pseudo-Greek words.

869 **Alguna señal quiero,** "I want an earnest."

886 **greguecizar,** "to Greekify."

892–895 "for all this must be Greek, since no one understands it, and in any case I made it pass for Greek."

913 **tocar el alma,** "move your heart."

916–917 "It's nothing I dare tell you."

920–923 Teodoro says allegorically that Deception, Cunning, and Crete should recognize Tristán as their superior in all departments of trickery. Crete of course was the site of the labyrinth in the center of which was the Minotaur.

928 "who am a nobody," a son of the land.

946 **lo,** i.e. **nobleza,** "a noble act."

949 **el color,** the color of true, natural nobility.

958 **Guarda afuera,** "Out with the guard!," a cry of alarm.

963–965 An allusion to the proverb "Nuestro gozo en el pozo." "Díjose cuando tomando alegría de alguna cosa que esperamos o pensamos tener, sale falsa" (Covarrubias).

966–967 "Don't imagine you'll ever fish my body out."

974–975 "Since it's to my interest to keep it secret, don't you suppose I will keep quiet about it?"

993 **dos hijos,** "two children," i.e. Diana as well as Teodoro.

1007 "this supposed gangster."

1015 I will give a dowry to Marcela."

1019 **senado,** "senate." Lope so addresses the audience in the codas of his plays; here the spectators are roguishly made accomplices in the scheme not to betray Teodoro's secret.

1022–1024 "for now, with your permission, the famous comedy **Dog in the Manger** comes to an end."

LOPE DE VEGA

El caballero de Olmedo

INTRODUCTION

Lope calls this play a *tragicomedia*, which only means that he senses the inadequacy of the usual label *comedia.* King John in the concluding words refers to the action as "esta trágica historia." *El caballero de Olmedo* is a tragedy, and not, as some critics say, a comic action followed by a tragic dénouement. The fun and games in the first two acts detract from the tragic inevitability of Don Alonso's bloody death not one wit more than Hamlet's persiflage in the scene with Polonius deflects his tragedy. If the reader looks carefully, he will find abundant presages of the ending: in the imagery and in ironic statements as well as in the formal prophecies, omens, and dreams. He will not fail to note that before the action of the play began Don Alonso recognized that he was "sentenciado a muerte" (I, 155). To be sure, the knight is here using a commonplace figure of speech to reveal the intensity of his love. In other plays the metaphor of love as death need not be taken seriously. But it is the artistic triumph of this tragedy that the metaphor is translated to the action, for Don Alonso does indeed lose his life for love. He is hounded to death by the figurative language of poetry as well as by his own mistakes. Don Alonso blindly commits some prudential errors of judgment, setting in motion a chain of events which remains out of his control and which culminates in a punishment quite incommensurate with his guilt. These are the effects of tragedy.

The starting point of the tragedy is Don Alonso's speech about love at first sight. He is wondering whether the spontaneity of his love will evoke a similar response in Doña Inés. Because he is unsure, he does what lovers from Ovid to *La Celestina* had been told to do: he hires a go-between. Fabia bodes him evil, and clearly foresees the evil that will befall him. The reader soon learns that Don Alonso had no need to bring her into his life. From the moment she has first set eyes on him Doña Inés has been madly in love with him. (The reader will notice — and try to explain — the great stress laid on the eyes and vision and the verbs associated with them throughout the play.) In very few plays is the hero's love returned immediately. Most plays about love deal instead with the problems involved in courtship. But here the love is mutual and declared.

The swiftness with which the preliminaries to establishing a love affair are dispatched takes a good deal of the thrill and pleasure out of the lovers' relationship. If the lovers had been Calisto and Melibea in *La Celestina*, they would at once have had sexual relations. Respect for one another's honor prevents this in *El caballero de Olmedo*. Don Alonso will later lament his abstinence. From the start, however, he creates an artificial need for the excitement of courtship by erecting obstacles to the immediate fulfillment of their love. He does not discharge Fabia, even though the purpose for which she was employed has been achieved. The lovers neglect to make their love public, refraining in particular from telling Doña Inés' father about it. Don Alonso turns a blind eye on Don Rodrigo's jealousy and envy. He makes repeated journeys between Olmedo and Medina on a pretext no other fictional lover has ever alleged: the need to reassure his parents about his safety. The fact is that he is constantly absenting himself from his beloved and returning to her in order to add a piquancy to an affair that would otherwise have been insipid. Finally, Don Alonso refuses to heed the many warnings of his imminent death. To be sure, he argues that it would be un-Christian to do so; but from the point of view of the poetic recreation of his life it would have been better for him had he paid attention to the voice of fate. The omens are "avisos del cielo," even if they began as "invenciones de Fabia." From the poetry we learn that Fabia is a *sombra*, that Don Rodrigo's jealousy is a *sombra*, that Don Alonso's fears are *sombras*. These metaphorical *sombras* are in the poetic world sufficient to create Don Alonso's *sombra*, his ghost. They are the form that his nemesis takes.

It is clear that Don Alonso is as much in love with love as he is with Doña Inés. And the most glamorous loves are those which end in death. The fatal love of a Tristan and an Isolda in medieval fiction or that of Prince Rudolph and Marie Vetsera in the historical reality of nineteenth-century Mayerling have captured the imagination of all connoisseurs of true love. Don Alonso's and Doña Inés' love for each other is on the grand scale which requires its destruction in death. Their love is passionate and passion is suffering.

The play is sheer poetry in the sense that poetry creates the events of the action. Its mystery, which all critics have noted, resides in the poetry. It seems likely that Lope created the play around the beautiful song "Que de noche le mataron." The song was well known; it had even been arranged as a set of variations by the composer Antonio de Cabezón.

The song seems to have been inspired by an event of the year 1521, when Don Juan de Vivero was villainously killed by Miguel Ruiz as he was leaving a bullfight in Medina del Campo to go to Olmedo. But Lope has intentionally transferred the song and the murder to the time of Don Juan's great-grandparents, Don Alonso Pérez de Vivero and Doña Inés de Guzmán, whose names he has appropriated. Ironically the historical Don Juan and Doña Inés are the infamous betrayers and persecutors of their benefactor, the Condestable Don Álvaro de Luna, who fell from the grace of his protector John II and suffered an ignominious execution. Lope is surely making a comment on that historical episode, rather than merely selecting the "romantic" background of the late Middle Ages, as most critics say. Students who wish to investigate the historical Don Alonso and Doña Inés will find leads in the *Crónica de Don Álvaro de Luna* (ed. Juan de Mata Carriazo, Madrid, 1940), the *Crónica de Don Juan II* (Biblioteca de Autores Españoles, LXVIII), Fernán Pérez de Guzmán's *Generaciones y semblanzas* (ed. R. B. Tate, London, 1965), as well as in modern histories like César Silio, *Don Álvaro de Luna y su tiempo* (Colección Austral).

SUGGESTED READING:

In recent years a great deal has been written about this play. By reading this material the student may learn to be critical about the critics. Even so this list is selective.

JEAN SARRAILH, "L'Histoire dans le *Caballero de Olmedo* de Lope de Vega," *Bulletin Hispanique*, XXXVII (1935), 337–352. As well as studying the historical background, he makes some critical remarks about the *Leitmotif* of "night."

INEZ I. MACDONALD, "Why Lope?," *Bulletin of Spanish Studies*, XII (1935), 186–197. An excellent starting point, designed to introduce a student performance of the play.

A. A. PARKER, *The Approach to the Spanish Drama of the Golden Age* (London, 1957), pp. 10–12. Forces the tragedy to conform to his preconceived notion of poetic justice.

R. D. F. PRING-MILL, "Introduction" to Lope de Vega, *Five Plays*, tr. Jill Booty (New York, 1961).

ALAN SOONS, "Towards an Interpretation of *El caballero de Olmedo*," *Romanische Forschungen*, LXXIII (1961), 160–168. Some interesting points about clothing, but the religious interpretation should be viewed with skepticism.

MARCEL BATAILLON, *"La Célestine" selon Fernando de Rojas* (Paris, 1961), pp. 237–250. A sensitive study of the play designed to emphasize the difference between its conception and that of the *Celestina*.

EVERETT W. HESSE, "The Rôle of the Mind in Lope's *El caballero de Olmedo*," *Symposium*, XIX (1965), 58–66. Recognizes the significance of the theme of the eyes.

ALBERT S. GÉRARD, "Baroque Unity and the Dualities of *El caballero de Olmedo*," *Romanic Review*, LVI (1965), 92–106. The most intelligent dissection of the play, with special emphasis on the tradition of fatal love.

FRANK P. CASA, "The Dramatic Unity of *El caballero de Olmedo*," *Neophilologus*, L (1966), 234–243.

WILLIAM C. MCCRARY, *The Goldfinch and the Hawk: A Study of Lope de Vega's Tragedy "El caballero de Olmedo"* (Chapel Hill, 1966). Methodologically unrecommendable, but included for pedagogical purposes. An interpretation in the light of Don Alonso's dream at the end of Act II.

See also the introductions and other annexed material in editions of the play by Américo Castro (Madrid, 1933), I. I. MacDonald (Cambridge, 1934), José Manuel Blecua (Zaragoza, 1947), and Francisco Rico (Salamanca, 1967).

El caballero de Olmedo

Tragicomedia

PERSONAS

DON ALONSO	FABIA
DON RODRIGO	TELLO
DON FERNANDO	MENDO
DON PEDRO	UN LABRADOR
EL REY D. JUAN EL II	UNA SOMBRA
EL CONDESTABLE	CRIADOS
DOÑA INÉS	ACOMPAÑAMIENTO
DOÑA LEONOR	GENTE
ANA	

La acción en Olmedo, Medina del Campo y en un camino entre estos dos pueblos.

ACTO PRIMERO

Sale DON ALONSO.

D. ALONSO. Amor, no te llame amor
el que no te corresponde,
pues que no hay materia adonde
no imprima forma el favor.
Naturaleza, en rigor, 5
conservó tantas edades
correspondiendo amistades;
que no hay animal perfeto
si no asiste a su conceto
la unión de dos voluntades. 10
De los espíritus vivos
de unos ojos procedió
este amor, que me encendió
con fuegos tan excesivos.
No me miraron altivos, 15

antes, con dulce mudanza,
me dieron tal confianza,
que, con poca diferencia,
pensando correspondencia,
engendra amor esperanza. 20

Ojos, si ha quedado en vos
de la vista el mismo efeto,
amor vivirá perfeto,
pues fué engendrado de dos;
pero si tú, ciego dios, 25
diversas flechas tomaste,
no te alabes que alcanzaste
la victoria que perdiste
si de mí solo naciste,
pues imperfeto quedaste. 30

Salen TELLO, *criado y* FABIA.

FABIA. ¿A mí, forastero?
TELLO. A ti.
FABIA. Debe pensar que yo
soy perro de muestra.
TELLO. No.
FABIA. ¿Tiene algún achaque?
TELLO. Sí.
FABIA. ¿Qué enfermedad tiene?
TELLO. Amor. 35
FABIA. Amor ¿de quién?
TELLO. Allí está,
y él, Fabia, te informará
de lo que quiere mejor.
FABIA. Dios guarde tal gentileza.
(*A* D. ALONSO.)
D. ALONSO. Tello, ¿es la madre?
TELLO. La propia. 40
D. ALONSO. ¡Oh Fabia! ¡Oh retrato, oh copia
de cuanto naturaleza
puso en ingenio mortal!
¡Oh peregrino dotor,
y para enfermos de amor 45
Hipócrates celestial!

Dame a besar esa mano,
honor de las tocas, gloria
del monjil

FABIA. La nueva historia
de tu amor cubriera en vano 50
vergüenza o respeto mío;
que ya en tus caricias veo
tu enfermedad.

D. ALONSO. Un deseo
es dueño de mi albedrío.

FABIA. El pulso de los amantes 55
es el rostro. Aojado estás.
¿Qué has visto?

D. ALONSO. Un ángel.

FABIA. ¿Qué más?

D. ALONSO. Dos imposibles, bastantes,
Fabia, a quitarme el sentido;
que es dejarla de querer 60
y que ella me quiera.

FABIA. Ayer
te vi en la feria perdido
tras una cierta doncella,
que en forma de labradora
encubría el ser señora, 65
no el ser tan hermosa y bella;
que pienso que doña Inés
es de Medina la flor.

D. ALONSO. Acertaste con mi amor:
esa labradora es 70
fuego que me abrasa y arde.

FABIA. Alto has picado.

D. ALONSO. Es deseo
de su honor.

FABIA. Así lo creo.

D. ALONSO. Escucha, así Dios te guarde.
Por la tarde salió Inés 75
a la feria de Medina,
tan hermosa, que la gente
pensaba que amanecía:
rizado el cabello en lazos,

que quiso encubrir la liga, 80
porque mal caerán las almas
si ven las redes tendidas.
Los ojos, a lo valiente,
iban perdonando vidas,
aunque dicen los que deja 85
que es dichoso a quien la quita.
Los manos haciendo tretas,
que como juego de esgrima
tiene tanta gracia en ellas,
que señala las heridas. 90
Las valonas esquinadas
en manos de nieve viva;
que muñecas de papel
se han de poner en esquinas.
Con la caja de la boca 95
allegaba infantería,
porque sin ser capitán,
hizo gente por la villa.
Los corales y las perlas
dejó Inés, porque sabía 100
que las llevaban mejores
los dientes y las mejillas.
Sobre un manteo francés
una verdemar basquiña,
porque tenga en otra lengua 105
de su secreto la cifra.
No pensaron las chinelas
llevar de cuantos la miran
los ojos en los listones,
las almas en las virillas. 110
No se vio florido almendro
como toda parecía;
que del color natural
son las mejores pastillas.
Invisible fue con ella 115
el amor, muerto de risa
de ver, como pescador,
los simples peces que pican.
Unos le ofrecieron sartas,

y otros arracadas ricas; 120
pero en oídos de áspid
no hay arracadas que sirvan.
Cuál da a su garganta hermosa
el collar de perlas finas;
pero como toda es perla, 125
poco las perlas estima;
yo, haciendo lengua los ojos,
solamente le ofrecía
a cada cabello un alma,
a cada paso una vida. 130
Mirándome sin hablarme,
parece que me decía:
"No os vais, don Alonso, a Olmedo,
quedaos agora en Medina."
Creí mi esperanza, Fabia; 135
salió esta mañana a misa,
ya con galas de señora,
no labradora fingida.
Si has oído que el marfil
del unicornio santigua 140
las aguas, así el cristal
de un dedo puso en la pila.
Llegó mi amor basilisco,
y salió del agua misma
templado el veneno ardiente 145
que procedió de su vista.
Miró a su hermana, y entrambas
se encontraron en la risa,
acompañando mi amor
su hermosura y mi porfía. 150
En una capilla entraron;
yo, que siguiéndolas iba,
entré imaginando bodas.
¡Tanto quien ama imagina!
Vime sentenciado a muerte, 155
porque el amor me decía:
"Mañana mueres, pues hoy
te meten en la capilla."
En ella estuve turbado;

ya el guante se me caía, 160
ya el rosario, que los ojos
a Inés iban y venían.
No me pagó mal: sospecho
que bien conoció que había
amor y nobleza en mí; 165
que quien no piensa no mira,
y mirar sin pensar, Fabia,
es de ignorantes, y implica
contradicción que en un ángel
faltase ciencia divina. 170
Con este engaño, en efecto,
le dije a mi amor que escriba
este papel; que si quieres
ser dichosa y atrevida
hasta ponerle en sus manos, 175
para que mi fe consiga
esperanzas de casarme
(tan en esto amor me inclina),
el premio será un esclavo
con una cadena rica, 180
encomienda de esas tocas,
de mal casadas envidia.

FABIA. Yo te he escuchado.

D. ALONSO. Y ¿qué sientes?

FABIA. Que a gran peligro te pones.

TELLO. Excusa, Fabia, razones, 185
si no es que por dicha intentes,
como diestro cirujano,
hacer la herida mortal.

FABIA. Tello, con industria igual
pondré el papel en su mano, 190
aunque me cueste la vida,
sin interés, porque entiendas
que, donde hay tan altas prendas,
sola yo fuera atrevida.
Muestra el papel... (*Ap.*) (Que primero 195
lo tengo de aderezar.)

D. ALONSO. ¿Con qué te podré pagar
la vida, el alma que espero,

	Fabia, de esas santas manos?	
TELLO.	¿Santas?	
D. ALONSO.	¿Pues no, si han de hacer	200
	milagros?	
TELLO.	De Lucifer.	
FABIA.	Todos los medios humanos	
	tengo de intentar por ti,	
	porque el darme esa cadena	
	no es cosa que me da pena,	205
	mas confiada nací.	
TELLO.	¿Qué te dice el memorial?	
D. ALONSO.	Ven, Fabia, ven, madre honrada,	
	porque sepas mi posada.	
FABIA.	Tello...	
TELLO.	Fabia...	
FABIA.	(No hables mal;	210
(*Ap. a* TELLO.)	que tengo cierta morena	
	de extremado talle y cara.	
TELLO.	Contigo me contentara	
	si me dieras la cadena.) *Vanse.*	

Salen DOÑA INÉS *y* DONA LEONOR.

D.ª INÉS.	Y todos dicen, Leonor,	215
	que nace de las estrellas.	
D.ª LEONOR.	De manera que sin ellas	
	¿no hubiera en el mundo amor?	
D.ª INÉS.	Dime tú: si don Rodrigo	
	ha que me sirve dos años,	220
	y su talle y sus engaños	
	son nieve helada conmigo,	
	y en el instante que vi	
	este galán forastero,	
	me dijo el alma: "Este quiero,"	225
	y yo le dije: "Sea ansí,"	
	¿quién concierta y desconcierta	
	este amor y desamor?	
D.ª LEONOR.	Tira como ciego amor,	
	yerra mucho, y poco acierta.	230
	Demás, que negar no puedo	
	(aunque es de Fernando amigo	

tu aborrecido Rodrigo,
por quien obligada quedo
a intercederte por él) 235
que el forastero es galán.

D.ª INÉS. Sus ojos causa me dan
para ponerlos en él,
pues pienso que en ellos vi
el cuidado que me dio, 240
para que mirase yo
con el que también le di.
Pero ya se habrá partido.

D.ª LEONOR. No le miro yo de suerte
que pueda vivir sin verte. 245

Sale ANA, *criada.*

ANA. Aquí, señora, ha venido
la Fabia... o la Fabiana.

D.ª INÉS. Pues ¿quién es esa mujer?

ANA. Una que suele vender
para las mejillas grana, 250
y para la cara nieve.

D.ª INÉS. ¿Quieres tú que entre, Leonor?

D.ª LEONOR. En casas de tanto honor
no sé yo cómo se atreve;
que no tiene buena fama; 255
mas ¿quién no desea ver?

D.ª INÉS. Ana, llama esa mujer.

ANA. (*Llegándose a la puerta.*) Fabia, mi señora os llama. *Vase.*

Sale FABIA, *con una canastilla.*

FABIA. (*Ap.*) (Y ¡cómo si yo sabía
que me habías de llamar!) 260
¡Ay! Dios os deje gozar
tanta gracia y bizarría,
tanta hermosura y donaire;
que cada día que os veo
con tanta gala y aseo, 265
y pisar de tan buen aire,

os echo mil bendiciones;
y me acuerdo como agora
de aquella ilustre señora,
que con tantas perfecciones 270
fue la fénix de Medina,
fue el ejemplo de lealtad.
¡Qué generosa piedad
de eterna memoria dina!
¡Qué de pobres la lloramos! 275
¿A quién no hizo mil bienes?

D.ª INÉS. Dinos, madre, a lo que vienes.

FABIA. ¡Qué de huérfanas quedamos
por su muerte malograda!
La flor de las Catalinas 280
hoy la lloran mis vecinas;
no la tienen olvidada.
Y a mí, ¿qué bien no me hacía?
¡Qué en agraz se la llevó
la muerte! No se logró. 285
Aun cincuenta no tenía.

D.ª INÉS. No llores, madre, no llores.

FABIA. No me puedo consolar
cuando le veo llevar
a la muerte las mejores, 290
y que yo me quedo acá.
Vuestro padre, Dios le guarde,
¿está en casa?

D.ª LEONOR. Fue esta tarde
al campo.

FABIA. Tarde vendrá.
Si va a deciros verdades, 295
mozas sois, vieja soy yo....
Más de una vez me fio
don Pedro sus mocedades;
pero teniendo respeto
a la que pudre, yo hacía 300
(como quien se lo debía)
mi obligación. En efeto,
de diez mozas, no le daba
cinco.

D.ª INÉS. ¡Qué virtud!
FABIA. No es poco,
que era vuestro padre un loco; 305
cuanto vía tanto amaba.
Si sois de su condición,
me admiro de que no estéis
enamoradas. ¿No hacéis,
niñas, alguna oración 310
para casaros?
D.ª INÉS. No, Fabia.
Eso siempre será presto.
FABIA. Padre que se duerme en esto,
mucho a sí mismo se agravia.
La fruta fresca, hijas mías, 315
es gran cosa, y no aguardar
a que la venga a arrugar
la brevedad de los días.
Cuantas cosas imagino,
dos solas, en mi opinión, 320
son buenas, viejas.
D.ª LEONOR. Y ¿son?...
FABIA. Hija, el amigo y el vino.
¿Veisme aquí? Pues yo os prometo
que fue tiempo en que tenía
mi hermosura y bizarría 325
más de algún galán sujeto.
¿Quién no alababa mi brío?
¡Dichoso a quien yo miraba!
Pues ¿qué seda no arrastraba?
¡Qué gasto, qué plato el mío! 330
Andaba en palmas, en andas.
Pues, ¡ay Dios!, si yo quería,
¿qué regalos no tenía
desta gente de hopalandas?
Pasó aquella primavera, 335
no entra un hombre por mi casa;
que como el tiempo se pasa,
pasa la hermosura.
D.ª INÉS. Espera.
¿Qué es lo que traes aquí?

FABIA. Niñerías que vender 340
para comer, por no hacer
cosas malas.

D.ª LEONOR. Hazlo ansí,
madre, y Dios te ayudará.

FABIA. Hija, mi rosario y misa:
esto cuando estoy de prisa, 345
que si no...

D.ª INÉS. Vuélvete acá.
¿Qué es esto?

FABIA. Papeles son
de alcanfor y solimán.
Aquí secretos están
de gran consideración 350
para nuestra enfermedad
ordinaria.

D.ª LEONOR. Y esto, ¿qué es?

FABIA. No lo mires, aunque estés
con tanta curiosidad.

D.ª LEONOR. ¿Qué es, por tu vida?

FABIA. Una moza, 355
se quiere, niñas, casar;
mas acertóla a engañar
un hombre de Zaragoza.
Hase encomendado a mí....
Soy piadosa..., y en fin es 360
limosna, porque después
vivan en paz.

D.ª INÉS. ¿Qué hay aquí?

FABIA. Polvos de dientes, jabones
de manos, pastillas, cosas
curiosas y provechosas. 365

D.ª INÉS. ¿Y esto?

FABIA. Algunas oraciones.
¡Qué no me deben a mí
las ánimas!

D.ª INÉS. Un papel
hay aquí.

FABIA. Diste con él,
cual si fuera para ti. 370

Suéltale: no le has de ver,
bellaquilla, curiosilla.

D.ª INÉS. Deja, madre...

FABIA. Hay en la villa
cierto galán bachiller
que quiere bien una dama; 375
prométeme una cadena
porque le dé yo, con pena
de su honor, recato y fama.
Aunque es para casamiento,
no me atrevo. Haz una cosa 380
por mí, doña Inés hermosa,
que es discreto pensamiento.
Respóndeme a este papel,
y diré que me le ha dado
su dama.

D.ª INÉS. Bien lo has pensado 385
si pescas, Fabia, con él
la cadena prometida.
Yo quiero hacerte este bien.

FABIA. Tantos los cielos te den,
que un siglo alarguen tu vida. 390
Lee el papel.

D.ª INÉS. Allá dentro,
y te traeré respuesta. *Vase.*

D.ª LEONOR. ¡Qué buena invención!

FABIA. (*Ap.*) (Apresta,
fiero habitador del centro,
fuego accidental que abrase 395
el pecho de esta doncella.)

Salen DON RODRIGO *y* DON FERNANDO.

D. RODRIGO. (*A* D. FERNANDO.) Hasta casarme con ella,
será forzoso que pase
por estos inconvenientes.

D. FERNANDO. Mucho ha de sufrir quien ama. 400

D. RODRIGO. Aquí tenéis vuestra dama.

FABIA. (*Ap.*) (¡Oh necios impertinentes!
¿Quién os ha traído aquí?)

D. RODRIGO. Pero ¡en lugar de la mía,

	aquella sombra!	
FABIA. (*A* D.ª LEONOR.)	Sería gran limosna para mí: que tengo necesidad.	405
D.ª LEONOR.	Yo haré que os pague mi hermana.	
D. FERNANDO.	Si habéis tomado, señora, o por ventura os agrada algo de lo que hay aquí (si bien serán cosas bajas las que aquí puede traer esta venerable anciana, pues no serán ricas joyas para ofreceros la paga), mandadme que os sirva yo.	410 / 415
D.ª LEONOR.	No habemos comprado nada; que es esta buena mujer quien suele lavar en casa la ropa.	420
D. RODRIGO.	¿Qué hace don Pedro?	
D.ª LEONOR.	Fue al campo; pero ya tarda.	
D. RODRIGO.	Mi señora doña Inés...	
D.ª LEONOR.	Aquí estaba... Pienso que anda despachando esta mujer.	425
D. RODRIGO. (*Aparte.*)	(Si me vio por la ventana, ¿quién duda que huyó por mí? ¿Tanto de ver se recata quien más servirla desea?)	
D. FERNANDO.	Ya sale.	

Salga DOÑA INÉS *con un papel en la mano.*

D.ª LEONOR. (*a su hermana*)	Mira que aguarda por la cuenta de la ropa Fabia.	430
D.ª INÉS.	Aquí la traigo, hermana. Tomad, y haced que ese mozo la lleve.	
FABIA.	¡Dichosa el agua que ha de lavar, doña Inés, las reliquias de la holanda que tales cristales cubre!	435

(*Lea.*) Seis camisas, diez toallas,
cuatro tablas de manteles,
dos cosidos de almohadas, 440
seis camisas del señor,
ocho sábanas. Mas basta;
que todo vendrá más limpio
que los ojos de la cara.

D. RODRIGO. Amiga, ¿queréis feriarme 445
ese papel, y la paga
fiad de mí, por tener
de aquellas manos ingratas
letra siquiera en las mías?

FABIA. ¡En verdad que negociara 450
muy bien si os diera el papel!
Adiós, hijas de mi alma. *Vase.*

D. RODRIGO. Esta memoria aquí había
de quedar, que no llevarla.

D.ª LEONOR. Llévala y vuélvela, a efeto 455
de saber si algo le falta.

D.ª INÉS. Mi padre ha venido ya.
Vuesas mercedes se vayan
o le visiten; que siente
que nos hablen, aunque calla. 460

D. RODRIGO. Para sufrir el desdén
que me trata desta suerte,
pido al amor y a la muerte
que algún remedio me den:
al amor, porque tan bien 465
puede templar tu rigor
con hacerme algún favor;
y a la muerte, porque acabe
mi vida; pero no sabe
la muerte, ni quiere amor. 470

Entre la vida y la muerte
no sé qué medio tener,
pues amor no ha de querer
que con tu favor acierte;
y siendo fuerza quererte, 475
quiere el amor que te pida
que seas tú mi homicida.

Mata, ingrata, a quien te adora;
serás mi muerte, señora,
pues no quieres ser mi vida. 480
Cuanto vive de amor nace,
y se sustenta; de amor,
cuanto muere. Es un rigor
que nuestras vidas deshace.
Si al amor no satisface 485
mi pena, ni la hay tan fuerte
con que la muerte me acierte,
debo de ser inmortal,
pues no me hacen bien ni mal
ni la vida ni la muerte. *Vanse los dos.* 490

D.ª INÉS. ¡Qué de necedades juntas!
D.ª LEONOR. No fue la tuya menor.
D.ª INÉS. ¿Cuándo fue discreto amor,
si del papel me preguntas?
D.ª LEONOR. ¿Amor te obliga a escribir 495
sin saber a quien?
D.ª INÉS. Sospecho
que es invención que se ha hecho,
para probarme a rendir,
de parte del forastero.
D.ª LEONOR. Yo también lo imaginé. 500
D.ª INÉS. Si fue ansí, discreto fue.
Leerte unos versos quiero.
"Yo vi la más hermosa labradora,
en la famosa feria de Medina,
que ha visto el sol adonde más se inclina 505
desde la risa de la blanca aurora.
Una chinela de color, que dora
de una coluna hermosa y cristalina
la breve basa, fue la ardiente mina
que vuela el alma a la región que adora. 510
Que una chinela fuese vitoriosa,
siendo los ojos del amor enojos,
confesé por hazaña milagrosa.
Pero díjele dando los despojos:
'Si matas con los pies, Inés hermosa, 515
¿qué dejas para el fuego de tus ojos?' "

D.ª LEONOR. Este galán, doña Inés,
te quiere para danzar.
D.ª INÉS. Quiere en los pies comenzar,
y pedir manos después. 520
D.ª LEONOR. ¿Qué respondiste?
D.ª INÉS. Que fuese
esta noche por la reja
del huerto.
D.ª LEONOR. ¿Quién te aconseja,
o qué desatino es ése?
D.ª INÉS. No es para hablarle.
D.ª LEONOR. Pues ¿qué? 525
D.ª INÉS. Ven conmigo y lo sabrás.
D.ª LEONOR. Necia y atrevida estás.
D.ª INÉS. ¿Cuándo el amor no lo fue?
D.ª LEONOR. Huir de amor cuando empieza.
D.ª INÉS. Nadie del primero huye, 530
porque dicen que le influye
la misma naturaleza. *Vanse.*

Salen DON ALONSO, TELLO *y* FABIA.

FABIA. Cuatro mil palos me han dado.
TELLO. ¡Lindamente negociaste!
FABIA. Si tú llevaras los medios... 535
D. ALONSO. Ello ha sido disparate
que yo me atreviese al cielo.
TELLO. Y que Fabia fuese el ángel,
que al infierno de los palos
cayese por levantarte. 540
FABIA. ¡Ay, pobre Fabia!
TELLO. ¿Quién fueron
los crueles sacristanes
del facistol de tu espalda?
FABIA. Dos lacayos y tres pajes.
Allá he dejado las tocas 545
y el monjil hecho seis partes.
D. ALONSO. Eso, madre, no importara,
si a tu rostro venerable
no se hubieran atrevido.
¡Oh, qué necio fui en fiarme 550

de aquellos ojos traidores,
de aquellos falsos diamantes,
niñas que me hicieron señas
para engañarme y matarme!
Yo tengo justo castigo. 555
Toma este bolsillo, madre...
y ensilla, Tello; que a Olmedo
nos hemos de ir esta tarde.

TELLO. ¿Cómo, si anochece ya?

D. ALONSO. Pues ¡qué!, ¿quieres que me mate? 560

FABIA. No te aflijas, moscatel,
ten ánimo; que aquí trae
Fabia tu remedio. Toma.

D. ALONSO. ¡Papel!

FABIA. Papel.

D. ALONSO. No me engañes.

FABIA. Digo que es suyo, en respuesta 565
de tu amoroso romance.

D. ALONSO. Hinca, Tello, la rodilla.

TELLO. Sin leer no me lo mandes:
que aun temo que hay palos dentro,
pues en mondadientes caben. 570

D. ALONSO. (*Lea.*) "Cuidadosa de saber si sois quien presumo, y deseando que lo seáis, os suplico que vais esta noche a la reja del jardín desta casa, donde hallaréis atado el listón verde de las chinelas, y ponéoslo mañana en el sombrero para que os conozca."

FABIA. ¿Qué te dice?

D. ALONSO. Que no puedo
pagarte ni encarecerte
tanto bien.

TELLO. Ya desta suerte
no hay que ensillar para Olmedo. 575
¿Oyen, señores rocines?
Sosiéguense, que en Medina
nos quedamos.

D. ALONSO. La vecina
noche, en los últimos fines
con que va expirando el día, 580

pone los helados pies.
Para la reja de Inés
aun importa bizarría;
que podrá ser que el amor
la llevase a ver tomar 585
la cinta. Voyme a mudar. *Vase.*

TELLO. Y yo a dar a mi señor,
Fabia, con licencia tuya,
aderezo de sereno.

FABIA. Detente.

TELLO. Eso fuera bueno 590
a ser la condición suya
para vestirse sin mí.

FABIA. Pues bien le puedes dejar,
porque me has de acompañar.

TELLO. ¿A ti, Fabia?

FABIA. A mí.

TELLO. ¡Yo!

FABIA. Sí; 595
que importa a la brevedad
deste amor.

TELLO. ¿Qué es lo que quieres?

FABIA. Con los hombres, las mujeres
llevamos seguridad.
Una muela he menester 600
del salteador que ahorcaron
ayer.

TELLO. Pues ¿no le enterraron?

FABIA. No.

TELLO. Pues ¿qué quieres hacer?

FABIA. Ir por ella, y que conmigo
vayas solo acompañarme. 605

TELLO. Yo sabré muy bien guardarme
de ir a esos pasos contigo.
¿Tienes seso?

FABIA. Pues, gallina,
adonde voy yo, ¿no irás?

TELLO. Tú, Fabia, enseñada estás 610
a hablar al diablo.

FABIA. Camina.

TELLO. Mándame a diez hombres juntos
temerario acuchillar,
y no me mandes tratar
en materia de difuntos. 615

FABIA. Si no vas, tengo de hacer
que él propio venga a buscarte.

TELLO. ¡Que tengo de acompañarte!
¿Eres demonio o mujer?

FABIA. Ven, llevarás la escalera; 620
que no entiendes destos casos.

TELLO. Quien sube por tales pasos,
Fabia, el mismo fin espera. *Vanse.*

Salen DON RODRIGO *y* DON FERNANDO, *en hábito de noche.*

D. FERNANDO. ¿De qué sirve inútilmente
venir a ver esta casa? 625

D. RODRIGO. Consuélase entre estas rejas,
don Fernando, mi esperanza.
Tal vez sus hierros guarnece
cristal de sus manos blancas;
donde las pone de día, 630
pongo yo de noche el alma;
que cuanto más doña Inés
con sus desdenes me mata,
tanto más me enciende el pecho,
así su nieve me abrasa. 635
¡Oh rejas, enternecidas
de mi llanto, quién pensara
que un ángel endureciera
quien vuestros hierros ablanda!
¡Oíd!: ¿qué es lo que está aquí? 640

D. FERNANDO. En ellos mismos atada
está una cinta o listón.

D. RODRIGO. Sin duda las almas atan
a estos hierros, por castigo
de los que su amor declaran. 645

D. FERNANDO. Favor fue de mi Leonor:
tal vez por aquí me habla.

D. RODRIGO. Que no lo será de Inés
dice mi desconfianza;

pero en duda de que es suyo, 650
porque sus manos ingratas
pudieron ponerle acaso,
basta que la fe me valga.
Dadme el listón.

D. FERNANDO. No es razón,
si acaso Leonor pensaba 655
saber mi cuidado ansí,
y no me le ve mañana.

D. RODRIGO. Un remedio se me ofrece.

D. FERNANDO. ¿Cómo?

D. RODRIGO. Partirle.

D. FERNANDO. ¿A qué causa?

D. RODRIGO. A que las dos nos le vean, 660
y sabrán con esta traza
que habemos venido juntos. *Dividen el listón.*

Salen DON ALONSO *y* TELLO, *de noche.*

D. FERNANDO. Gente por la calle pasa.

TELLO. Llega de presto a la reja;
(*A su amo.*) mira que Fabia me aguarda 665
para un negocio que tiene
de grandísima importancia.

D. ALONSO. ¡Negocio Fabia esta noche
contigo!

TELLO. Es cosa muy alta.

D. ALONSO. ¿Cómo?

TELLO. Yo llevo escalera, 670
y ella...

D. ALONSO. ¿Qué lleva?

TELLO. Tenazas.

D. ALONSO. Pues ¿qué habéis de hacer?

TELLO. Sacar
una dama de su casa.

D. ALONSO. Mira lo que haces, Tello:
no entres adonde no salgas. 675

TELLO. No es nada, por vida tuya.

D. ALONSO. Una doncella, ¿no es nada?

TELLO. Es la muela del ladrón
que ahorcaron ayer.

D. ALONSO. Repara
en que acompañan la reja 680
dos hombres.

TELLO. ¿Si están de guarda?

D. ALONSO. ¡Qué buen listón!

TELLO. Ella quiso
castigarte.

D. ALONSO. ¿No buscara,
si fui atrevido, otro estilo?
Pues advierta que se engaña. 685
Mal conoce a don Alonso,
que por excelencia llaman
el Caballero de Olmedo.
¡Vive Dios, que he de mostrarla
a castigar de otra suerte 690
a quien la sirve!

TELLO. No hagas
algún disparate.

D. ALONSO. Hidalgos,
en las rejas de esa casa
nadie se arrima.

D. RODRIGO. ¿Qué es esto?
(*Ap. a* D. FERN.)

D. FERNANDO. Ni en el talle ni en el habla 695
conozco este hombre.

D. RODRIGO. ¿Quién es
el que con tanta arrogancia
se atreve a hablar?

D. ALONSO. El que tiene
por lengua, hidalgos, la espada.

D. RODRIGO. Pues hallará quien castigue 700
su locura temeraria.

TELLO. Cierra, señor; que no son
muelas que a difuntos sacan. *Retírenlos.*

D. ALONSO. No los sigas. Bueno está.

TELLO. Aquí se quedó una capa. 705

D. ALONSO. Cógela y ven por aquí;
que hay luces en las ventanas. *Vanse.*

Salen DOÑA LEONOR *y* DOÑA INÉS.

D.ª INÉS. Apenas la blanca aurora,
Leonor, el pie de marfil
puso en las flores de abril, 710
que pinta, esmalta y colora,
cuando a mirar el listón
salí, de amor desvelada,
y con la mano turbada
di sosiego al corazón. 715
En fin, él no estaba allí.

D.ª LEONOR. Cuidado tuvo el galán.

D.ª INÉS. No tendrá los que me dan
sus pensamientos a mí.

D.ª LEONOR. Tú, que fuiste el mismo hielo, 720
¡en tan breve tiempo estás
de esa suerte!

D.ª INÉS. No sé más
de que me castiga el cielo.
O es venganza o es vitoria
de amor en mi condición: 725
parece que el corazón
se me abrasa en su memoria.
Un punto solo no puedo
apartarla dél. ¿Qué haré?

Sale DON RODRIGO, *con el listón verde en el sombrero.*

D. RODRIGO. (*Aparte.*) (Nunca, amor, imaginé 730
que te sujetara el miedo.
Animo para vivir;
que aquí está Inés.) Al señor
don Pedro busco.

D.ª INÉS. Es error
tan de mañana acudir; 735
que no estará levantado.

D. RODRIGO. Es un negocio importante.

D.ª INÉS. (*A su hermana.*) No he visto tan necio amante.

D.ª LEONOR. Siempre es discreto lo amado,
y necio lo aborrecido. 740

D. RODRIGO. (*Aparte.*) (¿Que de ninguna manera
puedo agradar una fiera

ni dar memoria a su olvido?)

D.ª INÉS. (¡Ay, Leonor! No sin razón
(*Aparte.*) viene don Rodrigo aquí, 745
(*A su hermana.*) si yo misma le escribí
que fuese por el listón.

D.ª LEONOR. Fabia este engaño te ha hecho.

D.ª INÉS. Presto romperé el papel;
que quiero vengarme en él 750
de haber dormido en mi pecho.)

Salen DON PEDRO, *su padre, y* DON FERNANDO *con el listón verde en el sombrero.*

D. FERNANDO. Hame puesto por tercero
(*Ap. a* D. PEDRO.) para tratarlo con vos.

D. PEDRO. Pues hablaremos los dos
en el concierto primero. 755

D. FERNANDO. Aquí está; que siempre amor
es reloj anticipado.

D. PEDRO. Habrále Inés concertado
con la llave del favor.

D. FERNANDO. De lo contrario se agravia. 760

D. PEDRO. Señor don Rodrigo...

D. RODRIGO. Aquí
vengo a que os sirváis de mí.

Hablan bajo D. PEDRO *y los dos galanes.*

D.ª INÉS. Todo fué enredo de Fabia.
(*Ap. a* LEONOR.)

D.ª LEONOR. ¿Cómo?

D.ª INÉS. ¿No ves que también
trae el listón don Fernando? 765

D.ª LEONOR. Si en los dos le estoy mirando,
entrambos te quieren bien.

D.ª INÉS. Sólo falta que me pidas
celos, cuando estoy sin mí.

D.ª LEONOR. ¿Qué quieren tratar aquí? 770

D.ª INÉS. ¿Ya las palabras olvidas
que dijo mi padre ayer
en materia de casarme?

D.ª LEONOR. Luego bien puede olvidarme
Fernando, si él viene a ser. 775

D.ª INÉS. Antes presumo que son

entrambos los que han querido
casarse, pues han partido
entre los dos el listón.

D. PEDRO. Esta es materia que quiere 780
(*A los caballeros.*) secreto y espacio: entremos
donde mejor la tratemos.

D. RODRIGO. Como yo ser vuestro espere,
no tengo más que tratar.

D. PEDRO. Aunque os quiero enamorado 785
de Inés, para el nuevo estado,
quien soy os ha de obligar. *Vanse los tres.*

D.ª INÉS. ¡Qué vana fue mi esperanza!
¡Qué loco mi pensamiento!
¡Yo papel a don Rodrigo! 790
¡Y tú de Fernando celos!
¡Oh forastero enemigo!
¡Oh Fabia embustera!

Sale FABIA.

FABIA. Quedo;
que lo está escuchando Fabia.

D.ª INÉS. Pues ¿cómo, enemiga, has hecho 795
un enredo semejante?

FABIA. Antes fue tuyo el enredo,
si en aquel papel escribes
que fuese aquel caballero
por un listón de esperanza 800
a las rejas de tu huerto,
y en ellas pones dos hombres
que le maten, aunque pienso
que a no se haber retirado
pagaran su loco intento. 805

D.ª INÉS. ¡Ay, Fabia! Ya que contigo
llego a declarar mi pecho,
ya que a mi padre, a mi estado
y a mi honor pierdo el respeto,
dime: ¿es verdad lo que dices? 810
Que siendo ansí, los que fueron
a la reja le tomaron,
y por favor se le han puesto.

De suerte estoy, madre mía,
que no puedo hallar sosiego 815
si no es pensando en quien sabes.

FABIA. (*Ap.*) (¡Oh, qué bravo efecto hicieron
los hechizos y conjuros!
La victoria me prometo.)
No te desconsueles, hija; 820
vuelve en ti, que tendrás presto
estado con el mejor
y más noble caballero
que agora tiene Castilla;
porque será por lo menos 825
el que por único llaman
el Caballero de Olmedo.
Don Alonso en una feria
te vio, labradora Venus,
haciendo las cejas arco 830
y flechas los ojos bellos.
Disculpa tuvo en seguirte,
porque dicen los discretos
que consiste la hermosura
en ojos y entendimiento. 835
En fin, en las verdes cintas
de tus pies llevastes presos
los suyos; que ya el amor
no prende por los cabellos.
El te sirve, tú le estimas; 840
él te adora, tú le has muerto;
él te escribe, tú respondes:
¿quién culpa amor tan honesto?
Para él tienen sus padres,
porque es único heredero, 845
diez mil ducados de renta;
y aunque es tan mozo, son viejos.
Déjate amar y servir
del más noble, del más cuerdo
caballero de Castilla, 850
lindo talle, lindo ingenio.
El Rey en Valladolid
grandes mercedes le ha hecho,

porque él solo honró las fiestas
de su real casamiento. 855
Cuchilladas y lanzadas
dio en los toros como un Héctor;
treinta precios dio a las damas
en sortijas y torneos.
Armado parece Aquiles 860
mirando de Troya el cerco;
con galas parece Adonis...
Mejor fin le den los cielos.
Vivirás bien empleada
en un marido discreto. 865
¡Desdichada de la dama
que tiene marido necio!

D.ª INÉS. ¡Ay, madre! Vuélvesme loca.
Pero ¡triste!, ¿cómo puedo
ser suya, si a don Rodrigo 870
me da mi padre don Pedro?
El y don Fernando están
tratando mi casamiento.

FABIA. Los dos haréis nulidad
la sentencia de ese pleito. 875

D.ª INÉS. Está don Rodrigo allí.

FABIA. Esto no te cause miedo,
pues es parte y no jüez.

D.ª INÉS. Leonor, ¿no me das consejo?

D.ª LEONOR. Y ¿estás tú para tomarle? 880

D.ª INÉS. No sé; pero no tratemos
en público destas cosas.

FABIA. Déjame a mí tu suceso.
Don Alonso ha de ser tuyo;
que serás dichosa espero 885
con hombre que es en Castilla
la gala de Medina,
la flor de Olmedo.

ACTO SEGUNDO

Salen TELLO *y* DON ALONSO.

D. ALONSO. Tengo el morir por mejor,

	Tello, que vivir sin ver.	
TELLO.	Temo que se ha de saber	
	este tu secreto amor;	
	que con tanto ir y venir	5
	de Olmedo a Medina, creo	
	que a los dos da tu deseo	
	que sentir, y aun que decir.	
D. ALONSO.	¿Cómo puedo yo dejar	
	de ver a Inés, si la adoro?	10
TELLO.	Guardándole más decoro	
	en el venir y el hablar;	
	que en ser a tercero día,	
	pienso que te dan, señor,	
	tercianas de amor.	
D. ALONSO.	Mi amor	15
	ni está ocioso, ni se enfría.	
	Siempre abrasa, y no permite	
	que esfuerce naturaleza	
	un instante su flaqueza,	
	porque jamás se remite.	20
	Mas bien se ve que es león	
	amor; su fuerza, tirana;	
	pues que con esta cuartana	
	se amansa mi corazón.	
	Es esta ausencia una calma	25
	de amor, porque si estuviera	
	adonde siempre a Inés viera,	
	fuera salamandra el alma.	
TELLO.	¿No te cansa y te amohina	
	tanto entrar, tanto partir?	30
D. ALONSO.	Pues yo, ¿qué hago en venir,	
	Tello, de Olmedo a Medina?	
	Leandro pasaba un mar	
	todas las noches, por ver	
	si le podía beber	35
	para poderse templar;	
	pues si entre Olmedo y Medina	
	no hay, Tello, un mar, ¿qué me debe	
	Inés?	
TELLO.	A otro mar se atreve	

quien al peligro camina 40
en que Leandro se vio,
pues a don Rodrigo veo
tan cierto de tu deseo
como puedo estarlo yo;
que como yo no sabía 45
cuya aquella capa fue,
un día que la saqué...

D. ALONSO. ¡Gran necedad!

TELLO. como mía,
me preguntó: "Diga, hidalgo,
¿quién esta capa le dio?, 50
porque la conozco yo."
Respondí: "Si os sirve en algo,
daréla a un criado vuestro."
Con esto, descolorido,
dijo: "Habíala perdido 55
de noche un lacayo nuestro;
pero mejor empleada
está en vos: guardadla bien."
Y fuese a medio desdén,
puesta la mano en la espada. 60
Sabe que te sirvo, y sabe
que la perdió con los dos.
Advierte, señor, por Dios,
que toda esta gente es grave,
y que están en su lugar, 65
donde todo gallo canta.
Sin esto, también me espanta
ver este amor comenzar
por tantas hechicerías,
y que cercos y conjuros 70
no son remedios seguros
si honestamente porfías.
Fui con ella (que no fuera)
a sacar de un ahorcado
una muela; puse a un lado, 75
como Arlequín, la escalera.
Subió Fabia, quedé al pie,
y díjome el salteador:

"Sube, Tello, sin temor,
o si no, yo bajaré." 80
¡San Pablo! Allí me caí.
Tan sin alma vine al suelo,
que fue milagro del cielo
el poder volver en mí.
Bajó, desperté turbado 85
y de mirarme afligido,
porque, sin haber llovido,
estaba todo mojado.

D. ALONSO. Tello, un verdadero amor
en ningún peligro advierte. 90
Quiso mi contraria suerte
que hubiese competidor,
y que trate, enamorado,
casarse con doña Inés;
pues ¿qué he de hacer, si me ves 95
celoso y desesperado?
No creo en hechicerías,
que todas son vanidades;
quien concierta voluntades,
son méritos y porfías. 100
Inés me quiere, yo adoro
a Inés, yo vivo en Inés;
todo lo que Inés no es
desprecio, aborrezco, ignoro.
Inés es mi bien, yo soy 105
esclavo de Inés; no puedo
vivir sin Inés; de Olmedo
a Medina vengo y voy,
porque Inés mi dueña es
para vivir o morir. 110

TELLO. Sólo te falta decir:
"Un poco te quiero, Inés."
¡Plega a Dios que por bien sea!

D. ALONSO. Llama, que es hora.

TELLO. Ya voy.

Llama en casa de D. PEDRO.

ANA y DOÑA INÉS, dentro de la casa

D. ALONSO. ¿Quién es?

TELLO. ¡Tan presto! Yo soy. 115

¿Está en casa Melibea?

Que viene Calisto aquí.

ANA. Aguarda un poco, Sempronio.

TELLO. ¿Si haré falso testimonio?

D.ª INÉS. (*Dentro*.) ¿El mismo?

ANA (*Dentro*.) Señora, sí. 120

Abrase la puerta y entran D. ALONSO *y* TELLO *en casa de* D. PEDRO.

D.ª INÉS. ¡Señor mío!...

D. ALONSO. Bella Inés,

esto es venir a vivir.

TELLO. Agora no hay que decir:

"Yo te lo diré después."

D.ª INÉS. ¡Tello, amigo!...

TELLO. ¡Reina mía!... 125

D.ª INÉS. Nunca, Alonso de mis ojos,

por haberme dado enojos

esta ignorante porfía

de don Rodrigo esta tarde

he estimado que me vieses. 130

D. ALONSO. Aunque fuerza de obediencia

te hiciese tomar estado,

no he de estar desengañado

hasta escuchar la sentencia.

Bien el alma me decía 135

(y a Tello se lo contaba

cuando el caballo sacaba,

y el sol los que aguarda el día)

que de alguna novedad

procedía mi tristeza, 140

viniendo a ver tu belleza,

pues me dices que es verdad.

¡Ay de mí si ha sido ansí!

D.ª INÉS. No lo creas, porque yo

diré a todo el mundo no, 145

después que te dije sí.

Tú solo dueño has de ser

de mi libertad y vida;
no hay fuerza que el ser impida,
don Alonso, tu mujer. 150
Bajaba al jardín ayer,
y como por don Fernando
me voy de Leonor guardando,
a las fuentes, a las flores
estuve diciendo amores, 155
y estuve también llorando.
"Flores y aguas, les decía,
dichosa vida gozáis,
pues aunque noche pasáis,
veis vuestro sol cada día." 160
Pensé que me respondía
la lengua de una azucena
(¡qué engaños amor ordena!):
"Si el sol que adorando estás
viene de noche, que es más, 165
Inés, ¿de qué tienes pena?"

TELLO. Así dijo a un ciego un griego
que le contó mil disgustos:
"Pues tiene la noche gustos,
para qué te quejas, ciego?" 170

D.ª INÉS. Como mariposa llego
a estas horas, deseosa
de tu luz..., no mariposa,
fénix ya, pues de una suerte
me da vida y me da muerte 175
llama tan dulce y hermosa.

D. ALONSO. ¡Bien haya el coral, amén,
de cuyas hojas de rosas,
palabras tan amorosas
salen a buscar mi bien! 180
Y advierte que yo también,
cuando con Tello no puedo,
mis celos, mi amor, mi miedo
digo en tu ausencia a las flores.

TELLO. Yo le vi decir amores 185
a los rábanos de Olmedo:
que un amante suele hablar

con las piedras, con el viento.

D. ALONSO. No puede mi pensamiento
ni estar solo, ni callar; 190
contigo, Inés, ha de estar,
contigo hablar y sentir.
¡Oh, quién supiera decir
lo que te digo en ausencia!
Pero estando en tu presencia 195
aun se me olvida el vivir.

Por el camino le cuento
tus gracias a Tello, Inés,
y celebramos después
tu divino entendimiento. 200
Tal gloria en tu nombre siento,
que una mujer recibí
de tu nombre, porque ansí,
llamándola todo el día,
pienso, Inés, señora mía, 205
que te estoy llamando a ti.

TELLO. Pues advierte, Inés discreta,
de los dos tan nuevo efeto,
que a él le has hecho discreto,
y a mí me has hecho poeta. 210

Oye una glosa a un estribo
que compuso don Alonso,
a manera de responso,
si los hay en muerto vivo.

En el valle a Inés 215
la dejé riendo:
si la ves, Andrés,
dile cuál me ves
por ella muriendo.

D.ª INÉS. ¿Don Alonso la compuso? 220

TELLO. Que es buena, jurarte puedo,
para poeta de Olmedo.
Escucha.

D. ALONSO. Amor lo dispuso.

TELLO. Andrés, después que las bellas
plantas de Inés goza el valle, 225
tanto florece con ellas,

que quiso el cielo trocalle
por sus flores sus estrellas.
Ya el valle es cielo, después
que su primavera es, 230
pues verá el cielo en el suelo
quien vio, pues Inés es cielo,
en el valle a Inés.

Con miedo y respeto estampo
el pie donde el suyo huella; 235
que ya Medina del Campo
no quiere aurora más bella
para florecer su campo.
Yo la vi de amor huyendo,
cuanto miraba matando, 240
su mismo desdén venciendo,
y aunque me partí llorando,
la dejé riendo.

Dile, Andrés, que ya me veo
muerto por volverla a ver, 245
aunque cuando llegues, creo
que no será menester;
que me habrá muerto el deseo.
No tendrás que hacer después
que a sus manos vengativas 250
llegues, si una vez la ves,
ni aun es posible que vivas
si la ves, Andrés.

Pero si matarte olvida
por no hacer caso de ti, 255
dile a mi hermosa homicida
que por qué se mata en mí,
pues que sabe que es mi vida.
Dile: "Cruel, no le des
muerte si vengada estás, 260
y te ha de pesar después."
Y pues no me has de ver más,
dile cuál me ves.

Verdad es que se dilata
el morir, pues con mirar 265
vuelve a dar vida la ingrata,

y así se cansa en matar,
pues da vida a cuantos mata;
pero muriendo o viviendo,
no me pienso arrepentir 270
de estarla amando y sirviendo;
que no hay bien como vivir
por ella muriendo.

D.ª INÉS. Si es tuya, notablemente
te has alargado en mentir 275
por don Alonso.

D. ALONSO. Es decir,
que mi amor en versos miente.
Pues, señora, ¿qué poesía
llegará a significar
mi amor?

D.ª INÉS. ¡Mi padre!

D. ALONSO. ¿Ha de entrar? 280

D.ª INÉS. Escondeos.

D. ALONSO. ¿Dónde?

Ellos se entran, y sale DON PEDRO.

D. PEDRO. Inés mía,
¡agora por recoger!
¿Cómo no te has acostado?

D.ª INÉS. Rezando, señor, he estado,
por lo que dijiste ayer, 285
rogando a Dios que me incline
a lo que fuere mejor.

D. PEDRO. Cuando para ti mi amor
imposibles imagine,
no pudiera hallar un hombre 290
como don Rodrigo, Inés.

D.ª INÉS. Ansí dicen todos que es
de su buena fama el nombre;
y habiéndome de casar,
ninguno en Medina hubiera, 295
ni en Castilla, que pudiera
sus méritos igualar.

D. PEDRO. ¿Cómo habiendo de casarte?

D.ª INÉS. Señor, hasta ser forzoso

decir que ya tengo esposo, 300
no he querido disgustarte.

D. PEDRO. ¡Esposo! ¿Qué novedad
es ésta, Inés?

D.ª INÉS. Para ti
será novedad; que en mi
siempre fue mi voluntad. 305
Y, ya que estoy declarada,
hazme mañana cortar
un hábito, para dar
fin a esta gala excusada;
que así quiero andar, señor, 310
mientras me enseñan latín.
Leonor te queda, que al fin
te dará nietos Leonor.
Y por mi madre te ruego
que en esto no me repliques, 315
sino que medios apliques
a mi elección y sosiego.
Haz buscar una mujer
de buena y santa opinión,
que me dé alguna lición 320
de lo que tengo de ser,
y un maestro de cantar,
que de latín sea también.

D. PEDRO. ¿Eres tú quien habla, o quién?

D.ª INÉS. Esto es hacer, no es hablar. 325

D. PEDRO. Por una parte, mi pecho
se enternece de escucharte,
Inés, y por otra parte,
de duro mármol le has hecho.
En tu verde edad mi vida 330
esperaba sucesión:
pero si esto es vocación,
no quiera Dios que lo impida.
Haz tu gusto, aunque tu celo
en esto no intenta el mío; 335
que ya sé que el albedrío
no presta obediencia al cielo.
Pero porque suele ser

nuestro pensamiento humano
tal vez inconstante y vano, 340
y en condición de mujer,
que es fácil de persuadir,
tan poca firmeza alcanza,
que hay de mujer a mudanza
lo que de hacer a decir, 345
mudar las galas no es justo,
pues no pueden estorbar
a leer latín o cantar,
ni a cuanto fuere tu gusto.
Viste alegre y cortesana; 350
que no quiero que Medina,
si hoy te admirare divina,
mañana te burle humana.
Yo haré buscar la mujer
y quien te enseñe latín, 355
pues a mejor padre, en fin,
es más justo obedecer.
Y con esto, adiós te queda;
que para no darte enojos,
van a esconderse mis ojos 360
adonde llorarte pueda.

Vase, y salgan DON ALONSO *y* TELLO.

D.ª INÉS. Pésame de haberte dado
disgusto.

D. ALONSO. A mí no me pesa,
por el que me ha dado el ver
que nuestra muerte conciertas. 365
¡Ay, Inés! ¿Adónde hallaste
en tal desdicha, en tal pena,
tan breve remedio?

D.ª INÉS. Amor
en los peligros enseña
una luz por donde el alma 370
posibles remedios vea.

D. ALONSO. Este ¿es remedio posible?

D.ª INÉS. Como yo agora le tenga
para que este don Rodrigo
no llegue al fin que desea, 375

bien sabes que breves males
la dilación los remedia;
que no dejan esperanza
si no hay segunda sentencia.

TELLO. Dice bien, señor; que en tanto 380
que doña Inés cante y lea,
podéis dar orden los dos
para que os valga la Iglesia.
Sin esto, desconfiado
don Rodrigo, no hará fuerza 385
a don Pedro en la palabra,
pues no tendrá por ofensa
que le deje doña Inés
por quien dice que le deja.
También es linda ocasión 390
para que yo vaya y venga
con libertad a esta casa.

D. ALONSO. ¡Libertad! ¿De qué manera?

TELLO. Pues ha de leer latín,
¿no será fácil que pueda 395
ser yo quien venga a enseñarla?
Y verás ¡con qué destreza
le enseño a leer tus cartas!

D. ALONSO. ¡Qué bien mi remedio piensas!

TELLO. Y aún pienso que podrá Fabia 400
servirte en forma de dueña,
siendo la santa mujer
que con su falsa apariencia
venga a enseñarla.

D.ª INÉS. Bien dices;
Fabia será mi maestra 405
de virtudes y costumbres.

TELLO. Y ¡qué tales serán ellas!

D. ALONSO. Mi bien, yo temo que el día
(que es amor dulce materia
para no sentir las horas, 410
que por los amantes vuelan)
nos halle tan descuidados,
que al salir de aquí me vean,
o que sea fuerza quedarme.

¡Ay, Dios! ¡Qué dichosa fuerza! 415
Medina a la Cruz de Mayo
hace sus mayores fiestas:
yo tengo que prevenir,
que, como sabes, se acercan;
que, fuera de que en la plaza 420
quiero que galán me veas,
de Valladolid me escriben
que el rey don Juan viene a verlas;
que en los montes de Toledo
le pide que se entretenga 425
el Condestable estos días,
porque en ellos convalezca,
y de camino, señora,
que honre esta villa le ruega:
y así, es razón que le sirva 430
la nobleza desta tierra.
Guárdete el cielo, mi bien.

D.ª INÉS. Espera; que a abrir la puerta
es forzoso que yo vaya.

D. ALONSO. ¡Ay, luz! ¡Ay, aurora necia, 435
de todo amante envidiosa!

TELLO. Ya no aguardéis que amanezca.

D. ALONSO. ¿Cómo?

TELLO. Porque ya es de día.

D. ALONSO. Bien dices, si a Inés me muestras.
Pero ¿cómo puede ser, 440
Tello, cuando el sol se acuesta?

TELLO. Tú vas despacio, él aprisa;
apostaré que te quedas. *Vanse.*

Salen DON RODRIGO *y* DON FERNANDO.

D. RODRIGO. Muchas veces había reparado,
don Fernando, en aqueste caballero, 445
del corazón solícito avisado.
El talle, el grave rostro, lo severo,
celoso me obligaban a miralle.

D. FERNANDO. Efetos son de amante verdadero;
que en viendo otra persona de buen talle, 450
tiene temor que si le ve su dama,

será posible o fuerza codicialle.

D. RODRIGO. Bien es verdad que él tiene tanta fama,
que por más que en Medina se encubría,
el mismo aplauso popular le aclama. 455
Vi, como os dije, aquel mancebo un día
que la capa perdida en la pendencia
contra el valor de mi opinión traía.
Hice secretamente diligencia
después de hablarle, y satisfecho quedo, 460
que tiene esta amistad correspondencia.
Su dueño es don Alonso, aquel de Olmedo,
alanceador galán y cortesano.
de quien hombres y toros tienen miedo.
Pues si éste sirve a Inés, ¿qué intento en vano? 465
O ¿cómo quiero yo, si ya le adora,
que Inés me mire con semblante humano?

D. FERNANDO. ¿Por fuerza ha de quererle?

D. RODRIGO. El la enamora,
y merece, Fernando, que le quiera.
¿Qué he de pensar, si me aborrece agora? 470

D. FERNANDO. Son celos, don Rodrigo, una quimera
que se forma de envidia, viento y sombra,
con que lo incierto imaginado altera,
una fantasma que de noche asombra,
un pensamiento que a locura inclina, 475
y una mentira que verdad se nombra.

D. RODRIGO. Pues ¿cómo tantas veces a Medina
viene y va don Alonso? Y ¿a qué efeto
es cédula de noche en una esquina?
Yo me quiero casar; vos sois discreto: 480
¿qué consejo me dais, si no es matalle?

D. FERNANDO. Yo hago diferente mi conceto;
que ¿cómo puede doña Inés amalle,
si nunca os quiso a vos?

D. RODRIGO. Porque es respuesta
que tiene mayor dicha y mejor talle. 485

D. FERNANDO. Mas porque doña Inés es tan honesta,
que aun la ofendéis con nombre de marido.

D. RODRIGO. Yo he de matar a quien vivir me cuesta
en su desgracia, porque tanto olvido

no puede proceder de honesto intento. 490
Perdí la capa y perderé el sentido.

D. FERNANDO. Antes, dejarla a don Alonso, siento
que ha sido como echársela en los ojos.
Ejecutad, Rodrigo, el casamiento,
llévese don Alonso los despojos, 495
y la victoria vos.

D. RODRIGO. Mortal desmayo
cubre mi amor de celos y de enojos.

D. FERNANDO. Salid galán para la Cruz de Mayo,
que yo saldré con vos; pues el Rey viene,
las sillas piden el castaño y bayo. 500
Menos aflige el mal que se entretiene.

D. RODRIGO. Si viene don Alonso, ya Medina
¿qué competencia con Olmedo tiene?
¡Qué loco estáis!
Amor me desatina. *Vanse.*

Salen DON PEDRO, DOÑA INÉS *y* DOÑA LEONOR.

D. PEDRO. No porfíes.

D.ª INÉS. No podrás 505
mi propósito vencer.

D. PEDRO. Hija, ¿qué quieres hacer,
que tal veneno me das?
Tiempo te queda...

D.ª INÉS. Señor,
¿qué importa el hábito pardo, 510
si para siempre le aguardo?

D.ª LEONOR. Necia estás.

D.ª INÉS. Calla, Leonor.

D.ª LEONOR. Por lo menos estas fiestas
has de ver con galas.

D.ª INÉS. Mira
que quien por otras suspira, 515
ya no tiene el gusto en éstas.
Galas celestiales son
las que ya mi vida espera.

D. PEDRO. ¿No basta que yo lo quiera?

D.ª INÉS. Obedecerte es razón. 520

Sale FABIA, *con rosario y báculo y antojos.*

FABIA. Paz sea en aquesta casa.
D. PEDRO. Y venga con vos.
FABIA. ¿Quién es
la señora doña Inés,
que con el Señor se casa?
¿Quién es aquella que ya 525
tiene su esposo elegida,
y como a prenda querida
esos impulsos le da?
D. PEDRO. Madre honrada, esta que veis,
y yo su padre.
FABIA. Que sea 530
muchos años, y ella vea
el dueño que vos no veis.
Aunque en el Señor espero
que os ha de obligar piadoso
a que aceptéis tal esposo, 535
que es muy noble caballero.
D. PEDRO. Y ¡cómo, madre, si lo es!
FABIA. Sabiendo que anda a buscar
quien venga a morigerar
los verdes años de Inés, 540
quien la guíe, quien la muestre
las sémitas del Señor,
y al camino del amor
como a principianta adiestre,
hice oración en verdad, 545
y tal impulso me dio,
que vengo a ofrecerme yo
para esta necesidad,
aunque soy gran pecadora.
D. PEDRO. Esta es la mujer, Inés, 550
que has menester.
D.ª INÉS. Esta es
la que he menester agora.
Madre, abrázame.
FABIA. Quedito,
que el silicio me hace mal.
D. PEDRO. No he visto humildad igual. 555
D.ª LEONOR. En el rostro trae escrito

lo que tiene el corazón.
FABIA. ¡Oh, qué gracia! ¡Oh, qué belleza!
Alcance tu gentileza
mi deseo y bendición. 560
¿Tienes oratorio?
D.ª INÉS. Madre,
comienzo a ser buena agora.
FABIA. Como yo soy pecadora,
estoy temiendo a tu padre.
D. PEDRO. No le pienso yo estorbar 565
tan divina vocación.
FABIA. En vano, infernal dragón,
la pensabas devorar.
No ha de casarse en Medina;
monasterio tiene Olmedo: 570
Domine, si tanto puedo,
ad juvandum me festina.
D. PEDRO. Un ángel es la mujer.

Sale TELLO, *de gorrón.*

TELLO. Si con sus hijas está,
(*Dentro.*) yo sé que agradecerá 575
que yo me venga a ofrecer. *Sale.*
El maestro que buscáis
está aquí, señor don Pedro,
para latín y otras cosas,
que dirán después su efecto. 580
Que buscáis un estudiante
en la iglesia me dijeron,
porque ya desta señora
se sabe el honesto intento.
Aquí he venido a serviros, 585
puesto que soy forastero,
si valgo para enseñarla.
D. PEDRO. Ya creo y tengo por cierto,
viendo que todo se junta,
que fue voluntad del cielo. 590
En casa puede quedarse
la madre, y este mancebo
venir a darte lición.

	Concertadlo, mientras vuelvo,	
	las dos. (*A* TELLO.) ¿De dónde es, galán?	595
TELLO.	Señor, soy calahorreño.	
D. PEDRO.	¿Su nombre?	
TELLO.	Martín Peláez.	
D. PEDRO.	Del Cid debe de ser deudo.	
	¿Dónde estudió?	
TELLO.	En la Coruña,	
	y soy por ella maestro.	600
D. PEDRO.	¿Ordenóse?	
TELLO.	Sí, señor,	
	de vísperas.	
D. PEDRO.	Luego vengo. *Vase.*	
TELLO.	¿Eres Fabia?	
FABIA.	¿No lo ves?	
D.ª LEONOR.	Y ¿tú Tello?	
D.ª INÉS.	¡Amigo Tello!	
D.ª LEONOR.	¿Hay mayor bellaquería?	605
D.ª INÉS.	¿Qué hay de don Alonso?	
TELLO.	¿Puedo	
	fiar de Leonor?	
D.ª INÉS.	Bien puedes.	
D.ª LEONOR.	Agraviara Inés mi pecho	
	y mi amor, si me tuviera	
	su pensamiento encubierto.	610
TELLO.	Señora, para servirte	
	está don Alonso bueno,	
	para las fiestas de mayo,	
	tan cerca ya, previniendo	
	galas, caballos, jaeces,	615
	lanza y rejones; que pienso	
	que ya le tiemblan los toros.	
	Una adarga habemos hecho,	
	si se conciertan las cañas,	
	como de mi raro ingenio.	620
	Allá la verás, en fin.	
D.ª INÉS.	¿No me ha escrito?	
TELLO.	Soy un necio.	
	Esta, señora, es la carta.	
D.ª INÉS.	Bésola de porte y leo.	

DON PEDRO, *vuelve.*

D. PEDRO. (*Dentro.*) Pues por el coche, si está malo el alazán. (*Sale.*) ¿Qué es esto? 625
TELLO. (*Ap. a* D.ª INÉS.) Tu padre. Haz que lees, y yo haré que latín te enseño. *Dominus...*
D.ª INÉS. *Dominus...*
TELLO. Diga.
D.ª INÉS. ¿Cómo más?
TELLO. *Dominus meus.* 630
D.ª INÉS. *Dominus meus.*
TELLO. Ansí, poco a poco irá leyendo.
D. PEDRO. ¿Tan presto tomas lición?
D.ª INÉS. Tengo notable deseo.
D. PEDRO. Basta; que a decir, Inés, 635
me envía el Ayuntamiento
que salga a las fiestas yo.
D.ª INÉS. Muy discretamente han hecho,
pues viene a la fiesta el Rey.
D. PEDRO. Pues sea con un concierto 640
que has de verlas con Leonor.
D.ª INÉS. Madre, dígame si puedo
verlas sin pecar.
FABIA. Pues ¿no?
No escrupulices en eso
como algunos tan mirlados, 645
que piensan, de circunspectos,
que en todo ofenden a Dios,
y olvidados de que fueron
hijos de otros como todos,
cualquiera entretenimiento 650
que los trabajos olvide
tienen por notable exceso.
Y aunque es justo moderarlos,
doy licencia, por lo menos
para estas fiestas, por ser 655
jugatoribus paternos.
D. PEDRO. Pues vamos; que quiero dar

	dineros a tu maestro,	
	y a la madre para un manto.	
FABIA.	A todas cubra el del cielo,	660
	y vos, Leonor, ¿no seréis	
	como vuestra hermana presto?	
D.ª LEONOR.	Sí, madre, porque es muy justo	
	que tome tan santo ejemplo. *Vanse.*	

Sale el rey DON JUAN *con acompañamiento y el* CONDESTABLE.

REY.	No me traigáis al partir	665
(*Al* CONDESTABLE.)	negocios que despachar.	
CONDESTABLE.	Contienen sólo firmar;	
	no has de ocuparte en oír.	
REY.	Decid con mucha presteza.	
CONDESTABLE.	¿Han de entrar?	
REY.	Ahora no.	670
CONDESTABLE.	Su Santidad concedió	
	lo que pidió Vuestra Alteza	
	por Alcántara, señor.	
REY.	Que mudase le pedí	
	el hábito porque ansí	675
	pienso que estará mejor.	
CONDESTABLE.	Era aquel traje muy feo.	
REY.	Cruz verde pueden traer.	
	Mucho debo agradecer	
	al Pontífice el deseo	680
	que de nuestro aumento muestra,	
	con que irán siempre adelante	
	estas cosas del Infante	
	en cuanto es de parte nuestra.	
CONDESTABLE.	Estas son dos provisiones,	685
	y entrambas notables son.	
REY.	¿Qué contienen?	
CONDESTABLE.	La razón	
	de diferencia que pones	
	entre los moros y hebreos	
	que en Castilla han de vivir.	690
REY.	Quiero con esto cumplir,	
	Condestable, los deseos	
	de Fray Vicente Ferrer,	

que lo ha deseado tanto.
CONDESTABLE. Es un hombre docto y santo. 695
REY. Resolví con él ayer
que en cualquiera reino mío
donde mezclados están,
a manera de gabán
traiga un tabardo el judío 700
con una señal en él,
y un verde capuz el moro.
Tenga el cristiano el decoro
que es justo: apártese dél;
que con esto tendrán miedo 705
los que su nobleza infaman.
CONDESTABLE. A don Alonso, que llaman
el Caballero de Olmedo,
hace Vuestra Alteza aquí
merced de un hábito.
REY. Es hombre 710
de notable fama y nombre.
En esta villa le vi
cuando se casó mi hermana.
CONDESTABLE. Pues pienso que determina,
por servirte, ir a Medina 715
a las fiestas de mañana.
REY. Decidle que fama emprenda
en el arte militar,
porque yo le pienso honrar
con la primera encomienda. *Vanse.* 720

Sale DON ALONSO.

D. ALONSO. ¡Ay, riguroso estado,
ausencia mi enemiga,
que dividiendo el alma,
puedes dejar la vida!
¡Cuán bien por tus efetos 725
te llaman muerte viva,
pues das vida al deseo,
y matas a la vista!
¡Oh, cuán piadosa fueras,
si al partir de Medina 730

la vida me quitaras
como el alma me quitas!
En ti, Medina, vive
aquella Inés divina,
que es honra de la corte 735
y gloria de la villa.
Sus alabanzas cantan
las aguas fugitivas,
las aves que la escuchan,
las flores que la imitan. 740
Es tan bella, que tiene
envidia de sí misma,
pudiendo estar segura
que el mismo sol la envidia,
pues no la ve más bella 745
por su dorada cinta,
ni cuando viene a España,
ni cuando va a las Indias.
Yo merecí quererla.
¡Dichosa mi osadía!, 750
que es merecer sus penas
calificar mis dichas.
Cuando pudiera verla,
adorarla y servirla,
la fuerza del secreto 755
de tanto bien me priva.
Cuando mi amor no fuera
de fe tan pura y limpia,
las perlas de sus ojos
mi muerte solicitan. 760
Llorando por mi ausencia
Inés quedó aquel día,
que sus lágrimas fueron
de sus palabras firma.
Bien sabe aquella noche 765
que pudiera ser mía.
Cobarde amor, ¿qué aguardas,
cuando respetos miras?
¡Ay, Dios, qué gran desdicha,
partir el alma y dividir la vida! 770

Sale TELLO.

TELLO. ¿Merezco ser bien llegado?
D. ALONSO. No sé si diga que sí;
que me has tenido sin mí
con lo mucho que has tardado.
TELLO. Si por tu remedio ha sido, 775
¿en qué me puedes culpar?
D. ALONSO. ¿Quién me puede remediar,
si no es a quien yo le pido?
¿No me escribe Inés?
TELLO. Aquí
te traigo cartas de Inés. 780
D. ALONSO. Pues hablárasme después
en lo que has hecho por mí.
(*Lea.*) "Señor mío, después que os partistes no
he vivido; que sois tan cruel, que aun no
me dejáis vida cuando os vais."
TELLO. ¿No lees más?
D. ALONSO. No.
TELLO. ¿Por qué?
D. ALONSO. Porque manjar tan süave 785
de una vez no se me acabe.
Hablemos de Inés.
TELLO. Llegué
con media sotana y guantes;
que parecía de aquellos
que hacen en solos los cuellos 790
ostentación de estudiantes.
Encajé salutación,
verbosa filatería,
dando a la bachillería
dos piensos de discreción; 795
y volviendo el rostro, vi
a Fabia...
D. ALONSO. Espera, que leo
otro poco; que el deseo
me tiene fuera de mí.
(*Lea.*) "Todo lo que dejastes ordenado se hizo; sólo no se
hizo que viviese yo sin vos, porque no lo dejastes

ordenado." 800

TELLO. ¿Es aquí contemplación?

D. ALONSO. Dime cómo hizo Fabia
lo que dice Inés.

TELLO. Tan sabia
y con tanta discreción,
melindre e hipocresía, 805
que me dieron que temer
algunos que suelo ver
cabizbajos todo el día.
De hoy más quedaré advertido
de lo que se ha de creer 810
de una hipócrita mujer
y un ermitaño fingido.
Pues si me vieras a mí
con el semblante mirlado,
dijeras que era traslado 815
de un reverendo alfaquí.
Creyóme el viejo, aunque en él
se ve de un Catón retrato.

D. ALONSO. Espera; que ha mucho rato
que no he mirado el papel. 820

(*Lea.*) "Daos prisa a venir, para que sepáis cómo quedo cuando os partís, y cómo estoy cuando volvéis."

TELLO. ¿Hay otra estación aquí?

D. ALONSO. En fin, tú hallaste lugar
para entrar y para hablar.

TELLO. Estudiaba Inés en ti; 825
que eras el latín, señor,
y la lición que aprendía.

D. ALONSO. Leonor, ¿qué hacía?

TELLO. Tenía
envidia de tanto amor,
porque se daba a entender 830
que de ser amado eres
digno; que muchas mujeres
quieren porque ven querer.
Que en siendo un hombre querido
de alguna con grande afeto, 835
piensan que hay algún secreto

en aquel hombre escondido.
Y engáñanse, porque son
correspondencias de estrellas.

D. ALONSO. Perdonadme, manos bellas, 840
que leo el postrer renglón.

(*Lea.*) "Dicen que viene el Rey a Medina, y dicen verdad,
pues habéis de venir vos, que sois rey mío."
Acabóseme el papel.

TELLO. Todo en el mundo se acaba.

D. ALONSO. Poco dura el bien.

TELLO. En fin, 845
le has leído por jornadas.

D. ALONSO. Espera, que aquí a la margen
vienen dos o tres palabras.

(*Lea.*) "Poneos esa banda al cuello.
¡Ay, si yo fuera la banda!" 850

TELLO. ¡Bien dicho, por Dios, y entrar
con doña Inés en la plaza!

D. ALONSO. ¿Dónde está la banda, Tello?

TELLO. A mí no me han dado nada.

D. ALONSO. ¿Cómo no?

TELLO. Pues, ¿qué me has dado? 855

D. ALONSO. Ya te entiendo: luego saca
a tu elección un vestido.

TELLO. Esta es la banda.

D. ALONSO. Extremada.

TELLO. Tales manos la bordaron.

D. ALONSO. Demos orden que me parta. 860
Pero ¡ay, Tello!

TELLO. ¿Qué tenemos?

D. ALONSO. De decirte me olvidaba
unos sueños que he tenido.

TELLO. ¿Agora en sueños reparas?

D. ALONSO. No los creo, claro está; 865
pero dan pena.

TELLO. Eso basta.

D. ALONSO. No falta quien llama a algunos
revelaciones del alma.

TELLO. ¿Qué te puede suceder
en una cosa tan llana 870

como quererte casar?

D. ALONSO. Hoy, Tello, al salir el alba,
con la inquietud de la noche,
me levanté de la cama,
abrí la ventana aprisa, 875
y mirando flores y aguas
que adornan nuestro jardín,
sobre una verde retama
veo ponerse un jilguero,
cuyas esmaltadas alas 880
con lo amarillo añadían
flores a las verdes ramas.
Y estando al aire trinando
de la pequeña garganta
con naturales pasajes 885
las quejas enamoradas,
sale un azor de un almendro,
adonde escondido estaba,
y como eran en los dos
tan desiguales las armas, 890
tiñó de sangre las flores,
plumas al aire derrama.
Al triste chillido, Tello,
débiles ecos del aura
respondieron, y, no lejos, 895
lamentando su desgracia,
su esposa, que en un jazmín
la tragedia viendo estaba.
Yo, midiendo con los sueños
estos avisos del alma, 900
apenas puedo alentarme;
que con saber que son falsas
todas estas cosas, tengo
tan perdida la esperanza,
que no me aliento a vivir. 905

TELLO. Mal a doña Inés le pagas
aquella heroica firmeza
con que atrevida contrasta
los golpes de la fortuna.
Ven a Medina, y no hagas 910

caso de sueños ni agüeros,
cosas a la fe contrarias.
Lleva el ánimo que sueles,
caballos, lanzas y galas,
mata de envidia los hombres, 915
mata de amores las damas.
Doña Inés ha de ser tuya
a pesar de cuantos tratan
dividiros a los dos.

D. ALONSO. Bien dices, Inés me aguarda; 920
vamos a Medina alegres.
Las penas anticipadas
dicen que matan dos veces.
y a mí sola Inés me mata,
no como pena, que es gloria. 925

TELLO. Tú me verás en la plaza
hincar de rodillas toros
delante de sus ventanas.

ACTO TERCERO

Suenan atabales y entran con lacayos y rejones DON RODRIGO *y* DON FERNANDO.

D. RODRIGO. Poca dicha.
D. FERNANDO. Malas suertes.
D. RODRIGO. ¡Qué pesar!
D. FERNANDO. ¿Qué se ha de hacer?
D. RODRIGO. Brazo, ya no puede ser
que en servir a Inés aciertes.
D. FERNANDO. Corrido estoy.
D. RODRIGO. Yo, turbado. 5
D. FERNANDO. Volvamos a porfiar.
D. RODRIGO. Es imposible acertar
un hombre tan desdichado.
Para el de Olmedo, en efeto,
guardó suertes la fortuna. 10
D. FERNANDO. No ha errado el hombre ninguna.
D. RODRIGO. Que la ha de errar os prometo.
D. FERNANDO. Un hombre favorecido,
Rodrigo, todo lo acierta.
D. RODRIGO. Abrióle el amor la puerta, 15

y a mí, Fernando, el olvido.
Fuera desto, un forastero
luego se lleva los ojos.

D. FERNANDO. Vos tenéis justos enojos.
El es galán caballero, 20
mas no para escurecer
los hombres que hay en Medina.

D. RODRIGO. La patria me desatina;
mucho parece mujer
en que lo propio desprecia, 25
y de lo ajeno se agrada.

D. FERNANDO. De ser de ingrata culpada
son ejemplos Roma y Grecia.

Dentro ruido de pretales y voces

Gente dentro.

UNO. (*Dentro.*) ¡Brava suerte!

HOMBRE 2.º (*Dentro.*) ¡Con qué gala
quebró el rejón!

D. FERNANDO. ¿Qué aguardamos? 30
Tomemos caballos.

D. RODRIGO. Vamos.

UNO. (*Dentro.*) Nadie en el mundo le iguala.

D. FERNANDO. ¿Oyes esa voz?

D. RODRIGO. No puedo
sufrirlo.

D. FERNANDO. Aun no lo encareces.

HOMBRE 2.º (*Dentro.*) ¡Vítor setecientas veces 35
el Caballero de Olmedo!

D. RODRIGO. ¿Qué suerte quieres que aguarde,
Fernando, con estas voces?

D. FERNANDO. Es vulgo, ¿no le conoces?

UNO. (*Dentro.*) Dios te guarde, Dios te guarde. 40

D. RODRIGO. ¿Qué más dijeran al Rey?
Mas bien hacen: digan, rueguen
que hasta el fin sus dichas lleguen.

D. FERNANDO. Fue siempre bárbara ley
seguir aplauso vulgar 45
las novedades.

D. RODRIGO. El viene

a mudar caballo.

D. FERNANDO. Hoy tiene
la fortuna en su lugar.

Sale TELLO *con rejón y librea, y* DON ALONSO.

TELLO. ¡Valientes suertes, por Dios!
D. ALONSO. Dame, Tello, el alazán. 50
TELLO. Todos el lauro nos dan.
D. ALONSO. ¿A los dos, Tello?
TELLO. A los dos;
que tú a caballo, y yo a pie,
nos habemos igualado.
D. ALONSO. ¡Qué bravo, Tello, has andado! 55
TELLO. Seis toros desjarreté,
como si sus piernas fueran
rábanos de mi lugar.
D. FERNANDO. Volvamos, Rodrigo, a entrar,
que por dicha nos esperan, 60
aunque os parece que no.
D. RODRIGO. A vos, don Fernando, sí;
a mí no, si no es que a mí
me esperan para que yo
haga suertes que me afrenten, 65
o que algún toro me mate,
o me arrastre o me maltrate
donde con risa lo cuenten.
TELLO. Aquéllos te están mirando. *Vanse los dos.*
(*A su amo.*)
D. ALONSO. Ya los he visto envidiosos 70
de mis dichas, y aun celosos
de mirarme a Inés mirando.
TELLO. ¡Bravos favores te ha hecho
con la risa!, que la risa
es lengua muda que avisa 75
de lo que pasa en el pecho.
No pasabas vez ninguna
que arrojar no se quería
del balcón.
D. ALONSO. ¡Ay, Inés mía!
¡Si quisiese la fortuna 80

que a mis padres les llevase
tal prenda de sucesión!

TELLO. Sí harás, como la ocasión
deste don Rodrigo pase;
porque satisfecho estoy 85
de que Inés por ti se abrasa.

D. ALONSO. Fabia se ha quedado en casa;
mientras una vuelta doy
a la plaza, ve corriendo,
y di que esté prevenida 90
Inés, porque en mi partida
la pueda hablar; advirtiendo
que si esta noche no fuese
a Olmedo, me han de contar
mis padres por muerto, y dar 95
ocasión, si no los viese,
a esta pena, no es razón;
tengan buen sueño, que es justo.

TELLO. Bien dices: duerman con gusto,
pues es forzosa ocasión 100
de temer y de esperar.

D. ALONSO. Yo entro.

TELLO. Guárdete el cielo. *Vase* D. ALONSO.
Pues puedo hablar sin recelo
a Fabia, quiero llegar.
Traigo cierto pensamiento 105
para coger la cadena
a esta vieja, aunque con pena
de su astuto entendimiento.
No supo Circe, Medea,
ni Hécate lo que ella sabe; 110
tendrá en el alma una llave
que de treinta vueltas sea.
Mas no hay maestra mejor
que decirle que la quiero,
que es el remedio primero 115
para una mujer mayor;
que con dos razones tiernas
de amores y voluntad,
presumen de mocedad,

y piensan que son eternas. 120
Acabóse. Llego, llamo.
Fabia... Pero soy un necio;
que sabrá que el oro precio,
y que los años desamo,
porque se lo ha de decir 125
el de las patas de gallo.

Sale FABIA.

FABIA. ¡Jesús, Tello! ¿Aquí te hallo?
¡Qué buen modo de servir
a don Alonso! ¿Qué es esto?
¿Qué ha sucedido?
TELLO. No alteres 130
lo venerable, pues eres
causa de venir tan presto;
que por verte anticipé
de don Alonso un recado.
FABIA. ¿Cómo ha andado?
TELLO. Bien ha andado, 135
porque yo le acompañé.
FABIA. ¡Extremado fanfarrón!
TELLO. Pregúntalo al Rey, verás
cuál de los dos hizo más;
que se echaba del balcón 140
cada vez que yo pasaba.
FABIA. ¡Bravo favor!
TELLO. Más quisiera
los tuyos.
FABIA. ¡Oh, quién te viera!
TELLO. Esa hermosura bastaba
para que yo fuera Orlando. 145
¿Toros de Medina a mí?
¡Vive el cielo!, que les di
reveses, desjarretando,
de tal aire, de tal casta,
en medio del regocijo, 150
que hubo toro que me dijo:
"Basta, señor Tello, basta."
"No basta," le dije yo,

y eché de un tajo volado
una pierna en un tejado. 155

FABIA. Y ¿cuántas tejas quebró?

TELLO. Eso al dueño, que no a mí.
Dile, Fabia, a tu señora,
que ese mozo que la adora
vendrá a despedirse aquí; 160
que es fuerza volverse a casa,
porque no piensen que es muerto
sus padres. Esto te advierto.
Y porque la fiesta pasa
sin mí, y el Rey me ha de echar 165
menos (que en efeto soy
su toricida), me voy
a dar materia al lugar
de vítores y de aplauso,
si me das algún favor. 170

FABIA. ¿Yo favor?

TELLO. Paga mi amor.

FABIA. ¿Que yo tus hazañas causo?
Basta, que no lo sabía.
¿Qué te agrada más?

TELLO. Tus ojos.

FABIA. Pues daréte mis antojos. 175

TELLO. Por caballo, Fabia mía,
quedo confirmado ya.

FABIA. Propio favor de lacayo.

TELLO. Más castaño soy que bayo.

FABIA. Mira cómo andas allá, 180
que esto de *ne nos inducas*
suelen causar los refrescos;
no te quite los gregüescos
algún mozo de San Lucas;
que será notable risa, 185
Tello, que donde lo vea
todo el mundo, un toro sea
sumiller de tu camisa.

TELLO. Lo atacado y el cuidado
volverán por mi decoro. 190

FABIA. Para un desgarro de un toro,

¿qué importa estar atacado?
TELLO. Que no tengo a toros miedo.
FABIA. Los de Medina hacen riza,
porque tienen ojeriza 195
con los lacayos de Olmedo.
TELLO. Como ésos ha derribado,
Fabia, este brazo español.
FABIA. Mas ¿qué? ¿te ha de dar el sol
adonde nunca te ha dado? *Vanse.* 200

Ruido de plaza y grita, y digan dentro:

UNO. (*Dentro.*) Cayó don Rodrigo.
D. ALONSO. (*Dentro.*) ¡Afuera!
HOMBRE 2.° (*Dentro.*) ¡Qué gallardo, qué animoso
don Alonso le socorre!
UNO. (*Dentro.*) Ya se apea don Alonso.
HOMBRE 2.° (*Dentro.*) ¡Qué valientes cuchilladas! 205
UNO. (*Dentro.*) Hizo pedazos el toro.

Salgan los dos; y DON ALONSO *teniéndole.*

D. ALONSO. Aquí tengo yo caballo;
que los nuestros van furiosos
discurriendo por la plaza.
Animo.
D. RODRIGO. Con vos le cobro. 210
La caída ha sido grande.
D. ALONSO. Pues no será bien que al coso
volváis; aquí habrá criados
que os sirvan, porque yo torno
a la plaza. Perdonadme, 215
porque cobrar es forzoso
el caballo que dejé.

Vase y sale DON FERNANDO.

D. FERNANDO. ¿Qué es esto? ¡Rodrigo, y solo!
¿Cómo estáis?
D. RODRIGO. Mala caída,
mal suceso, malo todo; 220

pero más deber la vida
a quien me tiene celoso
y a quien la muerte deseo.

D. FERNANDO. ¡Que sucediese a los ojos
del Rey, y que viese Inés 225
que aquel su galán dichoso
hiciese el toro pedazos
por libraros!

D. RODRIGO. Estoy loco.
No hay hombre tan desdichado,
Fernando, de polo a polo. 230
¡Qué de afrentas, qué de penas,
qué de agravios, qué de enojos,
qué de injurias, qué de celos,
qué de agüeros, qué de asombros!
Alcé los ojos a ver 235
a Inés, por ver si piadoso
mostraba el semblante entonces,
que, aunque ingrato, necio adoro;
y veo que no pudiera
mirar Nerón riguroso 240
desde la torre Tarpeya
de Roma el incendio, como
desde el balcón me miraba;
y que luego, en vergonzoso
clavel de púrpura fina 245
bañado el jazmín del rostro,
a don Alonso miraba,
y que por los labios rojos
pagaba en perlas el gusto
de ver que a sus pies me postro, 250
de la fortuna arrojado
y de la suya envidioso.
Mas ¡vive Dios, que la risa,
primero que la de Apolo
alegre el Oriente y bañe 255
el aire de átomos de oro,
se le ha de trocar en llanto,
si hallo al hidalguillo loco
entre Medina y Olmedo!

D. FERNANDO. El sabrá ponerse en cobro. 260
D. RODRIGO. Mal conocéis a los celos.
D. FERNANDO. ¿Quién sabe que no son monstruos?
Mas lo que ha de importar mucho
no se ha de pensar tan poco. *Vanse.*

Salen el REY, *el* CONDESTABLE *y criados.*

REY. Tarde acabaron las fiestas; 265
pero ellas han sido tales,
que no las he visto iguales.
CONDESTABLE. Dije a Medina que aprestas
para mañana partir;
mas tiene tanto deseo 270
de que veas el torneo
con que te quiere servir,
que me ha pedido, señor,
que dos días se detenga
Vuestra Alteza.
REY. Cuando venga, 275
pienso que será mejor.
CONDESTABLE. Haga este gusto a Medina
Vuestra Alteza.
REY. Por vos sea,
aunque el Infante desea
(con tanta prisa camina) 280
estas vistas de Toledo
para el día concertado.
CONDESTABLE. Galán y bizarro ha estado
el Caballero de Olmedo.
REY. ¡Buenas suertes, condestable!
CONDESTABLE. No sé en él cuál es mayor, 285
la ventura o el valor,
aunque es el valor notable.
REY. Cualquiera cosa hace bien.
CONDESTABLE. Con razón le favorece
Vuestra Alteza.
REY. El lo merece 290
y que vos le honréis también. *Vanse.*

Salen DON ALONSO *y* TELLO, *de noche.*

TELLO. Mucho habemos esperado,

ya no puedes caminar.

D. ALONSO. Deseo, Tello, excusar
a mis padres el cuidado: 295
a cualquier hora es forzoso
partirme.

TELLO. Si hablas a Inés,
¿qué importa, señor, que estés
de tus padres cuidadoso?
Porque os ha de hallar el día 300
en esas rejas.

D. ALONSO. No hará;
que el alma me avisará
como si no fuera mía.

TELLO. Parece que hablan en ellas,
y que es en la voz Leonor. 305

D. ALONSO. Y lo dice el resplandor
que da el sol a las estrellas.

LEONOR, *en la reja.*

D.ª LEONOR. ¿Es don Alonso?

D. ALONSO. Yo soy.

D.ª LEONOR. Luego mi hermana saldrá,
porque con mi padre está 310
hablando en las fiestas de hoy.
Tello puede entrar; que quiere
daros un regalo Inés. (*Quítase de la reja.*)

D. ALONSO. Entra, Tello.

TELLO. Si después
cerraren y no saliere, 315
bien puedes partir sin mí;
que yo te sabré alcanzar.

Abrese la puerta de casa de DON PEDRO, *entra* TELLO,
y vuelve DOÑA LEONOR *a la reja.*

D. ALONSO. ¿Cuándo, Leonor, podré entrar
con tal libertad aquí?

D.ª LEONOR. Pienso que ha de ser muy presto, 320
porque mi padre de suerte
te encarece, que a quererte
tiene el corazón dispuesto.

Y porque se case Inés,
en sabiendo vuestro amor, 325
sabrá escoger lo mejor,
como estimarlo después.

Sale DOÑA INÉS *a la reja.*

D.ª INÉS. ¿Con quién hablas?
D.ª LEONOR. Con Rodrigo.
D.ª INÉS. Mientes, que mi dueño es.
D. ALONSO. Que soy esclavo de Inés, 330
al cielo doy por testigo.
D.ª INÉS. No sois sino mi señor.
D.ª LEONOR. Ahora bien, quiéroos dejar;
que es necedad estorbar
sin celos quien tiene amor. *Retírase.* 335
D.ª INÉS. ¿Cómo estáis?
D. ALONSO. Como sin vida.
Por vivir os vengo a ver.
D.ª INÉS. Bien había menester
la pena desta partida
para templar el contento 340
que hoy he tenido de veros,
ejemplo de caballeros,
y de las damas tormento.
De todas estoy celosa;
que os alabasen quería, 345
y después me arrepentía,
de perderos temerosa.
¡Qué de varios pareceres!
¡Qué de títulos y nombres
os dio la envidia en los hombres, 350
y el amor en las mujeres!
Mi padre os ha codiciado
por yerno para Leonor,
y agradecióle mi amor,
aunque celosa, el cuidado; 355
que habéis de ser para mí
y así se lo dije yo,
aunque con la lengua no,
pero con el alma sí.

Mas ¡ay! ¿Cómo estoy contenta 360
si os partís?

D. ALONSO. Mis padres son
la causa.

D.ª INÉS. Tenéis razón;
mas dejadme que lo sienta.

D. ALONSO. Yo lo siento, y voy a Olmedo,
dejando el alma en Medina. 365
No sé cómo parto y quedo:
amor la ausencia imagina,
los celos, señora, el miedo.

Así parto muerto y vivo,
que vida y muerte recibo. 370
Mas ¿qué te puedo decir,
cuando estoy para partir,
puesto ya el pie en el estribo?

Ando, señora, estos días,
entre tantas asperezas 375
de imaginaciones mías,
consolado en mis tristezas
y triste en mis alegrías.

Tengo, pensando perderte,
imaginación tan fuerte, 380
y así en ella vengo y voy,
que me parece que estoy
con las ansias de la muerte.

La envidia de mis contrarios
temo tanto, que aunque puedo 385
poner medios necesarios,
estoy entre amor y miedo
haciendo discursos varios.

Ya para siempre me privo
de verte, y de suerte vivo, 390
que mi muerte presumiendo,
parece que estoy diciendo:
"*Señora, aquésta te escribo.*"

Tener de tu esposo el nombre
amor y favor ha sido; 395
pero es justo que me asombre,
que amado y favorecido

tenga tal tristeza un hombre.
Parto a morir, y te escribo
mi muerte, si ausente vivo, 400
porque tengo, Inés, por cierto
que si vuelvo será muerto,
pues partir no puedo vivo.
Bien sé que tristeza es;
pero puede tanto en mí, 405
que me dice, hermosa Inés:
"Si partes muerto de aquí,
¿cómo volverás después?"
Yo parto, y parto a la muerte,
aunque morir no es perderte; 410
que si el alma no se parte,
¿cómo es posible dejarte,
cuanto más volver a verte?

D.ª INÉS. Pena me has dado y temor
con tus miedos y recelos; 415
si tus tristezas son celos,
ingrato ha sido tu amor.
Bien entiendo tus razones;
pero tú no has entendido
mi amor.

D. ALONSO. Ni tú, que han sido 420
estas imaginaciones
sólo un ejercicio triste
del alma, que me atormenta,
no celos; que fuera afrenta
del nombre, Inés, que me diste. 425
De sueños y fantasías,
si bien falsas ilusiones,
han nacido estas razones,
que no de sospechas mías.

D.ª INÉS. Leonor vuelve. (LEONOR *sale a la reja.*)
¿Hay algo?

D.ª LEONOR. Sí. 430

D. ALONSO. ¿Es partirme?

D.ª LEONOR. (*A* D.ª INÉS). Claro está.
Mi padre se acuesta ya,
y me preguntó por ti.

D.ª INÉS. Vete, Alonso, vete. Adiós.
No te quejes, fuerza es. 435
D. ALONSO. ¿Cuándo querrá Dios, Inés,
que estemos juntos los dos?
Aquí se acabó mi vida,
que es lo mismo que partirme.
Tello no sale, o no puede 440
acabar de despedirse.
Voyme: que él me alcanzará.

Retírase DOÑA INÉS.

Al entrar DON ALONSO, *una sombra con una máscara negra y sombrero, y puesta la mano en el puño de la espada, se le ponga delante.*

D. ALONSO. ¿Qué es esto? ¿Quién va? De oírme
no hace caso. ¿Quién es? Hable.
¡Que un hombre me atemorice 445
no habiendo temido a tantos!
¿Es don Rodrigo? ¿No dice
quién es?
LA SOMBRA. Don Alonso.
D. ALONSO. ¿Cómo?
LA SOMBRA. Don Alonso.
D. ALONSO. No es posible.
Mas otro será, que yo 450
soy don Alonso Manrique.
Si es invención, meta mano.
Volvió la espalda. (*Vase la Sombra.*)
Seguirle
desatino me parece.
¡Oh imaginación terrible! 455
Mi sombra debió de ser,
mas no; que en forma visible
dijo que era don Alonso.
Todas son cosas que finge
la fuerza de la tristeza, 460
la imaginación de un triste.
¿Qué me quieres, pensamiento,
que con mi sombra me afliges?
Mira que temer sin causa
es de sujetos humildes. 465

O embustes de Fabia son,
que pretende persuadirme
porque no me vaya a Olmedo,
sabiendo que es imposible.
Siempre dice que me guarde, 470
y siempre que no camine
de noche, sin más razón
de que la envidia me sigue.
Pero ya no puede ser
que don Rodrigo me envidie, 475
pues hoy la vida me debe;
que esta deuda no permite
que un caballero tan noble
en ningún tiempo la olvide.
Antes pienso que ha de ser 480
para que amistad confirme
desde hoy conmigo en Medina;
que la ingratitud no vive
en buena sangre, que siempre
entre villanos reside. 485
En fin, es la quinta esencia
de cuantas acciones viles
tiene la bajeza humana
pagar mal quien bien recibe. *Vase.*

Un camino entre Medina y Olmedo.

Salen DON RODRIGO, DON FERNANDO, MENDO *y* LAÍN.

D. RODRIGO. Hoy tendrán fin mis celos y su vida. 490
D. FERNANDO. Finalmente, ¿venís determinado?
D. RODRIGO. No habrá consejo que su muerte impida,
después que la palabra me han quebrado.
Ya se entendió la devoción fingida,
ya supe que era Tello, su criado, 495
quien la enseñaba aquel latín que ha sido
en cartas de romance traducido.

¡Qué honrada dueña recibió en su casa
don Pedro en Fabia! ¡Oh mísera doncella!
Disculpo tu inocencia, si te abrasa 500
fuego infernal de los hechizos della.
No sabe, aunque es discreta, lo que pasa,

y así el honor de entrambos atropella.
¡Cuántas casas de nobles caballeros
han infamado hechizos y terceros! 505
Fabia, que puede transponer un monte;
Fabia, que puede detener un río,
y en los negros ministros de Aqueronte
tiene, como en vasallos, señorío;
Fabia, que deste mar, deste horizonte, 510
al abrasado clima, al Norte frío
puede llevar a un hombre por el aire,
le da liciones: ¿hay mayor donaire?

D. FERNANDO. Por la misma razón yo no tratara
de más venganza.

D. RODRIGO. ¡Vive Dios, Fernando, 515
que fuera de los dos bajeza clara!

D. FERNANDO. No la hay mayor que despreciar amando.

D. RODRIGO. Si vos podéis, yo no.

MENDO. Señor, repara
en que vienen los ecos avisando
de que a caballo alguna gente viene. 520

D. RODRIGO. Si viene acompañado, miedo tiene.

D. FERNANDO. No lo creas, que es mozo temerario.

D. RODRIGO. Todo hombre con silencio esté escondido.
Tú, Mendo, el arcabuz, si es necesario,
tendrás detrás de un árbol prevenido. 525

D. FERNANDO. ¡Qué inconstante es el bien, qué loco y vario!
Hoy a vista de un Rey salió lucido,
admirado de todos a la plaza,
y ¡ya tan fiera muerte le amenaza!

Escóndanse y salga DON ALONSO.

D. ALONSO. Lo que jamás he tenido, 530
que es algún recelo o miedo,
llevo caminando a Olmedo.
Pero tristezas han sido.
Del agua el manso rüido
y el ligero movimiento 535
destas ramas con el viento,
mi tristeza aumentan más.
Yo camino, y vuelve atrás

mi confuso pensamiento.
De mis padres el amor 540
y la obediencia me lleva,
aunque ésta es pequeña prueba
del alma de mi valor.
Conozco que fue rigor
el dejar tan presto a Inés... 545
¡Qué escuridad! Todo es
horror, hasta que el aurora
en las alfombras de Flora
ponga los dorados pies.
Allí cantan. ¿Quién será? 550
Mas será algún labrador
que camina a su labor.
Lejos parece que está:
pero acercándose va.
Pues ¡cómo! ¡Lleva instrumento, 555
y no es rústico el acento,
sino sonoro y süave!
¡Qué mal la música sabe,
si está triste el pensamiento!

Canten desde lejos en el vestuario y véngase acercando la voz como que camina.

Que de noche le mataron 560
al caballero,
la gala de Medina,
la flor de Olmedo.

D. ALONSO. ¡Cielos! ¿Qué estoy escuchando?
Si es que avisos vuestros son, 565
ya que estoy en la ocasión,
¿de qué me estáis informando?
Volver atrás, ¿cómo puedo?
Invención de Fabia es,
que quiere, a ruego de Inés, 570
hacer que no vaya a Olmedo.

LA VOZ. (*Dentro.*) *Sombras le avisaron*
que no saliese,
y le aconsejaron
que no se fuese 575

el caballero,
la gala de Medina,
la flor de Olmedo.

Sale un LABRADOR.

D. ALONSO. ¡Hola, buen hombre, el que canta!
LABRADOR. ¿Quién me llama?
D. ALONSO. Un hombre soy 580
que va perdido.
LABRADOR. Ya voy.
D. ALONSO. Todo me espanta. (*Aparte.*)
¿Dónde vas?
LABRADOR. A mi labor.
D. ALONSO. ¿Quién esa canción te ha dado,
que tristemente has cantado? 585
LABRADOR. Allá en Medina, señor.
D. ALONSO. A mí me suelen llamar
el Caballero de Olmedo,
y yo estoy vivo.
LABRADOR. No puedo
deciros deste cantar 590
más historia ni ocasión,
de que a una Fabia la oí.
Si os importa, ya cumplí
con deciros la canción.
Volved atrás; no paséis 595
deste arroyo.
D. ALONSO. En mi nobleza,
fuera ese temor bajeza.
LABRADOR. Muy necio valor tenéis.
Volved, volved a Medina.
D. ALONSO. Ven tú conmigo.
LABRADOR. No puedo. *Vase.* 600
D. ALONSO. ¡Qué de sombras finge el miedo!
¡Qué de engaños imagina!
Oye, escucha. ¿Dónde fue,
que apenas sus pasos siento?
¡Ah, labrador! Oye, aguarda. 605
"Aguarda," responde el eco.
¡Muerto yo! Pero es canción

que por algún hombre hicieron
de Olmedo, y los de Medina
en este camino han muerto. 610
A la mitad dél estoy:
¿qué han de decir si me vuelvo?
Gente viene... No me pesa;
si allá van, iré con ellos.

Salgan DON RODRIGO *y* DON FERNANDO *y su gente.*

D. RODRIGO. ¿Quién va?
D. ALONSO. Un hombre. ¿No me ven? 615
D. FERNANDO. Deténgase.
D. ALONSO. Caballeros,
si acaso necesidad
los fuerza a pasos como éstos,
desde aquí a mi casa hay poco:
no habré menester dineros 620
que de día y en la calle
se los doy a cuantos veo
que me hacen honra en pedirlos.
D. RODRIGO. Quítese las armas luego.
D. ALONSO. ¿Para qué?
D. RODRIGO. Para rendillas. 625
D. ALONSO. ¿Saben quién soy?
D. FERNANDO. El de Olmedo,
el matador de los toros,
que viene arrogante y necio
a afrentar los de Medina,
el que deshonra a don Pedro 630
con alcahuetes infames.
D. ALONSO. Si fuérades a lo menos
nobles vosotros, allá,
pues tuvistes tanto tiempo,
me hablárades, y no agora, 635
que solo a mi casa vuelvo.
Allá en las rejas adonde
dejastes la capa huyendo,
fuera bien, y no en cuadrilla
a media noche, soberbios. 640
Pero confieso, villanos,

que la estimación os debo,
que aun siendo tantos, sois pocos (*Riñan.*)

D. RODRIGO. Yo vengo a matar, no vengo
a desafíos; que entonces 645
te matara cuerpo a cuerpo.

(*A* MENDO.) Tírale. (*Disparen dentro.*)

D. ALONSO. Traidores sois;
pero sin armas de fuego
no pudiérades matarme.
¡Jesús! (*Cae.*)

D. FERNANDO. ¡Bien lo has hecho, Mendo! 650

Vanse DON RODRIGO, DON FERNANDO *y su gente.*

D. ALONSO. ¡Qué poco crédito di
a los avisos del cielo!
Valor propio me ha engañado,
y muerto envidias y celos.
¡Ay de mí! ¿Qué haré en un campo 655
tan solo?

Sale TELLO.

TELLO. Pena me dieron
estos hombres que a caballo
van hacia Medina huyendo.
Si a don Alonso habían visto
pregunté; no respondieron. 660
¡Mala señal! Voy temblando.

D. ALONSO. ¡Dios mío, piedad! ¡Yo muero!
Vos sabéis que fue mi amor
dirigido a casamiento.
¡Ay, Inés!

TELLO. De lastimosas 665
quejas siento tristes ecos.
Hacia aquella parte suenan.
No está del camino lejos
quien las da. No me ha quedado
sangre. Pienso que el sombrero 670
puede tenerse en el aire
solo en cualquiera cabello.
¡Ah, hidalgo!

D. ALONSO. ¿Quién es?

TELLO. ¡Ay Dios!
¿Por qué dudo lo que veo?
Es mi señor. ¡Don Alonso! 675

D. ALONSO. Seas bien venido, Tello.

TELLO. ¿Cómo, señor, si he tardado?
¿Cómo, si a mirarte llego
hecho una fiera de sangre?
¡Traidores, villanos, perros; 680
volved, volved a matarme,
pues habéis, infames, muerto
el más noble, el más valiente,
el más galán caballero
que ciñó espada en Castilla! 685

D. ALONSO. Tello, Tello, ya no es tiempo
más que de tratar del alma.
Ponme en tu caballo presto
y llévame a ver mis padres.

TELLO. ¡Qué buenas nuevas les llevo 690
de las fiestas de Medina!
¿Qué dirá aquel noble viejo?
¿Qué hará tu madre y tu patria?
¡Venganza, piadosos cielos!

Llévase a DON ALONSO.

Salen DON PEDRO, DOÑA INÉS, DOÑA LEONOR *y* FABIA.

D.ª INÉS. ¿Tantas mercedes ha hecho? 695

D. PEDRO. Hoy mostró con su real
mano, heroica y liberal,
la grandeza de su pecho.
Medina está agradecida,
y por la que he recibido, 700
a besarla os he traído.

D.ª LEONOR. ¿Previene ya su partida?

D. PEDRO. Sí, Leonor, por el Infante,
que aguarda al Rey en Toledo.
En fin, obligado quedo; 705
que por merced semejante
más por vosotras lo estoy,
pues ha de ser vuestro aumento.

D.ª LEONOR. Con razón estás contento.

D. PEDRO. Alcaide de Burgos soy. 710
Besad la mano a Su Alteza.

D.ª INÉS. (*Ap. a* FABIA.) (¡Ha de haber ausencia, Fabia!

FABIA. Más la fortuna te agravia.

D.ª INÉS. No en vano tanta tristeza
he tenido desde ayer. 715

FABIA. Yo pienso que mayor daño
te espera, si no me engaño,
como suele suceder;
que en las cosas por venir
no puede haber cierta ciencia. 720

D.ª INÉS. ¿Qué mayor mal que la ausencia,
pues es mayor que morir?)

D. PEDRO. Ya, Inés, ¿qué mayores bienes
pudiera yo desear,
si tú quisieras dejar 725
el propósito que tienes?
No porque yo te hago fuerza;
pero quisiera casarte.

D.ª INÉS. Pues tu obediencia no es parte
que mi propósito tuerza. 730
Me admiro de que no entiendas
la ocasión.

D. PEDRO. Yo no la sé.

D.ª LEONOR. Pues yo por ti la diré,
Inés, como no te ofendas.
No la casas a su gusto. 735
¡Mira qué presto!

D. PEDRO. (*A* INÉS.) Mi amor
se queja de tu rigor,
porque, a saber tu disgusto,
no lo hubiera imaginado.

D.ª LEONOR. Tiene inclinación Inés 740
a un caballero, después
que el Rey de una cruz le ha honrado;
que esto es deseo de honor,
y no poca honestidad.

D. PEDRO. Pues si él tiene calidad 745
y tú le tienes amor,

¿quién ha de haber que replique?
Cásate en buen hora, Inés.
Pero ¿no sabré quién es?

D.ª LEONOR. Es don Alonso Manrique. 750

D. PEDRO. Albricias hubiera dado.
¿El de Olmedo?

D.ª LEONOR. Sí señor.

D. PEDRO. Es hombre de gran valor,
y desde agora me agrado
de tan discreta elección; 755
que si el hábito rehusaba,
era porque imaginaba
diferente vocación.
Habla, Inés, no estés ansí.

D.ª INÉS. Señor, Leonor se adelanta; 760
que la inclinación no es tanta
como ella te ha dicho aquí.

D. PEDRO. Yo no quiero examinarte,
sino estar con mucho gusto
de pensamiento tan justo 765
y de que quieras casarte.
Desde agora es tu marido;
que me tendré por honrado
de un yerno tan estimado,
tan rico y tan bien nacido. 770

D.ª INÉS. Beso mil veces tus pies.
Loca de contento estoy,
Fabia.

FABIA. (*Aparte.*) (El parabién te doy,
si no es pésame después.)

D.ª LEONOR. El Rey.

Salen el REY, *el* CONDESTABLE *y gente*, DON RODRIGO *y* DON FERNANDO.

D. PEDRO. Llegad a besar 775
(*A sus hijas.*) su mano.

D.ª INÉS. ¡Qué alegre llego!

D. PEDRO. Dé Vuestra Alteza los pies,
por la merced que me ha hecho
del alcaidía de Burgos,
a mí y a mis hijas.

REY. Tengo 780
bastante satisfacción
de vuestro valor, don Pedro,
y de que me habéis servido.

D. PEDRO. Por lo menos lo deseo.

REY. ¿Sois casadas?

D.ª INÉS. No señor. 785

REY. ¿Vuestro nombre?

D.ª INÉS. Inés.

REY. ¿Y el vuestro?

D.ª LEONOR. Leonor.

CONDESTABLE. Don Pedro merece
tener dos gallardos yernos,
que están presentes, señor,
y que yo os pido por ellos 790
los caséis de vuestra mano.

REY. ¿Quién son?

D. RODRIGO. Yo, señor, pretendo,
con vuestra licencia, a Inés.

D. FERNANDO. Y yo a su hermana le ofrezco
la mano y la voluntad. 795

REY. En gallardos caballeros
emplearéis vuestras dos hijas,
don Pedro.

D. PEDRO. Señor, no puedo
dar a Inés a don Rodrigo,
porque casada la tengo 800
con don Alonso Manrique,
el Caballero de Olmedo,
a quien hicistes merced
de un hábito.

REY. Yo os prometo
que la primera encomienda 805
sea suya.

D. RODRIGO. (*Aparte a* DON FERNANDO.)
(¡Extraño suceso!

D. FERNANDO. Ten prudencia.)

REY. Porque es hombre
de grandes merecimientos.

TELLO. (*Dentro.*) Dejadme entrar.

REY. ¿Quién da voces?
CONDESTABLE. Con la guarda un escudero 810
que quiere hablarte.
REY. Dejadle.
CONDESTABLE. Viene llorando y pidiendo
justicia.
REY. Hacerla es mi oficio.
Eso significa el cetro.

Sale TELLO.

TELLO. Invictísimo don Juan, 815
que del castellano reino,
a pesar de tanta envidia,
gozas el dichoso imperio:
con un caballero anciano
vine a Medina, pidiendo 820
justicia de dos traidores;
pero el doloroso exceso
en tus puertas le ha dejado,
si no desmayado, muerto.
Con esto yo, que le sirvo, 825
rompí con atrevimiento
tus guardas y tus oídos:
oye, pues te puso el cielo
la vara de su justicia
en tu libre entendimiento, 830
para castigar los malos
y para premiar los buenos:
la noche de aquellas fiestas
que a la Cruz de Mayo hicieron
caballeros de Medina, 835
para que fuese tan cierto
que donde hay cruz hay pasión,
por dar a sus padres viejos
contento de verle libre
de los toros, menos fieros 840
que fueron sus enemigos,
partió de Medina a Olmedo
don Alonso, mi señor,
aquel ilustre mancebo

que mereció tu alabanza, 845
que es raro encarecimiento.
Quedéme en Medina yo,
como a mi cargo estuvieron
los jaeces y caballos,
para tener cuenta dellos. 850
Ya la destocada noche,
de los dos polos en medio,
daba a la traición espada,
mano al hurto, pies al miedo,
cuando partí de Medina; 855
y al pasar un arroyuelo,
puente y señal del camino,
veo seis hombres corriendo
hacia Medina, turbados,
y, aunque juntos, descompuestos. 860
La luna, que salió tarde,
menguado el rostro sangriento,
me dio a conocer los dos;
que tal vez alumbra el cielo
con las hachas de sus luces 865
el más oscuro silencio,
para que vean los hombres
de las maldades los dueños,
porque a los ojos divinos
no hubiese humanos secretos. 870
Paso adelante, ¡ay de mí!,
y envuelto en su sangre veo
a don Alonso expirando.
Aquí, gran señor, no puedo
ni hacer resistencia al llanto, 875
ni decir el sentimiento.
En el caballo le puse
tan animoso, que creo
que pensaban sus contrarios
que no le dejaban muerto. 880
A Olmedo llegó con vida
cuanto fue bastante, ¡ay cielo!,
para oír la bendición
de dos miserables viejos,

que enjugaban las heridas 885
con lágrimas y con besos.
Cubrió de luto su casa
y su patria, cuyo entierro
será el del fénix, señor:
después de muerto viviendo 890
en las lenguas de la fama,
a quien conserven respeto
la mudanza de los hombres
y los olvidos del tiempo.

REY. ¡Extraño caso!

D.ª INÉS. ¡Ay de mí! 895

D. PEDRO. Guarda lágrimas y extremos,
Inés, para nuestra casa.

D.ª INÉS. Lo que de burlas te dije,
señor, de veras te ruego.
Y a vos, generoso Rey, 900
desos viles caballeros
os pido justicia.

REY. (*A* TELLO.) Dime,
pues pudiste conocerlos,
¿quién son esos dos traidores?
¿Dónde están? Que ¡vive el cielo, 905
de no me partir de aquí
hasta que los deje presos!

TELLO. Presentes están, señor:
don Rodrigo es el primero,
y don Fernando el segundo. 910

CONDESTABLE. El delito es manifiesto,
su turbación lo confiesa.

D. RODRIGO. Señor, escucha....

REY. Prendedlos,
y en un teatro mañana
cortad sus infames cuellos: 915
fin de la trágica historia
del *Caballero de Olmedo*.

NOTES TO ACT I

3–4 "since no matter exists which is not given form by love's return." It is love which "creates," gives form to chaotic matter. Speaking objectively to love, Alonso is really recounting how he saw Inés, fell in love with her "at first sight," and was immediately loved by her in return.

6–7 "preserved so many generations (of human and animal life) by bringing the sexes together in love."

11 **espíritus vivos,** "animal spirits." It was believed that in loving, spirits of the **anima** or soul passed from the lover's to the beloved's soul, transmitted from his eyes to hers.

16 **mudanza** refers to the glint of love in the eyes.

18 **con poca diferencia,** "with little delay." **Diferencia** is here related to **diferir,** "to defer."

31 "(you are speaking) to me, stranger? — To you."

33 Fabia means that Tello is being too secretive, expecting her to "sniff out" the man on whose behalf he is approaching her, i.e. Alonso. A **perro de muestra** is a "pointer."

40 **madre** refers often to any older woman, but especially, as here, to a procuress.

46 **Hipócrates,** "physician." Hippocrates, regarded as one of the founders of medicine, is the fifth-century B. C. physician for whom the Hippocratic oath is named. Love is often regarded as a sickness, curable either by physical or spiritual means.

48–49 Alonso apostrophizes Fabia, not her hand.

53–54 "Desire has taken possession of my freedom of action." Alonso means that he cannot resist his love for Inés.

55–56 Lovers' faces betray the state of their emotional health as much as the pulse is an index of somatic health. **Aojado,** "bewitched," "gazed on by the evil eye." It was believed that witches could harm a person by looking at him "with an evil eye."

58 **Dos imposibles,** "two things impossible to imagine as possible."

64–65 "who with peasant clothing concealed the fact that she was a lady." It is customary for girls to wear regional costumes to **ferias.**

72 **Alto has picado,** "You have aimed high," i.e. you have certainly fallen in love with a very beautiful lady of high degree.

74 "Listen, God bless you."

75 The description of Inés at the fair of Medina, which follows, is adapted from an anonymous ballad. For its text see **Biblioteca de Autores Españoles,** XVI, 509.

81–82 "for souls cannot easily be trapped if they see the nets spread out." The allusion is to Inés' concealed hairnet **(liga),** which the conceit transforms into a birdtrap for catching souls, i.e. for enamoring men.

83 **a lo valiente,** "swaggering like bullies."

84 Though Inés' eyes threaten the life (the freedom from love) of the men they gaze on, nevertheless they spare their lives (because she gives the men she sees no hope that their love will be returned).

85 **deja,** "leaves alive."

87–90 Her hands are as swift and graceful as a fencer's, and so skillful that she scores innumerable wounds with them (i.e. she makes men fall in love with them).

91–92 **valona,** "adorno que se ponía al cuello, por lo regular unido al cabezón de la camisa, el cual consistía en una tira angosta de lienzo fino, que caía sobre la espalda y hombros; y por la parte de delante era larga hasta la mitad del pecho" (Acad.). "her sharp-cornered collar came down to her snow-white hands."

95–98 Inés' mouth is compared to a drum, which — though she is no recruiting officer — causes all the young men to rush forward to enter her service.

99 **corales y perlas,** the usual Petrarchan images for "lips" and "teeth." Inés has no need of the real things since her figurative coral and pearls are of better quality.

103 **manteo francés,** "cierta ropa interior de bayeta, o paño, que traen las mujeres de la cintura abajo, ajustada y solapada por delante" (Acad.), "half-slip."

104 **basquiña,** "ropa o saya que traen las mujeres desde la cintura hasta los pies, con pliegues en la parte superior para ajustarla a la cintura, y por la parte inferior con mucho vuelo. Pónese encima de toda la demás ropa, y sirve comúnmente para salir a la calle" (Acad.).

105–106 "so that she might give in another language the key to her secret." The secret undergarment, **manteo,** is French, but the skirt, **basquiña,** is Basque.

107 **chinela,** "high slipper." "Género de calzado, de dos o tres suelas, sin talón, que con facilidad se entra y se saca el pie de él" (Covarrubias).

109–110 **listones,** thin ribbons with which the slippers were adorned. **virillas,** "welts," "the strips of leather between the upper and the sole of a shoe, but in expensive shoes sometimes of silver." The men admire the detail of Inés' slippers, although they were not necessarily designed to attract their attention.

115–116 "Love — Cupid — accompanied her invisibly."

121 **áspid.** Inés is a poisonous asp because she "kills" the men who get near her.

123 **Cuál,** usually followed later by another **cuál,** "This one . . . that one." Here the second **cuál** is replaced by **yo** (127).

125 **toda es perla,** "all (her throat) is pearly-white."

127 "I, speaking with my eyes alone." Alonso offers Inés mutely no rich and unacceptable gifts, but the expression of his love.

139 The unicorn was believed to purify water poisoned by snakes by immersing its single horn in it. Inés, in church, dipping her glass-like finger in the holy water, purifies Alonso's love for her by neutralizing the poison of the basilisk. She is compared to a basilisk, the snake-like animal which killed (understand, enamored) merely by looking. It is consonant with the paradoxical nature of courtly love that Inés should at the same time kill like a basilisk and cure like a unicorn.

158 "they are putting you in death-row." The day before a convicted criminal is executed he is taken to a cell furnished as a chapel and told to spend the day preparing his soul. This is the first of many intimations of Alonso's tragic death. Here he is playing with the usual concepts of fatal love: to love is to be sentenced to death, etc. But the play will gradually translate his metaphorical speech into literal action. The man who is figuratively "dying with love" for Inés will really die because of his love for her.

163 **No me pagó mal,** "She rewarded me well" for my perturbation, by recognizing the signs of my love.

169–170 Inés, an "angel," has angelic knowledge, intuitive, instantaneous, all-embracing. She knows what she is doing, knows that Alonso will interpret her looks as love.

173 **este papel,** a letter which Alonso will ask Fabia to deliver to Inés.

178 "love persuades me so strongly to do this."

197–180 Alonso means that he will be her faithful slave and, in addition, give her a gold chain.

181 **encomienda,** a "trust" of land given as a reward for services rendered. Here, a "decoration" of the kind bestowed by royalty.

184 Fabia will constantly warn Alonso of the fatal end she foresees for his love.

185–188 "Save your breath, Fabia." Tello believes Fabia capable of duplicity, like a surgeon who kills when he is supposed to cure.

193 **tan altas prendas,** "such noble qualities," i.e. those of Inés.

195–196 Fabia plans to rewrite the letter to make it more effective.

201 Fabia is known to be a witch, a worker of black magic, a servant not of God but of Satan.

211–212 Fabia tries to win Tello's good will by offering him one of her girls.

220 **ha...dos años,** "two years ago."

221 **engaños,** "lures," "bait."

229 Cupid is represented as a blind, or blindfolded, archer.

244–245 "The way I look at it, he won't be able to live without seeing you."

247 **la Fabiana.** It is not clear what Ana means by this. Does she suggest that Fabia is a Fabian, a scheming delayer like Fabius Cunctator?

249–251 Fabia sells cosmetics.

259–260 "Didn't I just know you would invite me in!"

266 "and stepping out so gracefully."

269 Fabia alludes to the girls' dead mother.

271 **fénix,** the Phoenix, being the only bird of its kind, a single specimen, often symbolizes uniqueness.

280 "The most perfect of Catharines," a saint remembered for her patience during her martyrdom.

285 **No se logró,** "she did not fulfill her promise."

295 The subject of **va** is understood to be **esta vieja.**

300 **a la que pudre,** "for her who is rotting" in her grave, the girls' mother.

303 **de diez mozas,** "out of every ten girls he asked for."

312 "It will happen soon enough."

313–314 "A father who shuts his eyes to this sort of thing hurts himself very badly."

318 "the swift passage of time."

321 "are good even if they are old."

324–326 "time was when my elegance and beauty had more than one lover in thrall."

329 "What silk dress didn't rustle as I walked?"

334 **gente de hopalandas,** "the academic community."

344–346 Fabia, reminded of her devotions (343), snatches up her rosary and missal, and makes as if to leave.

348 Camphor and corrosive sublimate were used as cosmetics.

351 **nuestra,** i.e. "women's."

366–368 Fabia for a fee will recite prayers, and sell written-down prayers, on behalf of the souls of the dead.

372 Affectionate diminutives. "You little rascal, you little snoop."

377–378 "if I would give it (the letter) to her, paying proper attention to her honor, her modesty, and reputation."

383 "Compose an affectionate reply to this letter." **la** (384) refers to **respuesta,** understood.

389 **Tantos,** understand **bienes.** "So much happiness."

391 **Allá dentro,** "In my own room, alone."

393–396 She prays to the devil beseeching him to produce the feverish fire of love in Inés' heart.

404 **la mía,** i.e. **sombra.** Rodrigo, in love with Inés, regards her as his shadow. Instead of this shadow he finds the ghost-like shade of Fabia.

406–418 When the men come in, Leonor is buying something from Fabia, who represents the sale as an act of charity to a poor old woman. After Fernando offers to pay for it, Leonor, ashamed at the purchase of some indiscreetly feminine commodity, denies having bought anything.

428–429 "Is she so shy about seeing that man who most desires to court her?"

430–432 Leonor alerts Inés to her subterfuge: she has introduced Fabia as the laundry woman.

436 "the holy relics of linen." She refers to the underclothes which cover Inés' crystalline (437) limbs and which Fabia is to wash.

438–442 She pretends to read a laundry list while holding Inés' letter before her eyes.

447 **por tener,** "so that I may have."

455–456 "She takes it with her and later returns it so that she can tell if anything is missing."

459–460 "or pay him a formal visit; it bothers him when men come to chat with us, even though he never says anything about it."

469–470 "but death does not know how (to end my life), and love does not want to (make you bestow a favor on me)."

478–480 This speech brings together the themes of death and love. When love is not returned, the lover speaks of himself as suffering a willing death. In these metaphors lie the seeds of Rodrigo's later murderous acts. If Alonso dies for love, Rodrigo kills for love (i.e. through jealousy).

498 "to induce me to capitulate."

502 **unos versos.** The sonnet which follows is the anonymous **papel** which Fabia asked Inés to answer.

508–509 "the tiny base (foot) of a beautiful crystal-clear column (leg)."

509–510 (The slipper) "was the explosive mine which shoots the soul up to the region it adores (heaven)." From this point on the imagery of the sonnet is military.

516 **el fuego de tus ojos,** "the firepower of your eyes."

520 "and then ask for my hand (in marriage)."

531 **del primero,** i.e. **amor,** "from first love."

533 Fabia, to keep Alonso in suspense and to cadge a richer reward, pretends to have been soundly thrashed in her attempt to deliver his letter to Inés.

537 Alonso has in mind the overweening pride of the Titans, who tried to storm heaven.

538–540 Tello alludes ironically to the fallen angel, Satan, whose minister he knows the witch Fabia to be.

541–543 Tello compares Fabia's back to a lectern being pounded by sextons in church. A difficult passage brilliantly explained by Ramon Rozzell in **Modern Language Notes,** LXVI (1951), 155–160.

552–553 **diamantes, niñas,** the cold hard pupils of Inés' eyes.

566 **romance,** here "love poem." It was actually a sonnet.

568–570 Tello feels it is premature for him to kneel in adoration since his master may find on reading the letter that it contains sticks (**palos**) for belaboring him with, even though later these may turn out to be little sticks or toothpicks for removing the excess of the delicacies contained in the letter. **Mondadientes** suggests the synonym **palillos.**

571 (prose letter). **ponéoslo** to **conozca,** "attach it to your hat tomorrow so that I may identify you."

578–581 "night, now close by, is placing its chilly feet on the final moments of the expiring day."

582–583 "To appear at Inés' grilled window I need to dress more elegantly."

589 "clothing suitable for going out at night." **Sereno,** "humedad de que durante la noche está impregnada la atmósfera" (Acad.).

599 "are safe."

600–602 The tooth of a hanged man was useful in witchcraft.

610 **enseñada,** "experienced."

616–617 Fabia threatens to make the hanged man come after Tello, either by bringing him back to life or as a ghost.

623 **el mismo fin,** i.e. hanging.

635 "so the coldness (of her disdain) fires me (with love)."

643–645 "It must be that souls are tied to these iron bars in punishment of those who (dare to) declare their love."

650–653 "but since there is a chance that it (the ribbon) is hers, because her scornful hands may indeed have put it there, I am justified in relying on my love," i.e. in assuming the ribbon was meant for me.

669 Tello makes a grim pun: "It is a matter of great importance" and "It is a matter of great height," since he is about to climb the gallows.

682–683 "A fine ribbon she left for me! — She meant to punish you" for your forwardness. The ribbon of course has been removed by Rodrigo and Fernando.

689 "By God, I'll teach her."

698–699 "One, gentlemen, who speaks with his sword."

708–711 A rhetorical commonplace. "Day was breaking . . ."

714–715 Inés was relieved to see that the ribbon had been taken. She wrongly supposed that Alonso had taken it.

718–719 My lover "cannot possibly have as much (loving concern, **cuidado**) as the thought of him gives me."

723 "that heaven is punishing me" for my excessive frigidity by the intensity of my present love.

727 **en su memoria,** "when I call him to mind."

743 "nor restore the memory (of me) to her obliviousness (of me)."

744–747 Inés' reply to the anonymous letter brought by Fabia was a blank check. She realizes that it was only her wishful thinking that made her assume the recipient was to be Alonso rather than Rodrigo.

750–751 **él**, understand **el papel** (not Rodrigo). She has been carrying the letter in her bosom.

752–753 "He (Rodrigo) appointed me his mediator to negotiate the matter (marriage with Inés) with you."

756–757 "Love is always a fast clock," i.e. is always early.

758–759 "Inés has probably got the negotiations started, (opening them) with the key of favors (bestowed on her suitor)."

762 "I have come to place myself at your service" (a formal greeting).

768–769 "It's the last straw: now you are jealous of me at a time when I am beside myself with rage."

774–779 The girls cannot decide whether Fernando, Leonor's lover, now wants to marry Inés, or whether Fernando and Rodrigo have come to ask for the hands of, respectively, Leonor and Inés.

783 **vuestro,** understand "son-in-law."

785–787 "Although I like having you as Inés' suitor, in the matter of this new status (marriage) you must be bound by (what I decide considering) the man I am."

800 **listón de esperanza.** The ribbon was green, the symbolic color of hope.

802–805 Fabia accuses Inés of having maliciously sent two men to waylay Alonso as he went to collect the ribbon. If they had not fled, she says, they would have paid for this prank with their lives.

838 **los suyos,** understand **ojos.**

839 The common conceit that love gets entangled or captured by the lady's hair no longer applies since it was Inés' feet that first attracted Alonso.

847 Alonso may expect to inherit at an early age. He is a perfect match for Inés in every respect.

852 "The king whose court is at Valladolid."

855 Juan II married Doña María de Aragón in 1418 at Medina del Campo to the accompaniment of many knightly tournaments.

857 **Héctor,** the valiant Trojan hero.

858 **precios,** "prizes."

860 **Aquiles,** Achilles, the handsomest and bravest of the besiegers of Troy.

862–863 Adonis, the youth so beautiful that Venus fell in love with him. He died of a wound inflicted by a boar he was hunting. Fabia's fervent wish partakes of prophecy.

864–865 **bien empleada en,** "well married to."

874–875 "You will cause the sentence in this case to be rescinded." Fabia's use of legal terminology implies that the marriage contract which is being drawn up is a mere formality compared with the inevitability of true love.

878 "since he is a litigant, not a judge." Fabia reassures Inés by telling her that Rodrigo will not of himself decide the issue; his power is limited.

883 "leave the outcome of your dilemma in my hands."

887–888 Fabia recites the refrain of the folk song on which Lope based his play. It will be sung in full ominously just before Alonso is ambushed (III, 560–563 and 572–578).

NOTES TO ACT II

2 **sin ver,** i.e. **a Inés.**

11 "by being more circumspect."

15 **tercianas de amor.** A jocular allusion to the sickness of love. A **terciana** is an intermittent fever appearing every third day; a **cuartana,** every fourth day (see 23).

15–20 Alonso's love-sickness is an unremitting fever (**siempre abrasa**) and a physical weakness (**flaqueza**); hence it does not allow nature to give it strength (**esfuerce**).

25 **calma,** a "calm" as at sea.

28 **salamandra.** The salamander was believed to be the only animal dwelling in the element of fire. Alonso's meaning is that the continual presence of Inés would set him afire, so that, to survive, his soul would have to be transformed into a salamander.

33–36 Leander swam the Hellespont (the Dardanelles) every night to see his beloved Hero. Eventually he died in a storm: this is the **peligro** referred to at 40.

45–60 Tello, imprudently wearing the cloak which Rodrigo lost in the street fight, insults him by offering to give it to his servant. To save face, Rodrigo pretends that one of his servants lost it, but he is furious and ready to kill someone (60).

66 Tello alludes to the proverb "Cada gallo canta en su muladar." Covarrubias explains it thus: "el que anda fuera de su tierra y de su casa no tiene los bríos que cuando se halla en ella, favorecido de sus deudos y amigos."

73 "I went with her (Fabia), I wish I hadn't."

76 Harlequin was a stock character — a horse-playing clown — in the Italian **commedia dell'arte,** a touring improvised theater, based on scenarios rather than scripts, which was highly successful in all European countries from the sixteenth century on. A good account of Harlequin in Enid Welsford, **The Fool: His Social and Literary History** (London, 1935), Chapter XIII.

78 An example of Fabia's trickery.

82 "So lifeless I fell to the ground."

99–100 "Loves are harmonized if the lover proves his worth and makes an effort."

109–110 "because Inés is my mistress in life and in death."

111–112 Tello feels his master's expression of his love was outrageously exaggerated.

113 "May God grant it will turn out all right."

116–118 The allusion is to **La Celestina.** Melibea and Calisto are the lovers; Sempronio, a servant.

119 "Do you expect me to bear false witness?" Tello admits the implied analogy with **La Celestina.**

Stage direction following 120. The early editions have **Sale doña Inés,** implying that the next scene takes place in the street outside Inés' house. The single set of the Golden Age stage made it easy to imagine that the street had now become a room inside the house, even though Alonso and Tello did not exit to permit the creation of another scene. From the modern reader's point of view the stage direction given will be helpful.

124 This is the lovers' first unchaperoned meeting. Tello means that there is now no need to withhold the expression of their feelings.

126 **Alonso de mis ojos,** a term of endearment, "my darling Alonso." Note that the term chosen reinforces the theme of sight running through the play.

126–130 Inés did not expect to see Alonso again after Rodrigo's annoying démarche (I, 752–787). Two lines of the **redondilla** are missing; hence there are no rhymes for **tarde** and **vieses** (possibly a copyist's or printer's error).

131–134 "Even though your obligation to obey (your father) should make you (agree to) marry (Rodrigo), I refuse to give up hope until I hear my sentence (pronounced by your father's own lips)."

137–138 "while I was getting my horse out (of the stable) and the sun, the horses awaited by the day (to draw his chariot across the heavens)." In other words, just before daybreak.

142 "since you tell us it is so," my heart spoke truly.

146 **sí,** i.e. that I would marry you.

149–150 "there is no power in the world which can prevent my being your wife, Alonso."

152–153 Inés avoids Leonor so as not to see Fernando (who is always with the detested Rodrigo).

160–166 **sol** is ambiguous: 1) the sun which rises after each night to give joy to the flowers; 2) the sun symbolizing the most precious thing in life, i.e. the lover. Inés' "sun" (Alonso), which comes out at night (164–165), performs an even greater miracle (**es más**) than the literal sun.

169–170 "Since night is made for love, what's your problem, blind man?" The blind live in perpetual night.

171–176 Inés is attracted to the flame of Alonso's love as a moth to a candle, but she will not be burned in the flame like a moth, for Alonso's light gives life. A better comparison, then, would be with the Phoenix, which finds new life in its funeral pyre.

177–178 **coral, rosa,** again Petrarchan imagery for "mouth." "God bless the coral — amen — from whose rose petals."

182 I.e. whenever Tello is not around to hear any confidences.

193 "Oh, if only I could tell you now."

202–203 "that I have employed a servant also called Inés."

211 A **glosa** is a kind of poetic amplification and embroidery of a short song or refrain (**estribo**); each stanza ends with a line from the base song. Cf. Hans Janner, **La glosa en el Siglo de Oro** (Madrid, 1946). Here Tello "glosses" a song supposedly written by his master. The **glosa** plays with the concepts of seeing and dying.

213–214 **responso,** "responsory," in the Office for the Dead. "after the style of a responsory, if such exist for the living dead (i.e. for lovers)."

217 **Andrés,** a poetic fiction. Many Spanish folk songs (which Alonso's song imitates) adopt the pattern of inviting a traveler to carry the lover's message to his beloved.

218 **cuál,** for **cómo.**

222–223 Since Tello jokingly suggests that poets from Olmedo are not very good, Alonso says that Love, not he, wrote the song.

224–233 Inés' feet cause the valley to bloom with wild flowers (a common poetic conceit of the Renaissance). The sky, envying these flowers, tried to exchange its stars for them. The conversion of a valley into a sky is not remarkable since Inés is (poetically) heaven itself.

234–235 "With fearful respect I impress my footstep where she has trodden."

241 "triumphing over her normal disdain (for men)."

248 "for my love will have died by then," i.e. the lover will have died of a broken heart.

250 **manos vengativas,** "hands that take vengeance" by killing anyone who dares to look on her.

256–258 "ask my beautiful murderess why she kills herself by killing me, for she knows she **is** my life."

264–266 The paradox is that Inés' eyes both kill (252–253) and give life; the combined effect is to postpone death (**se dilata el morir**).

274–276 "If the **glosa** is by you, you have gone to great lengths in lying for Alonso." The gloss impresses Inés by its extension.

280 Inés is suddenly aware that her father is about to find her closeted with a strange young man.

282 "Are you just going to bed now?"

285 The allusion is to the proposed marriage with Rodrigo.

288–289 "Even if my love were to imagine the most impossible heights for you."

298 "What do you mean, if you were to get married?"

300 **yo tengo esposo,** "I have already chosen a husband." Inés' subterfuge — to avoid marrying Rodrigo — is to pretend to have a sudden vocation to be a nun, a bride of Christ.

307–309 "tomorrow have a religious habit made for me, to put an end to this unnecessary (wearing of) finery."

316–317 "but instead that you should seek means to carry out my decision and achieve my peace of mind."

325 "These are deeds, not mere words."

330 **verde edad,** "tender youth."

334–337 "Do as you please, although your eagerness in this matter does not bring pleasure to me; I'm well aware that having one's way is not always consistent with obedience to God's will."

344–345 "for there's as much distance between a woman and changeability as there is between doing and saying." Pedro alludes to the belief that woman is fickle. He imagines that Inés' decision to become a nun is a passing fancy.

350–353 "Wear gay, courtly clothes. I don't want Medina, if it is to admire you in your religious pose today, to make fun of you tomorrow when you are all too human," when you have given up the idea of being a nun.

356 **mejor padre,** i.e. God.

376–379 "you well know that swift misfortunes can be remedied by postponing them; there are no grounds for hope unless there is a higher court to appeal to."

382–383 "you can both be making the arrangements for the wedding."

384–386 "Don Rodrigo, without hope, will not put pressure on Don Pedro to keep his word."

409–411 "for love is such a sweet topic of conversation that lovers do not notice the swift flight of the hours."

416 **La Cruz de Mayo,** the Feast of the Invention of the Cross, May 3, when St. Helena's discovery of the true Cross is celebrated.

418 **prevenir,** for **prevenirme,** "to get ready."

420 **fuera de que,** "in addition to the fact that."

426 **Condestable,** Don Alvaro de Luna, the Constable of Castile and the royal favorite.

435 Alonso repeats a commonplace of dawn poetry: the lover's irritation at being disturbed by the sunrise.

439–441 Inés is, metaphorically, Alonso's daylight.

446 "urged to do so by my solicitous heart."

451–452 "he (the true lover) is afraid that if his lady sees him (the third person of 450) she will possibly, or inevitably, desire him."

459 "I made a secret investigation."

471–476 This description of jealousy as chimera, ghost, and mad thought should be kept in mind as an aid in interpreting the ghost scene of Act III.

479 **cédula,** "sheet of paper" (cf. English schedule). Alonso stands out in the darkness like a sheet of white paper. Covarrubias explains that to-rent notices (**cédulas**) were fixed to the doors of houses.

482 "My thoughts run differently from yours."

488–489 **vivir me cuesta en su desgracia,** "causes me to incur the cost of living in his disfavor."

492–493 "I feel rather that your leaving it (the cloak) behind with Alonso has been the same as if you had tossed it right to him (to give him the advantage)." The expression refers to the helping of a bullfighter who is in a difficult situation by throwing him an extra cape.

494 **Ejectuad,** "Conclude."

500 "The chestnut and the bay are eager to be saddled."

503 "What hope does it have of besting Olmedo?"

506 **propósito.** To prove how adamant she is to become a nun, Inés is trying to persuade her father to let her wear a habit instead of her fine clothes. She gives in easily (520) because she really wants to dress elegantly for the fiesta.

524 A deliberate ambiguity: 1) "who is marrying the Lord"; 2) "who is marrying her (secular) lord and master."

528 "gives her this inclination."

535–536 **tal esposo, muy noble caballero.** Fabia continues to use terms ostensibly in reference to Christ but understood by Inés to apply to Alonso. A similar **double-entendre** at 543–545.

542 **sémitas,** "paths" (Biblical Latinism, cf. **sendas**).

554 **silicio,** for **cilicio,** "hair shirt," a rough garment worn next to the skin as a penance.

568 **infernal dragón,** i.e. Satan.

571–572 "Lord, if I can accomplish this thing, be swift to aid me."

Stage direction following 573. **de gorrón,** "wearing a student's cap."

580 "the purpose of which will appear later."

589 "seeing that everything is working together to this end."

594 **mientras vuelvo,** "while I'm out of the room."

598 Martín Peláez was the Cid's nephew who, known for his cowardice, plucked up courage and won a signal victory over the Moors. For ballads on this subject see **Biblioteca de Autores Españoles,** X, 535–537.

599 There never was a university at La Coruña, but on this point Pedro is no better informed than Tello.

602 **de vísperas,** "ordained to say vespers," "ordained just yesterday."

619 "in case a **juego de cañas** is organized." The game consisted of teams of knights mock-fighting to show their dexterity; they hurled reeds at their opponents, who protected themselves with buckskin shields (**adargas**).

620 "worthy of my unique ingenuity."

624 **de porte,** "in payment of the postage due."

625–626 "Well, we'll have to use the coach if the sorrel (riding horse) is sick." Pedro has left the room to instruct the servants.

627–628 **Hacer,** here, in the sense of "pretend," "make as though."

635–637 "Enough for now; City Hall has sent me a request, Inés, that I should attend the fiesta."

640 "Then I shall, on the understanding."

651 "which may help them forget their troubles."

656 "the Granddaddy of all entertainments." Fabia's Latin is macaronic.

660 "May the mantle of heaven cover you all."

667–668 The Constable, as executive officer of the kingdom, invites the King to sign some official papers without reading them.

676 It was in fact the Infante Fernando who requested the change of habit. Alan Soons, "Towards an Interpretation of **El caballero de Olmedo,**" **Romanische Forschungen,** LXXIII (1961), 166, relates the symbolism of this

change of costume for the military order of Alcántara to the Feast of the Invention of the Cross. The Passion of Christ and the passion of Alonso, he argues, are paralleled in the play. "It will be a green cross; with great delicacy Lope has matched the colour of the insignia of passion with the green ribbon of sensual dalliance which Inés hung on her railings, precipitating the tragic rivalry of Alonso and Rodrigo."

683 The Pope exerted great influence over the election of the Infante Fernando as King of Aragón.

685 **provisiones,** "orders in council."

687 **razón,** "basis."

689–690 As Américo Castro has shown, the civilization of the high Middle Ages in Spain was the product of the coexistence and interaction of Christians, Moslems, and Jews. By the fifteenth century, with the approaching end of the Reconquista, religious differences begin to be emphasized. In the sixteenth the problem was exacerbated to the point of racism. Jews who refused conversion were expelled from Spain in 1492; the Moriscos, in 1609.

693 Fray Vicente Ferrer (1355–1419), later canonized, was a famous Dominican preacher.

710 **hábito.** The royal decision to confer a knightly habit on Alonso is introduced by the discussion of costumes for the Knights of Alcántara (671–678) and for Jews, Moors, and Christians (687–706). The point being made about clothing is that it immediately identifies its wearer. Alsono is thus presented to the world as The Knight by antonomasia.

717 **emprenda,** "seek."

720 **encomienda,** a "trust" or "entrustment" to a distinguished member of one of the military orders of a village (which pays through taxes and gifts for the protection afforded it by the Comendador).

721 **estado,** i.e. the state of being deprived of the beloved's presence. The **romance** which follows was incorporated, in a very different form, into Act III of Lope's **La Dorotea** (1632).

723 Two lovers may be said to have one soul; separation splits it in two without causing the physical death of either.

729–732 The death wish, here expressed in the conventional metaphors of courtly love, will hound Alonso like his nemesis until his literal death occurs.

740 The flowers imitate Inés' beauty.

746 **cinta,** "orbit."

748 Lope uses a commonplace of his day to refer to the sun's setting in the west. He forgets that the West Indies were not discovered in the period covered by his plot.

751–752 "for to spell out my happiness is to deserve the accompanying unhappiness."

753 **Cuando,** "Even if." Also 757.

759 **perlas,** i.e. "tears."

771 "Do I deserve a welcome?"

773 "for you have kept me beside myself" with anxiety over the lack of news from Inés.

785–786 "So that so dainty a morsel will not melt in my mouth all at once."

790 **solos los cuellos.** With his poor clothing and scrawny neck Tello tries to give the impression that he is a deserving student.

793 "verbosity."

795 **piensos,** "rations." **Pienso** is a ration of fodder for animals.

805 **melindre** is a toothsome sweetmeat; figuratively, "mincing words," "excessive delicacy."

806–808 "that I was afraid for some of those (professional devout people) whom I generally see with bowed heads (pretending to pray) all day long."

817–818 "The old man believed me (to be a divinity student), though he's a living portrait of Cato." Cato is remembered for his clear-sighted integrity.

822 **estación,** "station (of the Cross)," "stopping place."

839 "a coincidence of destinies."

846 "you read it an act at a time," i.e. in stages.

850 Inés means that she would like to embrace him, as the ribbon will.

851–853 Tello, literal-minded, finds it amusing that Alonso should enter the bullring with Inés around his neck.

855–857 Tello exploits the situation by asking for a gratuity; he is told to pick out a suit for himself.

860 "Let's order the servants to prepare for my departure."

863 **sueños,** "premonition," for Alonso is awake when he sees what he describes in 872–905.

873 "after a restless night."

881–882 "with their yellow color (seemed to) attach flowers to the green stalks (of the broom)."

885 **pasajes,** "phrases," "tunes," successions of notes.

889–892 "and as the fighting skill of the two birds was ill-matched, it (the hawk) tinged the flowers (the goldfinch's color, 881–882) with blood, and scatters feathers in the breeze."

901 "can scarcely breathe." Alonso falls back on the historic present tense at moments in his recital.

905 "that I have no more will to live."

925 "not as a penalty (or pain, like the suffering of hell), because she is heaven itself."

927–928 "making bulls kneel down before her window." The bullfight would take place in the town square; ladies and honored guests would be seated at the windows of surrounding buildings.

NOTES TO ACT III

1 **suertes,** "passes" in the bullfight. The villains have performed badly.

7–8 "It is impossible for such a luckless man as I am to triumph."

10–11 "fortune reserved her favors. — The fellow didn't muff a single pass." A play on the two meanings of **suerte.**

18 "is the cynosure of all eyes."

23 "My home town despises me."

35 **Vítor,** "Victor," a wildly enthusiastic cheer.

37–38 "After such applause, Fernando, what success isn't his for the asking?"

39 The **vulgo** ("the common people," "the public") is constantly referred to by Lope, in deference to a long literary tradition, as unstable, unfaithful, changeable, and undependable.

43 "that his good fortune be fully realized."

48 **en su lugar,** "in his corner," "on his side."

56 **desjarretar,** "to kill bulls by cutting the upper part of their legs."

82 "such beautiful evidence of their posterity!"

94–95 "my parents will give me up for dead."

106–108 "to get my hands on the old woman's chain (Alonso's reward for her services), to the mortification of her sharp intelligence."

109–110 **Circe, Medea, Hécate,** mythological women known for their trickery and withcraft.

112 "with thirty different turns." The lock which opens her soul is very complicated, with its thirty successive combinations.

113–116 Tello hopes, by displaying a false affection for the old hag, to wheedle the chain from her.

126 I.e. the devil, with whom witches like Fabia commune.

135–136 "How did he get on (in the bullring)? — Very well, because I was at his side."

140 The King almost "jumped (with excitement) from the balcony."

143 "I wish I'd seen you!"

145 **Orlando** (Roland of the French medieval epics), who in Ariosto's **Orlando furioso** went mad because of his love. Tello means that, if he had seen Fabia's beauty at the bullfight, he would have gone out of his mind like Orlando.

146 "Medina's bulls (would dare fight) me!" Perish the thought.

149 "with such grace, such inbred elegance."

154–155 "with a slash I sent one of its legs flying onto a rooftop."

157 "Ask the owner of the house; don't ask me."

158 **a tu señora,** i.e. Inés.

161 "that he has to return home (to Olmedo)."

167 **toricida,** "committer of tauricide," "bull-killer."

172 "You say that I am the inspiration for your bravery?"

176–177 "I've been confirmed a horse already." Tello alludes darkly to a horse's blinkers. He is already equipped, has no need of, this kind of equipment, viz. the spectacles Fabia has jokingly offered him.

178 "An appropriate honor for a lackey," whose chief job is to care for horses.

179 "I'm more of a work-horse than a show animal." "No son para mucho trabajo los caballos bayos, aunque para ruar con ellos son hermosos y vistosos" (Covarrubias).

180–184 The gist of Fabia's remark is: "Don't tempt fate too far." **ne nos inducas,** "lead us not (into temptation)." **refresco,** from **refrescar,** "volver de nuevo a la acción que se había ejecutado" (Acad.). **mozo de San Lucas,** "bull" (St. Luke is often depicted with a bull). "Watch your step (in the bullring), for that saying about 'lead us not into temptation' is generally caused by performing a deed once too often; mind some bull doesn't rip the pants off you."

188 **sumiller** (cf. French **sommelier**), "one who is in charge of linen, china, wines, etc. in a great household." "the valet of your shirt."

189–190 **Lo atacado.** Tello puns on **atacar,** "to attack" and "ajustar al cuerpo cualquiera pieza del vestido" (Acad.). "The tailored fit (of my trousers) and my watchfulness will ensure my modesty." The pun continues in 192–193.

194 "The bulls of Medina rip clothes." **Riza,** "el destrozo y estrago que se hace en alguna cosa" (Acad.).

199–200 An allusion to the **Romance de don Bueso.** Don Bueso, a ridiculous knight rides to the balcony of Doña Nufla to make a ridiculous proposal of marriage. After being rejected, he spurs his horse, and they both fall headlong, his trousers being split the length of the rear seam. Nufla and her ladies laugh at his discomfiture, and especially at seeing "que donde nunca pudo / daba el sol de medio en medio" — "That the sun shone bright on what it had never seen before."

201 **¡Afuera!,** "Out of my way!" Alonso charges on his horse into the ring to protect his fallen rival from the bull.

210 "Courage. — Thanks to you I'm getting it back." **Animo's** first meaning ("Alma o espíritu, en cuanto es principio de la actividad humana") is also present in this exchange. Rodrigo acknowledges that he owes his life to Alonso.

239–249 Seeing Inés coldly observing his performance in the ring, Rodrigo calls to mind a very famous ballad about Nero watching Rome being consumed in flames, "y él de nada se dolía."

244–246 "and that then the jasmine-white of her face, bathed in the immodest carnation color of fine ruddiness" (Inés blushed).

248–252 "and that between her red lips she paid with pearls (teeth) for the pleasure of seeing me prostrate at her feet, cast down by (my bad) fortune and envious of hers (her good fortune)." Inés laughed at Rodrigo's fall. The intensification of the poetic conceits is a sign that at this point Rodrigo's feeling of envy is being intensified to the degree that he can contemplate villainy.

254–256 One of the lengthy paraphrases for dawn which are so common in Renaissance poetry.

260 "He'll find a way to protect himself."

262 The title of Calderón's play **El mayor monstruo los celos** expresses this common thought.

275 **Cuando venga,** "On my next visit."

278 "So be it since you request it, although the Prince — who is travelling there with such speed — wants our royal confrontation to be in Toledo on the day agreed upon." **vistas,** "concurrencia de dos o más sujetos que se ven para fin determinado" (Acad.).

286 "the risks he takes or the courage he displays."

302–303 "for my soul will tell me (the time) as if it belonged to someone else," someone not infatuated with Inés.

304 **ellas,** i.e. **rejas.**

306–307 "The resplendence the sun (Leonor) gives to the stars (the literal stars) proves it."

326 **lo mejor,** i.e. Inés' marriage with Alonso rather than with Rodrigo. The recent fiesta has proved Alonso's superiority as a match beyond the shadow of a doubt.

328 Leonor teases her sister.

343 The ladies are tortured because they all love this perfect knight, but only one of them — Inés — has her love returned.

354–355 "my love for you was grateful for his attention, even though I was jealous" of Leonor.

367–368 "Love calls to mind (the pangs of) absence; jealousy, my fear," of what may happen during my absence. This departure poem is another **glosa,** on the well-known **coplas antiguas** which may be reconstituted by reading successively 373, 383, and 393. "With my foot already in the stirrup, in the agony of death, this (letter), lady, I write to you." Cervantes, sensing perhaps that his death was near, incorporated these lines into the dedication of his **Persiles,** published posthumously in 1617. Alonso too reveals that he has a strong premonition of his impending death.

386 "take the necessary precautions."

402 "if I return it will be as a dead man." Alonso's poetic point is that absence from the beloved is, figuratively, death. But literal death is also implied in his every word.

425 **nombre,** i.e. the name of "husband."

430 **¿Hay algo?,** "Is something wrong?"

431 "Is it time for me to leave?"

448 The question whether the ghost is apostrophizing Don Alonso or identifying himself as Don Alonso is left open.

452 "If you're playing a trick on me, draw your sword."

467–470 **Fabia** is understood to be the subject of **pretende** and **dice.**

480–481 "Rather I think that the consequences (of Rodrigo's owing his life to me) will be to establish friendship."

493 **palabra,** Pedro's promise that he should marry Inés.

497 "translated into love letters in the vernacular."

508–509 "and has dominion, like a king over his vassals, over the murky ministers of Acheron," i.e. over demonic powers. Acheron is a river of the lower world.

524–525 Rodrigo's ultimate treachery is to back up his assassination attempt with a lower-class accomplice lying in ambush with an ignoble long-range firearm.

547–549 "until dawn sets her golden feet on Flora's carpets." Flora, the goddess of flowers.

557 "How unpleasant the music sounds."

565 **vuestros,** i.e. **de los cielos.**

593 **Si os importa,** "If it concerns you."

617 **necesidad,** "neediness," "poverty."

618 **pasos,** "acts of violence."

619 "my house isn't far off."

644–646 The proper conduct of a nobleman who feels he has been outraged is to fight a duel on equal terms. (It is only in cases of conjugal dishonor that murder is felt to be the right course.) Rodrigo's jealousy has destroyed his nobility, converting him into a vile murderer.

653 **Valor propio,** "Self-esteem," "self-confidence."

654 **y muerto,** i.e. **y me han muerto.**

669–672 "My veins are drained of blood. I think my hat may be suspended in the air on any one of my hairs." Tello is on the point of fainting with fear; his hair is standing on end.

679 "turned into a wild beast covered with blood."

687 **tratar del alma,** "to take care of my soul."

695 They are talking about the King.

700 **la,** understand **merced.**

707–708 "I am more grateful for this honor for your sakes, since it will redound to your benefit." The **merced** they are talking about is revealed at 710.

711 The King is not yet present. Pedro means: "Demonstrate your gratitude to the King when he arrives."

712 Inés, far from sharing her father's joy over his appointment, thinks ruefully that it involves a move to Burgos and separation from Alonso.

713 "Fortune has worse things in store for you." Fabia knows that Alonso is dying.

719–720 "for about future events there can be no certain knowledge." As a witch Fabia may be expected to know the future, but she plays down this role by appealing to common human experience (718).

726 **propósito.** Pedro still thinks his daughter wants to become a nun.

729–730 "Well, filial obedience is not alone going to deflect my purpose."

735 "You are marrying her off against her will," i.e. to the wrong man.

742 **cruz,** the "cross" of the military order awarded Alonso by the King (II, 707–720).

743–744 "for her intentions imply both a desire to increase her honor and considerable honorableness of conduct."

747 "who could possibly object?"

756 "if I was unwilling to countenance your becoming a nun."

760 **se adelanta,** "is too forward."

797 **emplearéis,** "you will marry."

817 Tello alludes to the rivalries for the throne.

822 **doloroso exceso,** "excess of grief."

826–827 "rashly broke through your guard to your presence."

837 The association of the Cross with Christ's Passion (suffering) is made to reflect the fiesta of the Invention of the Cross with the passion (erotic love) of the knights of Medina.

846 **encarecimiento,** "distinction."

851 **destocada,** "uncoiffed." The meaning obviously is "dark." Perhaps the alternative reading **encapotada,** "mantled," is better.

853–854 The cover of night invited crime and the fear of crime.

857 "a bridge and a landmark."

860 **descompuestos,** "in a panic."

864 **tal vez,** "sometimes."

875 "restrain my tears."

878 **tan animoso,** "so full of life."

884 **viejos,** Alonso's parents.

892–894 "continually respected in the face of men's changeableness and time's forgetfulness."

897–898 Between these lines a line of the **romance** (with assonance in *é-o*) is missing.

905 **vive el cielo** has the force of **juro,** "I swear."

914 **teatro,** "scaffold."

LOPE DE VEGA

El villano en su rincón

INTRODUCTION

This is a puzzling play. As Marcel Bataillon says, after an exhaustive historical and critical study of it, "El tema fundamental resiste."

The raw materials of its construction have been identified. It appears to have been written for a particular occasion, a dual royal marriage between Philip III's daughter Anne of Austria and Louis XIII of France and between Louis' sister Isabella of Bourbon and the Spanish prince who was to become Philip IV. The brides were conducted to Behobia in the Pyrenees, where the simultaneous exchange took place in November 1615. The roles of El Almirante and the Infanta reflect this event.

Like so many plays by Lope, *El villano en su rincón* has its origins in folklore and traditional poetry. The episode in which the peasant, entertaining the king incognito, insists that it is he who gives the orders in his own house is based on an oft-told tale about Francis I of France and a charcoal burner. The name Juan Labrador and the epitaph are found in several works of the time. The basic idea was suggested by a proverb: "Ese es rey, el que no ve rey." But out of these hoary materials Lope has created an original play of great beauty.

Some of Lope's most famous dramas — *Fuenteovejuna*, *Peribáñez*, *El mejor alcalde el rey* — are based on the life of the peasants. So too is *El villano en su rincón*, but these peasants, though they beat olive trees and behave in some other respects like Spaniards, are supposed to be French. The problem here is not the common Spanish one of how best to defend one's honor; and yet the play deals with an aspect of honor treated in the other plays, namely, the relations between peasants on the one hand and nobility and royalty on the other. Drawing on the *Beatus ille* theme, the pastoral ideal, and other literary exaltations of rural life, Lope takes great pains to establish the superiority of country living over urban life, of *aldea* over *corte*, of the natural manners of the peasantry over the corrupt artificiality of the capital; but he seems to present us at the end with a John Farmer whose life is somehow to be further enriched by living in the royal palace. Is the finale an antistrophe or a palinode?

There are other strains and tensions in the work. Juan's children wage a constant battle against his austerity on behalf of the younger generation's right to a soft, luxurious life. The King, while he is the spokesman for the poet at the end, is consumed by curiosity and even, at one point, by what looks like lust. Juan Labrador is as perfect a vassal as any king could expect, for he sets no limit on his readiness to make sacrifices in the national interest. Yet we discover at the end that he is not perfect enough, for there remains one act which will consummate his perfection. He must abjure his innocent, happy life as king of his own neck of the woods in order to lead an unhappy life of perpetual subordination in the presence of a greater king, the King of France. The point seems to be that the perfect subject needs to round out his loyalty by overcoming his awe of the royal person. In the larger context of Juan's two children and their attraction to the court Lope seems to assert that pastoral insulation is little better than a beautiful myth: he stresses the intercommunication and the interdependence of court and village. The fictitious ideal of the Renaissance — essential pastoral bliss — must be corrected by another Renaissance precept: the recognition of the reality of political power in the real world of man's existence and coexistence. How can these two principles be reconciled? By means of the harmony which derives from music and its spiritual form of love. Lisarda's marriage to Otón symbolizes the wedding of rural life and urban life. Juan's submission to the royal will as it touches the most intimate part of his life brings two kinds of sovereignty into harmony, the "rey...en mi pequeño rincón" and the august king of a nation. The key to harmony among the social classes is not to be found in political theory but in Platonic philosophy and poetic intuition. The kernel of this poetic sociology is to be found in Lisarda's riddle and Costanza's solution of it (II, 169–192). Musical alto and bass correspond to upper-class and lower-class in society; both must form chords, must be in accord. The musician capable of harmonizing the high and the low notes of society is love. Love sings the thoroughbass (or continuo) which gives unity to a musical piece; but in the poetry of the play the word *contrabajos* can also be read as *con trabajos*, "with hardship and suffering," for Lope does not minimize the difficulty of bringing the social classes together. All he asserts is that in the well-run state the upper and lower parts of the social stave play together without discord.

This harmony can be achieved only after Juan's pride has been humbled. In his pride he believes that as *rey de su rincón* he is master of his own, his children's, and his farmhands' destiny; the action reveals the fallacy of this belief. An even greater indication of his pride is his confidence that he can continue to lead his life of rustic innocence until death. The prematurely engraved epitaph (I, 735–743) describes Juan's life as it has been until the moment we discover him in the play; as a result of the impact of Paris on Belflor (or Miraflor) the boast on the tombstone turns out to have been hollow. Pride ever cometh before a fall. But Juan's fall lands him into grace, into the royal favor, and into the *desengaño* of social reality.

SUGGESTED READING:

MARCEL BATAILLON, "*El villano en su rincón*," *Bulletin Hispanique*, LXI (1949), 5–38 and LXII (1950), 397. This article and postlude may be read in Spanish in José Francisco Gatti, ed., *El teatro de Lope de Vega* (Buenos Aires, 1962), pp. 148–192 and in the author's *Varia lección de clásicos españoles* (Madrid, 1964), pp. 329–372. An intelligent study of sources and of historical circumstances applied critically to reveal much of the meaning of the poetry.

EVERETT W. HESSE, "The Sense of Lope's *El villano en su rincón*," *Studies in Philology*, LVII (1960), 165–177. Discusses love as a harmonious force.

JOAQUÍN DE ENTRAMBASAGUAS, *Lope de Vega y su tiempo: estudio especial de "El villano en su rincón." Estudio* (Barcelona, 1961). The final section deals routinely with our play.

ALONSO ZAMORA VICENTE, "Estudio preliminar" to Lope de Vega, *El villano en su rincón* (Madrid, 1961). See also his introduction to the edition of Clásicos Castellanos (Madrid, 1963). Draws heavily on Bataillon.

JOAQUÍN CASALDUERO, "Sentido y forma de *El villano en su rincón*," *Revista de la Universidad de Madrid*, XI (1962), 547–564.

J. R. ANDREWS, S. G. ARMISTEAD, AND J. H. SILVERMAN, "Two Notes for Lope de Vega's *El villano en su rincón*," *Bulletin of the Comediantes*, XVIII (1966), 33–35.

El villano en su rincón

PERSONAS

LISARDA, *labradora.*
BELISA.
COSTANZA.
OTÓN, *caballero.*
FINARDO.
MARÍN, *lacayo.*
EL REY DE FRANCIA.
LA INFANTA, *su hermana.*
EL ALMIRANTE.
JUAN LABRADOR.
FELICIANO.
FILETO.
BRUNO.
SALVANO.
TIRSO.
UN ALCALDE.
ACOMPAÑAMIENTO.
VILLANOS.
MÚSICOS.
CRIADOS.
ENMASCARADOS.

La escena es en París y en un pueblo a dos leguas.

ACTO PRIMERO

Calle de París

Salen LISARDA, *labradora, en hábito de dama y* BELISA, *prima suya, y detrás,* OTÓN, *caballero,* FINARDO, *amigo suyo y* MARÍN, *lacayo.*

BELISA. ¿Desto gustas?
LISARDA. Desto gusto.
BELISA. ¡Qué notable inclinación!
OTÓN. Casadas pienso que son.
FINARDO. No te resulte disgusto;
que en el hábito parecen 5
gente noble y principal.
OTÓN. Talle y habla es celestial:
juntos matan y enloquecen.
Mas si el ánimo faltara,
¿qué ocasión no se perdiera? 10

LISARDA. Si bien no me pareciera,
ninguna joya tomara;
que lo mayor para mí
es el buen talle del hombre.
BELISA. Por mi fe que es gentil hombre. 15
FINARDO. ¿Volverás a hablarla?
OTÓN. Sí.
LISARDA. ¡Con qué estilo tan galán
tantas joyas me compró!
BELISA. Habla bajo, porque yo
pienso, Lisarda, que van 20
siguiendo nuestras pisadas.
LISARDA. Eso me ha dado temor.
BELISA. Vuelve muy aprisa amor
por las prendas empeñadas.
LISARDA. Todo lo que éste me ha dado, 25
de opinión he de perder,
si agora viene a saber
la calidad de mi estado;
mas podrélo remediar
con darle una prenda yo 30
que valga más.
BELISA. Eso no.
OTÓN. Quiero, Finardo, llegar.
A mucha descortesía,
hermosa dama, tendréis,
y apostaré que estaréis 35
descontenta de la mía,
porque sirviéndoos vengo,
y que una vez vuelvo a hablaros.
LISARDA. Yo me holgara de obligaros.
Por el peligro que tengo, 40
señor, a que me dejéis,
cierto de que en el lugar
donde hoy me vistes llegar,
muchas veces me veréis;
y para satisfacción 45
de que no os digo mentira
(porque no sabe quien mira
las más veces la intención),

esta sortija tomad.
OTÓN. Por prenda vuestra la aceto 50
y no seguiros prometo,
si no es con la voluntad.
No os espante el ver que siga,
pues el alma me lleváis,
ni el ver, pues ya me dejáis, 55
que esto tan aprisa os diga;
que sabe el cielo que es fuerza,
y que no he podido más.
LISARDA. El noble que ama, jamás
hizo a lo que quiso fuerza. 60
Esto espero yo de vos,
pues vuestra nobleza es llana;
que aquí me veréis mañana.
Y quedaos con Dios.
OTÓN. Adiós.
LISARDA. Yo os juro que, si os agrado, 65
que de vos lo voy también,
y que procediendo bien,
os doy amor por cuidado.
OTÓN. Yo no pasaré de aquí,
satisfecho que os veré. 70
LISARDA. Pues yo de aquí pasaré,
si vos me obligáis ansí.
OTÓN. Digo que vais en buen hora.
LISARDA. Satisfecha voy de vos.
OTÓN. Id con Dios.
LISARDA. Quedad con Dios. *Vanse ellas.* 75
FINARDO. ¿Qué tenemos?
OTÓN. Que es señora
de gran calidad, sin duda.
FINARDO. Lindamente os ha engañado.
OTÓN. Yo me doy por bien pagado,
con que eternamente acuda 80
donde dice que vendrá.
FINARDO. ¿Qué te parece, Marín,
deste tu señor?
MARÍN. Que en fin
tras sus antojos se va.

¿Qué bestia le hubiera dado 85
tantas joyas a mujer
sin coche, o silla, o traer
sólo un escudero al lado?

OTÓN. No la pensaba seguir....
La palabra me tomó.... 90
— Pero perdonad; que yo
os tengo de ver mentir,
y me habéis de confesar
que soy más cuerdo, aunque poco.
— Parte, por gusto de un loco, 95
Marín, hasta verla entrar
en la casa donde vive.
¿Qué miras? Véla siguiendo.

MARÍN. Voy tras ella, porque entiendo
que ya Finardo apercibe 100
la vaya que te ha de dar.

OTÓN. No hará, por vida de Otón;
que yo sé que es ocasión
para podella envidiar. *Vase* MARÍN.

FINARDO. Fingís estar engañado, 105
porque no os tenga por necio.

OTÓN. Para mí no tiene precio,
Finardo, un término honrado.

FINARDO. ¡Término honrado es tomar
más de trescientos escudos 110
de joyas de oro!

OTÓN. A los mudos
haréis porfiando hablar.
No os lo pensaba decir.
¿Conocéis piedras?

FINARDO. Muy bien.

OTÓN. ¿Puede ser que a un hombre den 115
la que puede competir
con una estrella del cielo
mujeres de poco honor?

FINARDO. Esta tiene gran valor.

OTÓN. Que son señoras recelo. 120

FINARDO. Piedra es ésta que me admira.

OTÓN. Es un gentil dïamante.

FINARDO. Pero la luz no os espante,
porque mil veces se mira
tan bien labrado un cristal, 125
que aun engaña a quien lo entiende.

OTÓN. Ya vuestro temor me ofende.
Todo lo juzgáis a mal.

FINARDO. Hay seis o siete maneras
de mujeres pescadoras, 130
que andan, Otón, a estas horas
por estas verdes riberas.

Una sale con rigor
que no se ha de destapar,
porque, en viéndola, no hay dar 135
una blanca de valor.

Esta, fiada en el pico,
dos melindres y un enfado,
y algo de un ojo rasgado
que encubre nariz y hocico, 140

pesca de sólo su anzuelo
camarones, pececillos,
guantes, tocas y abanillos
del boquirrubio mozuelo.

Otra sale con su manto 145
como barba hasta la cinta;
que por lo casto se pinta
de lo que aborrece tanto.

Pesca un barbo boquiabierto,
destos que andan a casarse 150
que piensan que han de toparse
con un tesoro encubierto:

lleva arracadas y cruces.
Otra sale a lo bizarro,
tercia el manto con desgarro, 155
y anda el rostro entre dos luces.

Esta viene más fiada
en la cara bien compuesta,
descubierta a la respuesta,
y cuando pide tapada, 160

pesca un delfín a caballo,
que se apea a no lo ser;

cuerdo digo al mercader,
que sabe bien castigallo,
y quédalo por la pena. 165
Otra veréis, cuyo fin
es dar un nuevo chapín,
que aquella mañana estrena.
Acuden a la virilla
de plata resplandeciente 170
mil peces de toda gente,
y ella salta, danza y brilla:
pesca medias y otras cosas;
dice que vive, a diez hombres,
en calles de treinta nombres. 175
Otras hay más cautelosas,
destas de coche prestado:
pescan un señor seguro;
llevan diamante, oro puro,
que se cobra ejecutado. 180
Hay a la noche bujías,
pastilla, esclavilla y salva;
y vase a acostar al alba,
después de seis gracias frías
y un poquito de almohada. 185
Otras hay que andan al vuelo:
no ponen cebo al anzuelo
ni van reparando en nada,
porque son red barredera
de los altos y los bajos. 190
Estas pescan renacuajos,
mariscando la ribera,
porque llevan avellanas,
duraznos, melocotones,
huevos, sardinas, melones, 195
besugos, peras, manzanas,
y zarandajas ansí.
Destas ya habréis escogido
lo que vuestra dama ha sido;
que yo lo sé para mí. 200

OTÓN. Paréceme discreción
de apretante cortesano.

¡Qué enfadoso estáis!

FINARDO. Es llano,
diciéndoos verdad, Otón.

Sale MARÍN.

MARÍN. Ea, albricias.
OTÓN. ¿Cómo ansí? 205
MARÍN. ¡Linda cosa!
OTÓN. ¿De qué modo?
MARÍN. ¡Oh bien empleado todo
cuanto se lleva de aquí!
OTÓN. ¿Es acaso gran señora?
MARÍN. No, pero muy gran bellaca, 210
pues con invenciones saca,
y se va riyendo agora.
FINARDO. Riyendo se va un arroyo,
sus guijas parecen dientes.
OTÓN. ¿Hacéis burla?
FINARDO. No le cuentes 215
si era fregona de poyo,
o damisela de aquellas
de guadamecí en invierno,
sino ríñele lo tierno
con que se muere por ellas, 220
y el crédito que les da
a sus vidrios engastados.
MARÍN. Pienso dejaros helados,
si os lo cuento.
OTÓN. Acaba ya.
MARÍN. Seguí este diablo o mujer 225
casi hasta el fin de París;
que pensé que a San Dionís
iba por dicha a comer.
Llegó la tal a un mesón,
entró en él, y a un aposento 230
se fue derecha al momento...
Forjo una linda invención,
y entro al descuido a saber
de cierto español correo.
Miro al aposento, y veo 235

desnudarse la mujer,
y vestirse poco a poco
de labradora, y después
salir con ella otros tres.

FINARDO. ¡Para engañar a otro loco! 240

MARÍN. No, por Dios; mas un villano
un carro sacó al instante,
y ella, poniendo delante
del rostro con blanca mano
un velo sutil, subió, 245
y en una alfombra sentada,
la primavera esmaltada
por abril me pareció.
Bien puede ser que si vieras
en el traje la mujer, 250
que tuvieras más que hacer,
porque hasta el lugar te fueras.
Iba un villanillo a pie,
y preguntéle quién era,
y dijo desta manera: 255
"¿Qué lo pregunta? El ¿no ve
que es hija de mi señor,
Juan Labrador?" — "Es gallarda,"
dije. "¿Dónde vive? Aguarda."
Y respondióme: "En Belflor, 260
ese lugar del camino
del bosque en que caza el Rey."

FINARDO. Villana es a toda ley,
que en traje de dama vino
a burlar en la ciudad 265
un moscatel como vos.

OTÓN. ¿Juan Labrador?

MARÍN. Sí, por Dios.

OTÓN. ¡Qué extraña temeridad!
Pues ¿cómo una labradora
este diamante me dio? 270

FINARDO. Porque, si es vidrio, os burló.

OTÓN. Eso sabremos agora.
Camina a la platería.—

MARÍN. Sea dama o labradora,

no es tan hermosa la aurora 275
cuando abre la puerta al día.

FINARDO. ¿Que es tan hermosa, Marín?

MARÍN. No hay cosa que más lo sea.
Haz cuenta que en una aldea
se ha humanado un serafín. *Vanse.* 280

Campo en un pueblecillo francés cercano a París

Sale JUAN LABRADOR, *villano viejo,* FILETO, BRUNO *y* SALVANO, *labradores.*

JUAN. Creo que os he de reñir;
con las hoces en las manos
salid acá, cortesanos.

FILETO. ¿Ya escopienzas a reñir?
Pero donaire has tenido, 285
pues cortesanos nos llamas,
pensando que nos infamas
con ese honrado apellido.

JUAN. Fileto, el nombre *villano,*
del que en la villa vivía 290
se dijo, cual se diría
de la corte el *cortesano.*
El cortesano recibe
por afrenta aqueste nombre,
siendo villano aquel hombre 295
bueno, que en la villa vive.
Yo, pues nos llama *villanos*
el cortesano a nosotros,
también os llamo a vosotros
por afrenta *cortesanos.* 300

FILETO. Señor ha dicho muy bien.

JUAN. Ea, pues, alto al trabajo,
y pues yo mi cuello abajo,
bájenle todos también.
¿Cuántos salieron a arar? 305

SALVANO. Veinte mozos, diez con bueyes,
y diez con mulas.

JUAN. ¿Qué reyes
no me pueden envidiar?
Ve tú, Salvano, a la viña

de la ermita con tu carro. 310

SALVANO. Como ha llovido, y es barro
lo más de aquella campiña,
otra mula llevaré.

JUAN. Lleva cuatro: Dios loado,
que tantos pares me ha dado, 315
pues aun contarlos no sé. *Vase* SALVANO.
Ea, tú, Bruno, a la cuesta
donde vendimia Costanza.

BRUNO. Yo voy. *Vase.*

JUAN. Tú, Fileto, alcanza
la más blanca y limpia cesta, 320
y de unas uvas doradas
que se vengan a los ojos,
y estén sus racimos rojos,
por las mañanas heladas,
descubriendo con el sol 325
el puro color del oro,
la llena, y lleva a Peloro,
nuestro vecino y doctor.

FILETO. Manda a Gila que me dé
un paño de manos bueno, 330
labrado o de randas lleno,
y en somo le posaré.

JUAN. ¿No eres más necio? ¿No sabes
que a peligro el paño está
de que se te quede allá? 335

FILETO. Entre personas muy graves
platos y paños se vuelven.

JUAN. Los pámpanos, de manera
unos en otros asidos,
con clavellinas tejidos, 340
que vayan cayendo afuera;
que juntas hojas y flores
parece, si están lozanos,
sus hojas paños de manos,
y los claveles labores. 345

FILETO. Voy, y la pondré de suerte
que al Rey se pueda llevar.

JUAN. Aquí te quiero aguardar.

FILETO. Al momento vuelvo a verte. *Vase.*
JUAN. ¡Gracias, inmenso cielo, 350
a tu bondad divina!
No tanto por los bienes que me has dado,
pues todo aqueste suelo
y esta sierra vecina
cubren mis trigos, viñas y ganado, 355
ni por haber colmado
de casi blanco aceite
destas olivas bajas,
a treinta y más tinajas,
donde nadan los quesos por deleite, 360
sin otras, de henchir faltas,
de olivas más ancianas y más altas;
no porque mis colmenas,
de nidos pequeñuelos
de tantas avecillas adornadas, 365
de blanca miel rellenas,
que al reirse los cielos
convierten destas flores matizadas;
ni porque estén cargadas
de montes de oro y trigo 370
las eras que a los trojes
sin tempestad recoges,
de quien tú que lo das eres testigo,
y yo, tu mayordomo,
que mientras más adquiero, menos como; 375
no porque los lagares
con las azules uvas
rebosen por los bordes a la tierra,
ni porque tantos pares
de bien labradas cubas 380
pueden bastar a lo que octubre encierra;
no porque aquella sierra
cubra el ganado mío,
que allá parecen peñas,
ni porque con mis señas, 385
bebiendo de manera agota el río,
que en el tiempo que bebe,
a pie enjuto el pastor pasar se atreve;

las gracias más colmadas
te doy porque me has dado 390
contento en el estado que me has puesto.
Parezco un hombre opuesto
al cortesano, triste
por honras y ambiciones,
que de tantas pasiones 395
el corazón y el pensamiento viste,
porque yo, sin cuidado
de honor, con mis iguales vivo honrado.
Nací en aquesta aldea,
dos leguas de la corte, 400
y no he visto la corte en sesenta años,
ni plega a Dios la vea,
aunque el vivir me importe
por casos de fortuna tan extraños.
Estos mismos castaños, 405
que nacieron conmigo,
no he pasado en mi vida;
porque si la comida
y la casa, del hombre dulce abrigo,
adonde nace tiene 410
¿qué busca? ¿adónde va? ¿adónde viene?
Ríome del soldado,
que como si tuviese
mil piernas y mil brazos, va a perdellos;
y el otro desdichado, 415
que como si no hubiese
bastante tierra, asiendo los cabellos
a la fortuna, y dellos
colgado el pensamiento,
las libres mares ara, 420
y aun en el mar no para,
y presume también beber el viento.
¡Ay Dios! ¡Qué gran locura,
buscar el hombre incierta sepultura!

Sale FELICIANO, *su hijo, de labrador.*

FELICIANO. Ansí Dios te dé placer, 425
padre mío y mi señor,

que me hagas un favor.
JUAN. Muchos te quisiera hacer.
FELICIANO. Pues ven por tu vida a ver
al Rey, que muy cerca pasa 430
del umbral de nuestra casa;
que va a cazar a su monte.
Tu capa y sombrero ponte,
que el sol en vendimia abrasa.

Ven a ver las damas bellas 435
que acompañan a su hermana,
que sale como Dïana
entre planetas y estrellas;
con ella compiten ellas,
y ella con el sol divino. 440
Ven, porque todo el camino
se cubre de más señores
que tienen los campos flores
y fruta aquel verde pino.

Ven a ver cuán envidioso 445
está el sol de los caballos,
porque quisiera roballos
para su carro famoso.
Verás tanto paje hermoso,
que el pecho tierno atraviesa 450
con banda blanca francesa,
opuesta al rojo español,
ir como rayos del sol
por esa arboleda espesa.

Ea, padre, que esta vez 455
no has de ser tan aldeano.
Da por tu vida de mano
a tanta selvatiquez.
Alegra ya tu vejez,
hinca la rodilla en tierra 460
al Rey, que con tanta guerra
te mantiene en paz.
JUAN. No más;
que pesadumbre me das.
La boca, ignorante, cierra.

¿Qué es ver al Rey? ¿Estás loco? 465

¿De qué le importa al villano
ver al señor soberano,
que todo lo tiene en poco?
Los últimos pasos toco
de mi vida, y no le vi 470
desde el día en que nací;
pues ¿tengo de verle ya,
cuando acabándose está?
Más quiero morirme ansí.

Yo he sido rey, Feliciano, 475
en mi pequeño rincón;
reyes los que viven son
del trabajo de su mano;
rey es quien con pecho sano
descansa sin ver al Rey, 480
obedeciendo a su ley
como al que es Dios en la tierra,
pues que del poder que encierra
sé que es su mismo virrey.

Yo adoro al Rey; mas si yo 485
nací en un monte ¿a qué efecto
veré al Rey, hombre perfecto,
que Dios singular crio?
El cura nos predicó
que dos ángeles tenía 490
que le guardan noche y día,
y que ésta fue su opinión,
sin la mucha guarnición
du su armada infantería.

Yo propuse, Feliciano, 495
de no ver al Rey jamás,
pues de la tierra en que estás
yo tengo el cetro en la mano.
Si el Rey, al pobre villano
que ves, prestados pidiese 500
cien mil escudos, y hubiese
grande que así los prestase
¿qué es *prestase*? presentase,
que en un cordel me pusiese.

Daré al Rey toda mi hacienda, 505

hasta la oveja y el buey;
mas yo no he de ver al Rey,
mientras desto no se ofenda.
¿Hame de dar encomienda
ni plaza de consejero? 510
Servirle y no verle quiero,
porque al sol no le miramos,
y con él nos alumbramos,
pues tal al Rey considero.
No se deja el sol mirar, 515
que es su rostro un fuego eterno;
rey del campo que gobierno
me soléis todos llamar;
el ave que hago matar,
sábele allá de otro modo; 520
ni el vino oloroso es todo,
porque le falta haber sido
él mismo quien le ha cogido,
para que le sepa más;
que en las viñas donde estás, 525
lo que he sembrado he bebido.
Los coches pienso que son
estos que vienen sonando.
Ya me escondo, imaginando
su trápala y confusión. 530
¡Ay, mi divino rincón,
donde soy rey de mis pajas!
¡Dura ambición!, ¿qué trabajas
haciendo al aire edificios,
pues los más altos oficios 535
no llevan más de mortajas? *Vase.*

FELICIANO. ¿Qué bárbaro produjeron
las montañas del Caucaso,
qué abarimo, qué circaso
sus ocultos montes vieron, 540
a qué león leche dieron
las albanesas leonas,
ni en todas las cinco zonas
vio el sol por fuegos o hielos,
corriendo sus paralelos, 545

sus círculos y coronas,
con semejante rigor?
¿Hay tan grande villanía?
¡De ver al Rey se desvía,
y al que es supremo señor! 550

Sale LISARDA, *en hábito de labradora, y* BELISA.

LISARDA. ¡De qué famosa labor
iba bordada la saya!
BELISA. No presumo yo que haya
en el Sur perlas más bellas.
LISARDA. Allá envían a cogellas 555
a la más remota playa.
BELISA. Hermosa la Infanta iba.
LISARDA. Cuando no fuera quien es,
su hermosura era interés
que en más alto reino estriba. 560
BELISA. Pensé que era, así yo viva,
uno de aquellos señores
el que allá te dijo amores,
cuando fuiste disfrazada.
LISARDA. Pues no estuviste engañada; 565
yo lo estuve en sus favores.
BELISA. Mira que está aquí tu hermano.
LISARDA. Feliciano...
FELICIANO. Mi Lisarda...
LISARDA. ¿Viste la corte gallarda?
FELICIANO. Vi nuestro Rey soberano. 570
LISARDA. ¿Y no viste, Feliciano,
tantas damas, tal belleza?
FELICIANO. Admiróme su grandeza
de suerte, que a toda furia
vine a llamar quien injuria 575
la misma naturaleza.
Rogué a mi padre que fuese
a ver al Rey.
LISARDA. Necedad.
¿Tan extraña novedad
querías que por ti hiciese? 580
Antes que Juan se moviese

de su umbral a ver al Rey,
rompería el aire un buey,
porque desde que nació
el no ver al Rey juró, 585
después de guardar su ley.

FELICIANO. ¿Es posible que nacimos
deste monstruo?

LISARDA. No lo sé.

FELICIANO. Si es nuestro padre, ¿por qué
tan diferentes salimos? 590

Yo muero por ver la corte
y andar en honrado traje;
cánsame este villanaje,
aunque a darle gusto importe.

Cuando me puedo escapar, 595
voy a París con vestido
tan cortesano y pulido,
que el Rey me puede mirar.

Escucho sus caballeros,
su grandeza me alborota; 600
al juego de la pelota
voy a apostar mis dineros,

ya que no puedo jugar
(a lo menos no me atrevo),
porque sé bien que si pruebo, 605
conmigo se ha de enojar.

Si en las justas y torneos
puedo disfrazado entrar,
allá procuro llegar,
y si no, con los deseos. 610

¡No sé cómo me engendró!

LISARDA. Pues ¿qué te diré de mí?
Jamás a la corte fui,
que allá pareciese yo.

Mi ropa — basquiña y manto, 615
guante y dorado chapín —
puede mirallo el Delfín.

FELICIANO. De su rudeza me espanto.

Yo voy a la iglesia, hermana,
porque oí decir que oiría 620

misa el Rey en ella.
LISARDA. Haría
nuestra aldea cortesana.
Y aun allí podría ser
que nuestro padre le viese,
aunque verle no quisiese, 625
pues nunca le quiere ver.
FELICIANO. No hayas miedo, porque está,
desde que al Rey ha sentido,
o encerrado o escondido.
LISARDA. Pues ¿a misa no saldrá? 630
FELICIANO. Perderála por no ver
la corte, el Rey ni las damas.
LISARDA. Y ¿bárbaro no le llamas?
FELICIANO. Ni aun hombre mereció ser.
Voyme, porque para mí 635
nunca amanece tal día. *Vase.*
LISARDA. ¿Qué dirás, Belisa mía,
de lo que ha pasado aquí?
BELISA. Digo que como la gente
del lugar toda entrará 640
a ver al Rey, si allá está,
puedes muy honestamente
verle, y ver, si está con él,
al que las joyas te dio.
LISARDA. Digo que le he visto yo, 645
Belisa, y muy cerca dél.
BELISA. ¡Cosa que fuese señor
de importancia!
LISARDA. No quisiera
que tan grande señor fuera
como imposible mi amor. 650
Pero vamos a saber
lo que hizo la fortuna;
que quien nació sin ninguna,
¿de qué la puede temer?
Mas tenga este desengaño 655
mi padre, Juan Labrador;
que no lo ha de ser mi amor,
sin hacer a mi honor daño.

Yo no nací, mi Belisa,
para labrador por dueño: 660
para mí su estilo es sueño,
y su condición es risa.
Yo me tengo de casar
por mi gusto y por mi mano
con un hombre cortesano, 665
y no en mi propio lugar.

BELISA. ¿No me llevarás contigo?

LISARDA. Conmigo te llevaré.
Para corte me crié;
su estilo y leyes bendigo. 670

BELISA. Vamos, y deja el aldea.

LISARDA. ¡Ay, si hablase aquel señor!

BELISA. No es imposible tu amor,
como título no sea.

LISARDA. Puédele mi padre dar 675
de dote cien mil ducados.

BELISA. Ducados hacen ducados;
con duque te has de casar. *Vanse.*

Exterior, ante la iglesia del pueblo

Sale EL REY DE FRANCIA *con acompañamiento,* LA INFANTA,
FINARDO, OTÓN *y* MARÍN.

REY. ¿Habéislo preguntado?

OTÓN. Ya se viste;
que no fue poca dicha, porque es tarde. 680

INFANTA. La iglesia me contenta, aunque es antigua,
y los altares tienen, para aldea,
mejores ornamentos que la corte.

OTÓN. Pienso que en ella vive un hombre rico,
que debe de tener este cuidado. 685

Salen FILETO, BRUNO, SALVANO, *villanos.*

REY. ¿Qué piedra es ésta escrita, que sostiene
este pilar?

INFANTA. Será alguna memoria.
¿Eso a leer se pone vuestra alteza?

FILETO. Pisa quedito, Bruno, no te sientan.

BRUNO. Pues ¿fuera yo más quedo sobre huevos? 690
SALVANO. ¿Este es el Rey?
FILETO. Aquel mancebo rojo.
SALVANO. ¡Válgame Dios! ¿Los reyes tienen barbas?
FILETO. Pues ¿cómo piensas tú que son los reyes?
SALVANO. Yo he visto en un jardín pintado al César,
a Tito, a Vespasiano y a Trajano; 695
pero estaban rapados como frailes.
BRUNO. Esos eran coléricos, que apenas
sufrían sus bigotes, y de enfado
se dejaban rapar barba y cabeza.
INFANTA. ¿De qué se está riyendo vuestra alteza? 700
REY. ¿No quieres que me ría, si he leído
la cosa más notable en esta piedra
que está en el mundo escrita, ni se ha oído?
INFANTA. Pues no se espante deso vuestra alteza;
que en los sepulcros hay notables cosas. 705
OTÓN. Estando yo en España y en Italia,
he visto algunos de memoria dignos.
REY. Plutarco hace mención, y por testigo
pone a Herodoto, del sepulcro insigne
que en la puerta mayor de Babilonia 710
hizo la gran Semíramis de Nino,
convidando a tomar de sus dineros
al rey que dellos fuese codicioso.
Abrióle Dario, rey de Persia, y dentro
halló sola una piedra que decía: 715
"Si no fueras avaro y ambicioso,
no vieras las cenizas de los muertos."
OTÓN. De Herodes cuenta la codicia misma
Josefo, historiador de tanto crédito.
Abrió, pensando hallar ricos tesoros, 720
del gran David y Salomón las urnas.
INFANTA. Notables fueron en antiguos tiempos
de la bárbara Egipto las pirámides.
OTÓN. En Lusitania en una piedra había
escritas estas letras: "Gundisalvo 725
yace debajo aquesta losa fría;
boca abajo mandó que le enterrasen,
porque da tan apriesa vuelta el mundo,

que quedará muy presto boca arriba,
y así quiso excusarse del trabajo." 730

REY. ¡Notable!

INFANTA. No se ha visto semejante.

REY. Este merece letras en diamante.

INFANTA. ¿Cómo dicen, señor?

REY. De aquesta suerte...
—Aunque le falta el año de la muerte:
"Yace aquí Juan Labrador, 735
que nunca sirvió a señor,
ni vio la corte ni al Rey,
ni temió ni dio temor;
ni tuvo necesidad,
ni estuvo herido ni preso, 740
ni en muchos años de edad
vio en su casa mal suceso,
envidia ni enfermedad."

INFANTA. ¿No dice cuándo murió?

REY. No escribe el año ni el mes. 745

INFANTA. Por ventura es vivo.

REY. Yo
diera un notable interés
porque viviera.

INFANTA. Yo no.

REY. Yo sí, para conocer
un hombre tan peregrino. 750

OTÓN. Presto le podrás saber.

Sale LISARDA *y* BELISA.

LISARDA. A misa dicen que vino.

BELISA. Mas ¿si acertase a saber
aquel tu desasosiego?

LISARDA. No dudes de que aquí está. 755

BELISA. Si lo está, verásle luego.

LISARDA. No lo dudo, porque habrá
la luz de su mismo fuego.

OTÓN. Aquí hay muchos labradores
de los que vienen a verte; 760
si es tu gusto, no lo ignores.

REY. De lo que le tengo advierte
a alguno de los mejores.

OTÓN. Hola, amigos, el Rey hablaros quiere.
¿Cuál es de todos de mejor jüicio? 765
BRUNO. Yo ha poco que era el más discreto; agora,
no sé en lo que ha topado, no soy tanto.
FILETO. Aquí Salvano sabe más que Bruno,
y yo suelo saber más que Salvano.
Porque sé de las misas lo que es *quiries*, 770
y canto por la noche el *Tanto negro*;
pero pienso, señor, que me turbase...
OTÓN. ¿Cómo turbar? ¿No veis cuán apacible,
cuán humano es el Rey? Que los leones
son graves con los graves animales, 775
y humildes con los tiernos corderillos;
no temáis porque el Rey hablaros quiere.
FILETO. Yo voy en su grandeza confiado.
OTÓN. Aquí viene, señor, el más discreto
de aquestos labradores y villanos. 780
FILETO. Hablando con perdón, yo soy discreto.
REY. ¿Sois muy discreto vos?
FILETO. Notablemente;
he jugado a la chuca y a los bolos;
yo pinto con almagre ricos mayos
la noche de San Juan y de San Pedro, 785
y pongo *Juana, Antona y Menga, vítor.*
REY. ¿Quién es Juan Labrador aquí?
FILETO. Es mi amo;
que por darme a comer ansí le llamo.
REY. ¿Que vive?
FILETO. Sí, Señor.
REY. Pues ¿cómo tiene
puesta su piedra aquí de sepultura? 790
FILETO. Porque dice que es loco el que edifica
casa para la vida de cien años,
aunque muy pocos pasan de sesenta,
y no lo hace para tantos cuantos
ha de estar en la casa de la muerte. 795
REY. ¿Es muy sabio?
FILETO. Después de mí no hay hombre
que sepa tanto en toda aquesta aldea.
REY. Ansí falta en las letras mes y año.
FILETO. Pondránsele en muriendo.

REY. ¿Tiene hijos?

FILETO. Dos tiene agora, un macho y una macha, 800
más bella que una rosa alejandrina
cuando rompe el botón, y por su extremo
despliega algunas hojas y otras coge.

REY. ¿Es rico?

FILETO. Es espantosa su riqueza:
tiene de su labor más de cien hombres, 805
ochenta bueyes y cincuenta mulas.

REY. ¿Qué viste?

FILETO. Paño tosco.

REY. ¿En qué come?

FILETO. En barro muy grosero.

REY. ¿Por qué causa?

FILETO. Porque es el más humilde de los hombres.

REY. ¿Tiene mucho dinero?

FILETO. Como paja. 810

REY. ¿Cómo trae a sus hijos?

FILETO. En su traje,
a honor y devoción de su linaje.

REY. ¿Es avariento?

FILETO. No, porque a los pobres
reparte la más parte de su hacienda.

REY. ¿Por qué dice que al Rey jamás ha visto? 815

FILETO. Porque él dice, y lo creo, que es honrado,
que es rey en su rincón, y que sus padres
no le vieron tampoco, y le sirvieron,
amaron, respetaron y temieron,
y que él le teme y ama y le respeta, 820
y no le quiere ver, sino serville,
amalle, obedecelle y respetalle,
y a su tiempo dineros emprestalle.

REY. Si le envío a llamar, ¿no querrá verme?

FILETO. Está escondido agora; que las veces 825
que pasas a cazar por esta aldea,
se esconde, que no hay hombre que le vea.

REY. ¡Que viva un hombre aquí tan poderoso!
¡Dichoso el que da leyes a su casa,
y en sus umbrales tan contento pasa! 830

FILETO. Si quieres ver, Señor, una serrana,

hermosa como el sol, que es hija suya,
haz que se acerque la de la patena,
que se precia de ser muy cortesana.

REY. Llámala, Otón.

OTÓN. Aquí os llegad, señora. 835

LISARDA. ¿Qué manda su reverencia?

MARÍN. Señor, ¿no es ésta la dama
de París?

OTÓN. El Rey la llama.
Ten silencio.

MARÍN. Y tú, paciencia.

REY. ¿Sois hija deste buen viejo 840
que llaman Juan Labrador?

LISARDA. Yo soy su hija, señor,
y aunque tosca, fui su espejo.

REY. Hermana, por vida mía,
que en la moza reparéis. 845

INFANTA. Muy buena traza tenéis.

LISARDA. Donde está tu infantería,
¿qué traza puedo tener?

INFANTA. ¡Infantería! ¡Oh, qué gracia!

LISARDA. ¿Cuál fuera mayor desgracia, 850
si igualdad pudiera haber:
decir vos que yo tenía
traza sin ser edificio,
o yo, pues es vuestro oficio,
llamaros *infantería*? 855
El llamar a un rey *alteza*,
que lo llaman a una torre,
aunque es lenguaje que corre,
no es propiedad ni pureza.
Si a señor es *señoría*, 860
y al excelente le dan
excelencia, bien dirán
a una infanta *infantería*.

REY. No me parece muy lerda,
y el talle es todo donaire. 865

LISARDA. Como nos da tanto el aire,
no es mucho que el don se pierda.

REY. Y ¿cómo os llamáis?

LISARDA. Lisarda,
con perdón de sus mercedes.
FINARDO. Bien desengañarte puedes; 870
que la otra era gallarda,
y ésta es tosca por extremo.
OTÓN. Pienso que finge, Finardo.
REY. El talle es, por Dios, gallardo.
INFANTA. Que os lleva los ojos temo. 875
Vamos, hermano, de aquí.
REY. Vamos: que Juan Labrador
ha de servir a señor,
y ver rey y todo en mí. *Vase el* REY *y la* INFANTA.
OTÓN. ¿Queréis oir dos palabras? 880
LISARDA. Como no pasen de dos,
y otras dos daré en respuesta.
OTÓN. ¡Extremada condición!
Pues sea, *sabéis* la una,
será la otra *¿quién soy*? 885
LISARDA. Escuchadme las dos mías,
hidalgo, que os guarde Dios.
La una es *la reverencia*,
y la otra será, *no*.
OTÓN. Replico que habéis mentido. 890
LISARDA. Replico que mentís vos.
OTÓN. Que en París os vi, respondo,
y que esa mano me dio
este diamante.
LISARDA. Es verdad.
pero no será razón 895
que os hable entre tanta gente,
porque son de la labor
de la hacienda de mi padre,
y perderé mi opinión.
Fuera deso, yo soy hija, 900
ya lo veis, de un labrador,
y vos seréis duque o conde.
OTÓN. Soy mariscal, soy Otón,
de la cámara del Rey;
pero nos iguala amor. 905
LISARDA. Un olmo tiene esta aldea,

adonde de noche, al son
de tamboril y guitarras,
las mozas de Miraflor
bailan por aquestos días: 910
allí hablaremos los dos
como vengáis disfrazado.

OTÓN. Haréisme un grande favor.

BELISA. Mira que te están mirando.

LISARDA. ¡Ay Belisa!, que ya voy. 915

OTÓN. El corazón me lleváis.

LISARDA. Y aquí os dejo el corazón.

BRUNO. Luego aquí estos palaciegos
habran las mozas de amor.

FILETO. Son diablos, con sus razones 920
derribaran a Sansón.
Señora, vamos de aquí,
porque tenemos temor;
que si viene Feliciano,
puede ser que haya cuestión. 925

LISARDA. Id delante; que ya vamos.

MARÍN. Un guante caer se dejó.

FINARDO. ¡Qué discreta!

MARÍN. ¡Qué bellaca! *Vanse ellas y los villanos.*

FINARDO. No en balde el Rey la miró:
es mozo, y ella gallarda. 930
No es de escardillo ni hoz
el guante desta doncella.

OTÓN. No es sino caja en que amor
guarda las flechas que tira.

MARÍN. ¡Qué mala comparación! 935
Porque habiendo de ser nieve
los dedos que aquí guardó,
las flechas de amor son fuego,
y vienen a ser carbón.

OTÓN. Por lo que abrasan, me agradan… 940
— pero el Rey no me agradó;
que no sé qué le decía.

FINARDO. Yo le entendí.

OTÓN. Pues yo no.

FINARDO. Dijo que había de hacer

que aqueste Juan Labrador 945
viese Rey, señor sirviese.

OTÓN. ¡Vamos!, porque pienso yo
que ha de ser dificultoso.

FINARDO. ¡A un Rey de tanto valor,
que tiemblan sus flores de oro, 950
el scita, el turco feroz!

OTÓN. ¡Qué mal, Finardo, conoces,
si nunca te sucedió,
llegar de noche mojado,
o a la siesta con el sol, 955
o perdido por un monte,
si de lejos te llamó
el fuego de los pastores
o de los perros el son,
después que de voces ronco 960
te dieron alguna voz,
y entraste en pobre cabaña
que tiene por guardasol
robles bañados en humo,
que pasa el viento veloz, 965
y haber de sacar las migas
y el cándido naterón,
y sin manteles en mesa,
cuchillo ni pan de flor,
sino sentado en el suelo 970
sobre algún pardo vellón,
rodeado de mastines,
que están mirando al pastor,
lo que se estima y se ensancha
el villano en su rincón! 975

ACTO SEGUNDO

Sala en el palacio real de París

Salen el REY DE FRANCIA *y* FINARDO.

REY. Desasosiego me cuesta.

FINARDO. Para desasosegarte,

¿puede en el mundo ser parte
cosa a tu grandeza opuesta?

REY. Este villano lo ha sido. 5

FINARDO. ¿El villano o la villana?

REY. Un ángel en forma humana,
Finardo, me ha parecido.
Pero no creas que fuera
quien me desasosegara, 10
cuando el cielo la pintara
con el pincel que pudiera;
que en negocio que el honor
pasa de las justas leyes,
aun nos valemos los reyes 15
de nuestro propio valor.
Su padre me dio cuidado;
que en verle vivir ansí,
tan olvidado de mí,
confieso que me ha picado. 20
¡Que con tal descanso viva
en su rincón un villano,
que a su señor soberano
ver para siempre se priva!
¡Que trate con tal desprecio 25
la majestad sola una,
sin correrse la fortuna
de que la desprecie un necio!
¡Que tanto descanso tenga
un hombre particular, 30
que pase por su lugar,
y que a mirarme no venga!
¡Que le haya dado la suerte
un rincón tan venturoso,
y que esté en él poderoso, 35
desde la vida a la muerte!
¡Que le sirvan sus criados,
y que obedezcan su ley,
y que él se imagine rey
sin ver los reyes sagrados! 40
¡Que la púrpura real
no cause veneración

a un villano en su rincón
que viste pardo sayal!
¡Que tenga el alma segura, 45
y el cuerpo en tanto descanso!...
Pero ¿para qué me canso?
Digo que es envidia pura,
y que le tengo de ver.

FINARDO. Ansí cuentan el suceso 50
de Solón y del rey Creso.

REY. Muy diferente ha de ser;
que el filósofo juzgó
de otra suerte al rey de Lidia;
y yo tengo a un hombre envidia 55
por ver que me despreció.

FINARDO. Tres calidades de bienes
Aristóteles escribe
que tiene el hombre que vive;
y todas, señor, las tienes. 60
De fortuna la primera,
en que lo menos se funda;
del cuerpo fue la segunda,
del ánimo la tercera.
Bienes de fortuna son 65
de riquezas multitud;
del cuerpo son la salud
y la buena complexión;
los del ánimo, la ciencia
y la virtud: éstos fueron 70
a quien todos siempre dieron
divina correspondencia.
Y si hay en la tierra alguna,
por felicidad la entienden;
que estos bienes no dependen 75
del tiempo ni la fortuna.
Estando todos en ti,
¿cómo envidias a un villano,
tú con el cetro en la mano,
y él con el arado allí? 80

REY. Dame pena el verle opuesto
a mi propia majestad,

viendo la felicidad
en que su dicha le ha puesto.
Deseaba vez alguna 85
Augusto de Scipïón
la fuerza, el ser de Catón,
y de César la fortuna;
y era un grande emperador:
y en un villano ¡aun no veo 90
que tenga un justo deseo
de ver al Rey su señor!
Mil el mundo peregrinan
por ver alguna ciudad
que tenga en sí majestad; 95
mares y montes caminan.
Y éste se esconde en su casa
cuando paso por su puerta...
— pues vive el cielo, que, abierta,
ha de saber que el Rey pasa. 100

FINARDO. ¿Eso te da pesadumbre?
¡Un villano en su rincón!

REY. Y ¿no se espanta un león
de un gallo y de cualquier lumbre?
El animoso caballo, 105
del floro, un ave tan vil,
¿no se espanta?

FINARDO. ¿Que el gentil
león se espanta del gallo?

REY. Y de un carro; tanto siente
de las ruedas el rumor: 110
y así yo de un labrador,
que es un carro finalmente.

FINARDO. ¿Qué tienes imaginado
para que el hombre te vea?

REY. Porque ver no me desea, 115
me ha de ver, mal de su grado.
Pongan en que al monte salga;
que yo buscaré invención
para que su condición
contra reyes no le valga. 120

FINARDO. Pues ¿tú quieres ir allá?

Venga acá Juan Labrador
a ver al Rey su señor;
que él es bien que venga acá.

REY. Déjale con su opinión; 125
que si al Rey con su poder
no quiere ver, yo iré a ver
al villano en su rincón. *Vanse.*

Campo

Salen BELISA, COSTANZA *y* LISARDA.

COSTANZA. Solo está el olmo a la fe.
BELISA. La palmatoria ganamos. 130
LISARDA. A muy buen tiempo llegamos.
COSTANZA. ¿Quieres tú que solo esté?
LISARDA. Sí, porque hablemos un rato.
COSTANZA. ¿Mas que son cosas de amor?
Que te he visto en el humor 135
que te ofende algún ingrato.
LISARDA. Por vida tuya, Costanza,
pues eres tan entendida
(mira que juro tu vida),
¿tuvieras tú confianza 140
en palabras de algún hombre,
destos hidalgos de allá?
COSTANZA. ¿De la corte?
LISARDA. Sí; que ya
tengo en el alma ese nombre.
COSTANZA. La que pudiera tener 145
de amigo reconciliado,
de jüez apasionado,
y de firma de mujer;
la que tuviera, sembrando,
de un campo estéril y enjuto, 150
o del imposible fruto
del olmo que estás mirando;
la que tuviera de un loco,
o de un celoso traidor;
la que de un hombre hablador, 155
que siempre son para poco;

la que de un hombre ignorante
que presume de saber;
la que de abril sin llover,
la que del mar inconstante; 160
la que tuviera en la torre
que se funda sobre arena;
y en quien no siente la ajena,
y de su falta se corre;
la de amigo en alto estado, 165
si fuimos pobres los dos,
ésa me diera, por Dios,
cortesano enamorado.

LISARDA. ¿Qué es, Costanza, cosi, cosa,
que llaman en corte enima, 170
un alto, que un bajo estima
sin fuerza más poderosa,
y un bajo que al alto aspira?

COSTANZA. Una música formada
de dos voces.

LISARDA. Bien me agrada. 175

COSTANZA. Aunque alto y bajo estén, mira
que, aunque son tan desiguales
como la noche y el día,
aquella unión y armonía
los hace en su acento iguales; 180
que el alto en un punto suena
con el bajo siempre igual,
porque si sonaran mal,
causaran notable pena.

LISARDA. Música me persüades 185
que el amor debe de ser.

COSTANZA. El amor tiene poder
de concertar voluntades.

LISARDA. No hay músico ni maestro
como amor, de altos y bajos; 190
pero canta contrabajos,
en que siempre está más diestro.

BELISA. Al olmo vienen zagales,
no habléis cosa de sospecha.

LISARDA (*Ap.*) (Cerrarte, amor, ¿qué aprovecha? 195

Por cualquier dedo te sales.)

Salen FILETO *y* FELICIANO.

FELICIANO. ¿Costanza está aquí, Fileto?
FILETO. Ella me dijo que había
de venir al baile.
FELICIANO. Cría
humor gracioso y discreto. 200
FILETO. Pienso que la quieres bien,
y que no te mira mal;
pero es pobre, y desigual
de tus méritos también.
FELICIANO. Mal dices; que la virtud 205
es de más valor que el oro.
FILETO. Cual le guardan el decoro,
tenga el mundo la salud.
FELICIANO. Mi padre no tiene igual
en riquezas, porque ha sido 210
un hombre a quien ha subido
la fortuna a gran caudal.
¿No has visto un enamorado,
que comienza a enriquecer
alguna pobre mujer 215
que estaba en humilde estado,
que, dando en hacer por ella,
tanto se viene a empeñar,
que, en no teniendo qué dar,
se viene a casar con ella? 220
Pues de esa manera fue
con mi padre la fortuna,
pues no sé yo cosa alguna
que no le haya dado y dé.
Pienso que por levantalle 225
se ha empobrecido por él,
y ha de casarse con él,
porque no tiene qué dalle.
FILETO. En el olmo se han sentado;
la noche es un poco obscura, 230
porque no está muy segura
la luna de algún nublado.

Llega, hablarás a Costanza
antes que venga la gente,
y algún villano se siente 235
donde el mismo sol no alcanza.

FELICIANO. (*A* COSTANZA.) ¿Habrá un poco de lugar
para quien todo le diera
en el alma a quien quisiera
esta posesión tomar? 240

COSTANZA. (*A* LISARDA.) ¿No respondes a tu hermano?

LISARDA. ¿Para qué, si habla contigo?

COSTANZA. Pues yo que se siente digo.

FELICIANO. ¿Hacia qué mano?

COSTANZA. A esta mano;
que dicen que el corazón 245
más a esta parte se inclina.

FELICIANO. Aquí, Costanza, adivina
tú propia mi pretensión.
Haz el corazón acá,
que tengo el mío perdido, 250
porque se hablen al oído,
y no lo entiendan allá.

COSTANZA. Y será bien menester;
que viene gran gente al olmo.

Salen BRUNO, SALVANO, TIRSO *y otros villanos.*

BRUNO. Habrá zagales en colmo. 255

SALVANO. Pues habrá en colmo el placer.
¿Traes tu vihuela ahí?

TIRSO. Aquí traigo mi vihuela.

BRUNO. Suena un poco, así te duela
menos el amor que a mí. 260

TIRSO. ¿Hay para todos asiento?

BELISA. Antes estaréis mejor
en pie, por hacer favor
a los pies y al instrumento.

Salen OTÓN *y* MARÍN.

BRUNO. Salga Lisarda a bailar. 265

LISARDA. ¿Sola? No tenéis razón.

BRUNO. Yo bailaré una canción,
con que la quiero sacar.
OTÓN. Este ¿no es el olmo?
MARÍN. El mismo.
OTÓN. Pues ¿cómo hablarla podré? 270
MARÍN. Si no se aparta, no sé.
OTÓN. ¿Pudo haber confuso abismo
ni laberinto de amor
como entre dos desiguales?
BRUNO. Danzaré, pues que no sales. 275
(*A* LISARDA.) Vaya de gala y de flor.

(*Canten los músicos y* BRUNO *baile solo.*)

MÚSICOS. *A caza va el caballero*
por los montes de París,
la rienda en la mano izquierda,
y en la derecha el neblí. 280
Pensando va en su señora,
que no la ha visto al partir,
porque, como era casada,
estaba su esposo allí.
Como va pensando en ella, 285
olvidado se ha de sí:
los perros siguen las sendas
entre hayas y peñas mil.
El caballo va a su gusto;
que no le quiere regir. 290
Cuando vuelve el caballero,
hallóse de un monte al fin;
volvió la cabeza al valle,
y vio una dama venir,
en el vestido serrana, 295
y en el rostro serafín.

Sale LISARDA *a bailar.*

LISARDA. *Por el montecico sola,*
¿cómo iré?
¡Ay Dios! ¿si me perderé?
¿Cómo iré, triste, cuitada, 300
de aquel ingrato dejada?

Sola, triste, enamorada,
¿dónde iré?
¡Ay Dios! ¿si me perderé?

MÚSICOS. *—¿Dónde vais, serrana bella,* 305
por este verde pinar?
Si soy hombre y voy perdido,
mayor peligro lleváis.
—Aquí cerca, caballero,
me ha dejado mi galán, 310
por ir a matar un oso,
que ese valle abajo está.
—¡Oh mal haya el caballero
en el monte al lubricán,
que a solas deja su dama, 315
por matar un animal!
Si os place, señora mía,
volved conmigo al lugar,
y porque llueve, podréis
cubriros con mi gabán.— 320
Perdido se han en el monte
con la mucha obscuridad;
al pie de una parda peña
el alba aguardando están;
la ocasión y la ventura 325
siempre quieren soledad.

SALVANO. Siéntense, que ha danzado lindamente.

LISARDA. Bruno, entretén un poco esos zagales;
que llego a refrescarme a aquella fuente.

Llégase a OTÓN.

¿Sois vos mi cortesano?

OTÓN. Labradora 330
del alma, el mismo, y bien digo el mismo,
pues en la corte tu belleza adora;
¿qué haré por ti, donde conozcas cuánto
te estima el alma que en tus ojos vive?

LISARDA. ¡Ay por su vida! ¿Que me quiere tanto? 335

OTÓN. Ni la gracia del Rey, ni cuanto puede
dar el imperio sumo de la tierra
a la imaginación que a todo excede,
estimo como el pie con que floreces

estos dichosos campos, nueva Flora, 340
que con pisallos, de oro los guarneces.

LISARDA. Si tiene ya el amor determinado
que me burléis, ilustre caballero,
¿qué puedo hacer? Siniestro fue mi hado;
más como pude merecer quereros 345
tan sin razón, no dejaré de amaros;
pero ¿cómo podré corresponderos?
Yo no puedo serviros sin casarme;
y si vos no queréis casar conmigo,
¿a qué puedo, señor, aventurarme? 350
Mi padre es labrador, pero es honrado;
no hay señor en París de tanta hacienda;
de mi dote es mi honor calificado.
Yo no soy en lenguaje labradora;
que finjo cuando quiero lo que hablo, 355
y me declaro como veis ahora.
Sé escribir, sé danzar, sé cuantas cosas
una noble mujer en corte aprende,
y tengo estas entrañas amorosas...
pero quedaos con Dios; que es gran locura 360
persuadir imposibles a los hombres.

OTÓN. ¿Cuándo tuvo imposibles la hermosura?
Teneos, no os vais; que por el alto cielo
que habéis de ser mujer...

LISARDA. Señor, dejadme.

OTÓN. del mariscal Otón, y cumpliréło. 365

LISARDA. Y ¿qué seguro deso podéis darme?

OTÓN. Un papel de mi mano.

LISARDA. Y ¿por papeles
queréis que yo me atreva a aventurarme?

OTÓN. Pues ¿no tienen valor?

LISARDA. El que se mira
en las veletas que los aires mudan. 370
No hay verdad en amor, todo es mentira.

OTÓN. ¿Y si vos la notáis con penas tales,
que me condene el cielo a pena eterna?

LISARDA. ¡Oh amor, gran juntador de desiguales!
Pero porque esta gente no presuma 375
(que en fin como villana es maliciosa)

de nuestro amor la referida suma,
tomad aquesta llave, y en la huerta
de mi casa hallaréis por las espaldas
entre cuatro cipreses una puerta; 380
entrad con ella, y aguardadme un poco,
de unos mirtos cubierto con lo espeso.

OTÓN. Sospecho que queréis volverme loco.

LISARDA. Yo bajaré después a media noche
y hablaremos los dos secretamente. 385
¿Con quién y en qué venistes?

OTÓN. En un coche.
Pero dejéle lejos desta aldea.

LISARDA. Id donde digo, que nos van sintiendo.

OTÓN. Allá os espero. ¿Quién habrá que crea,
Marín, mi dicha?

MARÍN. ¿Es buen suceso todo? 390

OTÓN. Notable.

MARÍN. Di.

OTÓN. Pasó de aqueste modo. *Vase* OTÓN.

FELICIANO. Dice Salvano bueno, que casemos
las mozas del lugar con los mancebos.

BRUNO. Dice muy bien; que tiempo habrá de baile.

FELICIANO. Mi padre y el Alcalde al olmo vienen. 395

COSTANZA. No es poca novedad.

FELICIANO. Antes es mucha.

Salen JUAN LABRADOR *y* EL ALCALDE.

ALCALDE. ¡Bendígaos Dios y qué os juntáis de mozos!

JUAN. ¿Habrá lugar también para los viejos?

COSTANZA. El que le tiene en tantas voluntades
bien se podrá sentar donde quisiere. 400

JUAN. A fe, Costanza, que no pierdas nada
en tenérmela a mí: saben los cielos
que quiero más tu vida que la mía.

LISARDA. Esto me huele a suegro, Feliciano.

FELICIANO. ¡Pluguiera Dios que pasara el verano! 405

LISARDA. Para todo hay sazón.

FELICIANO. Por mejor tengo
a boca del invierno el casamiento.

BRUNO. Comienza pues a casar

	las mozas y los mancebos.	
FILETO.	A Costanza y Feliciano	410
	pongo en el lugar primero.	
SALVANO.	No lo oiga el viejo y se enoje.	
FILETO.	¿Fáltale más que dinero	
	a Costanza? Pues, ¿qué importa,	
	si sobra tanto a su suegro?	415
BRUNO.	A Lisarda, ¿qué marido	
	osarás darle, Fileto?	
FILETO.	Pardiez que en todo el lugar	
	no le topo casamiento.	
	Si ello se diera por gracias,	420
	todos sabéis las que tengo	
	en tirar, saltar, correr,	
	y en danzas, bailes y juegos;	
	y cierto que, bien mirado	
	aunque su padre es mi dueño,	425
	que no se perdiera nada	
	en darla a un hombre discreto.	
BRUNO.	Siempre te oigo decir	
	que eres discreto.	
FILETO.	Profeso	
	en aquesta necedad	430
	la necedad deste tiempo.	
	No hay hombre ignorante, Bruno,	
	que se confiese por necio.	
	Verás competir los buhos	
	con los halcones ligeros,	435
	las monas con las personas,	
	con las águilas los cuervos,	
	y unos pobres sacristanes	
	con los músicos maestros.	
	Mas dejando disparates	440
	de que el mundo está tan lleno,	
	¿a quién damos a Lisarda?	
BRUNO.	Dásela a algún palaciego.	
FILETO.	¡Malos años! Si mi amo	
	oyera que tratáis deso,	445
	nadie quedara en su casa.	
BRUNO.	Pues dásela a un monasterio,	

y casemos a Belisa.
SALVANO. Esa, ya veis que la quiero.
BRUNO. ¿Cómo *quiero*, siendo yo 450
quien tantos favores tengo?
SALVANO. Pues cuéntense los favores,
y pierda el que tiene menos.
FILETO. Yo quiero ser el jüez.
SALVANO. Vaya.
BRUNO. Comienzo el primero: 455
A mí me dio por diciembre,
estando al sol en el cerro,
seis bellotas de su mano,
y me dijo: "Toma, puerco."
FILETO. Terrible es este favor. 460
SALVANO. A mí una noche al humero,
porque abrí mucho la boca,
me dio en aquestas costillas
cuatro palos con un bieldo.
FILETO. ¡Ese sí que fue favor, 465
que le sintieron los huesos!
SALVANO. Mejor le diré yo agora.
Toda una noche de enero
estuve al hielo a su puerta,
y al amanecer, abriendo 470
la ventana, me echó encima,
viéndome con tanto hielo,
una artesa de lejía.
FILETO. ¿Muy caliente?
SALVANO. Estaba ardiendo.
BRUNO. Todo es risa ese favor. 475
Yendo al soto por febrero
Belisa con su borrica,
parió del pueblo tan lejos,
que topándome allí junto,
me mandó alegre que luego 480
tomase el pollino en brazos
y se le llevase al pueblo.
Dos leguas y más le truje,
diciéndole mil requiebros,
como si hablara con ella, 485

y aun él me dio algunos besos.
FILETO. Ea, que ninguno gana:
a los dos os doy por buenos.
Caso Amarilis con Lauso,
que ella es coja, y él es tuerto, 490
y se irá lo uno por lo otro;
caso a Tirsa con Laurencio,
porque ella es loca, y él vano.
BRUNO. Dios les dé paz.
FILETO. Duda tengo.
Caso a Dorena y Antón. 495
BRUNO. ¿Es vieja?
FILETO. Es rica, y con eso
pasará Antón mocedades.
BRUNO. Ni oirla ni verla puedo.—
Han inventado los diablos
acá en Francia un uso nuevo, 500
de andar la mujer sin toca...
FILETO. No debe de haber espejos.
Las niñas pasen, son niñas;
pero unos sátiros viejos,
que descruben más orejas 505
caídas que burro enfermo;
y otras que van por las calles
mostrando tanto pescuezo,
y las cuerdas cuando hablan
parecen fuelles de herrero; 510
y otras con mil costurones
de solimán mal cubierto;
y otras que el pescuezo muestran
como cortezas de queso,
¿por qué han de dejar las tocas? 515
BRUNO. Por parecer niñas.
FILETO. ¡Bueno!
Como se cuentan los años
por el discurso del tiempo,
ya se han de contar en Francia
por arrugas de pescuezos. 520
La honestidad de la dama
está en las tocas y velos:

allí sí que juega el aire
bullicioso y lisonjero.
Yo sé que han dicho en París 525
que al Parlamento han propuesto
contra pescuezos de viejas
mil querellas los cabellos.
Ya no hay cabello con toca.

BRUNO. No te pudras, majadero. 530

FILETO. Sí quiero; que no soy bestia,
supuesto que lo parezco.

JUAN. Por cierto, mi Costanza, que quisiera,
mirando tu humildad y tu hermosura,
que este muchacho el rey del mundo fuera. 535
Yo admiro tu belleza y tu cordura.
Ya sabes que el dinero no me altera,
no gracias al trabajo y la ventura,
sino al cielo no más, que con su mano
colma tanto el rincón deste villano. 540
Pláceme de tratar el casamiento
y de dotarte en treinta mil ducados.

COSTANZA. Tierra soy de tus pies.

JUAN. Vuelve a tu asiento
si no es que del asiento estáis cansados.

LISARDA. Ya es hora de cenar, y este contento 545
será bien que resulte en los criados.

JUAN. Vamos agora a casa.

ALCALDE. Feliciano,
besa al señor por tal merced la mano.

FELICIANO. No sé, señor, con qué palabras diga
tu gran valor y entendimiento raro. 550

JUAN. El de Costanza y tu humildad me obliga;
mi voluntad en público declaro.

BRUNO. ¿El casamiento?

FILETO. Sí.

SALVANO. Todo se diga.
¡Cómo! Esto ¿fue verdad?

JUAN. Nunca reparo
en pocas cosas: digo que se haga 555
fiesta que a todo el pueblo satisfaga.
Dos toros quiero que corráis mañana.

¡Hola, Bruno!

BRUNO. Señor...

JUAN. Busca dos toros
fieros como leones.

FILETO. Fiesta es llana.

BRUNO. Yo los trairé que despedacen moros. 560

SALVANO. Pardiez que ha de salir mi partesana,
y que no ha de quedar sangre en sus poros.

ALCALDE. Haga mañana fiesta nuestra aldea.

BELISA. Que sea para bien.

TODOS. Para bien sea. *Vanse.*

Calle en el pueblo

Sale el REY, *en cuerpo.*

REY. No pienso que he negociado 565
poco en el dejar la gente
cenando al son de la fuente,
que cerca divide el prado.
¡Que me haya puesto en cuidado
un grosero labrador! 570
Pero no se sigue error
de ejecutar este gusto,
para que vea que es justo
ver rey y servir señor.

Hubiera pocas historias 575
si pensamientos no hubiera,
con que la fama tuviera
en su tiempo estas memorias.
No todas añaden glorias
a un príncipe; que hay algunas 580
que porque son importunas
al gusto del poderoso,
no quiere estar envidioso
de las ajenas fortunas.

Yo veré, Juan Labrador, 585
despacio tu pensamiento;
que de tus ventanas siento
desprecios de mi valor.

Sale FINARDO.

FINARDO. ¿Adónde mandas, señor,
tenga el caballo mañana? 590

REY. Cuando de oro, azul y grana
se vista el cielo, Finardo,
en este bosque te aguardo.
Y esto dirás a mi hermana...

FINARDO. Diré que en el monte quedas 595
por matar un jabalí.

REY. Que tengo el puesto la di,
y tomadas las veredas:
y advierte bien que no excedas
átomo de lo tratado. 600

FINARDO. Todo lo llevo en cuidado. *Vase.*

REY. Y yo le tengo de ver
si tiene mayor poder,
que la corona, el arado.
Con diferente vestido 605
de mi profesión real,
vengo a ver este sayal,
de la majestad olvido.

Interior en casa de JUAN LABRADOR.

REY (*Dentro.*) ¡Ah de casa!

FILETO. ¿Quién vocea?

REY (*Dentro.*) ¿Vive aquí Juan Labrador? 610

FILETO. Por ti preguntan, señor.

JUAN. ¿Quién quieres que ahora sea?

FILETO. Quien es ya está en el portal.

JUAN. No se lleve alguna cosa;
que anda mucha gente ociosa 615
y que vive de hacer mal.

REY. No soy de los que decís,
aunque os parezca extranjero,
porque soy un caballero
de los nobles de París. 620
Perdíme en esa montaña;
sé que sois rico y sois noble;
até mi caballo a un roble,
por la obscuridad extraña,
y al aldea vengo a pie, 625

	donde el cura me ha informado...	
JUAN.	El cura no os ha engañado.	
	Cena y posada os daré,	
	no como allá en vuestra casa	
	con platos y vanidad,	630
	mas con mucha voluntad,	
	al modo que acá se pasa.	
	¿Qué nombre tenéis?	
REY.	Dionís.	
JUAN.	¿Qué oficio o qué dignidad?	
REY.	Alcaide de la ciudad	635
	y los muros de París.	
JUAN.	Nunca tal oficio oí.	
REY.	Es merced que el Rey me ha hecho,	
	por heridas que en el pecho,	
	sirviéndole, recibí.	640
JUAN.	Habéis hecho cosa dina	
	de un hidalgo como vos.	
	Sentaos, mientras que a los dos	
	nos dan de cenar. Camina,	
	Fileto, a mis hijos llama.	645
	Tomad esa silla, os ruego.	
REY.	Sentaos vos; que tiempo hay luego.	
JUAN.	¡Qué cortesano de fama!	
	Sentaos; que en mi casa estoy,	
	y no me habéis de mandar;	650
	yo sí que os mando sentar,	
	que en ella esta silla os doy.	
	Y advertid que habéis de hacer,	
	mientras en mi casa estáis,	
	lo que os mandare.	
REY.	Mostráis	655
	un hidalgo proceder.	
JUAN.	Hidalgo no; que me precio	
	de villano en mi rincón;	
	pero en él será razón	
	que no me tengáis por necio.	660
REY.	Si a París vais algún día,	
	buen amigo, os doy palabra	
	que el alma y la puerta os abra	

en amor y hacienda mía,
por veros tan liberal. 665

JUAN. ¡A París!

REY. Pues ¿qué decís?
¿No iréis tal vez a París
a ver la casa real?
Mal mi gusto persuadís.

JUAN. ¡Yo a París!

REY. ¿No puede ser? 670

JUAN. De ningún modo, por Dios.
Si allá os he de ver a vos,
en mi vida os pienso ver.

REY. Pues ¿qué os enfada de allá?

JUAN. No haber salido de aquí 675
desde el día en que nací,
y que aquí mi hacienda está.
Dos camas tengo, una en casa,
y otra en la iglesia: éstas son
en vida y muerte el rincón 680
donde una y otra se pasa.

REY. Según eso, en vuestra vida
debéis de haber visto al Rey.

JUAN. Nadie ha guardado su ley,
ni es de alguno obedecida 685
como del que estáis mirando;
pero en mi vida le vi.

REY. Pues yo sé que por aquí
pasa mil veces cazando.

JUAN. Todas ésas me he escondido 690
por no ver el más honrado
de los hombres en cuidado,
que nunca le cubre olvido.
Yo tengo en este rincón
no sé qué de rey también; 695
más duermo y como más bien.

REY. Pienso que tenéis razón.

JUAN. Soy más rico, lo primero,
porque de tiempo lo soy;
que solo si quiero estoy, 700
y acompañado, si quiero.

	Soy rey de mi voluntad;	
	no me la ocupan negocios,	
	y ser muy rico de ocios	
	es suma felicidad.	705
REY (*Ap.*)	(¡Oh, filósofo villano!	
	Mucho más te envidio agora.)	
JUAN.	Yo me levanto a la aurora,	
	si me da gusto, en verano,	
	y a misa a la iglesia voy,	710
	donde me la dice el cura;	
	aunque no me la procura,	
	cierta limosna le doy,	
	con que comen aquel día	
	los pobres de este lugar.	715
	Vuélvome luego a almorzar.	
REY.	¿Qué almorzáis?	
JUAN.	Es niñería.	
	Dos torreznillos asados,	
	y aun en medio algún pichón,	
	y tal vez viene un capón.	720
	Si hay hijos ya levantados,	
	trato de mi granjería	
	hasta las once; después	
	comemos juntos los tres.	
REY (*Ap.*)	(Conozco la envidia mía.)	725
JUAN.	Aquí sale algún pavillo	
	que se crio de migajas	
	de la mesa, entre las pajas	
	de ese corral como un grillo.	
REY.	A la fortuna los pone	730
	quien de esa manera vive.	
JUAN.	Tras aquesto se apercibe	
	(el Rey, señor, me perdone)	
	una olla, que no puede	
	comella con más sazón;	735
	que en esto nuestro rincón	
	a su gran palacio excede.	
REY.	¿Qué tiene?	
JUAN.	Vaca y carnero	
	y una gallina.	

REY. ¿Y no más?
JUAN. De un pernil (porque jamás 740
dejan de sacar primero
esto) verdura y chorizo,
lo sazonado os alabo.
En fin, de comer acabo
de alguna caja que hizo 745
mi hija, y conforme al tiempo,
fruta, buen queso y olivas.
No hay ceremonias altivas,
truhanes ni pasatiempo,
sino algún niño que alegra 750
con sus gracias naturales;
que las que hay en hombres tales
son como gracias de suegra.
Este escojo en el lugar,
y cuando grande, le doy, 755
conforme informado estoy,
para que vaya a estudiar,
o siga su inclinación
de oficial o cortesano.
REY (*Ap.*) (No he visto mejor villano 760
para estarse en su rincón.)
JUAN. Después que cae la siesta,
tomo una yegua, que al viento
vencerá por su elemento,
dos perros y una ballesta; 765
y dando vuelta a mis viñas,
trigos, huertas y heredades
(porque éstas son mis ciudades),
corro y mato en sus campiñas
un par de liebres, y a veces 770
de perdices: otras voy
a un río en que diestro estoy,
y traigo famosos peces.
Ceno poco, y ansí a vos
poco os daré de cenar, 775
con que me voy a acostar
dando mil gracias a Dios.
REY. Envidia os puedo tener

con una vida tan alta;
mas sólo os hallo una falta 780
en el sentido del ver.
Los ojos ¿no han de mirar?
¿No se hicieron para eso?

JUAN. Que no les niego, os confieso,
cosa que les pueda dar. 785

REY. ¿Qué importa? ¿Cuál hermosura
puede a una corte igualarse?
¿En qué mapa puede hallarse
más variedad de pintura?
Rey tienen los animales, 790
y obedecen al león;
las aves, porque es razón,
a las águilas caudales.
Las abejas tienen rey,
y el cordero sus vasallos, 795
los niños rey de los gallos;
que no tener rey ni ley
es de alarbes inhumanos.

JUAN. Nadie como yo le adora,
ni desde su casa ahora 800
besa sus pies y sus manos
con mayor veneración.

REY. Sin verle, no puede ser
que se pueda echar de ver.

JUAN. Yo soy rey de mi rincón; 805
pero si el Rey me pidiera
estos hijos y esta casa,
haced cuenta que se pasa
adonde el Rey estuviera.
Pruebe el Rey mi voluntad, 810
y verá qué tiene en mí;
que bien sé yo que nací
para servirle.

REY. En verdad,
si necesidad tuviese,
¿prestaréisle algún dinero? 815

JUAN. Cuanto tengo, aunque primero
tres mil afrentas me hiciese;

que del señor soberano
es todo lo que tenemos,
porque a nuestro Rey debemos — 820
la defensa de su mano.
Él nos guarda y tiene en paz.

REY. Pues ¿por qué dais en no ver
a quien noble os puede hacer?

JUAN. No soy de su bien capaz, — 825
ni pienso yo que en mi vida
puede haber felicidad
como es esta soledad.

Sale FILETO.

FILETO. La cena está apercebida.

JUAN. Metan la mesa, y dirás — 830
a Lisarda y a Belisa
que echen sábanas aprisa
donde sabéis, y no más; (*Vase* FILETO.)
que, por la bondad de Dios,
habrá bien donde durmáis. — 835

REY. En alto descanso estáis.

JUAN. Tal le pedid para vos.

Sacan una mesa baja, con pan, salero, cuchillo, y vayan entrando villanos con platos y cubiertos.

FILETO. La mesa tienes aquí.

JUAN. A ella os podéis llegar.

REY. Aquí me quiero asentar. — 840

JUAN. No estáis bien, hidalgo, ahí;
poneos a la cabecera.

REY. Eso no.

JUAN. En mi casa estoy,
obedecedme; que soy
el dueño.

REY. Más justo fuera — 845
que yo estuviera a los pies.

JUAN. Haced lo que os he mandado;
que del dueño que es honrado,
siempre el que es huésped lo es;
y por ruin que el huésped sea, — 850

siempre el dueño le ha de dar
por honra el mejor lugar.

REY (*Ap.*) (¿Habrá quien aquesto crea?)

JUAN. Mientras comemos, podréis
cantarle alguna canción. 855

REY (*Ap.*) (¡Buen villano y buen rincón!)
¿Música también tenéis?

JUAN. Es rústica. Comenzad.

Salen BELISA *y* COSTANZA, LISARDA *y* FELICIANO.

REY. ¿Quién son aquestas señoras?

JUAN. No señoras, labradoras 860
desta aldea las llamad.
Esta es mi hija y aquélla,
mi sobrina, y ha de ser
de ese mochacho mujer.

REY. Cualquiera en extremo es bella. 865

JUAN. Cenad; que no es cortesía
ni el alabar ni el mirar
lo que el dueño no ha de dar.

REY. Por servirlas lo decía.

JUAN. Servid vuestra boca agora 870
de lo que a la mesa está;
que en vuestra casa no habrá
por dicha mejor señora.

LISARDA. Notablemente parece,
Feliciano, este mancebo, 875
al Rey.

FELICIANO. Un milagro nuevo
de naturaleza ofrece;
pero engáñase la vista,
mirando con religión
al Rey.

COSTANZA. Y tiene razón; 880
que ¿hay luz que al mirar resista
en la presencia de un rey?

REY. Beber, buen huésped, quisiera.

JUAN. Pedidlo; que yo bebiera,
si sed tuviera.

LISARDA. Y es ley 885

que a huésped tan principal
le lleve de beber yo.

BRUNO. ¿Cantaremos?

REY. ¿Por qué no?,
que éste es convite real.

MÚSICOS. *¡Cuán bienaventurado* 890
aquel puede llamarse justamente
que, sin tener cuidado
de la malicia y lengua de la gente
a la virtud contraria,
la suya pasa en vida solitaria! 895
Caliéntase el enero
alrededor de sus hijuelos todos,
a un roble ardiendo entero,
y allí contando de diversos modos
de la extranjera guerra, 900
duerme seguro y goza de su tierra.

JUAN. Alzad la mesa; que es tarde
y querrá el huésped dormir.
Pero dejadme decir,
aunque un momento se aguarde, 905
mi oración.

REY (*Ap.*) (¡Qué labrador!)

JUAN. Gracias os quiero ofrecer,
pues que me dais de comer
sin merecerlo, Señor.

REY. ¡Breve oración!

JUAN. Comprehende 910
más de lo que vos pensáis.
Bien es que a acostaros váis;
que es tarde y el sueño ofende.
Quedad con Dios; que al aurora
yo mismo os despertaré. 915

Vanse todos, menos el REY, LISARDA *y* BELISA.

REY (*Ap.*) (Ya el filósofo se fue.)
(*A* LISARDA.) Un poco aguardad, señora.

LISARDA. Belisa os descalzará.
No me tengáis, por mi vida.

REY. ¿No es cortesía que pida 920
que me descalcéis?

LISARDA. Será.
BELISA. Yo, señor, me quedaré
a descalzaros aquí.
REY. Antes si os vais, para mí
será más merced.
BELISA. Si haré. *Vase.* 925
REY. Oíd.
LISARDA. ¿Qué?
REY. La mano os pido.
LISARDA. ¿La mano?
REY. La mano quiero.
LISARDA. A fe que sois, caballero,
para huésped atrevido.
Pero debéis de saber 930
de aquesto de adivinar.
REY. Pues eso quiero mirar.
LISARDA. Pues eso no habéis de ver.
REY. ¿Y si me caso con vos?
LISARDA. ¡Qué presto los cortesanos 935
se casan y piden manos!
Facilitos son, por Dios.
Y es que deben de pensar,
como acá somos villanas,
que nos han de dejar llanas 940
con sólo nombrar casar.
Acuéstese su merced,
santígüese muy atento
contra cualquier pensamiento.
REY. Oíd, esperad, tened. 945
LISARDA. Suelte; que el diablo me lleve
si no le dé un mojicón.
¡A villana en su rincón
desa manera se atreve!
Arre allá con treinta erres. 950
REY. No hay quien sin rincón esté.
Oye, escucha... Ya se fue. *Vase* LISARDA.
Pues si te vas, no me cierres.
Aquésta ¿es casa encantada?
¿Qué es esto, Dios? ¿Dónde estamos? 955
¿Qué filosofía es ésa?

¿En qué laberinto he dado?
¿Cómo me he metido aquí?
¡Hola gente! ¿Con quién hablo?
Que es ésta la cama pienso.... 960

Entra COSTANZA.

COSTANZA. ¿Qué dais voces? ¿Mandáis algo?
REY. ¿Es ésta mi cama?
COSTANZA. Sí,
muy bien podéis acostaros.
REY. Pues entretenedme un poco;
que soy hombre de regalo. 965
COSTANZA. Entreténgale una fiera
de las que andan por el campo.
REY. Escucha.
COSTANZA. ¿Qué he de escuchar?
¡Valga el diablo el cortesano! *Vase.*
REY. ¡Bueno me ponen por Dios! 970
Extrañas burlas me paso.
Quiero acostarme; que temo
que entren también los villanos.
Mas ¿si me acuesto y es ésta
de alguno que está en el campo, 975
y viene acostarse a escuras?

Sale BELISA.

BELISA. ¿Qué manda, señor hidalgo,
que da voces a tal hora?
REY. Hállome aquí tan extraño,
que no sé adónde me acueste. 980
BELISA. Pues ¿qué os falta?
REY. Algún criado.
BELISA. Debéis de ser melindroso.
Por ventura ¿tenéis asco?
Pues allá no habrá colchones
ni tan limpios ni tan blancos. 985
Echese su porquería.
¡Valga el diablo el cortesano!
REY. Descalzadme vos.
BELISA. ¡Qué lindo!

Duerma una noche calzado. *Vase.*

REY. Tomar quiero su consejo.— 990

Paréceme, y no me engaño,
que detrás destas cortinas
tose un hombre. Pues ¿qué aguardo?
Sacaré la espada.

Sale OTÓN.

OTÓN. Tente,
Tente.

REY. ¡Otón! ¡Extraño caso! 995

¡Otón detrás de la cama!

OTÓN. Oye la causa.

REY. ¿Qué tardo
en darte la muerte?

OTÓN. Escucha,
señor; que no estoy culpado.

REY. Pues ¿cómo has venido aquí? 1000

OTÓN. ¿Quién hubiera imaginado,
¡oh famoso Ludovico,
rey de los lirios dorados!,
que aquí esta noche durmieras?

REY. Aqueste villano sabio 1005

me ha traído a conocerle
en hábito disfrazado.
Ser cazador me he fingido,
desta manera pensando
oir de su misma boca 1010
tan notables desengaños.

OTÓN. Pues a mí me trujo amor.

REY. ¿Aquí estás enamorado?

OTÓN. Sí, señor.

REY. ¿Es de Lisarda?

OTÓN. Por su hermosura me abraso. 1015

Habléla junto a aquel olmo
aquesta noche bailando,
diome una llave, y entré,
para hablar de espacio entrambos,
en la huerta de su casa. 1020
Pero como tú has llegado

	y anda todo de revuelta,	
	fue esconderme necesario,	
	y yo me he metido aquí,	
	por no hallar otro sagrado.	1025
REY.	¿Que a Lisarda quieres bien?	
OTÓN.	¿Parécete gran milagro,	
	siéndolo su ingenio y rostro?	
REY.	Entra, hablaremos de espacio	
	sobre tu intención en esto,	1030
	y tú sabrás qué milagro	
	me trujo adonde he venido	
	a ver, siendo rey tan alto,	
	el villano en su rincón,	
	pues no ve al Rey el villano.	1035

ACTO TERCERO

Un olivar

Salen FILETO, BRUNO *y* SALVANO, *con unas varas.*

FILETO.	Hogaño hay linda bellota.	
BRUNO.	Lindos puercos ha de haber.	
SALVANO.	La que ya pensáis comer	
	parece que os alborota.	
FILETO.	A lo menos, la aceituna	5
	que habemos de varear,	
	no deja que desear.	
BRUNO.	No he visto mejor ninguna.	
SALVANO.	Comenzad a sacudir;	
	que a fe que tenéis que hacer.	10
FILETO.	Llegue quien ha de coger.	
BRUNO.	Mucho tardan en venir.	
FILETO.	Por el repecho del prado	
	nuesama y sus primas vienen.	
BRUNO.	¡Verá el reliente que tienen!	15
FILETO.	¿Cantan?	
SALVANO.	Sí.	
BRUNO.	¡Lindo cuidado!	

Salen los músicos de villanos, COSTANZA *y* BELISA *y* LISARDA, *con varas.*

¡Ay fortuna!
Cógeme esta aceituna.
Aceituna lisonjera,
verde y tierna por defuera, 20
y por de dentro madera,
fruta dura y importuna.
¡Ay fortuna!
Cógeme esta aceituna.
Fruta en madurar tan larga, 25
que sin aderezo amarga;
y aunque se coja una carga,
se ha de comer sola una.
¡Ay fortuna!
Cógeme esta aceituna. 30

FILETO. ¿Es para hoy el venir?
SALVANO. ¡Qué bien se hará el varear
con cantar y con bailar!
LISARDA. Comencemos a reñir,
¡por vida de los lechones! 35
SALVANO. Más nos valiera callar.
BRUNO. Hoy es día de cantar,
y no de malas razones.
Mi instrumento traigo aquí,
y a todas ayudaré. 40
LISARDA. También yo de burla hablé.
COSTANZA. Todos lo entienden ansí.
Esténse las aceitunas
por un rato entre sus hojas,
y templemos las congojas 45
de algún disgusto importunas;
ansí Dios os dé placer.
BELISA. Bien dice, pues nadie aguarda.
COSTANZA. ¿De qué estás triste, Lisarda?
LISARDA. No veo y quisiera ver. 50
COSTANZA. Ya te entiendo; pero advierte
que el bien que no ha de venir
es discreción divertir.
LISARDA. Antes el mal se divierte.

Vaya, Tirso, una canción, 55
y bailaremos las tres.

BRUNO. Vaya, pues habrá después
para la vara ocasión.

MÚSICOS. *Deja las avellanicas, moro,*
que yo me las vareare, 60
tres y cuatro en un pimpollo,
que yo me las vareare.
Al agua de Dinadámar,
que yo me las vareare.
Allí estaba una cristiana, 65
que yo me las vareare.
Cogiendo estaba avellanas,
que yo me las vareare.
El moro llegó a ayudarla,
que yo me las vareare. 70
Y respondióle enojada,
que yo me las vareare.
Deja avellanicas, moro,
que yo me las vareare.
Tres y cuatro en un pimpollo, 75
que yo me las vareare.
Era el árbol tan famoso,
que yo me las vareare.
Que las ramas eran de oro,
que yo me las vareare. 80
De plata tenía el tronco,
que yo me las vareare.
Hojas que le cubren todo,
que yo me las vareare.
Eran de rubíes rojos, 85
que yo me las vareare.
Puso el moro en él los ojos,
que yo me las vareare.
Quisiera gozarle solo,
que yo me las vareare. 90
Mas díjole con enojo,
que yo me las vareare.
Deja las avellanicas, moro,
que yo me las vareare.

	Tres y cuatro en un pimpollo,	95
	que yo me las varearé.	
SALVANO.	Quedo; que he vido venir	
	por ensomo de la cuesta	
	gente, a lo de corte apuesta.	
FILETO.	Bien os podéis encubrir;	100
	que a la fe que es gente honrada.	
LISARDA.	Ponte, Costanza, el rebozo;	
	que yo me muero de gozo,	
	(y tengo el alma turbada.)	
	Pónganse los rebozos las tres.	
BRUNO.	Haya un poquito de grita.	105
SALVANO.	*Vaya* en la corte se llama.	
	Sale OTÓN *y* MARÍN.	
MARÍN.	Aquí hay villanas de fama.	
OTÓN.	Alguna, Marín, me quita	
	el alma y la libertad.	
BRUNO.	¿Adónde van los jodíos?	110
MARÍN.	A buscaros, deudos míos,	
	para haceros amistad.	
FILETO.	Por donde quiera que fueres,	
	te alcance la maldición	
	de Gorrón y Sobirón	115
	con agujas y alfileres.	
	Dente de palos a ti,	
	y otros tantos a tu mozo.	
OTÓN (*A* LISARDA.)	¡Ah reina, la del rebozo!	
LISARDA.	¡Oh qué lindo! ¡Reina a mí!	120
BRUNO.	Mala pascua te dé Dios,	
	y luego tan mal San Juan.	
	Que te falte vino y pan,	
	y tengas catarro y tos.	
	Dolor de muelas te dé,	125
	que no te deje dormir.	
OTÓN.	¿Cómo queréis encubrir	
	sol que por cristal se ve?	
LISARDA.	Id, señor, vuestro camino,	
	y dejadnos varear.	130

OTÓN. Pues yo ¿no os sabré ayudar?
LISARDA. ¿Ayudar? ¡Qué desatino!
Tenéis muy blandas las manos.
OTÓN. ¿Habéislas tocado vos?
SALVANO. Que vos venga, plegue a Dios, 135
muermo, adivas y tolanos.
Mala pedrada vos den,
échennos sendas ayudas,
y vais a cenar con Judas,
por *seculorum amén.* 140
MARÍN (*A* BELISA.) ¿Quiere una palabra oir?
BELISA. Pues ¡él a mí, majadero!
MARÍN. ¿No soy yo de carne y cuero?
BELISA. De cuero puede decir.
COSTANZA. (¡Ay, Lisarda! Feliciano.... 145
(*Aparte a* LISARDA.)
LISARDA. Mi padre viene con él.
COSTANZA. Yo me voy.
LISARDA. ¿Qué temes dél?
COSTANZA. Es muy celoso tu hermano.) *Vase* COSTANZA.

Salen FELICIANO *y* JUAN LABRADOR.

FELICIANO. Un hombre está con nuestra gente.
JUAN. Y hombre
de no poco valor en la presencia. 150
LISARDA. Por ti pregunta aqueste gentilhombre.
(*A su padre.*)
JUAN (*A* OTÓN.) ¿Mandáis alguna cosa en que os sirvamos?
OTÓN. Señor Juan Labrador, vos sois persona
que merecéis del Rey aquesta carta,
y que os la traiga el mariscal de Francia. 155
JUAN. ¡El Rey a mí! Los pies, señor, le beso,
y a vos las manos, y ¡ojalá las mías
siquiera fueran dignas de tocallas!
A presumir mis padres que algún día
a su hijo su Rey le escribiría, 160
para tomalla en estas rudas manos
me enseñaran a guantes cortesanos.
Póngola en mi cabeza. Tú, que tienes
mejor vista, la lee, Feliciano.

FELICIANO. La carta dice así.

BELISA. ¿Qué será aquesto? 165

FILETO. ¿Si quiere algún lechón?

SALVANO. ¿No eres más cesto?

FELICIANO (*Lee.*) *El alcaide de París me ha dicho que cenando con vos una noche le dijiste que me prestaríades, si tuviese necesidad, cien mil escudos; yo la tengo, pariente: hacedme servicio que el mariscal los traiga. Dios os guarde.*

JUAN. ¿Pariente dice el Rey?

FELICIANO. ¿De qué te espantas?
Quien pide siempre engaña con lisonjas.

JUAN. Lo que dije esa noche, que la hacienda
le daría y los hijos, cumplirélo. 170
Venid por el dinero.

OTÓN. Estad seguro
que no lo perderéis.

JUAN. Yo no procuro
mayor satisfacción que su servicio,
porque el suyo es mandar, servir mi oficio.

FILETO. Con ellos voy.

LISARDA. Y yo también, Belisa. 175
El ánimo del viejo me ha espantado.

SALVANO. ¿Qué os parece de aquesto que ha pasado?

FILETO. Que el villano que se hace caballero
merece que le quiten su dinero. *Vanse.*

Sala en el palacio real de París

Salen el REY *y* FINARDO.

REY. Yo quise ser el tercero 180
de los amores de Otón;
que tierno en esta ocasión,
Finardo, le considero.
Mas te juro que en mi vida
pensé turbarme, de ver 185
cosa que pudiese ser
de improviso sucedida,
como al tiempo que salió
de las cortinas y dijo

"Detente" Otón.

FINARDO. El prolijo 190
discurso a mí me contó,
con que vino a merecer
la discreta labradora,
que quiere engañar agora
a título de mujer. 195

REY. No hará; que es el mariscal
hombre bien intencionado,
y el labrador tan honrado
que en nada le es desigual.

FINARDO. Mucho, señor, he sabido 200
de las costumbres de Otón;
pero amando, no hay razón.

REY. Daréme por ofendido
de lo que a Juan Labrador
se le siguiere de agravio. 205
Mas yo sé que Otón es sabio,
y mirará por su honor.

FINARDO. No hay cosa más inconstante
que el hombre.

REY. Dices verdad,
porque en esa variedad 210
a ninguno es semejante.
Admiraba a Filimón,
filósofo de gran nombre,
ver tan diferente al hombre,
y era con mucha razón. 215
Decía que en su fiereza
los animales vivían;
pero que sólo tenían
una igual naturaleza.
Todos los leones son 220
fuertes, y todas medrosas
las liebres, y las raposas
de una astuta condición;
todas las águilas tienen
una magnanimidad, 225
todos los perros lealtad,
siempre con su dueño vienen.

Todas las palomas son
mansas, los lobos voraces;
pero en los hombres, capaces 230
de la divina razón,
verás variedad de suerte,
que uno es cobarde, otro fiero,
uno limpio, otro grosero,
uno falso y otro fuerte, 235
uno altivo, otro sujeto,
uno presto y otro tardo,
uno humilde, otro gallardo,
uno necio, otro discreto,
uno en extremo leal, 240
y otro en extremo traidor,
uno compuesto y señor,
y otro libre y desigual.
Otón mire bien por sí,
cumpliendo su obligación; 245
que me quejaré de Otón,
de otra manera.

FINARDO. Te vi
aborrecer al villano
y hablar de su pertinacia:
¿por dónde vino a tu gracia? 250

REY. Porque toqué con la mano
el oro de su valor,
cuando en su rincón le vi;
que ya por él y por mí
pudiera decir mejor 255
lo que de Alejandro Griego
y Dïógenes: el día
que le vio, cuando tenía
casa estrecha, sol por fuego,
dijo que holgara de ser 260
Dïógenes, si no fuera
Alejandro; y yo pudiera
esto mismo responder,
y con ocasión mayor,
porque, a no ser rey de Francia, 265
tuviera por más ganancia

que fuera Juan Labrador.

Sale OTÓN.

OTÓN. Ya, gran señor, en Miraflor he dado
la carta al labrador.

REY. ¿Qué ha respondido?

OTÓN. Que te dijo verdad aquel alcaide 270
de París (yo no sé qué alcaide sea),
y que allí queda a tu servicio todo,
hasta sus mismos hijos.

REY. ¿Dio el dinero?

OTÓN. En famosas coronas de oro puro
y, sin este dinero, te presenta 275
doce acémilas tales, que te juro
que dan admiración a quien las mira.
Diome aparte un cordero que te diese,
vivo y con un cuchillo a la garganta,
y trújele, Señor, por darte gusto. 280

REY. ¡Cordero vivo con cuchillo atado!

OTÓN. Desta manera el corderillo viene.

REY. Pues no es sin causa, algún sentido tiene;
mas mira, Otón, que quiero que al instante
le lleves esta carta al mismo.

OTÓN. ¿Agora? 285

REY. Agora pues.

OTÓN. ¿Escrita la tenías?

REY. Pues te la doy, bien ves que escrita estaba.

OTÓN. ¿Importa diligencia?

REY. Importa mucho,
y yo sé, Otón, que con tu gusto vuelves.

OTÓN. Yo confieso, señor, que voy con gusto 290
porque tenerle de servirte gusto.

REY. Camina, y mira cómo vas y vienes;
que aunque llevas placer, peligro tienes.

OTÓN. ¡Peligro yo, señor!

REY. Búrlome agora.

OTÓN. (*Aparte.*) (Celos son de mi hermosa labradora.) 295

(*Vanse* OTÓN *y* FINARDO.)

REY. La vida humana, Sócrates decía,
cuando estaba en negocios ocupada,

que era un arroyo en tempestad airada,
que turbio y momentáneo discurría.
Y que la vida del que en paz vivía — 300
era como una fuente sosegada,
que, sonora, apacible y adornada
de varias flores, sin cesar corría.
¡Oh vida de los hombres diferente,
cuya felicidad estima el bueno, — 305
cuando la libertad del alma siente!
Negocios a la vista son veneno.
¡Dichoso aquel que vive como fuente,
manso, tranquilo, y de turbarse ajeno! *Vase.*

Sala en casa de JUAN LABRADOR

Salen JUAN LABRADOR *y* FELICIANO.

JUAN. Hijo, en haberte casado — 310
con mi Costanza, aunque hermosa,
más por se tan virtüosa,
borré del alma un cuidado.
Las fiestas hice a tus bodas,
que algún príncipe envidió, — 315
porque para serlo yo,
me sobran las cosas todas,
si me falta la nobleza;
que ésta, ansí tenga salud,
que la he puesto en la virtud — 320
harto más que en la riqueza.
¡Gracias al cielo por todo!
Yo quisiera descansar,
si verdad te digo, y dar
a mis cuidados un modo; — 325
de los cuales la mitad
es ver sin dueño a tu hermana,
y pasando la mañana
de su más florida edad.
Así piensa, y Dios te guarde, — 330
un marido, si tú quieres:
mira que ya las mujeres
no quieren casarse tarde.

Antiguamente, me acuerdo,
cuando mi abuelo vivía, 335
que el tiempo que allí corría
era más prudente y cuerdo.
Casábase en nuestra aldea
un hombre de treinta y siete
años, edad que promete 340
que sabio y prudente sea;
la mujer no sin tener
treinta bien hechos; mas ya
de veinte el hombre lo está,
y de doce la mujer. 345
Y está muy en la razón;
que nuestra naturaleza
ha venido a tal flaqueza.

FELICIANO. (*Aparte.*) (Cansados los viejos son.
Luego nos dan con su edad. 350
Cuanto ha pasado es mejor.)

JUAN. Elige algún labrador
a quien tengas voluntad,
y casemos a Lisarda;
que siempre mal ha sufrido 355
de sus padres el olvido
mujer hermosa y gallarda.

FELICIANO. Yo, señor, tan altos veo
sus pensamientos y galas,
que no me atrevo a las alas 360
de su atrevido deseo.
No hallo en esta comarca
digno labrador de ser
marido desta mujer,
ni en cuanto la sierra abarca. 365
Uno está haciendo carbón,
otro guarda su ganado,
otro con el corvo arado
rompe al barbecho el terrón.
Aquél es rudo y grosero, 370
el otro rústico y vil.
Para moza tan gentil
mejor fuera un caballero.

Hacienda tienes, repara
en que Lisarda...

JUAN. Detente; 375
si no quieres que me cuente
por muerto, la lengua para.
¡Yo señor! ¡Yo caballero!
¿Yo ilustre yerno?

FELICIANO. ¡Pues no!
¿Para qué el cielo te dio 380
tal cantidad de dinero?
Carece de entendimiento
(perdóname, padre, ahora),
quien en algo no mejora
su primero nacimiento. 385
Mas vesla, señor, ahí;
ella te dirá su gusto.

JUAN. Mejor dirás mi disgusto,
si tiene el que miro en ti.

Sale LISARDA *con* BRUNO *y* FILETO.

LISARDA. Digo que le pediré 390
que os honre en esto a los dos.

BRUNO. Pidiéndolo tú, por Dios
que no lo niegue.

LISARDA. No sé.

JUAN. Lisarda...

LISARDA. Padre y señor,
basta, que aquestos pastores 395
quieren las fiestas mayores
cuanto es la ocasión mayor.

JUAN. ¿Cómo ansí?

LISARDA. Porque han sabido
que tienes un nieto ya.

JUAN. ¿Búrlaste?

LISARDA. Cierto será, 400
si Costanza no ha mentido.

JUAN. ¿Qué es lo que dice Costanza?

LISARDA. Que está preñada, a la fe.

JUAN. Si fuere cierto, daré
albricias de la esperanza; 405

mas para fiestas bien pueden
hacerlas al pensamiento
que me da tu casamiento,
si los tuyos me conceden
que pueda yo disponer 410
de tu esquiva condición.

Sale MARÍN.

MARÍN. De parte del Rey, Otón
te vuelve otra vez a ver.
JUAN. ¡Otón otra vez!
FELICIANO. ¿Qué quiere
otra vez el Rey de ti? 415
LISARDA. Confusa estoy.
JUAN. Yo sin mí;
mas venga lo que viniere.

Sale OTÓN.

OTÓN. ¿Quién duda que os espante mi venida
y otra carta del Rey?
JUAN. Tantos favores
no me pueden dejar de dar espanto. 420
Léela, Feliciano, por tu vida.
OTÓN. Seáis, Lisarda, bien hallada.
LISARDA. El cielo
traiga con bien a vuestra señoría.
BRUNO. ¡Hola, Fileto! El Rey se ha regostado
a los escudos de nuestro amo.
FILETO. Pienso 425
que quiere empobrecerle de malicia.
FELICIANO. La carta dice ansí.
BRUNO. Y eso ¿es justicia?
FELICIANO (*Lee.*) *Hoy me he acordado que el alcaide de París me dijo que, si fuese necesario, me serviríades con vuestros hijos; ahora son a mi servicio y gusto: ansí os mando que luego al punto me los enviéis con Otón. Dios os guarde, pariente. Yo el Rey.*
JUAN. ¡Mis hijos pide!
OTÓN. Vuestros hijos pide.
JUAN. ¿Para la corte?
OTÓN. Sí, para la corte.

JUAN. ¿Quién es aqueste alcaide que a mi casa 430
vino por mi desdicha aquella noche,
que de mí tantas cosas le ha contado?

FELICIANO. Padre, no os aflijáis.

JUAN. Lo que es dinero
no pudiera afligirme; mas ¡los hijos!

LISARDA. El Rey tiene este gusto, el valor tuyo 435
no es bien que pierda aquí de lo que vale.

JUAN. ¡Eso sí! yo aseguro que vosotros
no tengáis tal placer ni mejor día.
Cumplido se han aquí vuestros deseos.
Sólo un Rey me pudiera mandar esto, 440
y sola mi desdicha darle causa.
Ya declina conmigo la fortuna,
porque ninguno puede ser llamado
hasta que muere bienaventurado.
Al Rey obedezcamos; que por dicha 445
esta mi condición me pone miedo,
pues no puedo esperar de tan gran príncipe
menos que su real nombre promete.

OTÓN. Estad seguro, Juan, que por bien suyo,
y en agradecimiento del dinero, 450
los envía a llamar.

JUAN. Pensarlo quiero;
partid, señor, con ellos en buen hora;
que a la iglesia me voy. *Vase.*

OTÓN. ¡Qué sentimiento!

FELICIANO. No os admiréis; que es padre.

LISARDA. Más le tiene
por vernos en la corte, que por miedo. 455

OTÓN. No nos vamos sin verle.

FELICIANO. Por la iglesia,
si os parece, pasemos.

LISARDA. Y es muy justo;
que viéndonos tendrá menos disgusto.

FILETO. Vámonos luego; que también yo quiero
ir a ser cortesano con Lisarda. 460

BRUNO. Yo pienso acompañarte.

FILETO. Por lo menos,
no estaremos a ver al viejo padre

llorando la desdicha que imagina.
BRUNO. Mas dime; ¿sabrás tú ser cortesano?
FILETO. Pues ¿hay cosa más fácil?
BRUNO. ¿De qué suerte? 465
FILETO. No sé si acierto, lo que pienso advierte.
Cumplimientos extraños, ceremonias,
reverencias, los cuerpos espetados,
mucha parola, murmurar, donaires,
risa falsa, no hacer por nadie nada, 470
notable prometer, verdad ninguna,
negar la edad y el beneficio hecho,
deber, y otras cosas más sutiles,
que te diré después por el camino.
BRUNO. Notable cortesano te imagino. *Vanse.* 475

Sala en el palacio real de París

Salen el REY *y el* ALMIRANTE.

REY. Desta manera sospecho
que irá mi hermana mejor.
ALMIRANTE. Beso tus manos, señor,
por la merced que me has hecho.
REY. Ya que me determiné 480
a casarla, no podía
darla mejor compañía.
ALMIRANTE. Yo, señor, la llevaré
con mis parientes y amigos,
y con todo mi cuidado. 485
REY. No quise que mi cuñado,
con guerras, con enemigos,
de su tierra se alejase.
ALMIRANTE. Ha sido justo decreto
de un príncipe tan perfeto. 490
REY. Por esto, y por excusar
un gasto tan excesivo.
ALMIRANTE. Por mil razones es bien.
REY. Que llegue hasta el mar también
gente de su guarda escribo, 495
porque más seguros vais.
ALMIRANTE. Ya la Infanta, mi señora,

viene a verte.

REY. Y viene ahora
a saber que la lleváis.

Sale la INFANTA.

INFANTA. ¿En qué entiende vuestra alteza? 500
REY. Hermana, en vuestra jornada.
INFANTA. ¿Acércase?
REY. Ya es llegada;
pero no tengáis tristeza,
pues va mi primo con vos;
y yo, cuando pueda, iré. 505
INFANTA. ¿No queréis que triste esté?
REY. Imagino que los dos
nos veremos muchas veces.
INFANTA. Luego que salga de aquí
os olvidaréis de mí. 510
REY. Hago a los cielos jüeces,
y al amor que me debéis,
que no es posible, señora,
que faltéis del alma un hora
donde tal lugar tenéis. 515
Mirad que aunque soy hermano,
soy vuestro galán también.
INFANTA. No puedo responder bien
si no es besándoos la mano.

Salen FINARDO, OTÓN, FELICIANO, LISARDA, BELISA, BRUNO *y* FILETO.

FINARDO. Otón, señor, ha llegado. 520
REY. Venga norabuena Otón.
OTÓN. Estos los dos hijos son
de aquel labrador honrado.
REY. Ellos sean bien venidos.
FELICIANO. Los pies, señor, te besamos, 525
y a tu grandeza llegamos
humildemente atrevidos.
LISARDA. Déme vuestra alteza a mí,
puesto que indigna, los pies.
INFANTA. Dios os guarde. Hermosa es,
ya me acuerdo que la vi 530

una mañana en su aldea.
REY. Hermana, hacedme placer
de honrarla.
INFANTA. ¿Qué puedo hacer
que vuestro servicio sea? 535
REY. Dalde muy cerca de vos
el lugar que vos queráis,
segura que le empleáis
en buena sangre, por Dios.
OTÓN (*Ap.*) (No en balde el Rey ha trazado 540
que venga Lisarda aquí.
Siempre sus celos temí,
mis favores le han picado.
¡Ah, cielo, cuán mejor fuera
que en el camino a su hermano 545
me declarara, y la mano
de ser su esposo le diera!
Pero también era error
sin la licencia del Rey.
Mas ¿cuándo amor tuvo ley?, 550
porque con ley no es amor.)
REY. Hago alcaide de París
a Feliciano.
FELICIANO. No sé
cómo, señor, llegaré
adonde vos me subís; 555
que las plumas de mis alas
no me levantan del suelo.
REY. Con la humildad de tu celo
al mayor mérito igualas.
OTÓN (*Ap.*) (¡Cómo se le echa de ver 560
al Rey el fin de su intento!
Claro está su pensamiento,
él mismo le da a entender
por la lengua y por los ojos.)
REY. Finardo...
FINARDO. Señor...
REY. Advierte. 565
OTÓN (*Ap.*) (El traerla fue mi muerte.
Yo merezco mis enojos.)

REY. Ve, Finardo, a Miraflor,
y con toda diligencia
haz que venga a mi presencia 570
su padre, Juan Labrador;
y no te vengas sin él,
aunque le fuerces.

FINARDO. Yo voy.

REY. Mira que aguardando estoy,
porque he de tratar con él 575
ciertas cosas de importancia. *Vase* FINARDO.

OTÓN (*Ap.*) (El Rey ha hablado en secreto
con Finardo; no es efeto
de los gobiernos de Francia.
El es ido y con gran prisa: 580
¿quién duda que a prevenir
mi desdicha, que al salir
con tanta fuerza me avisa?)

REY. Vamos, hermana, y haremos
que muden traje los dos. 585

Vanse el REY, *la* INFANTA, *el* ALMIRANTE, LISARDA, FELICIANO *y* BELISA.

OTÓN (*Ap.*) (Un ciego verá, por Dios,
del Rey los locos extremos.
¡Oh traidor, oh falso amigo!
¡Oh Finardo, que me vendes,
pues cuando mi mal entiendes 590
eres fingido conmigo!)
Buenos hombres, ¿sois los dos
criados de Feliciano?

BRUNO. Háblale tú, cortesano.

FILETO. ¿Diréle *merced*, o *vos*? 595

BRUNO. *Señoría*, mentecato.

FILETO. Señor, de la aldea venimos
donde a su padre servimos,
ya en su casa, ya en el hato.
Bruno se llama este mozo, 600
y yo Fileto me llamo.

OTÓN. Mucho por el dueño os amo,
mucho de veros me gozo.
Pienso que podréis hablar

con libertad a Lisarda; 605
que ni criado ni guarda
os ha de impedir entrar.
Hacedme, amigos, placer
de decirle cómo a Otón
le mata la sinrazón 610
que el Rey le pretende hacer;
y decilde que le pido
mire que es injusta ley
por dudoso galán Rey,
dejar seguro marido. *Vase.* 615

BRUNO. ¿Qué te parece?

FILETO. ¡Mal año
para quien quedase acá!

BRUNO. ¡Pardiez, que Lisarda está
metida en famoso engaño!

FILETO. Luego que vine a este mundo 620
de la corte, eché de ver,
Bruno, que había de ser
alcahuete o vagamundo.
¿Has vido lo que este necio
manda decir a Lisarda? 625

Sale FELICIANO, *muy galán.*

FILETO. No medra quien se acobarda,
ni tiene el ánimo precio.
¡Dichoso el que alcanza a ver
del sol del Rey sólo un rayo!

BRUNO. Cata a muesamo hecho un mayo. 630

FILETO. Luego ¿es él?

BRUNO. ¿Quién puede ser?

FILETO. ¡Esto tan presto se medra!
A fe que estás gentilhombre.

FELICIANO. Como sin el sol el hombre
no es hombre, es estatua, es piedra, 635
así aquel que nunca vio
la cara al Rey. — Tomad esto, *Dales dinero.*
y los dos os vestid presto
ansí a la traza que yo,

aunque no tan ricamente, 640
para que aquí me sirváis;
porque en aqueste que andáis,
no es hábito conveniente.

BRUNO. Pues ¿de qué te serviremos?

FELICIANO. De lacayos, que tenéis 645
buenos cuerpos, y otros seis
para pajes buscaremos;
que pajes he de tener
para alcaide de París.
Ea: ¿cómo no partís? 650

FILETO. Con temor de no saber
si sabremos el oficio.

FELICIANO. Pues ¿tiene dificultad
ir delante, en la ciudad,
del caballo?

BRUNO. ¡Hermoso vicio! 655

FELICIANO. Pasad delante de mí.

FILETO. ¿Los dos? Pues ponte detrás.

FELICIANO. Id caminando.

BRUNO. ¿No es más?

FELICIANO. No es más.

BRUNO. Pues ya lo aprendí.

FILETO. Agora acabo de ver 660
que hay acá más de un oficio,
que es vicioso su ejercicio,
y viste y come a placer.
Si no hobieran los señores,
los clérigos y soldados 665
menester tantos criados,
hubiera más labradores.
Vase un cochero sentado,
que todo lo goza y ve:
¡mal año, si fuera a pie 670
con la reja de un arado!

Sale LISARDA, *de dama, muy gallarda.*

LISARDA. A tomar tu parecer
del nuevo traje he venido.

FELICIANO. Nunca mejor le has tenido,

porque tienes nuevo ser. 675

Dame esos brazos, Lisarda,
porque has doblado mi amor
con verte en el justo honor
de tu condición gallarda.

LISARDA. Mas ¿si mi padre me viera? 680

FELICIANO. Pienso que perdiera el seso.

FILETO. Parabién del buen suceso,
ama y señora, te diera,

a saber la cortesía
con que te habemos de hablar. 685

LISARDA. Estos ¿han de ir al lugar?

FELICIANO. No tan presto, hermana mía,

porque en mi servicio quedan;
y quédate adiós; que voy
a vestirlos, porque hoy 690
por París honrarme puedan. *Vase.*

LISARDA. Dios te guarde.

BRUNO. Oficio honrado,
pardiez, hemos de tener.

FILETO. Que ya no queremos ver
el azadón ni el arado. *Vanse los dos criados.* 695

LISARDA. De grado en grado amor me va subiendo,
que también el amor tiene su escala,
donde ya mi bajeza a Otón iguala,
cuya grandeza conquistar pretendo.

Fortuna, a tus piedades me encomiendo. 700
Ya llevo en la derecha mano el ala
con que he llegado a ver del sol la sala,
por la región del aire discurriendo;

no me permitas humillar al suelo;
si a tu cielo tu mano me llevare, 705
hazme cristal al sol, no débil hielo.

Agora es bien que tu piedad me ampare:
que no es dicha volar hasta tu cielo,
sin clavo firme que tu rueda pare.

Sale el REY.

REY. Hermosa, Lisarda, estás 710
con ese nuevo vestido.

LISARDA. Señor, como nube he sido
donde con tus rayos das;
que como el sol las colora,
cuando alguna se avecina, 715
ansí con tu luz divina
mi nube se doma y dora.

REY. Todos me debéis amor
desde una noche que os vi.

LISARDA. Aunque en disfraz, conocí 720
vuestro supremo valor.

Sale OTÓN.

REY. Quiero a vuestro padre mucho.

OTÓN (*Ap.*) (Ya ¿qué me queda por ver?)

REY. Y a vos os pienso querer.

OTÓN (*Ap.*) (¡Con qué sufrimiento escucho! 725
Pero la desigualdad
no me promete más furia,
y sólo Lisarda injuria
la fe de mi voluntad;
que el Rey ¿por qué obligación 730
no ha de procurar su gusto?)

REY. De hacerle mercedes gusto,
ansí por la discreción
como por el valor grande
que en su pecho he conocido. 735

LISARDA. Pues sus hijos le ha ofrecido,
¿qué puede hacer que le mande
vuestra alteza, que no haga?

OTÓN (*Ap.*) (¿Qué invención podré fingir
con que les pueda impedir, 740
y que al Rey le satisfaga?)
Señor, mire vuestra alteza
que es hora ya de comer.

REY. Sí, Otón, sí debe de ser.
Pero juega de otra pieza, 745
que con ésa perderás.

OTÓN. ¿No es ya que comas razón?

REY. Estáte quedito, Otón,
Ten paciencia, y ganarás.

OTÓN. ¿De qué la debo tener? 750
¿No te sirvo en lo que puedo?
REY. Nunca al poder tengas miedo,
cuando es discreto el poder.
OTÓN. Come, señor, por tu vida.
REY. Aguardo un huésped, Otón. 755
OTÓN. ¿Tú, huésped?
REY. Y de un rincón;
que éste nunca se me olvida.
OTÓN. Parece que ya de mí
no fías lo que solías.
REY. Menos tú de mí confías, 760
pues que te guardas ansí.
OTÓN. Señor, no entiendo el estilo
con que hoy me tratas.
REY. No importa.
Mucho amor con celos corta;
embótale un poco el filo. *Vase* LISARDA. 765

Sale FINARDO

FINARDO. Ya está Juan Labrador en tu palacio.

Sale JUAN LABRADOR.

REY. Sea Juan Labrador muy bien venido.
JUAN. Para servirte aun me parece espacio,
invicto Rey, la prisa que he traído. *Vase* OTÓN.
REY. Mucho de tus intentos me desgracio, 770
aunque estoy a tu estilo agradecido.
¿Por qué no quieres verme? ¿Soy yo fiera?
JUAN. Porque morir en mi rincón quisiera.
REY. Tú no sabes lo que es antipatía.
¿Por qué secreta estrella me aborreces? 775
JUAN. ¡Aborrecerte yo! ¿Cómo podría,
que ser amado, príncipe, mereces?
Colmando el cielo en la aldehuela mía
de sus bienes mi casa tantas veces,
me pareció que solamente el verte 780
pudiera ser la causa de mi muerte.
No me engañé, pues en tu rostro veo
que eres tú aquel que ya cenó conmigo

y desde entonces tanto mal poseo,
que parece del cielo este castigo. 785
Por sólo verte (lo que apenas creo),
dejando a mi rincón, tus salas sigo,
llenas de tus pinturas y brocados
y de la multitud de tus criados.

Acá tengo mis hijos, que no siento 790
tanto como el hallarme yo en persona
en medio de tan áspero tormento;
y si te enojo, gran señor, perdona.

REY. Hola, dad a mi huésped un asiento;
que haber nacido rústico le abona. 795
Juan, sentaos.

JUAN. Señor, ¿que yo me asiente?

REY. Sentaos, pues quiero yo; sentaos, pariente.

JUAN. Siéntese vuestra alteza.

REY. Sois un necio.
¿No veis que me mandáis vos en mi casa?

JUAN. Si en la mía yo os hice ese desprecio, 800
no os conocí.

FINARDO (*Ap.*) (¿Qué es esto que aquí pasa?)

REY. Mucho de que a mi lado estéis me precio.

JUAN. A mí, señor, con su calor me abrasa
el rostro la vergüenza.

REY. Mucho os quiero.
De hoy más habéis de ser mi compañero. 805

JUAN. Señor, si allá os hubiera conocido,
cenárades mejor.

REY. Yo me fui a veros,
pues nunca a verme vos habéis venido.

JUAN. Fui villano en rincón, no en ofenderos.

REY. Del empréstito estoy agradecido. 810

JUAN. Señor, yo no he emprestado esos dineros;
lo que era vuestro dije que os volvía,
porque de vos prestado lo tenía,

y ansí réditos fueron el presente.

REY. ¿Qué cordero fue aquél y qué cuchillo? 815

JUAN. Deciros que a su rey está obediente
de aquella suerte el labrador sencillo.
Cortar podéis cuando queráis.

REY. Pariente,
muy filósofo sois.

JUAN. No sé decillo,
pero sentirlo sé.

REY. Vos me pintastes 820
de lo que sois señor, y me admirastes;
oíd lo que soy yo. Yo soy agora,
desde Arlés a Calés señor de Francia,
y desde la Rochela hasta Bayona:
la Bretaña, Gascuña y Normandía, 825
Lenguadoc, la Provenza, el Delfinado,
hasta que toca en la Saboya el Ródano,
está debajo de mi justo imperio;
entre la Sona y Marne, la Borgoña,
y a la parte de Flandes, Picardía. 830
Tengo muy ricos príncipes vasallos,
y tengo un grueso ejército, y mi renta
pasa de vuestra hacienda muchas veces.
Tengo castillos, naves, oro, plata,
diamantes, perlas, recreaciones, cazas, 835
jardines y otras cosas que se extienden
al mar Occidental, desde Germania.
Y siendo ansí, que solos mis consejos
tienen más gente que tenéis pastores,
y más vasallos en el burgo solo 840
que vos tenéis cabezas de ganados,
no tuve condición esquiva en veros,
y a visitaros fui y a conoceros.

JUAN. Señor, mi error conozco, digno he sido
de la muerte; quitad a aquel cordero 845
el cuchillo del cuello, al mío os pido
que trasladéis el merecido acero.

REY. No soy Diomedes: yo nunca convido
para matar; que regalaros quiero.
¡Hola!, venga la mesa. *Vase* FINARDO.

JUAN (*Ap.*) (El fin sospecho 850
que ha de venir a ser pasarme el pecho.)

(*Criados sacan la mesa con todo recado.*)

REY. A mi hermana llamad, música venga;
que bien puede tenella mientras come

un rey en su rincón. El huésped tenga
este lugar, la cabecera tome. 855

JUAN. No es justo que ese puesto me convenga;
que no habrá sol que mi ignorancia dome.

REY. La cabecera es justo que posea,
Juan Labrador, por ruin que el huésped sea.

Salen BRUNO *y* FILETO, *de lacayos graciosos, y* FELICIANO *y* LISARDA *detrás.*

FELICIANO. ¡Mi padre con el Rey está comiendo! 860

BRUNO. Así lo dicen.

FILETO. ¿No le ves sentado?

FELICIANO. Lisarda, ¿qué es aquesto?

LISARDO. Estoy temiendo
que el fin de nuestra vida sea llegado.
(*Salen la Infanta y el Almirante, y músicos.*)

INFANTA. Si tal huésped estáis favoreciendo,
¿por qué primero no me habéis llamado? 865

REY. Vednos, Ana, comer, por vida mía.

JUAN. Beber, señor, si vos mandáis, querría.

REY. Bebed si tenéis gana, cual dijistes.—
Cantad.

JUAN. Honra notable me hacéis siempre.

MÚSICOS. (*Cantan.*) *Cuán bienaventurado* 870
un hombre puede ser entre la gente,
no puede ser contado
hasta que tenga fin gloriosamente;
que hasta la noche obscura
es día, y vida hasta la muerte dura. 875

Salgan tres con sus máscaras y sayos y pongan en la mesa platos. Uno con un cetro y otro con una espada y otro con un espejo.

JUAN. ¿Qué es esto, invicto señor?

REY. Son tres platos que me han puesto,
de que tú podrás comer.

JUAN. Antes ya comer no puedo.

REY. No temas, Juan Labrador; 880
que nunca temen los buenos.

Vanse los tres enmascarados.

Este primero que ves
tiene el cetro de mi reino:

ésta es la insignia que dan
al Rey, para que a su imperio 885
esté sujeto el vasallo.

JUAN. Siempre yo estuve sujeto.

REY. Este espejo es el segundo,
porque es el rey el espejo
en que el reino se compone 890
para salir bien compuesto.
Vasallo que no se mira
en el Rey, esté muy cierto
que sin concierto ha vivido,
y que vive descompuesto. 895
Mira al Rey, Juan Labrador;
que no hay rincón tan pequeño
adonde no alcance el sol.
Rey es el sol.

JUAN. Al sol tiemblo.

REY. No temas; que a este convite 900
no he de colgar del cabello,
como el tirano en Sicilia,
el riguroso instrumento;
que esta espada viene aquí
por la justicia que puedo 905
ejecutar en los malos,
pero no para tu cuello.

MÚSICOS. (*Tornen a cantar.*) *Como se alegra el suelo*
cuando sale de rayos matizado
el sol en rojo velo, 910
así, viendo a su rey, está obligado
el vasallo obediente,
adorando los rayos de su frente.

FILETO. Tamañito, Bruno, estoy.

BRUNO. Yo pienso que ya no tengo 915
tripas, que se me han bajado
hasta las plantas, Fileto.

FILETO. El diablo nos trujo acá.
Las máscaras vuelven.

BRUNO. Creo
que nos han de abrir a azotes. 920

FILETO. Más temo, Bruno, el pescuezo.

(*Traigan otros tres platos.*)

REY. Mira esos platos que traen.

JUAN. A descubrir no me atrevo
mi muerte.

REY. Pues oye, Juan:
este papel del primero 925
es un título que doy,
con cuanta grandeza puedo,
de caballero a tu hijo:
goce deste privilegio.
El segundo es para el dote 930
de tu hija, en que te vuelvo
sobre los cien mil ducados,
en diez villas otros ciento.
Y porque ver no has querido
en sesenta años de tiempo 935
a tu Rey, para ti trae
una cédula el tercero
de mayordomo del Rey;
que me has de ver, por lo menos,
lo que tuvieres de vida. 940

JUAN. Los pies y manos te beso.

REY. Quitad la mesa, y mi hermana
diga a cuál vasallo nuestro
le quiere dar a Lisarda.

INFANTA. Eso, señor, digan ellos, 945
pues el dote y la hermosura
y tu gracia es tanto premio.

OTÓN. Antes que ninguno hable,
a ser su esposo me ofrezco.

REY. Otón, juráralo yo, 950
desde los pasados celos.
Ana, primero que os vais,
deste alegre casamiento
seremos los dos padrinos.

INFANTA. Lo que a mí me toca acepto. 955
Daos las manos.

REY. Feliciano
¿no está casado?

INFANTA. Yo quiero

honrar mucho a su mujer.

REY. Aquí, Senado discreto,
El villano en su rincón
acaba por gusto vuestro, 960
besándoos los pies Belardo,
por la merced del silencio.

NOTES TO ACT I

1 "Do you like it? — I certainly do." Otón has bought Lisarda some jewelry which the girls are discussing. The girls and the men do not hear each other's conversation. Communication between the two groups does not begin until 33.

4 "Mind it doesn't lead you into trouble." Otón's accosting of married ladies may have serious repercussions if they are indeed **gente noble y principal.**

11–12 "If it hadn't seemed proper to me, I wouldn't have accepted a single jewel."

23–24 "love very quickly redeems the pledges it has pawned." She expects Otón to demand a **quid pro quo** on the jewels he has bought.

25–26 "All that this man has given me I shall lose in terms of (the high) opinion (he has formed about me)."

39 "I would be delighted to oblige you" by agreeing to another conversation.

40–41 "because of the risk I run, sir, of being abandoned by you."

47–48 "because intentions are not visible to the eye."

52 **voluntad,** "love."

57–58 "for God knows I had to, and could do nothing else."

66 **lo,** i.e. **agradada,** "pleased," "charmed."

67–68 "and that, if all goes well, I will give you love to fill your thoughts."

87–88 "who has no coach, no sedan chair, not even a squire to accompany her." It was the custom for ladies to be escorted through the streets by an **escudero,** a venerable servant of a certain age.

90 "She exacted the promise from me."

92 "I'll see you proved a liar."

94 "that I am the shrewder man, even if not much shrewder."

95 "Set off now, to gratify a madman."

104 Otón is sure that Lisarda lives in a house that any man might envy.

108 **término honrado,** "honorable encounter."

114 **piedras,** "precious stones."

116–117 The allusion is to the diamond in the ring Lisarda gave Otón.

123 **luz,** "brilliance."

126 "that it even deceives an expert."

130 **pescadoras,** women who are "fishers of men." Finardo's speech is an analysis of the wiles of women under the imagery of fishing.

133–136 "One sallies forth with the determination not to reveal her face, for, if you did get to see her, you wouldn't give a penny for the privilege." To preserve their anonymity women used to cover (**tapar**) most of their faces with their cloaks.

137–144 "this next one, relying on her gift of gab, a couple of girlish gestures, and a show of annoyance, together with a wide-open eye which covers up for her (unpleasing) nose and snout, fishes with nothing more than a hook (without bait) for shrimp and sprats (which are such trifles as), gloves, hats, and fans, given her by her innocent swain."

145–146 The cloak worn like a beard is another allusion to the custom of covering the face.

147–148 An obscure passage. **Pintarse** is no doubt an allusion to cosmetics. "for because she is chaste (pure, white), she paints her face with the colors she detests so much (dark, impure ones)."

155–156 "she throws her cloak on with careless abandon, and leaves her face scarcely visible in the twilight." She almost completely covers her face with her clothing.

158 **compuesta,** "made up."

159–160 "revealed when the man speaks to her, but modestly covered while she is begging."

161–165 Another obscure passage. "she fishes a dolphin (a Dauphin, a prince) on horseback, and he dismounts so as not to be an ass (**lo,** understand **caballo**); I call that merchant sensible who knows how to punish him (by selling him expensive gifts for the lady), and he (the victim) is left punished indeed because of the penalty (the bill)." Covarrubias mentions **caballo** in the figurative sense of **asno** as an Italianism.

167 **dar,** "display."

169–170 **virilla de plata,** "welt of silver." The rich adornment of **chapines,** designed to attract men's eyes, is often mentioned in the literature of the Golden Age. Cf. **El caballero de Olmedo,** I, 107–110.

177 Impecunious ladies who pretend to be wealthy by borrowing a coach which will pass for their own.

178 **seguro,** "well-off" and "to marry," "not to dally with."

180 "which is returned to the lender once the fish is caught."

182 **salva,** a gold or silver tray, on which was placed the goblet for tasting the wine before a meal. The implication of all this is "elaborate entertainment."

184–185 "after a few routine courtesies and a little necking."

186 The final type of predatory woman is the street-walker.

189 **red barredera,** "sweep seine."

192 "gathering shellfish on the shore."

201–202 "(your satirical speech) seems to me nothing but an exercise of wit on the part of a censorious courtier."

207–208 "Oh, how eminently desirable is everything you are getting out of this situation!"

211 The object of **saca** is understood to be "money," "gifts."

213–214 Lope cites from his own **Idilio segundo,** first published in the **Rimas sacras** of 1614.

215–222 "Don't tell him if she was a scouring wench idling her time in a doorway or one of those damsels who wear extravagant clothes in winter; rather, scold him for the ease with which he falls in love with them and for the credit he places in their glass-set rings." This last alludes to the diamond given Otón by Lisarda, which Finardo insists is cut glass.

223 **helados,** "frozen with astonishment."

227 **San Dionís,** "Saint-Denis," on the northern edge of Paris.

232 "make up a pretty excuse (to enter the inn)."

240 "To repeat the swindle on some other fool!"

247–248 "she seemed to me (as naturally beautiful) as the spring bedecked with flowers."

256 **El,** "You," an archaic form of address.

260 **Belflor** is a fictitious village not far from Paris. (It should not be confused with the place for which Diana is named Condesa de Belflor in **El perro del hortelano.**) Later in the play Belflor is referred to as Miraflor (III, 268) due to the poet's forgetfulness.

263 **a toda ley,** "by all the evidence."

280 "an angel — a seraph — has taken human form."

284 **escopienzas,** for **comienzas.** Rustics are often made to speak a comic dialect in the Golden Age theater.

292 **corte,** "court," "capital in which the court resides." The second meaning is very common. **Cortesano,** "resident of the capital."

293–294 "The courtier takes offense at being called by this name (peasant)."

299–300 "likewise, to insult you I call you courtiers."

302 "Well then, get on with your work."

303 "and since I bow my head (in humility, to work)."

314–315 **Dios loado que,** "Praise God who."

322 "which strike your eye."

327 "fill it and take it to Peloro."

332 "and I will place it on top."

334 "that you'll leave it behind."

337 **vuelven,** for **devuelven.** At least three lines are missing at this point.

338–345 Juan prefers the natural adornment of grape leaves and carnations to the artificiality of an embroidered towel. At 350 he launches into a hymn of thanksgiving to God for his natural wealth.

361 "not to mention the **tinajas** not filled to the top."

364–365 "adorned with the tiny nests (the cells of the honeycomb) of so many little birds (the bees)."

368 "they make out of these delicate-hued flowers."

370 **oro y trigo,** "golden wheat."

381 **lo que octubre encierra,** "the wine."

384 "that they (the sheep) look like white rocks."

385 **con mis señas,** "bearing the mark of my branding-iron."

386–388 So many of Juan's sheep drink from the river that they dry it up.

389 "my most heart-felt thanks."

396 **viste,** "clothes," "fills."

403–404 "even though it may befall me to live through some strange reversals of fortune."

407 "I have never traveled beyond them." The chestnut is a symbol of humility.

413–414 "who, even if he had a thousand legs and arms, is doomed to lose them (in battle)."

417–418 **asiendo los cabellos a la fortuna,** "taking fortune by the forelock," i.e. desirous of making a fortune.

420 "plows — not the earth (416) — but the open seas." It is commonplace in the Renaissance **Beatus ille** tradition that the man who forsakes the tranquil life to engage in commerce on the high seas violates a natural principle and is likely to suffer in consequence for his mercantile greed.

422 **beber el viento,** "to be ambitious."

424 **incierta sepultura,** the "unstable burial place" of a drowned man.

432 **monte,** "hunting ground." "Tierra inculta cubierta de árboles, arbustos o matas" (Acad.).

434 **en vendimia,** "at the vintage season."

436 Diana is goddess both of hunting and of the moon. The planets and stars are the Infanta's ladies-in-waiting; the divine sun is the King.

444 **fruta,** i.e. "pine cones."

446–448 Phoebus would like to exchange the excellent steeds which draw the chariot of the sun for the even better ones being ridden at the French court.

449 **tanto paje,** singular for plural.

451 **banda,** a broad colored ribbon worn over the chest as the mark of a royal favor or to distinguish opposing sides in a battle.

457–458 "Put an end forever to that excessive rusticity of yours."

483–484 "since from the power contained in it (the King's law) I know that it is his very viceroy." The law governs in the absence of the King's person.

488 **Dios singular,** "the one God."

491 **opinión.** The priest's opinion is that the King receives better protection from his guardian angels than from his garrison of armed soldiers.

499–504 "If the King were to ask me, poor peasant that I am, for the loan of a hundred thousand escudos, and if there were a grandee willing to lend them to him — what do I mean, lend (to the King), present, rather — I would hang myself with a rope." The meaning is: "I would do anything to be the first to offer (give, not lend) any money of which the King has need."

509–510 "Is he about to bestow a royal honor on a peasant like me, or make me a counselor of state?"

520 "it doesn't taste as good to him (the King) there (in Paris)."

527 Juan panics as he hears the royal coaches approach.

533–536 Ambition builds castles in the air; its fruits are all doomed to perish in man's common mortality.

537–540 Examples of barbarians. **abarimo,** a cannibalistic Scythian; **circaso,** a Circassian. Feliciano compares his father to them.

542 Albanian lionesses were famous for their ferocity.

543 **zonas,** "continents."

547 This line is the complement to the three verbs **produjeron, vieron,** and **dieron.**

549 "He turns aside from seeing the King."

559–560 "her beauty was a source of interest in which a higher realm was involved," i.e. "was out of this world." The reference is to the Platonic world of ideas, wherein perfect beauty resides.

561 **así yo viva,** "upon my life."

574 **a toda furia,** "at top speed."

574–575 Feliciano feels his father "insults nature" by refusing so adamantly to yield to the natural curiosity of seeing the King.

583 "an ox would fly."

610 "and if not in person, I am present in my desire."

613–614 "I never went to Paris looking like myself."

618 Feliciano is still brooding on his father's boorishness.

647–648 "Just imagine if he were a lord of high degree."

657 **lo,** understand **labrador.**

660 "to have a farmer for a lover."

661 "for me the style of love is dream-like and its nature full of laughter."

674 "as long as he's not a titled nobleman."

676 "Ducats make dukedoms." Money will make up for low birth. A common satirical pun.

679 The King has asked Otón to inquire whether, at this late hour, the priest will say Mass. Otón replies that he is robing himself in preparation.

690 **sobre huevos,** "if I were walking on eggs."

691 **rojo,** "red-bearded."

694–695 Roman Emperors.

697–699 Indeed Marcus Aurelius was the first bearded Emperor. **Coléricos** refers to the ancient physiological theory of the humors (blood, choler, phlegm, melancholy). The predominance of one humor over the others determined temperament. (Today we still say a man is sanguine, choleric, phlegmatic, or melancholy.) A choleric man is said to have thick, stiff hair. In a state of frustrated anger one pulls out one's beard. "Quedar pelándose las barbas es tomado de los que, perdida una ocasión, quedan con despecho y rabia" (Covarrubias). Bruno comically imagines a Roman Emperor hiring a barber to perform this normally spontaneous act for him with professional care.

708–721 **Plutarco,** Plutarch, author of the **Lives. Herodoto,** Herodotus, the Greek historian. **Semiramis,** legendary queen of Babylon, wife of **Nino,** Ninnus. **Dario,** Darius. **Herodes,** King Herod. **Josefo,** Josephus, historian, author of the **Jewish Antiquities.**

723 The pyramids were of course royal burial sites.

724–730 Probably an apocryphal tale about an imaginary Gundisalvo. **Lusitania,** province in Roman Iberia, comprising most of modern Portugal. Synonymous with Portugal in poetry.

727 "because the world turns round so quickly."

730 "and so he tried to save himself some trouble."

752 The girls are talking about Otón.

758 **fuego,** i.e. the fire of his presence and his love.

761–763 "if it is your pleasure, be pleased to welcome them.— Inquire of one of the best of them concerning what my true pleasure is." The King means to discover the identity of Juan Labrador.

767 "I don't know how it came about, but I'm not so bright."

770–771 Fileto deforms ecclesiastical Greek and Latin: **quiries,** "Kyrie"; **Tanto negro,** "Tantum ergo."

781 **Hablando con perdón,** a deferential formula much used by inferiors speaking to superiors.

783 **chuca, bolos,** rustic games.

784–786 "I paint tree branches red on Saint John's and Saint Peter's nights; and I write on them: Hurrah for Juana, Antona, and Menga." **Mayo,** "ramos o enramadas que ponen los novios a las puertas de sus novias" (Acad.). Saint John's day, June 24, has absorbed many of the superstitions and customs connected with the pagan celebration of the summer solstice. Saint Peter's Day, June 29.

798 "so that's why the date of his death is not included in the inscription."

800 **un macho y una macha,** "a male one and a male-less one." **Macha,** for **hembra,** is a comic malformation to underline Fileto's rusticity.

801 **rosa alejandrina,** "Damask rose." For Lope's sense of the beauty of this flower see his sonnet "¿Con qué artificio tan divino sales...?" in J. M. Blecua, **Las flores en la poesía española** (Madrid, 1944), p. 79. See also the **Letra para cantar** "No son de cristal las fuentes" in Lope de Vega, **Poesía líricas,** I (Clásicos Castellanos), p. 78.

803 **coge,** "retracts."

808 **barro,** "earthenware."

810 **Como paja,** "as much as he has straw," i.e. a great deal.

811 "How does he dress his children? — In the same clothing as he wears."

830 **pasa,** "gets by," "makes do."

833 **patena,** "una lámina ancha que antiguamente traían a los pechos con alguna insignia de devoción, que el día de hoy tan solamente se usa entre las labradoras" (Covarrubias).

836 Lisarda, though well informed of the customs of high society, pretends to be comically rustic. Here she calls Otón "your reverence"; at 847 she calls the Infanta "your infantry."

842 **fui su espejo,** "I was his darling." The past tense reflects the rupture in their relationship. See J. R. Andrews, S. G. Armistead, and J. H. Silverman, "Two Notes for Lope de Vega's **El villano en su rincón,**" **Bulletin of the Comediantes,** XVIII (1966), 34.

846–847 Lisarda's point is that her beauty is overshadowed by the Infanta's.

851 "if comparison were in order."

853 **traza,** "diseño para la fábrica de un edificio u otra obra" (Acad.). Lisarda argues that the Infanta, who uses this technical term metaphorically ("appearance"), is also misusing words.

860–863 "If 'your lordship' befits a lord, and an excellent man is called 'your excellency,' it must be right to call an infanta 'your infantry.' "

866–867 "there being so much hot air about, it's not surprising that the **don** is lost." The pun on **don-aire** ("grace," "sir-air") was commonly used to criticize those who adopted the **don** before their names while having no **hidalguía,** no legal right to use it.

875 "I fear she has stolen your heart."

879 **y todo,** "also."

888 **reverencia.** Lisarda refers to the formulaic courtesy, the act of deference used by peasants to superiors.

903–904 **mariscal,** "marshal," a courtesy title conferring the highest honor on its bearer. **cámara,** "en los palacios de los reyes y príncipes, significa todas las piezas que están cerradas, y no entran a ellas sino los caballeros que tienen la llave dorada, que por esta razón se llaman **de la cámara,** y los que son ayudas que la traen blanca" (Covarrubias).

919 Rustic speech: **hablan de amor a las mozas.**

925 **cuestión,** "squabble."

931 "wasn't made for hoeing and mowing."

951–952 "that the Scythians and the fierce Turks tremble before his fleur-de-lis," the emblem of the French monarchy.

952–975 This praise of the peasant's life is contained in a series of subordinate clauses and phrases. The main sentence is: **¡Qué mal, Finardo, conoces...lo que se estima y se ensancha el villano en su rincón!**

960–961 "after, hoarse with shouting, they gave you an answering shout."

964 **humo,** i.e. from the chimney in the center of the roof.

967 "and the pure white cottage cheese."

969 Courtiers, but not peasants, would eat with their meals refined **pan de flor:** "el que se hace con la flor de la harina de trigo" (Acad.).

971 **vellón,** "toda la lana de un carnero u oveja que, esquilada, sale junta" (Acad.), "sheepskin."

NOTES TO ACT II

1 **cuesta,** "he causes," i.e. Juan Labrador.

3 **ser parte,** "be the cause."

11–12 "even if God had painted her with all the skill (**pincel,** "brush," "brushwork") of which he was capable."

27 "without fortune's being outraged."

31 **pase.** The subject is **yo.**

40 **sagrados,** "anointed." A reference to the divine right of kings.

41 **púrpura real,** "royal purple" (vestments). Purple, an expensive dye, came to be associated with royalty and the priesthood.

51 The fabulously wealthy Croesus, King of Lydia, asked the wise Solon who was the happiest man he had ever seen. Solon explained that no man

should be deemed happy because of his possessions but rather because of the happy end which crowned his life. In other words, happiness cannot be assessed until a life is completed.

58 Aristotle, in the **Nicomachean Ethics,** predicates his discussion of the three kinds of good, or happiness, on the saying attributed to Solon: "Call no man happy until his death."

72 "an affinity with the divine."

73 "And if there is on earth any such thing."

84 **dicha,** "good fortune."

86–88 The first Roman Emperor Augustus prayed for the military prowess of a Scipio Africanus, the oratorical gifts and political integrity of a Cato, and the wealth and power of a Caesar.

103–110 The lore about animals is best explored in bestiaries. On the lion see T. H. White's modern adaptation of the twelfth-century **Physiologus** entitled **The Bestiary** (New York, 1960), pp. 7–11, or R. H. Randall, Jr., **A Cloisters Bestiary** (New York, 1960), pp. 4–5. The horse's fear is probably deduced from experience. **floro,** "yellow hammer."

112 "who is after all (as stolid as) a dray (a mute conveyor of heavy loads)."

116 **mal de su grado,** "against his will."

117 "let it be arranged that he go out into the forest."

124 "it is only right that he should come here to you."

129 **olmo.** This is the elm referred to at I, 906, when Lisarda made her assignation with Otón. **a la fe,** "in faith," "to be sure."

130 "we are the first to arrive." **palmatoria,** "pandybat," "paddle." The first boy to arrive in school earned the right to punish latecomers by hitting their palms with a **palmatoria.**

132 **solo** refers to **olmo.** "Are you glad there's nobody else here?"

135–136 "To judge by your mood some heartless suitor must have upset you."

139 "Remember I am swearing on your life," i.e. you are obliged to answer truthfully.

144 "I have that name (court, Paris) engraved on my heart." Lisarda is enamored of the big city.

145–148 Costanza cites cases which inspire no confidence in her. **La,** understand **confianza** throughout the speech.

150 **enjuto,** "drought-stricken."

151 The fruit of the elm is a winged nutlet, inedible (unlike the acorn).

163–164 "and (the confidence I would have) in one who, not noticing another's fault, is ashamed of his own."

167–168 "that's the sort of confidence I would have, I swear to God, in the promise made by a courtier who said he loved me."

169–170 **cosi, cosa** and **enima,** "riddle." "En la proposición de los enigmas se suele preguntar: ¿Qué es cosicosa? por ¿qué es cosa y cosa?, como si dijera: ¿Qué significa esta cosa propuesta?" (Covarrubias).

171–173 Riddles are of course ambiguous. **alto** and **bajo** refer at first sight to an "upper-class person" and "lower-class person." Costanza interprets, however, in musical terms: "tenor" and "bass." The bass may be said to aspire to rise to the tenor.

180 Two notes from a chord.

185–186 Lope often presents the analogies between love and music. See Leo Spitzer, "A Central Theme and Its Structural Equivalent in Lope's **Fuenteovejuna,**" **Hispanic Review,** XXIII (1955), 274–292. The point here is that, just as music harmonizes notes at either end of the gamut, love reconciles the different social classes.

191 **contrabajo,** "la voz más profunda en la música" (Covarrubias). But there is a pun: love sings **con trabajos,** "with great hardships" (love's path is a rugged one).

194 "don't give them grounds for suspecting" your love for a courtier.

195–196 "What's the use of trying to grasp you, love? You slip out between any fingers as you please."

199 **cría,** "she cultivates."

205 **Mal dices,** "You are wrong."

207–208 "may the world keep its health to the degree people keep respect for it."

217–218 "who, bent on doing things for her, goes so far into debt."

231–232 "for the moon is threatened with being clouded over."

244 "On which side? — This one" (the left, as we discover).

249 "Move your heart closer to mine — for mine is lost (in love) — so that each heart may whisper in the other's ear and they won't be overheard by the others over there."

254 **gran gente,** "many people."

259–260 Music soothes the pangs of love.

263–264 Bruno suggests that they dance.

268 "with which I'll try to make her dance."

276 "On with the party."

277 Of the first lines of this **romance** J. F. Montesinos says: "consiguen el tono ingenuo de la poesía tradicional genuina" (**Estudios sobre Lope,** México, 1951, p. 141). Thematically the ballad is a **serranilla,** or pastourelle, since it relates the encounter between a nobleman and a country girl. But it is noteworthy that this knight meets a **dama,** a "lady," who only appears to be a **serrana.** The poem thus picks up the play's theme of movement between two social worlds, which centers on Lisarda.

297 The **estribillo** — the first three lines — of this **villancico** appears to be popular. An anonymous gloss can be read in Dámaso Alonso — J. M. Blecua, **Antología de la poesía española: poesía de tipo tradicional** (Madrid, 1956), p. 97. See also E. M. Wilson–Jack Sage, **Poesías líricas en las obras dramáticas de Calderón** (London, 1964), p. 56 and E. M. Torner, **Lira hispánica: relaciones entre lo popular y lo culto** (Madrid, 1966), pp. 280–281.

314 **al lubricán,** "at twilight."

333 **donde,** "by which."

336–341 Otón esteems Lisarda's foot (which, like that of the goddess Flora, causes flowers to bloom with every step taken) more than the royal favor or than any stretch of his imagination.

350 "to what lengths, sir, dare I go?" "what risks dare I take" for this love of ours?

353 "My honor (my good repute) is the guarantor of my dowry."

355 Lisarda means that she can adapt her speech to the company she is in.

361 "to urge men to accept an impossibility" in love.

369–370 "Do they (written words) have no trustworthiness? — No more than that which you can see in a weather vane always changing direction in the wind."

372–373 "And if you describe it (the falsehood in love) with such anguish, should heaven condemn me to eternal punishment?"

379 **por las espaldas,** "at the back."

380 **ella,** understand **la llave.** Otón is to hide among the bushes in the garden.

391–392 "Salvano is right (**dice bueno**) when he says we should marry off the village girls to their young men."

396 "It's not at all usual. — It's most unusual."

399 "He who has a space in the affection of so many."

404 "He sounds like a father-in-law talking, Feliciano."

407 **a boca de invierno,** "in early winter."

420 "If marriage depended only on personal qualities."

429–439 Fileto satirizes pretentiousness.

445 **¡Malos años!,** "Heaven forbid!"

450 **Cómo quiero,** "What do you mean, **I love.**" Belisa's "favors" which follow are insults or rough treatment.

462 A line with assonance in **é–o** is missing.

473 "a bucket of lye."

488 **buenos,** "tied for first place."

491 "and one defect will match the other."

498 "Antón will experience youthful pleasures." Her money will be sufficient compensation for marrying an old hag.

501 **sin toca,** "bare-headed."

503 "It's all right for unmarried girls; they're girls, after all." Until the seventeenth century it was the custom for spinsters, and only spinsters, not to cover their hair.

504 "but not old satyrs" (the half-man, half-goat figures of mythology, symbolizing lasciviousness). Though **sátiro** is masculine, it refers to women here.

509. **cuerdas,** "vocal cords."

512 "poorly concealed with make-up."

517–520 "Just as years are counted by the passage of time, now we'll have to count them in France by the number of wrinkles on necks."

523–524 "The wind indeed plays there (in the toques and veils) with a flattering abandon." A headdress increases the wearer's beauty.

526–528 "that hairs have instituted innumerable legal proceedings against old women's necks in the Parlement (the Supreme Court of the Ancien Régime)."

530 "Don't take it too much to heart, you old fool."

532 **supuesto que,** for **aunque.**

537 "You know that I am not bothered by any lack of money."

543 **Tierra soy de tus pies.** She kneels, and says with extreme courtesy that she is as dirt to his feet.

546 **resulte,** "redound."

559 **Fiesta es llana,** "Sure, there's going to be a fiesta."

560 **trairé,** a two-syllable variant of **traeré.**

566 **la gente,** i.e. the courtiers in his train.

571 "But no error is committed."

575–578 The idea is: History does not happen; it is caused to happen by acts of will.

587 **ventanas.** Juan Labrador keeps his windows shuttered so as not to see the King.

591–592 I.e. at dawn.

597–598 "Tell her I've set up a blind and covered the boar's paths."

612–613 "Who do you suppose it is this time? — Whoever it is is already at the front door."

622 **noble,** "of noble character."

627 Juan understands immediately that the priest has told the stranger he will be offered hospitality.

630–631 "with rich dishes and vain pomp, but with much affection."

633 **Dionís,** "Denis," "Dionysius." The King chooses the name of the first Bishop of Paris, popularly regarded as the patron saint of France. In identifying himself to Juan he uses a series of **double-entendres,** applicable both to the royal personage and to the fictional character he is creating.

647 "Sit down yourself; there'll be time enough for me (to sit down) afterwards."

663–664 "that I will open to you my heart in love and my door in hospitality."

669 "I can hardly believe my ears." More literally: "You scarcely persuade me to believe what my pleasure urges me to believe."

673 **en mi vida** is negative, "never in my life" (cf. 687). Similarly **en vuestra vida** (682).

679 **otra en la iglesia,** i.e. his tomb.

693 "for oblivion never covers his cares of state (his **cuidado**)."

695 "something like the status of a king also."

699 "because I am rich in time" (because I have plenty of time).

722 "I discuss the profits of farming."

730–731 "He who lives in this way commands his own fortune." The King puns on **grillos,** "crickets," "shackles."

757 "the means by which he may go away to study."

762 "After noon." The **siesta** is, counting in the Roman fashion, the sixth hour after daybreak.

763–764 In the wind the mare is in her element, and could win a race with two dogs and a crossbow bolt.

780–781 "But I have one fault to find with your life: your sense of sight."

784–785 "I confess I deny them nothing."

793 **águilas caudales,** "royal eagles."

795 The sense of this line is baffling.

796 **rey de los gallos,** the boy chosen by other boys to be king of the game called **correr gallos.** The boys rode on horseback to try to decapitate a rooster with a single stroke. An illustration of Pablos (of Quevedo's **Buscón**) as "Cock King" in A. A. Parker, **Literature and the Delinquent** (Edinburgh, 1967), p. 69.

799 **le,** i.e. the King of France.

800 **desde su casa,** without actually going to see him.

803–804 "Without seeing him, it's not possible to take proper notice of him."

808–809 "be assured that I would go wherever the King might be."

816–817 The king is the subject's natural lord even if he should abuse him.

824 "him who might confer nobility on you?"

825 "I have no means of rendering him a service."

830 "Let them set the table."

833 **donde sabéis,** "on the bed you've been told about."

835 **habrá bien,** "it will be comfortable."

836 "You have a very restful household."

837 **le,** i.e. **descanso.**

842 Juan honors his guest by insisting he occupy the host's position at the head of the table.

853 "Will anybody believe all this when I tell about it?"

864 **mochacho,** a slightly rustic form of **muchacho.**

865 "They are both extremely beautiful."

869–873 **Por servirlas,** "To serve them," "To compliment them." Juan, wary of his guest's admiration of his womenfolk, then urges him to serve not them but his mouth: the food will be as appetizing as any lady in the house.

874 **parece,** "resembles." 874–882 are spoken to one side so that Juan and the King do not hear.

879 **con religión,** "with veneration."

881–882 The King's presence dazzles, blinds one to other sources of light.

889 "for this is a feast fit for a king." The irony is not apparent to the peasants.

890 Another gloss of Horace's **Beatus ille** ode begins.

893 **lengua,** "gossip," "slander."

895 "spends his life in solitary living."

896–898 "In January he warms himself, in the company of all his children, by an oak tree blazing whole."

913 **el sueño ofende,** "sleepiness is invading us."

919 "Do not delay me, I beg you."

921 **Será,** "I suppose so." The King cannot remove his riding boots without help; he has proposed that it would be an act of courtesy if he asked Lisarda to help him.

924 **Antes,** "Rather."

927 It is not clear to Lisarda whether the guest is proposing marriage as a seduction ploy or merely wants to read her palm. The King's idea is to disport himself with the village maidens. Lisarda flirts back mildly.

937 **Facilitos,** "Free and easy."

940 **dejar llanas,** "overwhelm."

944 **pensamiento,** "naughty thought."

950 **Arre,** "Gee-up," an interjection used to encourage horses, etc., much used in the theater as a sign of scorn. If pronounced with thirty **r**'s, it would sound particularly savage.

951 "Everybody has some place to call his own."

953 He suspects Lisarda is locking him in.

956 He had been thinking of Juan as a wise, philosophical man (916).

965 Another oblique reference to his royal rank. **Regalo,** "trato real, y regalarse tener las delicias que los reyes pueden tener" (Covarrubias).

969 "The devil take this courtier!"

974 **ésta,** i.e. **cama.**

986 "May it please Your Swinery to lie down."

1003 "King of the golden fleurs-de-lis."

1006 **traído,** "attracted."

1011 **desengaños,** "truths (about Juan)."

1028 **lo,** i.e. **un milagro.**

NOTES TO ACT III

1 "The acorns are very fine this year."

3–4 "The acorn you're about to eat looks as if it will disagree with you."

6 Olives, like some nuts, are harvested by being shaken from their trees with sticks. There is an incongruity here: olives, while common in Spain, are not found in the Paris region of France.

10 "for, in faith, there's a lot for you to do."

11 The meaning is: We'll begin when those whose job it is to pick up the olives arrive.

14 **nuesama,** for **nuestra ama.**

15 **reliente,** for **relente,** "slow pace."

17 Here begins what seems to be a folk song, a work song. It may be a genuine folk song reproduced here by Lope, or it may be an excellent pastiche. Because this uncertainty often remains, we refer to such poetry as **poesía de tipo tradicional.** The theme of this song is that only one particular olive is desired out of a whole treeful.

20–21 "green and tender on the outside, and a wooden stone on the inside."

26 "and bitter if not properly prepared."

31 A sarcastic comment to the latecomers: "Is it today we're supposed to work?" This is followed by a suggestion that singing and dancing is no way to get the olive harvest in.

43–46 "Let's leave the olives on their tree, and charm away our worries."

50 Understand **a Otón.**

59 Another traditional-type song. R. Menéndez Pidal refers to the antiquity of its form in "La primitiva poesía lírica española," in **Estudios literarios** (Colección Austral), p. 239. E. M. Torner, op. cit., p. 125, quotes variants of the song collected from the oral tradition in the twentieth century: either Lope transcribed a popular song which has survived until now, or the song he wrote proved popular enough to enter the oral tradition.

63 **Dinadámar.** This body of water is unidentified.

87–89 The Moor looks lustfully at the tree. It is obviously a surrogate for the Christian girl, who scornfully rejects him (91–96) with the words she has used earlier to reject his offer of help.

97 **vido,** for **visto.**

98 **ensomo,** for **encima.** The rustic is here lapsing into a modified form of **sayagués,** the conventional poetic speech of the countryman.

99 "people dressed up as courtiers."

100 The girls need to show some modesty by veiling their faces in the presence of the upper class.

105 "Let's poke fun at them." The **grita** or **vaya,** the baiting of the men from the city, continues to 140.

110 Peasants thought of themselves, with some reason, as being the only Spaniards with pure blood (i.e. uncontaminated with Jewish or Moorish ancestry). In the theater they frequently harass the nobility by calling them Jews (**jodíos,** for **judíos**). The whole question is discussed at length in A. A. van Beysterveldt, **Répercussions du souci de la pureté de sang sur la conception de l'honneur dans la "Comedia nueva" espagnole** (Leiden, 1966). See a comment on a similar situation in Lope's **Peribáñez** in Américo Castro, **De la edad conflictiva** (Madrid, 1961), pp. 206–207. Note that here Marín hits back with a mockingly courteous "kinsmen" (111).

115 Sodom and Gomorrah, amusingly deformed by a rustic's tongue.

121 A common imprecation.

135 **vos,** for **os.**

136 Three diseases of horses, respectively, in the nasal passages, the throat, and the gums.

138 "May each of you be given an enema."

140 "forever and ever, Amen."

143–144 "Am I not a man of flesh and blood (literally, of flesh and hide)?" Belisa, by stressing "hide," implies he is an animal, and thick-skinned (144). **Cuero** also means "wine-skin"; hence she also suggests he is drunk.

151 A **gentilhombre** is a nobleman in the king's service.

162 "they would have accustomed me to wearing courtier's gloves."

163 An act of respectfulness.

166 **¿No eres más cesto?,** "Aren't you the biggest ignoramus?"

167 The King traditionally regards nobles and grandees as his kinsmen. His repeated appelation of Juan as **pariente** suggests that he sees him as a naturally noble man.

174 "because his business is to command; mine, to serve."

195 "on the pretext of making her his wife."

198 **tan honrado,** "so much honored," i.e. "so highly regarded."

202 "but when a man falls in love, he ceases to act reasonably."

203–205 The King will consider himself offended if offense is done to Juan.

207 **su honor,** i.e. Juan's good name.

211 "in that he's like no other creature."

212 The "famous philosopher" Philemon has not been identified.

218–219 "but that they had a single, invariable nature."

247 **de otra manera,** "if he doesn't."

256–257 Alexander the Great and Diogenes the Cynic. Alexander asked the philosopher if he could do anything for him, to which Diogenes replied: "Yes, you can stand out of the sunshine."

264 "with even greater reason."

272 Otón does not know that the King had masqueraded as the Warden of Paris.

275 **sin,** "not counting," "in addition to."

280 **trújele,** for **trájele.**

283 The symbolism of the lamb prepared for its own slaughter is explained later in the Act; meanwhile, the reader is expected to guess at its meaning.

289 **con tu gusto.** The King knows that Otón will be delighted to see Lisarda again.

293 The King jokingly means that Otón runs the risk of being metaphorically slain by the sight of Lisarda. Otón fails to understand the innuendo.

296–309 The sonnet, still dwelling on the **Beatus ille** theme, contrasts the busy life of the sovereign (**arroyo**) with the tranquil life of the peasant (**fuente**). At 307 **vida** would seem to be preferable to **vista. de turbarse ajeno,** "unperturbable."

312 **más,** "still more so."

316–321 Juan is as rich as a prince, though he lacks a prince's kind of nobility; his nobility resides in his virtue. **ansí tenga salud,** "may I have many years to enjoy it."

324–325 **dar...un modo a,** "moderate," "alleviate."

328–329 "above all now she is passing from youth into womanhood."

336–337 "that times then were wiser and saner."

243 **treinta bien hechos,** "a good thirty years old."

344 **lo,** understand **casado.**

349–350 "Old people are so tiresome. Now they rub their age into us."

353 "whom you like."

360–361 "that I do not dare to rise on the wings of her impetuous desire." In other words, I do not dare choose a husband for her, knowing how high she has raised her sights.

377 "hold your tongue."

396 "want a first-class celebration." Lisarda asks her father for the favor alluded to at 390–391.

405 "the gratuity my hope warrants."

406–408 "but, talking of celebrations, they can celebrate my high hopes that you will marry."

409 **los tuyos,** understand **pensamientos.**

416 **Yo sin mí,** "I am beside myself (with apprehension)."

433–434 "As far as money is concerned, I wouldn't be distressed; but, my children!"

436 "it is not right that (your merit) should at this stage lose some of its worthiness."

437 **aseguro,** "I swear."

449–451 "Rest assured, Juan, that (the King) is sending for them for their own good and in gratitude for the money you sent."

454 **Más le tiene,** "He has more suffering."

462 "We won't be here to see the old father."

468 **espetados,** "stiff," that is, affecting a solemnity they do not possess.

472 "denying one's true age and benefits received."

476 The King is sending his sister, in the charge of the Admiral, to be married to a foreign prince. The scene, which parallels at the highest social level the impending marriage between Lisarda and Otón, appears to reflect historical events of 1615: Anne of Austria, Philip III's daughter, was married to the future Louis XIII of France, and Isabella of Bourbon, Henry IV's daughter, was married to the future Philip IV. The two princesses were escorted to a village in the Pyrenees for the exchange. For an account of this

event and its relation to our play see Marcel Bataillon, **Varia lección de clásicos españoles** (Madrid, 1964), pp. 332–339.

500 "What is your Highness busy with?"

511–512 "I call on heaven and your love for me to witness."

534–535 "What can I do to serve you?"

538–539 "certain that you are bestowing it (**lugar,** a favored position in your service) on one of good blood."

543 "the favors she has done me have piqued his desire."

544–547 Otón wishes he had become engaged to Lisarda on their journey to Paris.

550 "But when did love ever respect the law?"

552 **alcaide de París,** the non-existing post which the King assumed on his visit to Belflor, now created a real post.

562 **pensamiento,** "evil thought."

585 **los dos,** i.e. Lisarda and Feliciano.

586–587 "By God, even a blind man could see the insane purposes of the King."

595 "shall I call him **vuestra merced** or **vos**?"

612–615 "and tell her that I beg her to recognize that it is a breach of faith to abandon a certain husband for a dubious suitor (who happens to be) a king."

616–617 "It's rough on anyone who stays in this place."

630 "Just look at our master turned into a May King."

639 "in the same style as me."

655 **vicio.** Bruno is shocked at the luxury of life at court.

662–663 "whose practice is enjoyable, and it allows one to have clothes and food at will."

670–671 "It would be too bad for him if he had to walk on foot behind the blade of a plow!"

684 "if only I knew the rules of courtesy."

686 "Are these fellows to return to the village?"

697–698 "for love too has its ladder, on which I with my lowly birth may come to be equal with Otón."

704 "do not allow me to be brought down to earth again."

706 Crystal can withstand the sun's rays; ice melts away. The sun, as usual, is the King, in the **sala** (702) of whose palace Lisarda finds herself.

709 Without a peg which can be used to prevent Fortune's wheel from rotating further. Lisarda's rise in the world would be pointless if Fortune should suddenly return her to her humble status as a peasant.

714 **las colora,** "paints them (clouds) red."

720–721 Lisarda recognizes that her father's courtly guest was the King.

726–731 The King's privileged position prevents Otón from feeling too aggrieved by his presumed seduction of Lisarda; he therefore feels aggrieved by Lisarda herself.

741 "and which will at the same time not infuriate the King?"

745 **pieza,** "chessman."

747 "Isn't it reasonable that you should dine now?"

750 "What grounds do I have for being patient?"

758–759 "It seems that you don't trust me as much as you used to."

764–765 "A great love, accompanied by jealousy, cuts; blunt its cutting edge a bit."

778–779 "The speed with which I obeyed you, victorious King, still seems to me too slow."

775 "Because of what private destiny do you hate me?"

778–781 Being so abundantly blessed in his village with the good things of heaven, Juan says, the sight of the King could only disturb this order in his life.

786 **lo que apenas creo,** "which I can hardly bring myself to believe."

787 **tus salas sigo,** "I have walked through your stately rooms."

796–801 The King repeats with Juan the treatment meted out to him in Juan's house (II, 646–655 and 840–852).

803 **su calor.** The sun's warmth is implied.

809 "I was a peasant in my neck of the woods, yes, but not so much a peasant as to offend you."

812–814 "I said I was returning to you what was yours, because I had it on loan from you, and so the gift of money was but a dividend."

818 "You may cut off my head when you wish."

820–821 "You described the extent of your possessions to me, and you filled me with admiration" (II, 698 and the passage which follows).

822–830 The King reviews the extent of his dominions. All those which have a different form in Spanish and English are in the vocabulary. **Bayona** (824) is an emendation (for the meaningless **la Tona**) proposed by M. Bataillon, loc. cit., p. 333.

831 **príncipes vasallos,** "princes who are my vassals."

837 "from Germany to the Atlantic Ocean."

838 **consejos,** "royal councils."

840 **burgo,** i.e. Paris.

848 Diomedes, King of Thrace, used to feed his horses on human flesh.

850–851 "I suspect the inevitable end will be to run me through the chest."

858–859 "It is just, Juan Labrador, for the guest to sit at the head, however base he may be."

868 **cual dijistes,** "as you once said." Cf. II, 884–885.

870 The song the King has ordered to be sung constitutes a parody, a rectification, of the **Beatus ille** song Juan had had sung (II, 890–901): a man may not count himself blessed until he has triumphed over death.

Stage direction following 875. One dish contains a sceptre, the next a sword, and the last a mirror.

890 "in which the kingdom dresses itself up."

903 The sword of Damocles, a courtier who never tired of ringing the praises of the tyrant Dionysius' happiness. To make him realize the precarious nature of a tyrant's happiness, Dionysius invited him to a banquet at which the servants were ordered to treat him royally. Suddenly, in the midst of his good cheer, he raised his eyes to see over his head a heavy sword suspended by a single horse-hair.

905 **por,** "as a symbol of."

914 "I'm reduced to this tiny size, Bruno." He demonstrates with a gesture.

920–921 "that they will open up our flesh with whips." Fileto's concern is rather whether he will be beheaded.

925–928 The dish contains a title of nobility for Feliciano.

930–933 Lisarda's royal dowry consists of the hundred thousand ducats Juan had given the King, plus another hundred thousand in the form of income-producing villages.

937–938 **una cédula...de mayordomo del Rey,** "an appointment . . . as majordomo to the King."

940 "for the rest of your life."

950–951 "Otón, I would have sworn you would, ever since you went through that fit of jealousy."

962 "and Belardo kisses your feet for the silence you have observed." Belardo is a common **nom de plume** of Lope.

CERVANTES

El retablo de las maravillas

INTRODUCTION

In this prose interlude Cervantes pokes some rather acerbic fun at Spain's obsession with racial purity. As in the tale of the Emperor's nightclothes, a community is trapped into a conspiracy of silence. Only those whose blood is untainted with bastardy or Jewish ancestry will be able to see the miraculous puppet show. There is no puppet show, of course, for it exists only in the imagination of the swindlers who narrate what is supposed to be happening. But the show is induced into the imagination of the spectators, each of whom thinks he sees nothing only because of some lapse on the part of his forebears, and none of whom is willing to admit publicly that he sees nothing. So great is the fear of the social penalties for having impure blood that the audience's participation in the imaginary show is intense. When the quartermaster finally arrives to arrange billets for his troops, he stumbles on the hilarious scene without the proper Pavlovian conditioning: he sees no puppets and he is not afraid to say he sees no puppets. The whole village turns on him savagely to mock him and denounce him as a non-Aryan.

The play might have been, like the folktale, a gentle gibe at the gullibility of man. But Cervantes chose to direct his satire against a national insanity. When the Jews were ordered expelled from Spain in 1492, those who were willing to profess the Christian religion were permitted to stay in the country with full rights of citizenship. The expulsion was ordered on religious, not racial, grounds. Many of the intellectuals of sixteenth-century Spain were of Jewish origin. Gradually, however, those of Jewish blood were suspected of relapsing into Judaism. Since many of the conversions were made under duress, there were in some cases good grounds for suspicion. But social attitudes hardened and in time legal statutes codified the situation. Those whose ancestry was Jewish suffered considerable social and legal disabilities. Religious intolerance had turned into racial intolerance.

Cervantes' butt is undoubtedly this cancer in the body politic. But he is not writing a political tract. He is ridiculing the folly of individual men. The impossibility of tracing a genealogy faultlessly and the frequent marriages in the Middle Ages between Christians of good birth and Moors or Jews left the nobility particularly suspect of being *cristianos nuevos* ("new" in the sense of after 1492). Because medieval Moors and Jews tended to live in the urban centers of Spain, the peasantry felt relatively secure from charges of having a contaminated bloodstream. In the theater countrymen often greet courtiers derisively by calling them Jews to their faces. It was Sancho Panza's proudest boast that he was a *cristiano viejo*, that he belonged to a family that had never been anything but Christian. To call oneself a *cristiano viejo* was to assert one's *limpieza de sangre*. The villagers in *El retablo de las maravillas*, while they have every reason to believe that their blood is "clean," are however not terribly surprised when their inability to see the show proves to them that it is dirty. They have lived too long with their national neurosis not to have contemplated the possibility that, like some of their despised fellow-countrymen, they too may be tainted with the ubiquitous blood of the Jew. Accordingly they quickly adopt postures of hypocrisy. As usual, it is the innocent bystander, the quartermaster, who is falsely accused. In this proto-Nazism the individual and social stresses and strains were very like those in Hitler's Germany.

Concurrently with the satirizing of man's racial inhumanity to man, the play investigates an aspect of esthetics, the creative process. In *Don Quixote* Cervantes succeeded in transforming the romance into the novel; that is to say, he discovered techniques for persuading the reader to accept fiction as truth. Not only did Cervantes find this formula for the novel, but he made it the very subject of his novel. Don Quixote is a man who mistakes fiction for truth. The power of fiction to erupt into human lives and change them for better or worse is a problem which concerned Cervantes in much of what he wrote. In *El retablo de las maravillas* Chanfalla's fiction deranges a whole roomful of people. By believing a figment of someone else's imagination to be true, the villagers behave like readers of novels. They develop the form of insanity which afflicts Don Quixote and — to some degree — all readers of fiction.

Entremeses were by nature farcical, but Cervantes learned to turn this kind of farce against serious subjects. The play is beautifully contrived, but the naïveté of the peasants makes it all seem natural. The language is colloquial, as befits the prose medium.

SUGGESTED READING:

W. S. JACK, *The Early "Entremés" in Spain* (Philadelphia, 1923). Contains some discussion of the genre.

JOAQUÍN CASALDUERO, *Sentido y forma del teatro de Cervantes* (Madrid, 1957). contains a good study of the play.

ALBERT A. SICROFF, *Les Controverses des statuts de "pureté de sang" en Espagne du XVe au XVIIe siècle* (Paris, 1960). A painstaking study of the historical circumstances which gave rise to the campaigns against the *cristianos nuevos.*

AMÉRICO CASTRO, *De la edad conflictiva* (Madrid, 1961). A polemical work on the intrusiveness of men of Jewish blood in the intellectual life of the Golden Age, with special emphasis on the theater and the connection between purity of blood and the conception of honor.

EUGENIO ASENSIO, *Itinerario del entremés* (Madrid, 1965). In the chapter entitled significantly "El entremés, fecundado por la novela. Cervantes" there is a very short discussion of our play, pp. 108–109.

El retablo de las maravillas

PERSONAS

CHANFALLA.	LA CHIRINOS.
EL RABELÍN.	UN FURRIER.
EL GOBERNADOR.	JUANA CASTRADA } *labradoras.*
BENITO REPOLLO, *alcalde.*	TERESA REPOLLA } *labradoras.*
JUAN CASTRADO, *regidor.*	Uno que baila, sobrino de BENITO.
PEDRO CAPACHO, *escribano.*	Gente del pueblo.

Salen CHANFALLA *y* LA CHIRINOS.

CHANFALLA. No se te pasen de la memoria, Chirinos, mis advertimientos, principalmente los que te he dado para este nuevo embuste, que ha de salir tan a luz[1] como el pasado del *llovista.*[2]

CHIRINOS. Chanfalla ilustre, lo que en mí fuere, tenlo como de molde;[3] que tanta memoria tengo como entendimiento, a quien se junta una voluntad de acertar a satisfacerte, que excede a las demás potencias;[4] pero dime, ¿de qué sirve este Rabelín que hemos tomado? Nosotros dos solos ¿no pudiéramos salir con esta empresa?

CHANFALLA. Habíamosle menester como el pan de la boca, para tocar en los espacios que tardaren en salir las figuras del Retablo de las Maravillas.

CHIRINOS. Maravilla será si no nos apedrean por sólo el Rabelín, porque tan desventurada criaturilla no la he visto en todos los días de mi vida.

Sale EL RABELÍN.

RABELÍN. ¿Hase de hacer algo en este pueblo, señor Autor?[5] Que ya me muero porque vuesa merced vea que no me tomó a carga cerrada.[6]

CHIRINOS. Cuatro cuerpos de los vuestros no harán un tercio,[7] cuanto más una carga; si no sois más gran músico que grande, medrados estamos.[8]

RABELÍN. Ello dirá,[9] que en verdad que me han escrito para[10] entrar en una compañía de partes,[11] por chico que soy.

CHANFALLA. Si os han de dar la parte a medida del cuerpo, casi será invisible.— Chirinos, poco a poco estamos ya en el pueblo, y éstos que aquí vienen deben de ser, como lo son sin duda, el Gobernador y los Alcaldes.[12] Salgámosles al encuentro, y date un filo a la lengua en la piedra de la adulación, pero no despuntes de aguda.[13]

Salen el GOBERNADOR *y* BENITO REPOLLO, *alcalde*, JUAN CASTRADO, *regidor*, *y* PEDRO CAPACHO, *escribano*.

CHANFALLA. Beso a vuesas mercedes las manos. ¿Quién de vuesas mercedes es el Gobernador deste pueblo?

GOBERNADOR. Yo soy el Gobernador; ¿qué es lo que queréis, buen hombre?

CHANFALLA. A tener yo dos onzas de entendimiento, hubiera echado de ver que esa peripatética[14] y anchurosa presencia no podía ser de otro que del dignísimo Gobernador deste honrado pueblo; que con venirlo a ser de las Algarrobillas,[15] lo deseche vuesa merced.

CHIRINOS. En vida de la señora y de los señoritos,[16] si es que el señor Gobernador los tiene.

PEDRO. No es casado el señor Gobernador.

CHIRINOS. Para cuando lo sea,[17] que no se perderá nada.

GOBERNADOR. Y bien, ¿qué es lo que queréis, hombre honrado?

CHIRINOS. Honrados días viva vuesa merced, que así nos honra; en fin, la encina da bellotas, el pero peras, la parra uvas, y el honrado honra, sin poder hacer otra cosa.

BENITO. Sentencia ciceronianca,[18] sin quitar ni poner un punto.

PEDRO. *Ciceroniana* quiso decir el señor Alcalde Benito Repollo.

BENITO. Siempre quiero decir lo que es mejor, sino que las más veces no acierto; en fin, buen hombre, ¿qué queréis?

CHANFALLA. Yo, señores míos, soy Montiel,[19] el que trae el Retablo de las Maravillas; hanme enviado a llamar de la corte los señores cofrades de los hospitales,[20] porque no hay autor de comedias en ella, y perecen los hospitales, y con mi ida se remediará todo.

GOBERNADOR. Y ¿qué quiere decir Retablo de las Maravillas?

CHANFALLA. Por las maravillosas cosas que en él se enseñan y muestran, viene a ser llamado Retablo de las Maravillas, el cual fabricó y compuso el sabio Tontonelo[21] debajo de tales paralelos, rumbos, astros y estrellas, con tales puntos, caracteres y observaciones, que ninguno puede ver las cosas que en él se muestran, que tenga alguna raza de confeso,[22] o no sea habido y procreado[23] de sus padres de legítimo matrimonio; y el que fuere contagiado destas dos tan usadas[24] enfermedades, despídase[25] de ver las cosas, jamás vistas ni oídas, de mi retablo.

BENITO. Ahora echo de ver que cada día se ven en el mundo cosas nuevas. Y ¡qué! ¿Se llamaba Tontonelo el sabio que el retablo compuso?

CHIRINOS. Tontonelo se llamaba, nacido en la ciudad de Tontonela, hombre de quien hay fama que le llegaba la barba a la cintura.

BENITO. Por la mayor parte, los hombres de grandes barbas son sabihondos.

GOBERNADOR. Señor Regidor Juan Castrado, yo determino, debajo de su buen parecer,[26] que esta noche se despose la señora Teresa Castrada, su hija, de quien soy padrino, y en regocijo de la fiesta,[27] quiero que el señor Montiel muestre en vuestra casa su retablo.

JUAN. Eso tengo yo por servir[28] al señor Gobernador, con cuyo parecer me convengo, entablo y arrimo,[29] aunque haya otra cosa en contrario.

CHIRINOS. La cosa que hay en contrario es que, si no se nos paga primero nuestro trabajo, así verán las figuras como por el cerro de Ubeda.[30] ¿Y vuesas mercedes, señores Justicias,[31] tienen conciencia y alma en esos cuerpos? Bueno sería que entrase esta noche todo el pueblo en casa del señor Juan Castrado, o como es su gracia,[32] y viese lo contenido en el tal retablo, y mañana, cuando quisiésemos mostralle al pueblo, no hubiese ánima que le viese;[33] no, señores, no, señores; *ante omnia*[34] nos han de pagar lo que fuere justo.

BENITO. Señora Autora,[35] aquí no os ha de pagar ninguna Antona ni ningún Antoño; el señor Regidor Juan Castrado os pagará más que honradamente, y si no, el Concejo. ¡Bien conocéis el lugar por cierto! Aquí, hermana, no aguardamos a que ninguna Antona pague por nosotros.

PEDRO. ¡Pecador de mí, señor Benito Repollo, y qué lejos da del blanco![36] No dice la señora Autora que pague ninguna Antona, sino que le paguen adelantado y ante todas cosas, que eso quiere decir *ante omnia*.

BENITO. Mirad, escribano Pedro Capacho, haced vos que me hablen a derechas,[37] que yo entenderé a pie llano;[38] vos, que sois leído y escribido,[39] podéis entender esas algarabías de allende,[40] que yo no.

JUAN. Ahora bien, ¿contentarse ha el señor Autor con que yo le dé adelantados media docena de ducados? Y más, que se tendrá cuidado que no entre gente del pueblo[41] esta noche en mi casa.

CHANFALLA. Soy contento, porque yo me fío de la diligencia de vuesa merced y de su buen término.

JUAN. Pues véngase conmigo, recibirá el dinero y verá mi casa, y la comodidad que hay en ella para mostrar ese retablo.

CHANFALLA. Vamos, y no se les pase de las mientes[42] las calidades que han de tener los que se atrevieren a mirar el maravilloso retablo.

BENITO. A mi cargo queda eso, y séle decir que por mi parte puedo ir seguro a juicio,[43] pues tengo el padre alcalde; cuatro dedos de enjundia de cristiano viejo rancioso tengo sobre los cuatro costados de mi linaje:[44] miren si veré el tal retablo.

PEDRO. Todos lo pensamos ver, señor Benito Repollo.

JUAN. No nacimos acá en las malvas,[45] señor Pedro Capacho.

GOBERNADOR. Todo será menester,[46] según voy viendo, señores Alcalde, Regidor y Escribano.

JUAN. Vamos, Autor, y manos a la obra;[47] que Juan Castrado me llamo, hijo de Antón Castrado y de Juana Macha; y no digo más, en abono y seguro que podré ponerme cara a cara y a pie quedo[48] delante del referido retablo.

CHIRINOS. Dios lo haga.

Entranse JUAN CASTRADO *y* CHANFALLA.

GOBERNADOR. Señora Autora, ¿qué poetas se usan[49] ahora en la corte, de fama y rumbo, especialmente de los llamados cómicos? Porque yo tengo mis puntas y collar de poeta,[50] y pícome de la farándula[51] y carátula. Veinte y dos comedias tengo, todas nuevas, que se ven las unas a las otras;[52] y estoy aguardando coyuntura para ir a la corte, y enriquecer con ellas media docena de autores.

CHIRINOS. A lo que vuesa merced, señor Gobernador, me pregunta de los poetas, no le sabré responder, porque hay tantos, que quitan el sol,[53] y todos piensan que son famosos. Los poetas cómicos son los ordinarios y que siempre se usan, y así no hay para qué nombrallos. Pero dígame vuesa merced, por su vida: ¿cómo es su buena gracia? ¿Cómo se llama?

GOBERNADOR. A mí, señora Autora, me llaman el Licenciado Gomecillos.

CHIRINOS. ¡Válame Dios! Y qué ¿vuesa merced es el señor Licenciado Gomecillos, el que compuso aquellas coplas tan famosas de *Lucifer estaba malo*, y *Tómale mal de fuera*?[54]

GOBERNADOR. Malas[55] lenguas hubo que me quisieron ahijar esas coplas, y así fueron mías como del Gran Turco.[56] Las que yo compuse, y no quiero negar, fueron aquellas que trataron del diluvio de Sevilla;[57] que puesto que los poetas son ladrones unos de otros, nunca me precié de hurtar nada a nadie: con mis versos me ayude Dios, y hurte el que quisiere.

Sale CHANFALLA.

CHANFALLA. Señores, vuesas mercedes vengan; que todo está a punto,[58] y no falta más que comenzar.

CHIRINOS. ¿Está ya el dinero *in corbona*?[59]

CHANFALLA. Y aun entre las telas del corazón.[60]

CHIRINOS. Pues doyte por aviso, Chanfalla, que el Gobernador es poeta.

CHANFALLA. ¿Poeta? ¡Cuerpo del mundo! Pues dale por engañado, porque todos los de humor semejante son hechos a la mazacona,[61] gente descuidada, crédula y no nada maliciosa.[62]

BENITO. Vamos, Autor; que me saltan los pies[63] por ver esas maravillas.

Entranse todos.

Salen JUANA CASTRADA *y* TERESA REPOLLA, *labradoras; la una como desposada, que es la* CASTRADA.

JUANA. Aquí te puedes sentar, Teresa Repolla amiga, que tendremos el retablo enfrente; y pues sabes las condiciones que han de tener los miradores del retablo, no te descuides, que sería una gran desgracia.

TERESA. Ya sabes, Juana Castrada, que soy tu prima, y no digo más. Tan cierto tuviera yo el cielo,[64] como tengo cierto ver todo aquello que el retablo mostrare. Por el siglo de mi madre,[65] que me sacase los mismos ojos de mi cara si alguna desgracia me aconteciese. ¡Bonita soy yo para eso![66]

JUANA. Sosiégate, prima; que toda la gente viene.

Salen el GOBERNADOR, BENITO REPOLLO, JUAN CASTRADO, PEDRO CAPACHO, *el* AUTOR, *la* AUTORA *y el* MÚSICO, *y otra gente del pueblo, y un sobrino de* BENITO, *que ha de ser aquel gentilhombre que baila.*

CHANFALLA. Siéntense todos; el retablo ha de estar detrás deste repostero,[67] y la Autora también, y aquí el músico.

BENITO. ¿Músico es éste? Métanle también detrás del repostero; que a trueco de no velle, daré por bien empleado[68] el no oille.

CHANFALLA. No tiene vuesa merced razón, señor Alcalde Repollo, de descontentarse del músico, que en verdad que es muy buen cristiano y hidalgo de solar conocido.

GOBERNADOR. Calidades son bien necesarias para ser buen músico.

BENITO. De solar bien podrá ser, mas de sonar, *abrenuncio*.[69]

RABELÍN. Eso se merece el bellaco[70] que se viene a sonar delante de...

BENITO. Pues por Dios, que hemos visto aquí sonar a otros músicos tan...

GOBERNADOR. Quédese esta razón en el *de* del señor Rabel y en el *tan* del Alcalde, que será proceder en infinito;[71] y el señor Montiel comience su obra.

BENITO. Poca balumba trae este autor para tan gran retablo.

JUAN. Todo debe de ser de maravillas.

CHANFALLA. Atención, señores, que comienzo.— ¡Oh tú, quienquiera que fuiste, que fabricaste este retablo con tan maravilloso artificio, que alcanzó el renombre de *las Maravillas* por la virtud que en él se encierra, te conjuro, apremio y mando que luego incontinente muestres a estos señores algunas de las tus maravillosas maravillas, para que se regocijen y tomen placer sin escándalo alguno! Ea, que ya veo que has otorgado mi petición, pues por aquella parte asoma la figura del valentísimo Sansón, abrazado con las columnas del templo, para derriballe por el suelo y tomar venganza de sus enemigos. Tente, valeroso caballero, tente, por la gracia de Dios Padre; no hagas tal desaguisado, porque no cojas debajo y hagas tortilla tanta y tan noble gente como aquí se ha juntado.

BENITO. ¡Téngase, cuerpo de tal,[72] conmigo! Bueno sería que en lugar de habernos venido a holgar, quedásemos aquí hechos plasta. Téngase, señor Sansón, pesia a mis males;[73] que se lo ruegan buenos.

PEDRO. ¿Veisle vos, Castrado?

JUAN. Pues ¿no le había de ver? ¿Tengo yo los ojos en el colodrillo?

GOBERNADOR. (*Ap.*) (Milagroso caso es éste; así veo yo a Sansón ahora como al Gran Turco.[74] Pues en verdad que me tengo por legítimo y cristiano viejo.)

CHIRINOS. Guárdate, hombre; que sale el mesmo toro[75] que mató al ganapán en Salamanca; échate, hombre; échate, hombre; Dios te libre, Dios te libre.

CHANFALLA. Echense todos, échense todos; ¡ucho ho![76] ¡ucho ho! ¡ucho ho!

Echanse todos y alborótanse.

BENITO. El diablo lleva en el cuerpo el torillo; sus partes tiene de hosco y de bragado;[77] si no me tiendo, me lleva de vuelo.[78]

JUAN. Señor Autor, haga, si puede, que no salgan figuras que nos alboroten; y no lo digo por mí, sino por estas muchachas, que no les ha quedado gota de sangre en el cuerpo, de la ferocidad del toro.

JUANA. Y ¡cómo, padre! No pienso volver en mí en tres días; ya me vi en sus cuernos, que los tiene agudos como una lesna.

JUAN. No fueras tú mi hija, y no lo vieras.[79]

GOBERNADOR. (*Ap.*) (Basta, que todos ven lo que yo no veo; pero al fin habré de decir que lo veo, por la negra honrilla.)[80]

CHIRINOS. Esa manada de ratones que allá va, desciende por línea recta de aquellos que se criaron en el arca de Noé;[81] dellos son blancos, dellos albarazados, dellos jaspeados y dellos azules;[82] y finalmente, todos son ratones.

JUANA. ¡Jesús! ¡Ay de mí! Ténganme, que me arrojaré por aquella ventana. ¿Ratones? ¡Desdichada! Amiga, apriétate las faldas[83] y mira no te muerdan: y ¡monta que son pocos![84] Por el siglo de mi abuela, que pasan de milenta.[85]

TERESA. Yo sí soy la desdichada, porque se me entran sin reparo ninguno; un ratón morenico me tiene asida de una rodilla; socorro venga del cielo, pues en la tierra me falta.

BENITO. Aun bien que tengo gregüescos;[86] que no hay ratón que se me entre, por pequeño que sea.

CHANFALLA. Esta agua que con tanta priesa se deja descolgar de las nubes, es de la fuente que da origen y principio al río Jordán; toda mujer a quien tocare en el rostro, se le volverá como de plata bruñida, y a los hombres se les volverán las barbas como de oro.

JUANA. ¿Oyes, amiga? Descubre el rostro, pues ves lo que te importa. ¡Oh qué licor tan sabroso! Cúbrase, padre, no se moje.

JUAN. Todos nos cubrimos, hija.

BENITO. Por las espaldas me ha calado el agua hasta la canal maestra.[87]

PEDRO. Yo estoy más seco que un esparto.[88]

GOBERNADOR. (*Ap.*) (¿Qué diablos puede ser esto, que aun no me ha tocado una gota donde todos se ahogan? Mas ¿si viniera yo a ser bastardo entre tantos legítimos?)

BENITO. Quítenme de allí aquel músico, si no, voto a Dios, que me vaya sin ver más figura.[89] ¡Válgate el diablo por músico aduendado,[90] y que hace de menudear sin cítola y sin son![91]

RABELÍN. Señor Alcalde, no tome conmigo la hincha;[92] que yo toco como Dios ha sido servido de enseñarme.

BENITO. ¿Dios te había de enseñar, sabandija? Métete tras la manta; si no, por Dios que te arroje este banco.

RABELÍN. El diablo creo que me ha traído a este pueblo.

PEDRO. Fresca es el agua del santo río Jordán; y aunque me cubrí lo que pude, todavía me alcanzó un poco en los bigotes, y apostaré que los tengo rubios como un oro.

BENITO. Y aun peor cincuenta veces.

CHIRINOS. Allá van hasta dos docenas de leones rampantes y de osos colmeneros;[93] todo viviente se guarde: que, aunque fantásticos, no dejarán de dar alguna pesadumbre, y aun de hacer las fuerzas de Hércules con espadas desenvainadas.[94]

JUAN. Ea, señor Autor, ¡cuerpo de nosla![95] ¿Y agora nos quiere llenar la casa de osos y de leones?

BENITO. ¡Mirad qué ruiseñores y calandrias nos envía Tontonelo, sino leones y dragones! Señor Autor, o salgan figuras más apacibles, o aquí nos contentamos con las vistas,[96] y Dios le guíe, y no pare más en el pueblo un momento.

JUANA. Señor Benito Repollo, deje salir ese oso y leones, siquiera por nosotras, y recibiremos mucho contento.

JUAN. Pues, hija, de antes te espantabas de los ratones, ¿y agora pides osos y leones?

JUANA. Todo lo nuevo place, señor padre.

CHIRINOS. Esa doncella que agora se muestra, tan galana y tan compuesta, es la llamada Herodías, cuyo baile alcanzó en premio la cabeza del Precursor de la vida;[97] si hay quien la ayude a bailar, verán maravillas.

BENITO. Esta sí ¡cuerpo del mundo! que es figura hermosa, apacible y reluciente; ¡y cómo que se vuelve la mochacha![98]— Sobrino Repollo, tú, que sabes de achaque de castañetas, ayúdala, y será la fiesta de cuatro capas.[99]

SOBRINO. Que me place, tío Benito Repollo.

Tocan la Zarabanda.

PEDRO. ¡Toma mi abuelo, si es antiguo el baile de la Zarabanda y de la Chacona![100]

BENITO. Ea sobrino, ténselas tiesas a esa bellaca jodía;[101] pero si ésta es jodía, ¿cómo ve estas maravillas?

CHANFALLA. Todas las reglas tienen excepción, señor Alcalde.

Suena una trompeta o corneta dentro del teatro y entra un FURRIER *de compañías.*

FURRIER. ¿Quién es aquí el señor Gobernador?

GOBERNADOR. Yo soy; ¿qué manda vuesa merced?

FURRIER. Que luego, al punto, mande hacer alojamiento para treinta hombres de armas que llegarán aquí dentro de media hora, y aún antes, que ya suenan la trompeta, y adiós. *Vase.*

BENITO. Yo apostaré que los envía el sabio Tontonelo.

CHANFALLA. No hay tal; que ésta es una compañía de caballos,[102] que estaba alojada dos leguas de aquí.

BENITO. Ahora yo conozco bien a Tontonelo, y sé que vos y él sois unos grandísimos bellacos, no perdonando[103] al músico; y mirá que os mando que mandéis a Tontonelo no tenga atrevimiento de enviar estos hombres de armas, que le haré dar doscientos azotes en las espaldas, que se vean unos a otros.[104]

CHANFALLA. Digo, señor Alcalde, que no los envía Tontonelo.

BENITO. Digo que los envía Tontonelo, como ha enviado las otras sabandijas que yo he visto.

PEDRO. Todos las habemos visto, señor Benito Repollo.

BENITO. No digo yo que no, señor Pedro Capacho.—No toques más, músico de entre sueños,[105] que te romperé la cabeza.

Vuelve el FURRIER.

FURRIER. Ea, ¿está ya hecho el alojamiento? Que ya están los caballos en el pueblo.

BENITO. ¿Que todavía ha salido con la suya[106] Tontonelo? Pues yo os voto a tal, Autor de humos y de embelecos,[107] que me lo habéis de pagar.

CHANFALLA. Séanme testigos que me amenaza el Alcalde.

CHIRINOS. Séanme testigos que dice el Alcalde que lo que manda Su Majestad, lo manda el sabio Tontonelo.

BENITO. Atontonelada[108] te vean mis ojos, plega a Dios Todopoderoso.

GOBERNADOR. Yo para mí tengo que verdaderamente estos hombres de armas no deben de ser de burlas.

FURRIER. ¿De burlas habían de ser, señor Gobernador? ¿Está en su seso?

JUAN. Bien pudieran ser atontonelados; como esas cosas[109] habemos visto aquí. Por vida del Autor, que haga salir otra vez a la doncella Herodías, porque vea este señor lo que nunca ha visto; quizá con esto le cohecharemos para que se vaya presto del lugar.

CHANFALLA. Eso en buen hora, y veisla aquí a dó vuelve,[110] y hace de señas a su bailador a que de nuevo la ayude.

SOBRINO. Por mí no quedará,[111] por cierto.

BENITO. Eso sí, sobrino, cánsala, cánsala; vueltas y más vueltas; ¡vive Dios, que es un azogue la muchacha![112] ¡Al hoyo,[113] al hoyo! ¡A ello, a ello!

FURRIER. ¿Está loca esta gente? ¿Qué diablos de doncella es ésta, y qué baile, y qué Tontonelo?

PEDRO. Luego ¿no ve la doncella herodiana el señor Furrier?

FURRIER. ¿Qué diablos de doncella tengo de ver?

PEDRO. Basta: de *ex illis* es.[114]

GOBERNADOR. De *ex illis* es, de *ex illis* es.

JUAN. Dellos es, dellos el señor Furrier, dellos es.

FURRIER. Soy de la mala puta que los parió; y por Dios vivo, que si echo mano a la espada, que los haga salir por las ventanas, que no por la puerta.

PEDRO. Basta: ¡de *ex illis* es!

BENITO. Basta: dellos es, pues no ve nada.

FURRIER. Canalla barretina,[115] si otra vez me dicen soy dellos, no les dejaré hueso sano.

BENITO. Nunca los confesos[116] ni bastardos fueron valientes; y por eso no podemos dejar de decir: dellos es, dellos es.

FURRIER. ¡Cuerpo de Dios con los villanos! Esperad.

Mete la mano a la espalda y acuchíllase con todos; y el ALCALDE *aporrea al* RABELLEJO, *y la* CHIRINOS *descuelga la manta y dice:*

CHIRINOS. El diablo ha sido la trompeta y la venida de los hombres de armas; parece que los llamaron con campanilla.[117]

CHANFALLA. El suceso ha sido extraordinario; la virtud del Retablo se queda en su punto,[118] y mañana lo podemos mostrar al pueblo, y nosotros mismos podemos cantar el triunfo desta batalla, diciendo: ¡Vivan Chirinos y Chanfalla!

NOTES

TITLE **Retablo,** "retable," "sacred painting set behind the altar," came to mean a "puppet show," with the emphasis on the enactment of sacred events. "Algunos extranjeros suelen traer una caja de títeres, que representa alguna historia sagrada, y de allí les dieron el nombre de retablos" (Covarrubias). See J. E. Varey, **Historia de los títeres en España** (Madrid, 1957), p. 83.

DRAMATIS PERSONAE Most of the characters' names are grotesquely allusive. **Chanfalla** suggests an "unsuccessful prankster or fraud." **Rabelín,** diminutive of **rabel,** "rebec," "ancient stringed instrument." **Repollo,** "cabbage." **Castrado,** "eunuch." **Capacho,** "fruit basket." **Chirinos.** For some reason later editors prefer this form to the original **Cherinos,** which was a nickname used by bandits and thugs; it meant roughly "intriguer" (see Joan Corominas, **Diccionario crítico etimológico,** s.v. **chirinola**).

1 **salir tan a luz,** "be as successful."

2 **llovista,** "rain-maker." Probably an allusion to another of Chanfalla's swindles.

3 **tenlo como de molde,** "you may be sure it suits me to a T."

4 **potencias,** the three "faculties" of the mind just mentioned.

5 **Autor,** "manager," "impresario."

6 **a carga cerrada,** "sight unseen," "lo que se compra o toma sin saber si es bueno o malo" (Covarrubias).

7 **tercio,** a third of a **carga,** "load."

8 **medrados estamos** is to be taken ironically, "we're sunk."

9 **Ello dirá,** "We'll see."

10 **me han escrito para,** "I've had a letter inviting me to."

11 **compañía de partes,** "troupe of actors" who shared in the profits.

12 **Alcaldes.** Each town had two "mayors."

13 **y date...,** "and sharpen your tongue on tne oilstone of flattery, but don't overdo it."

14 **peripatética,** "peripatetic," "walking up and down."

15 **Algarrobillas,** a town near Cáceres famous for its hams. Chanfalla means: you are worthy to be governor of a more important town (but still a pretty minor one).

16 **señoritos,** "young gentlemen," i.e. sons.

17 **Para cuando lo sea,** my wish will apply "when he is" (married).

18 **ciceronianca.** A garbled form of "Ciceronian," corrected at once by Pedro. Cicero was the model of prose style for the Renaissance.

19 **Montiel.** Chanfalla, to avoid detection later, adopts as a stage name a symbol of perfidy, for it was at Montiel that Prince Henry of Trastamara killed his brother King Peter the Cruel.

20 **cofrades de los hospitales.** Hospitals were run by religious sodalities or **cofradías.** These groups owned the theaters, the profits from which were applied to the hospitals.

21 **Tontonelo,** a fictitious name based on **tonto.** Chanfalla represents his author as an astrologer capable of working magic.

22 **alguna raza de confeso,** "some degree of Jewish blood in his veins." A **confeso** was a descendant of a practicing or converted Jew.

23 **habido y procreado,** "conceived and begotten."

24 **usadas,** "common." Accusations of Jewish ancestry ran rife at this time.

25 **despídase,** "let him give up all hope."

26 **debajo de su buen parecer,** "if it seems like a good idea to you."

27 **en regocijo de la fiesta,** "to enliven the celebration."

28 **Eso tengo yo por servir,** "To consent would be an act of humble service."

29 **entablo,** "I concur."

30 **así verán...,** "you won't have a ghost of a chance of seeing our puppets. **Ir por los cerros de Ubeda,** "se dice del que no lleva camino en lo que dice y procede por términos remotos y desproporcionados" (Covarrubias).

31 **Justicias,** "Gentlemen of the Law."

32 **o como es su gracia,** "or whatever his name is."

33 Chanfalla's point is that gate-crashers from the town would get to see the private performance and deprive him of paying spectators at his public showing the next day.

34 **ante omnia,** "before all else." To impress the provincials he uses a tag from a legal principle **Spoliatus ante omnia restituendus,** "Restitution to the victim comes before anything else." Benito, knowing no Latin, hears **Antona** or **Antoño.**

35 **Señora Autora,** "Mistress Manageress."

36 **qué lejos da del blanco,** "how far off the mark you are."

37 **a derechas,** "in a straightforward way."

38 **a pie llano,** "without stumbling."

39 **leído y escribido,** "well-read," "educated." The form **escribido** is used only in this idiom.

40 **algarabías de allende,** "gibberish from foreign parts." "Algarabía de allende, que el que la habla no la entiende. (**Algarabía de allende** se dice por lo que no se entiende y razón disparatada)" (Gonzalo de Correas, **Vocabulario de refranes**).

41 **gente del pueblo,** i.e. others than the invited guests.

42 **no se les pase de las mientes,** "don't forget."

43 **puedo ir seguro a juicio,** "I can feel quite safe in submitting to this judgment."

44 **cuatro dedos...,** "on all four sides of my ancestry I have four sturdy inches of ancient uncontaminated blood." A **cristiano viejo** was one who claimed descent from nothing but Christian-**born** stock, i.e. none of whose ancestors was a Jew or a Moor, not even a converted Jew or Moor.

45 **en las malvas.** The **malva** (common wild mallow) grows in marshes hence the phrase means "in a poor place," "in a humble situation." "**No nacío en las malvas.** (Esto es, en bajeza; trátenle bien, que es honrado)" (Correas).

46 **Todo será menester,** "You'll need all your merits."

47 **manos a la obra,** "down to work."

48 **a pie quedo,** "on a firm footing."

49 **se usan,** "are in fashion."

50 **tengo mis puntas y collar de poeta,** "I pride myself on being a bit of a poet." **Tener uno sus puntas y collar,** "es tener presunción" (Covarrubias).

51 **farándula,** a troupe of actors, just short of being a full-fledged company. **carátula,** the player's mask, symbolizing the play itself.

52 **todas nuevas...,** "so new and shiny they they reflect one another."

53 **quitan el sol.** They swarm so thickly that they hide the sun with their numbers.

54 **Tómale mal de fuera,** "He is suddenly sick." A nonsensical poem title.

55 **Malas,** "Gossiping."

56 **y así fueron...,** "and they were no more mine than the Grand Turk's." The Grand Turk was the Sultan of Constantinople.

57 **diluvio de Sevilla.** The Guadalquivir flooded the city in both 1597 and 1603.

58 **a punto,** "ready."

59 **in corbona,** "in the bag." "Non licet eos mittere in corbonam." "It is not lawful for us to put them into the treasury" (Matthew, XXVII, 6).

60 **Y aun entre...,** "And even next to my heart."

61 **a la mazacona,** "casually," "haphazardly."

62 **no nada malicioso,** "unsuspicious."

63 **me saltan los pies,** "I'm itching."

64 **Tan cierto tuviera yo el cielo,** "I wish I were as sure of going to heaven."

65 **Por el siglo de mi madre,** "I swear my mother (may she live to be a hundred)."

66 **¡Bonita soy yo para eso!,** "It would be a fine thing if I turned out that way!," i.e. to have the wrong ancestry.

67 **repostero,** "tapestry," which later we learn is just an old blanket.

68 **daré por bien empleado,** "I'll consider myself lucky."

69 Benito puns on **solar,** "ancestry" and **sonar,** "to make music." **abrenuncio,** for **abrenuntio,** "I renounce," a term used to reject an idea impatiently.

70 **Eso merece el bellaco,** "That's the kind of talk a poor devil deserves."

71 **proceder en infinito.** The Governor means that if their sentences are completed the dispute will never end.

72 **cuerpo de tal,** "by so-and-so."

73 **pesia a mis males,** "saving my sins."

74 **así veo yo...,** "I can't see Samson any more than if he were the Grand Turk. Yet I truly believe I'm legitimate and an 'Old Christian.' " The Governor's confessions that he cannot see the show are of course said only to himself.

75 **toro.** The allusion must be to some current event.

76 **¡ucho ho!,** "come and get me," a term used in bullfighting to arouse the bull.

77 **sus partes tiene...,** "he's quite a bull with his threatening looks and different-colored flanks." **hosco,** "llamamos toros hoscos los que tienen los sobrecejos escuros y amenazadores, que ponen miedo" (Covarrubias). **bragado,** "aplícase al buey y a otros animales que tienen la bragadura de diferente color que lo demás del cuerpo" (Acad.).

78 **me lleva de vuelo,** "he'll toss me."

79 **No fueras tú...,** "You wouldn't be my daughter if you hadn't seen it." It does not occur to Juan that his daughter ought not to be able to see the show if he cannot.

80 **por la negra honrilla,** "for the sake of preserving my damn honor."

81 **arca de Noé,** "Noah's ark."

82 **dellos son blancos...,** "some of them are white, some are grayish, some streaked, and some blue."

83 **apriétate las faldas,** "pull your skirt tight around your legs."

84 **¡monta que son pocos!,** "my, what a lot of them there are! **¡monta!** is an interjection of amazement. The sentence is ironic.

85 **milenta,** "a thousand," a popular form by analogy with **cuarenta,** etc.

86 **gregüescos,** "breeches," tied at the knees.

87 **canal maestra,** "alimentary canal," an amusing euphemism.

88 **esparto.** Esparto grass, dry, is used for making rope, mats, baskets, etc.

89 **más figura,** "any more puppets."

90 **aduendado** (from **duende,** "mischievous spirit," "goblin"), "goblinish." **Duende** is also the "fire" which takes hold of an improvising guitarist or singer. Benito means that Rabelín is hardly an inspired musician, though he is an ebullient dwarf.

91 **sin cítola y sin son,** "with neither beat nor notes." Rabelín is strumming inaudibly on a non-existent instrument as a fit accompaniment to an invisible puppet show. **Cítola,** "cierta tablilla que cuelga de una cuerda sobre la rueda del molino, y sirve de que, en no sonando, echan de ver que el molino está parado" (Covarrubias).

92 **no tome conmigo la hincha,** "don't get mad at me."

93 **osos colmeneros,** "honey bears."

94 **de hacer las fuerzas...,** "perform Herculean feats of strength with their unsheathed swords," i.e. with their teeth.

95 **¡cuerpo de nosla!,** a grotesque oath.

96 **las vistas,** "the ones we've already seen."

97 **Precursor de la vida,** i.e. Saint John the Baptist, whose head was delivered on a charger to Herodias' daughter Salome as a reward for her dancing before King Herod (Matthew XIV, 6).

98 **¡y cómo que se vuelve la mochacha!,** "and how well the girl wiggles!"

99 **la fiesta de cuatro capas,** "the best celebration you've ever seen." The reference is to a solemn occasion in church, rendered more colorful by the exceptionally large number of ecclesiastical capes worn by the prebendaries.

100 **Zarabanda,** "Saraband." **Chacona,** "Chaconne." By Bach's time stately dances, the saraband and the chaconne were originally wild flings, noted for their lascivious gestures. By the beginning of the seventeenth century, as Pedro remarks, they were considered old-fashioned.

101 **ténselas tiesas.** Probably **piernas** is understood. "Keep that rascally Jewess stomping hard." It then strikes Benito that Salome, being Jewish, should not be able to see the show.

102 **compañía de caballos,** "cavalry company."

103 **no perdonando,** "not excluding."

104 **que se vean unos a otros,** "so big that they'll be able to see one another."

105 **músico de entre sueños,** "nightmare of a musician."

106 **ha salido con la suya,** "has got his own way."

107 **Autor de humos y embelecos,** "you impresario of apparitions and magic."

108 **Atontonelada,** "Tontonelloed," a coinage on the name of the supposed author of the show.

109 **como esas cosas,** "things like these."

110 **Eso en buen hora,** "I'll gladly do it." **a dó vuelve,** "where she's coming back."

111 **Por mí no quedará,** "It won't be I who'll prevent it."

112 **¡que es un azogue la muchacha!,** "she's as slippery as quicksilver!"

113 **¡Al hoyo!,** "Go to it!"

114 **de** ex illis **es,** "he's one of them," the unmentionables (bastards or persons of Jewish blood). Today the phrase refers to homosexuals. The phrase was used to identify Peter as a disciple just before his denial of Christ (Matthew XXVI, 73). Here the whole town turns to mock the quartermaster for his supposed "bad blood."

115 **Canalla barretina,** "You Jewish swine." The quartermaster is ironically made to curse the townspeople in racial terms. The **barretina** is the Jewish skullcap.

116 **confesos,** "converted Jews."

117 **parece que...,** "you'd think they were summoned by a bell."

118 **se queda en su punto,** "has been proved."

TIRSO DE MOLINA

El condenado por desconfiado

INTRODUCTION

In this play Tirso de Molina presents the complement to his better known *El burlador de Sevilla*, the first work in which the neomythical Don Juan appears. Don Juan, counting on an unending lease on life, commits the sin of presumption and is damned. Paulo, for whom *El condenado por desconfiado* is named, commits the opposite sin of despair and is damned. Both protagonists err in the use of their free will. These are thus plays based on theological thought. A good proportion of European baroque drama belongs to what has been called the *teatro teológico*. In Spain the theological theater often takes the form of the comparison or equation of saints and bandits.

The saint lives a heroic life of virtue; the criminal lives a heroic life of sin. Neither is niggardly in the quality of his deeds. Lukewarmness, *tibieza*, is conducive to no great accomplishment either in virtue or sin. As Juan de Zabaleta says in his play *Osar morir da la vida:*

> Cierto que aun para ser santo
> el coraje es provechoso;
> que los tibios nunca aciertan
> ni a ser santos ni demonios.

The spiritual vitality of the saint, if perverted, leads him not to merely venial sins but to the greatest of mortal sins. On the contrary, the perverse vitality which induces a man to commit murder, rape, and robbery with violence may, if properly channeled, lead him to a truly noble repentance and salvation. It follows that the saint and the highwayman have much in common. Tirso, like many of his contemporaries, was fascinated by the comparison of the two types. In a short story based on the life of San Pedro Armengol (published in *Deleitar aprovechando*, 1635) he tells of a bandit sanctified by divine grace: "Mudó el beato Fray Pedro *los medios*, no *la substancia*, de sus inclinaciones; que ya sabe la gracia acomodarse a la naturaleza y perfeccionarla sin destruirla.... Dígolo, porque si sobrevino a nuestro religioso la reformación de vida de bandolero, bandolero le dejó, pero bandolero santo."

Paulo, the hermit in *El condenado por desconfiado*, appears at the beginning to be well along the road to salvation. But his character, being *tibio*, has little capacity for holiness. He strives for salvation through an intellectual calculation of the means he should adopt to achieve his end. He loves, if he loves at all, selfishly, because love for him is a simple prerequisite to his own salvation. A twisted reasoning leads him to a life of sinful crime. The vicious swashbuckling Enrico, on the other hand, has the dynamism necessary for sainthood. His passionate nature is capable of being moved, of loving disinterestedly. Because he can love his father, he can also love God. While Enrico is brave, Paulo is essentially a coward. Cowardice is what leads him to despair. ("La desesperación," says Tirso in *El bandolero*, "siempre fue vicio pusilánime.") Having closed his mind to God through despair, Paulo has nothing left with which to respond to God's grace. The key to his behavior, then, is fear, the fear of hell. His negative *temor* is ranged against Enrico's positive *amor*.

Paulo has in no way been victimized either by the Devil or by God. He asks God a presumptuous question: "Will I be saved?" God, though all-knowing, has conferred on him the freedom to make what he will of his destiny — *el libre albedrío* — and therefore cannot answer the sinful question. The Devil seems to answer it, but in reality he says nothing. Paulo of his own free will leaps to the false conclusion that the villainous Enrico can never be saved. Believing the Devil's insinuation that their two fates are linked, Paulo considers himself damned. He thereby denies all merit to free will, good works, and faith. He displays his presumption, his total lack of charity, for Enrico is not in the etymological sense a miscreant. In deciding to avenge himself on God by turning to a life of crime, Paulo gives further evidence of his calculating nature. Enrico's criminality is at least spontaneous, impulsive.

Neither man is humble, but Enrico shows through his love for his father that he has a potentiality for humility. His final confession is an act of humility, a renunciation in good faith of all that his life has represented. He is redeemed when he is restored to the bosom of his family, to full membership in Christian society.

SUGGESTED READING:

RAMÓN MENÉNDEZ PIDAL, "*El condenado por desconfiado*," in *Estudios literarios* (Colección Austral), first published as his reception speech to the Real Academia Española in 1902. An erudite tracing of the theme through a wide range of literature. Also useful for reaching an understanding of the theological background.

ALEXANDER A. PARKER, "Santos y bandoleros en el teatro español del Siglo de Oro," *Arbor*, XIII (1949), 395–416. A brilliant study of the saint-bandit theme in several dramatic works of the period, including *El condenado por desconfiado* (pp. 410–415).

ALBERT GÉRARD, "Pour une phénoménologie du baroque littéraire: essai sur la tragédie européenne au XVIIe siècle," *Publications de l'Université de l'Etat à Elisabethville*, V (1963), 25–65. Not concerned specifically with our play, but a very profound analysis of the *teatro teológico* (which Spanish term he uses) in Spain and other European countries.

KARL VOSSLER, *Lecciones sobre Tirso de Molina* (Madrid, 1965), originally delivered as lectures at the University of Havana in 1938. See especially pp. 76–87.

T. E. MAY, "*El condenado por desconfiado:* 1. The Enigmas, 2. Anareto," *Bulletin of Hispanic Studies*, XXXV (1958), 138–156.

C. V. AUBRUN, "La Comédie doctrinale et ses histoires de brigands: *El condenado por desconfiado*," *Bulletin Hispanique*, LIX (1957), 137–151.

El condenado por desconfiado

PERSONAS

PAULO, *ermitaño*.
ENRICO.
UN PASTORCILLO.
EL DEMONIO.
ANARETO, *padre de Enrico*.
CELIA.
LIDORA, *criada de Celia*.
OCTAVIO.
LISANDRO.
PEDRISCO, *gracioso*.
GALVÁN.
ESCALANTE.
ROLDÁN.
CHERINOS.
ALBANO, *viejo*.
EL GOBERNADOR DE NÁPOLES.
EL ALCAIDE DE LA CÁRCEL.
UN JUEZ.
Esbirros.
Bandoleros.
Caminantes.
Porteros.
Presos.
Carceleros.
Villanos.
Pueblo.

La escena es en Nápoles y sus cercanías.

JORNADA PRIMERA

Selva, dos grutas entre elevados peñascos

Sale PAULO.

PAULO. (*de ermitaño*)
¡Dichoso albergue mío!
Soledad apacible y deleitosa,
que en el calor y el frío
me dais posada en esta selva umbrosa,
donde el huespéd se llama 5
o verde yerba, o pálida retama:
agora, cuando el alba
cubre las esmeraldas de cristales,
haciendo al sol la salva,
que de su coche sale por jarales, 10

con mano de luz pura
quitando sombra de la noche oscura,
salgo de aquesta cueva
que en pirámides altos de estas peñas
naturaleza eleva, 15
y a las errantes nubes hace señas
para que noche y día,
ya que no hay otra, le hagan compañía.
Salgo a ver este cielo,
alfombra azul de aquellos pies hermosos. 20
¿Quién, oh celeste velo,
aquestos tafetanes luminosos
rasgar pudiera un poco
para ver...? ¡Ay de mí! Vuélvome loco.
Mas ya que es imposible, 25
y sé cierto, Señor, que me estáis viendo
desde ese inaccesible
trono de luz hermoso, a quien sirviendo
están ángeles bellos,
más que la luz del sol hermosos ellos, 30
mil gracias quiero daros
por las mercedes que me estáis haciendo
sin saber obligaros.
¿Cuándo yo merecí que del estruendo
me sacarais del mundo, 35
que es umbral de las puertas del profundo?
¿Cuándo, Señor divino,
podrá mi indignidad agradeceros
el volverme al camino
que, si no lo abandono, es fuerza el veros, 40
y tras esta victoria,
darme en aquestas selvas tanta gloria?
Aquí los pajarillos,
amorosas canciones repitiendo
por juncos y tomillos, 45
de vos me acuerdan, y yo estoy diciendo:
"Si esta gloria da el suelo,
¿qué gloria será aquella que da el cielo?"
Aquí estos arroyuelos,
jirones de cristal en campo verde, 50

me quitan mis desvelos,
y causa son a que de vos me acuerde.
Tal es el gran contento
que infunde al alma su sonoro acento.
Aquí silvestres flores 55
el fugitivo viento aromatizan,
y de varios colores
aquesta vega humilde fertilizan.
Su belleza me asombra:
calle el tapete y berberisca alfombra. 60
Pues con estos regalos,
con aquestos contentos y alegrías,
¡bendito seas mil veces,
inmenso Dios, que tanto bien me ofreces!
Aquí pienso servirte, 65
ya que el mundo dejé para bien mío;
aquí pienso seguirte,
sin que jamás humano desvarío,
por más que abra la puerta
el mundo a sus engaños, me divierta. 70
Quiero, Señor divino,
pediros de rodillas humilmente
que en aqueste camino
siempre me conservéis piadosamente.
Ved que el hombre se hizo 75
de barro vil, de barro quebradizo.
Entra en una de las grutas.

Sale PEDRISCO.

PEDRISCO. (*Trayendo un haz de hierba.*)
Como si fuera borrico,
vengo de yerba cargado,
de quien el monte está rico;
si esto como, ¡desdichado!, 80
triste fin me pronostico.
¡Que he de comer hierba yo,
manjar que el cielo crio
para brutos animales!
Déme el cielo en tantos males 85
paciencia. Cuando me echó
mi madre al mundo, decía:

"Mis ojos santo te vean,
Pedrisco del alma mía."
Si esto las madres desean, 90
una suegra, y una tía
¿qué desearán? Que aunque el ser
santo un hombre es gran ventura,
es desdicha el no comer.
Perdonad esta locura 95
y este loco proceder,
mi Dios; y pues conocida
ya mi condición tenéis,
no os enojéis porque os pida
que la hambre me quitéis, 100
o no sea santo en mi vida.
Y si puede ser, Señor,
pues que vuestro inmenso amor
todo lo imposible doma,
que sea santo y que coma, 105
mi Dios, mejor que mejor.
De mi tierra me sacó
Paulo, diez años habrá,
y a aqueste monte apartó;
él en una cueva está, 110
y en otra cueva estoy yo.
Aquí penitencia hacemos,
y sólo yerbas comemos,
y a veces nos acordamos,
de lo mucho que dejamos 115
por lo poco que tenemos.
Aquí, al sonoro raudal
de un despeñado cristal,
digo a estos olmos sombríos:
"¿Dónde estáis, jamones míos, 120
que no os doléis de mi mal?"
Cuando yo solía cursar
la ciudad, y no las peñas
(¡memorias me hacen llorar!),
de las hambres más pequeñas 125
gran pesar solíais tomar.
Erais, jamones, leales:

bien os puedo así llamar,
pues merecéis nombres tales,
aunque ya de las mortales 130
no tengáis ningún pesar."
Mas ya está todo perdido;
yerbas comeré afligido,
aunque llegue a presumir
que algún mayo he de parir 135
por las flores que he comido.
Mas Paulo sale de la cueva oscura:
entrar quiero en la mía tenebrosa,
y comerlas allí. *Vase.*

Sale PAULO.

PAULO. ¡Qué desventura!
Y ¡qué desgracia, cierta, lastimosa! 140
El sueño me venció, viva figura
(por lo menos imagen temerosa)
de la muerte crüel; y al fin rendido,
la devota oración puse en olvido.
Siguióse luego al sueño otro, de suerte, 145
sin duda, que a mi Dios tengo enojado,
si no es que acaso el enemigo fuerte
haya aquesta ilusión representado.
Siguióse al fin, ¡ay Dios!, de ver la muerte.
¡Qué espantosa figura! ¡Ay desdichado! 150
Si el verla en sueño causa tal quimera,
el que vivo la ve, ¿qué es lo que espera?
Tiróme el golpe con el brazo diestro;
no cortó la guadaña: el arco toma:
la flecha en el derecho, en el siniestro 155
el arco mismo que altiveces doma;
tiróme al corazón; yo, que me muestro
al golpe herido, porque el cuerpo coma
la madre tierra como a su despojo,
desencarcelo al alma, al cuerpo arrojo. 160
Salió el alma en un vuelo, en un instante
vi de Dios la presencia. ¡Quién pudiera
no verle entonces! ¡Qué cruel semblante!
Resplandeciente espada y justiciera

en la derecha mano y arrogante 165
(como ya por derecho suyo era)
el fiscal de las almas miré a un lado,
que aun con ser victorioso estaba airado.
Leyó mis culpas, y mi guarda santa
leyó mis buenas obras, y el Justicia 170
mayor del cielo, que es aquel que espanta
de la infernal morada la malicia,
las puso en dos balanzas; mas levanta
el peso de mi culpa y mi injusticia
mis obras buenas, tanto, que el Juez Santo 175
me condena a los reinos del espanto.
Con aquella fatiga y aquel miedo
desperté, aunque temblando, y no vi nada
si no es mi culpa, y tan confuso quedo
que si no es a mi suerte desdichada, 180
o traza del contrario, ardid o enredo,
que vibra contra mí su ardiente espada,
no sé a qué lo atribuya. Vos, Dios santo,
me declarad la causa de este espanto.
¿Heme de condenar, mi Dios divino, 185
como ese sueño dice, o he de verme
en el sagrado alcázar cristalino?
Aqueste bien, Señor, habéis de hacerme:
¿qué fin he de tener? Pues un camino
sigo tan bueno, no queráis tenerme 190
en esta confusión, Señor eterno.
¿He de ir a vuestro cielo, o al infierno?
Treinta años de edad tengo, Señor mío,
y los diez he gastado en el desierto,
y si viviera un siglo, un siglo fío 195
que lo mismo ha de ser: esto os advierto.
Si esto cumplo, Señor, con fuerza y brío,
¿qué fin he de tener? Lágrimas vierto.
Respondedme, Señor, Señor eterno.
¿He de ir a vuestro cielo, o al infierno? 200

Sale EL DEMONIO, *en lo alto de una peña.*

DEMONIO. (*Invisible para* PAULO.) Diez años ha que persigo
a este monje en el desierto,

recordándole memorias
y pasados pensamientos;
y siempre le he hallado firme, 205
como un gran peñasco opuesto.
Hoy duda en su fe: que es duda
de la fe lo que hoy ha hecho,
porque es la fe en el cristiano
que sirviendo a Dios y haciendo 210
buenas obras, ha de ir
a gozar de él en muriendo.
Este, aunque ha sido tan santo,
duda de la fe, pues vemos
que quiere del mismo Dios, 215
estando en duda, saberlo.
En la soberbia también
ha pecado; caso es cierto.
Nadie como yo lo sabe,
pues por soberbio padezco. 220
Y con la desconfïanza
le ha ofendido, pues es cierto
que desconfía de Dios
el que a su fe no da crédito.
Un sueño la causa ha sido; 225
y el anteponer un sueño
a la fe de Dios, ¿quién duda
que es pecado manifiesto?
Y así me ha dado licencia
el Juez más supremo y recto, 230
para que con más engaños
le incite agora de nuevo.
Sepa resistir valiente
los combates que le ofrezco,
para luego desconfiar 235
y ser, como yo, soberbio.
Su mal ha de restaurar
de la pregunta que ha hecho
a Dios, pues a su pregunta
mi nuevo engaño prevengo. 240
De ángel tomaré la forma,
y responderé a su intento

cosas que le han de costar
su condenación, si puedo.

Déjase ver en figura de ángel.

PAULO. ¡Dios mío!, aquesto os suplico. 245
¿Salvaréme, Dios inmenso?
¿Iré a gozar vuestra gloria?
Que me respondáis espero.

DEMONIO. Dios, Paulo, te ha escuchado,
y tus lágrimas ha visto. 250

PAULO. (*Aparte.*) (¡Qué mal el temor resisto!
Ciego en mirarlo he quedado.)

DEMONIO. Me ha mandado que te saque
de esa ciega confusión,
por que esa vana ilusión 255
de tu contrario se aplaque.
Ve a Nápoles; y a la puerta
que llaman allá del Mar,
que es por donde tú has de entrar
a ver tu ventura cierta 260
o tu desdicha, verás
cerca de ella (estáme atento)
un hombre...

PAULO. ¡Qué gran contento
con tus razones me das!

DEMONIO. ...que Enrico tiene por nombre, 265
hijo del noble Anareto.
Conocerásle, en efeto,
por señas: que es gentilhombre,
alto de cuerpo y gallardo.
No quiero decirte más, 270
porque apenas llegarás,
cuando le veas.

PAULO. Aguardo
lo que le he de preguntar
cuando le llegare a ver.

DEMONIO. Sólo una cosa has de hacer. 275

PAULO. ¿Qué he de hacer?

DEMONIO. Verle y callar,
contemplando sus acciones,

sus obras y sus palabras.

PAULO. En mi pecho ciego labras
quimeras y confusiones. 280
¿Sólo eso tengo de hacer?

DEMONIO. Dios que en él repares quiere,
porque el fin que aquél tuviere,
ese fin has de tener. *Desaparece.*

PAULO. ¡Oh misterio soberano! 285
¿Quién este Enrico será?
Por verle me muero ya.
¡Qué contento estoy, qué ufano!
Algún divino varón
debe de ser: ¿quién lo duda? 290

Sale PEDRISCO.

PEDRISCO. (*Aparte.*) (Siempre la fortuna ayuda
al más flaco corazón.
Lindamente he manducado:
satisfecho quedo ya.)

PAULO. ¡Pedrisco!

PEDRISCO. A esos pies está 295
mi boca.

PAULO. A tiempo has llegado.
Los dos habemos de hacer
una jornada al momento.

PEDRISCO. Brinco y salto de contento.
Mas ¿dónde, Paulo, ha de ser? 300

PAULO. A Nápoles.

PEDRISCO. ¿Qué me dice?
Y, ¿a qué, padre?

PAULO. En el camino
sabrá un paso peregrino:
¡plegue a Dios que sea felice!

PEDRISCO. ¿Si seremos conocidos 305
de los amigos de allá?

PAULO. Nadie nos conocerá;
que vamos desconocidos
en el traje y en la edad.

PEDRISCO. Diez años ha que faltamos. 310
Seguros pienso que vamos;

que es tal la seguridad
de este tiempo, que en una hora
se desconoce el amigo.

PAULO. ¡Vamos!

PEDRISCO. ¡Vaya Dios conmigo! 315

PAULO. De contento el alma llora.
A obedeceros me aplico,
mi Dios; nada me desmaya,
pues vos me mandáis que vaya
a ver al dichoso Enrico. 320
¡Gran santo debe de ser!
Lleno de contento estoy.

PEDRISCO. Y yo, pues contigo voy.
(*Aparte.*) (No puedo dejar de ver,
pues que mi bien es tan cierto 325
con tan alta maravilla,
el bodegón de Juanilla
y la taberna del Tuerto.) *Vanse.*

DEMONIO. Bien mi engaño va trazado.
Hoy verá el desconfïado 330
de Dios y de su poder
el fin que viene a tener,
pues él propio lo ha buscado. *Vase.*

Patio y galería abierta en el palacio de CELIA en Nápoles

Salen OCTAVIO *y* LISANDRO.

LISANDRO. La fama de esa mujer
sólo a verla me ha traído. 335

OCTAVIO. ¿De qué es la fama?

LISANDRO. La fama
que de ella, Octavio, he tenido
es de que es la mas discreta
mujer que en aqueste siglo
ha visto el napolitano 340
reino.

OCTAVIO. Verdad os han dicho;
pero aquesa discreción
es el cebo de sus vicios.

Con ésa engaña a los necios,
con ésa estafa a los lindos. 345
Con una octava o soneto,
que con picaresco estilo
suele hacer de cuando en cuando,
trae a mil hombres perdidos;
y por parecer discretos, 350
alaban el artificio,
y el lenguaje y los concetos.

LISANDRO. Notables cosas me han dicho
de esta mujer.

OCTAVIO. Está bien.
¿No os dijo el que aquesto os dijo, 355
que es de esta mujer la casa
un depósito de vivos
y que nunca está cerrada
al napolitano rico,
ni al alemán, ni al inglés, 360
ni al húngaro, armenio o indio,
ni aun al español tampoco,
con ser tan aborrecido
en Nápoles?

LISANDRO. ¿Eso pasa?

OCTAVIO. La verdad es lo que digo, 365
como es verdad que venís
de ella enamorado.

LISANDRO. Afirmo
que me enamoró su fama.

OCTAVIO. Pues más hay.

LISANDRO. ¿Sois fiel amigo?

OCTAVIO. Que tiene cierto mancebo 370
por galán, que no ha nacido
hombre tan mal inclinado
en Nápoles.

LISANDRO. Será Enrico,
hijo de Anareto el viejo,
que pienso que ha cuatro o cinco 375
años que está en una cama
el pobre viejo, tullido.

OCTAVIO. El mismo.

LISANDRO. Noticia tengo
de este mancebo.
OCTAVIO. Os afirmo,
Lisandro, que es el peor hombre 380
que en Nápoles ha nacido.
Aquesta mujer le da
cuanto puede: y cuando el vicio
del juego suele apretalle,
se viene a su casa él mismo, 385
y le quita a bofetadas
las cadenas, los anillos...
LISANDRO. ¡Pobre mujer!
OCTAVIO. También ella
suele hacer sus ciertos tiros,
quitando la hacienda a muchos 390
que son en su amor novicios,
con esta falsa poesía.
LISANDRO. Pues ya que estoy advertido
de amigo tan buen maestro,
allí veréis si yo os sirvo. 395
OCTAVIO. Yo entraré con vos también;
mas ojo al dinero, amigo.
LISANDRO. Con invención entraremos.
OCTAVIO. Diréisle que habéis sabido
que hace versos elegantes, 400
y que a precio de un anillo
unos versos os escriba
a una dama.
LISANDRO. ¡Buen arbitrio!
OCTAVIO. Y yo, pues entro con vos,
le diré también lo mismo. 405
Esta es la casa.
LISANDRO. Y aun pienso
que está en el patio.
OCTAVIO. Si Enrico
nos coge dentro, por Dios,
que recelo algún peligro.
LISANDRO. ¿No es un hombre solo?
OCTAVIO. Sí 410
LISANDRO. No le temo, ni le estimo.

Sale CELIA, *leyendo un papel y* LIDORA, *quien saca recado de escribir y lo pone en una mesa.*

CELIA. Bien escrito está el papel.
LIDORA. Es discreto Severino.
CELIA. Pues no se le echa de ver
notablemente.
LIDORA. ¿No has dicho 415
que escribe bien?
CELIA. Sí, por cierto,
la letra es buena: esto digo.
LIDORA. Ya entiendo. La mano y pluma
son de maestro de niños...
CELIA. Las razones, de ignorante. 420
OCTAVIO. Llega, Lisandro, atrevido.
LISANDRO. Hermosa es, por vida mía.
Muy pocas veces se ha visto
belleza y entendimiento
tanto en un sujeto mismo. 425
LIDORA. Dos caballeros, si ya
se juzgan por el vestido,
han entrado.
CELIA. ¿Qué querrán?
LIDORA. Lo ordinario.
OCTAVIO. (*A* LISANDRO.) Ya te ha visto.
CELIA. ¿Qué mandan vuestras mercedes? 430
LISANDRO. Hemos llegado atrevidos,
porque en casas de poetas
y de señoras no ha sido
vedada la entrada a nadie.
LIDORA. (*Aparte.*) (Gran sufrimiento ha tenido 435
pues la llamaron poeta,
y ha callado.)
LISANDRO. Yo he sabido
que sois discreta en extremo,
y que de Homero y Ovidio
excedéis la misma fama. 440
Y así yo y aqueste amigo,
que vuestro ingenio me alaba,
en competencia venimos

de que para cierta dama
que mi amor puso en olvido 445
y se casó a su disgusto,
le hagáis algo; que yo afirmo
el premio a vuestra hermosura,
si es, señora, premio digno
el daros mi corazón. 450

LIDORA. (*Ap. a* CELIA.) (Por Belerma te ha tenido.)

OCTAVIO. Yo vine también, señora,
(pues vuestro ingenio divino
obliga a los que se precian
de discretos) a lo mismo. 455

CELIA. ¿Sobre quién tiene que ser?

OCTAVIO. Una mujer que me quiso
cuando tuvo qué quitarme,
y ya que pobre me ha visto,
se recogió a bien vivir. 460

LIDORA. (*Aparte.*) (Muy como discreta hizo.)

CELIA. A buen tiempo habéis llegado,
que a un papel que me han escrito
quería responder ahora;
y pues decís que de Ovidio 465
excedo la antigua fama,
haré ahora más que él hizo.
A un tiempo se han de escribir
vuestros papeles y el mío.
(*A* LIDORA.) Da a todos tinta y papel. 470

LISANDRO. ¡Bravo ingenio!

OCTAVIO. ¡Peregrino!

LIDORA. Aquí está tinta y papel.

CELIA. Escribid, pues.

Siéntanse a una mesa.

LISANDRO. Ya escribimos.

CELIA. Tú dices que a una mujer
que se casó...

LISANDRO. Aqueso digo. 475

CELIA. Y tú a la que te dejó
después que no fuiste rico.

OCTAVIO. Así es verdad.

CELIA. Y yo aquí
le respondo a Severino.

Dicta CELIA, *al mismo tiempo que escribe, a* LISANDRO *y a* OCTAVIO.

Salen ENRICO *y* GALVÁN, *ambos con espada y broquel.*

ENRICO. ¿Qué se busca en esta casa, 480
hidalgos?

LISANDRO. Nada buscamos;
estaba abierta y entramos.

ENRICO. ¿Conóceme?

LISANDRO. Aquesto pasa.

ENRICO. Pues váyanse noramala;
que, ¡voto a Dios!, si me enojo 485
(no me hagas, Celia, del ojo)...

OCTAVIO. ¿Qué locura a aquésta iguala?

ENRICO. que los arroje en el mar,
aunque está lejos de aquí.

CELIA. Mi bien, por amor de mí. 490
(*Bajo a* ENRICO.)

ENRICO. ¿Tú te atreves a llegar?
Apártate; ¡voto a Dios!,
que te dé una bofetada.

OCTAVIO. Si el estar aquí os enfada,
ya nos iremos los dos. 495

LISANDRO. ¿Sois pariente, o sois hermano
de aquesta señora?

ENRICO. Soy
el diablo.

GALVÁN. (Ya yo estoy
(*Aparte a* ENRICO.) con la hojarasca en la mano
¡Sacúdelos!)

OCTAVIO. ¡Deteneos! 500

CELIA. ¡Mi bien, por amor de Dios!

OCTAVIO. Aquí vinimos los dos,
no con lascivos deseos,
sino a que nos escribiese
unos papeles...

ENRICO. Pues ellos 505
que se precian de tan bellos,
¿no saben escribir?

OCTAVIO. Cese
vuestro enojo.
ENRICO. ¿Qué es cesar?
¿Qué es de lo escrito?
OCTAVIO. (*Dándole los papeles.*) Esto es.
ENRICO. Vuelvan por ellos después, 510
(*Rasgándolos.*) porque agora no hay lugar.
CELIA. ¿Los rompiste?
ENRICO. Claro está,
y si me enojo...
CELIA. (*Bajo a* ENRICO.) ¡Mi bien!
ENRICO. haré lo mismo también
de sus caras.
LISANDRO. Basta ya. 515
ENRICO. Mi gusto tengo de hacer
en todo cuanto quisiere;
y si voarcé lo quiere,
sor hidalgo, defender,
cuéntese sin piernas ya, 520
porque yo nunca temí
hombres como ellos.
LISANDRO. ¡Que ansí
nos trate un hombre!
OCTAVIO. Calla.
ENRICO. Ellos se precian de hombres,
siendo de mujer las almas; 525
si pretenden llevar palmas,
y ganar honrosos nombres,
defiéndanse de esta espada.

ENRICO *y* GALVÁN *acuchillan a* LISANDRO *y* OCTAVIO.

CELIA. ¡Mi bien!
ENRICO. ¡Aparta!
CELIA. ¡Detente!
ENRICO. Nadie detenerme intente. 530
CELIA. ¡Qué es aquesto! ¡Ay desdicha!

Vanse OCTAVIO *y* LISANDRO *huyendo.*

LIDORA. Huyendo van, que es belleza.
GALVÁN. ¡Qué cuchillada le di!
ENRICO. Viles gallinas, ¿ansí

afrentáis vuestra destreza? 535

CELIA. Mi bien, ¿qué has hecho?

ENRICO. Nonada.
Gallardamente le di
a aquel más alto. Le abrí
un jeme de cuchillada.

LIDORA. (*A* CELIA.) Bien el que entra a verte gana. 540

GALVÁN. Una punta le tiré
a aquel más bajo, y le eché
fuera una arroba de lana.
¡Terrible peto traía!

ENRICO. ¡Siempre, Celia, me has de dar 545
disgusto!

CELIA. Basta el pesar;
sosiega, por vida mía.

ENRICO. ¿No te he dicho que no gusto
que entren esos marquesotes
todos guedeja y bigotes, 550
adonde me dan disgusto?
¿Qué provecho tienes dellos?
¿Qué te ofrecen, qué te dan
estos que contino están
rizándose los cabellos? 555
De peña, de roble o risco
es al dar su condición:
su bolsa hizo profesión
en la orden de San Francisco.
Pues, ¿para qué los admites? 560
¿Para qué les das entrada?
¿No te tengo yo avisada?
Tú harás algo que me incites
a cólera.

CELIA. Bueno está.

ENRICO. ¡Apártate!

CELIA. Oye, mi bien, 565
porque sepas que hay también
alguno en éstos que da:
aqueste anillo y cadena
me dieron éstos.

ENRICO. ¡A ver!

La cadena he menester, 570
que me parece muy buena.

CELIA. ¿La cadena?

ENRICO. Y el anillo
también me hace falta agora.

LIDORA. Déjale algo a mi señora.

ENRICO. Ella, ¿no sabrá pedillo? 575
¿Para qué lo pides tú?

GALVÁN. Esta por hablar se muere.

LIDORA. (*Aparte.*) (¡Mal haya quien bien os quiere,
rufianes de Belcebú!)

CELIA. Todo es tuyo, vida mía; 580
y pues yo tan tuya soy,
escúchame.

ENRICO. Atento estoy.

CELIA. Sólo pedirte querría
que nos lleves esta tarde
a la Puerta de la Mar. 585

ENRICO. El manto puedes tomar.

CELIA. Yo haré que allá nos aguarde
la merienda.

ENRICO. ¿Oyes, Galván?
Ve a avisar luego al instante
a nuestro amigo Escalante, 590
a Cherinos y a Roldán
que voy con Celia.

GALVÁN. Sí haré.

ENRICO. Di que a la Puerta del Mar
nos vayan luego a esperar
con sus mozas.

LIDORA. ¡Bien a fe! 595

GALVÁN. Ello habrá lindo bureo,
más que ha de haber cuchilladas.

CELIA. ¿Quieres que vamos tapadas?

ENRICO. No es eso lo que deseo.
Descubiertas habéis de ir, 600
porque quiero en este día
que sepan que tú eres mía.

CELIA. Como te podré servir,
vamos.

ENRICO *y* GALVÁN *se van retirando, y hablan aparte al salir.*

LIDORA. (*A* CELIA.) Tú que eres inocente:
¿todas las joyas le has dado? 605
CELIA. Todo está bien empleado
en hombre que es tan valiente.
GALVÁN. Mas ¿que no te acuerdas ya
que te dijeron ayer
que una muerte habías de hacer? 610
ENRICO. Cobrada y gastada está
ya la mitad del dinero.
GALVÁN. Pues ¿para qué vas al mar?
ENRICO. Después se podrá trazar,
que agora, Galván, no quiero. 615
Anillo y cadena tengo,
que me dio la tal señora:
dineros sobran ahora.
GALVÁN. Ya tus intentos prevengo.
ENRICO. Viva alegre el desdichado, 620
libre de cuidado y pena;
que en gastando la cadena
le daremos su recado. *Vase.*

Vista de Nápoles por la Puerta del Mar

Salen PAULO *y* PEDRISCO.

PEDRISCO. Maravillado estoy de tal suceso.
PAULO. Secretos son de Dios.
PEDRISCO. ¿De modo, padre, 625
que el fin que ha de tener aqueste Enrico
ha de tener también?
PAULO. Faltar no puede
la palabra de Dios; el ángel suyo
me dijo que si Enrico se condena,
yo me he de condenar; y si él se salva, 630
también me he de salvar.
PEDRISCO. Sin duda, padre,
que es un santo varón aqueste Enrico.
PAULO. Eso mismo imagino.
PEDRISCO. Esta es la Puerta
que llaman de la Mar.

PAULO. Aquí me manda
el ángel que le aguarde.
PEDRISCO. Aquí vivía 635
un tabernero gordo, padre mío,
adonde yo acudía muchas veces,
y más allá, si acaso se le acuerda,
vivía aquella moza rubia y alta,
que archero de la guardia parecía, 640
a quien él requebraba.
PAULO. ¡Oh vil contrario!
Livianos pensamientos me fatigan.
¡Oh cuerpo flaco! Hermano, escuche.
PEDRISCO. Escucho.
PAULO. El contrario me tiene con memoria
y con pasados gustos...
(*Echase en el suelo.*)
PEDRISCO. ¿Pues qué hace? 645
PAULO. En el suelo me arrojo desta suerte,
para que en él me pise: llegue, hermano,
píseme muchas veces.
PEDRISCO. En buena hora;
que soy muy obediente, padre mío. *Písale.*
¿Písole bien?
PAULO. Sí, hermano.
PEDRISCO. ¿No le duele? 650
PAULO. Pise, y no tenga pena.
PEDRISCO. ¿Pena, padre?
¿Por qué razón he yo de tener pena?
Piso y repiso, padre de mi vida;
mas temo no reviente, padre mío.
PAULO. Píseme, hermano.

Dan voces, desde adentro, deteniendo a ENRICO.

ROLDÁN. Deteneos, Enrico. 655
ENRICO. Al mar he de arrojalle, ¡vive el cielo!
(*Dentro.*)
PAULO. A Enrico oí nombrar.
ENRICO. (*Dentro.*) ¿Gente mendiga
ha de haber en el mundo?

CHERINOS. (*Dentro.*) ¡Deteneos!
ENRICO. (*Dentro.*) Podrásme detener en arrojándole.
CELIA. (*Dentro.*) ¿Adónde vas? ¡Detente!
ENRICO. (*Dentro.*) No hay remedio; 660
harta merced te hago, pues te saco
de tan grande miseria.
ROLDÁN. (*Dentro.*) ¡Qué habéis hecho!
(*Salen todos.*)
ENRICO. Llegó a pedirme un pobre una limosna;
dolióme el verle con tan gran miseria
y porque no llegase a avergonzarse 665
a otro desde hoy, cogíle en brazos,
y le arrojé en el mar.
PAULO. ¡Delito inmenso!
ENRICO. Ya no será más pobre, según pienso.
PEDRISCO. ¡Algún diablo limosna te pidiera!
CELIA. ¡Siempre has de ser crüel!
ENRICO. No me repliques; 670
que haré contigo y los demás lo mismo.
ESCALANTE. Dejemos eso agora, por tu vida.
Sentémonos los dos, Enrico amigo.
PAULO. (A éste han llamado Enrico.
(*Aparte a* PEDRISCO.)
PEDRISCO. Será otro.
¿Querías tú que fuese este mal hombre, 675
que en vida está ya ardiendo en los infiernos?
Aguardemos a ver en lo que para.)
ENRICO. Pues siéntense voarcedes, porque quiero
haya conversación.
ESCALANTE. Muy bien ha dicho.
ENRICO. Siéntese Celia aquí.
CELIA. Ya estoy sentada. 680
ESCALANTE. Tú conmigo, Lidora.
LIDORA. Lo mismo digo yo, seor Escalante.
CHERINOS. Siéntese aquí, Roldán.
ROLDÁN. Ya voy, Cherinos.
PEDRISCO. (¡Mire qué buenas almas, padre mío!
(*Aparte a* PAULO.) Lléguese más, verá de lo que tratan. 685
PAULO. ¡Que no viene mi Enrico!
PEDRISCO. Mire y calle;

que somos pobres, y este desalmado
no nos eche en el mar.)

ENRICO. Agora quiero
que cuente cada uno de vuarcedes
las hazañas que ha hecho en esta vida. 690
Quiero decir... hazañas... latrocinios,
cuchilladas, heridas, robos, muertes,
salteamientos y cosas de este modo.

ESCALANTE. Muy bien ha dicho Enrico.

ENRICO. Y al que hubiere
hecho mayores males, al momento 695
una corona de laurel le pongan,
cantándole alabanzas y motetes.

ESCALANTE. Soy contento.

ENRICO. Comience, seo Escalante.

PAULO. (¡Que esto sufre el Señor!

PEDRISCO. Nada le espante.)

ESCALANTE. Yo digo ansí.

PEDRISCO. ¡Qué alegre y satisfecho! 700

ESCALANTE. Veinticinco pobretes tengo muertos,
seis casas he escalado, y treinta heridas
he dado con la chica.

PEDRISCO. (¡Quién te viera
hacer en una horca cabriolas!)

ENRICO. Diga Cherinos.

PEDRISCO. (¡Qué ruin nombre tiene! 705
Cherinos, cosa poca.)

CHERINOS. Yo comienzo.
No he muerto a ningún hombre; pero he dado
más de cien puñaladas.

ENRICO. ¿Y ninguna
fue mortal?

CHERINOS. Amparóles la fortuna.
De capas que he quitado en esta vida 710
y he vendido a un ropero, está ya rico.

ENRICO. ¿Véndelas él?

CHERINOS. ¿Pues no?

ENRICO. ¿No las conocen?

CHERINOS. Por quitarse de aquestas ocasiones,
las convierte en ropillas y calzones.

ENRICO. ¿Habéis hecho otra cosa?

CHERINOS. No me acuerdo. 715

PEDRISCO. (¿Mas que le absuelve ahora el ladronazo?)

CELIA. Y tú, ¿qué has hecho, Enrico?

ENRICO. Oigan voarcedes.

ESCALANTE. Nadie cuente mentiras.

ENRICO. Yo soy hombre
que en mi vida las dije.

GALVÁN. Tal se entiende.

PEDRISCO. (¿No escucha, padre mío, estas razones? 720

PAULO. Estoy mirando a ver si viene Enrico.)

ENRICO. Haya, pues, atención.

CELIA. Nadie te impide.

PEDRISCO. (¡Miren a qué sermón atención pide!)

ENRICO. Yo nací mal inclinado,
como se ve en los efectos 725
del discurso de mi vida
que referiros pretendo.
Con regalos me crié
en Nápoles; que ya pienso
que conocéis a mi padre, 730
que aunque no fue caballero
ni de sangre generosa,
era muy rico y yo entiendo
que es la mayor calidad
el tener, en este tiempo. 735
Criéme, al fin, como digo,
entre regalos, haciendo
travesuras cuando niño,
locuras cuando mancebo.
Hurtaba a mi viejo padre, 740
arcas y cofres abriendo,
los vestidos que tenía,
las joyas y los dineros.
Jugaba, y digo jugaba
para que sepáis con esto, 745
que de cuantos vicios hay,
es el primer padre el juego.
Quedé pobre y sin hacienda,
y como enseñado a hacerlo,

di en robar de casa en casa 750
cosas de pequeño precio.
Iba a jugar y perdía;
mis vicios iban creciendo.
Di luego en acompañarme
con otros del arte mesmo: 755
escalamos siete casas,
dimos la muerte a sus dueños;
lo robado repartimos
para dar caudal al juego.
De cinco que éramos todos, 760
sólo los cuatro prendieron,
y nadie me descubrió,
aunque les dieron tormento.
Pagaron en una plaza
su delito, y yo con esto, 765
de escarmentado, acogíme
a hacer a solas mis hechos.
Ibame todas las noches,
solo, a la casa de juego,
donde a su puerta aguardaba 770
a que saliesen de dentro.
Pedía con cortesía
el barato y cuando ellos
iban a sacar qué darme,
sacaba yo el fuerte acero 775
que riguroso escondía
en sus inocentes pechos,
y por fuerza me llevaba,
lo que ganando perdieron.
Quitaba de noche capas; 780
tenía diversos hierros
para abrir cualquier puerta,
y hacerme capaz del dueño.
Las mujeres estafaba;
y no dándome el dinero, 785
visitaba una navaja
su rostro luego, al momento.
Aquestas cosas hacía
el tiempo que fui mancebo;

pero escuchadme y sabréis, 790
siendo hombre, las que he hecho.
A treinta desventurados
yo solo, y aqueste acero
que es de la muerte ministro,
del mundo sacado habemos: 795
los diez, muertos por mi gusto,
y los viente me salieron
uno con otro a doblón.
Diréis que es pequeño precio:
es verdad; mas, voto a Dios, 800
que en faltándome el dinero,
que mate por un doblón
a cuantos me están oyendo.
Seis doncellas he forzado:
dichoso llamarme puedo, 805
pues seis he podido hallar
en este felice tiempo.
De una principal casada
me aficioné; y en secreto
habiendo entrado en su casa 810
a ejecutar mi deseo,
dio voces, vino el marido;
y yo enojado y resuelto,
llegué con él a los brazos;
y tanto en ellos le aprieto, 815
que perdió tierra, y apenas
en este punto le veo,
cuando de un balcón le arrojo,
y en el suelo cayó muerto.
Dio voces la tal señora; 820
y yo, sacado el acero,
le metí cinco o seis veces
en el cristal de su pecho
donde puertas de rubíes
en campos de cristal bellos 825
le dieron salida al alma
para que se fuese huyendo.
Por hacer mal solamente
he jurado juramentos

falsos, fingiendo quimeras, 830
hecho máquinas, enredos;
y un sacerdote que quiso
reprenderme con buen celo,
de un bofetón que le di
cayó en tierra medio muerto. 835
Porque supe que encerrado
en casa de un pobre viejo
estaba un contrario mío,
a la casa puse fuego;
y sin poder remediallo 840
todos se quemaron dentro,
y hasta dos niños hermanos
cenizas quedaron hechos.
No digo jamás palabra
si no es con un juramento, 845
con un "pese" o un "por vida,"
porque sé que ofendo al cielo.
En mi vida misa oí,
ni estando en peligros ciertos
de morir, me he confesado, 850
ni invocado a Dios eterno.
No he dado limosna nunca,
aunque tuviese dineros:
antes, persigo a los pobres,
como habéis visto el ejemplo. 855
No respeto a religiosos:
de sus iglesias y templos
seis cálices he robado
y diversos ornamentos
que sus altares adornan. 860
Ni a la justicia respeto:
mil veces me he resistido
y a sus ministros he muerto;
tanto que para prenderme
no tienen ya atrevimiento. 865
Y finalmente yo estoy
preso por los ojos bellos
de Celia, que está presente:
todos la tienen respeto

por mí que la adoro; y cuando 870
sé que la sobran dineros,
con lo que me da, aunque poco,
mi viejo padre sustento,
que ya le conoceréis
por el nombre de Anareto. 875
Cinco años ha que tullido
en una cama le tengo,
y tengo piedad con él,
por estar pobre el buen viejo,
y porque soy causa, al fin, 880
de ponelle en tal extremo,
por jugarle yo su hacienda
el tiempo que fui mancebo.
Todo es verdad lo que he dicho,
¡voto a Dios! y que no miento. 885
Juzgad ahora vosotros
cuál merece mayor premio.

PEDRISCO. (Cierto, padre de mi vida,
que son servicios tan buenos,
que puede ir a pretender 890
éste a la corte.)

ESCALANTE. Confieso
que tú el lauro has merecido.

ROLDÁN. Y yo confieso lo mesmo.

CHERINOS. Todos lo mesmo decimos.

CELIA. El laurel darte pretendo. 895

ENRICO. Vivas, Celia, muchos años.

CELIA. (*Poniendo a* ENRICO *una corona de laurel.*)
Toma, mi bien; y con esto,
pues que la merienda aguarda,
nos vamos.

GALVÁN. Muy bien has hecho.

CELIA. Digan todos "¡Viva Enrico!" 900

TODOS. ¡Viva el hijo de Anareto!

ENRICO. Al punto todos vayamos
a holgarnos y entretenernos.

Vanse ENRICO *y los que salieron con él.*

PAULO. ¡Salid, lágrimas, salid!
Salid apriesa del pecho, 905

no lo dejéis de vergüenza.
¡Qué lastimoso suceso!
PEDRISCO. ¿Qué tiene, padre?
PAULO. ¡Ay, hermano!
Penas y desdichas tengo.
Este mal hombre que he visto, 910
es Enrico.
PEDRISCO. ¿Cómo es eso?
PAULO. Las señas que me dio el ángel
son suyas.
PEDRISCO. ¿Es eso cierto?
PAULO. Sí, hermano, porque me dijo
que era hijo de Anareto, 915
y aquéste también lo ha dicho.
PEDRISCO. Pues aquéste ya está ardiendo
en los infiernos.
PAULO. ¡Ay triste!
Eso sólo es lo que temo.
El ángel de Dios me dijo 920
que si éste se ya al infierno,
que al infierno tengo de ir,
y al cielo, si éste va al cielo.
Pues al cielo, hermano mío,
¿cómo ha de ir éste, si vemos 925
tantas maldades en él,
tantos robos manifiestos,
crueldades y latrocinios,
y tan viles pensamientos?
PEDRISCO. En eso ¿quién pone duda? 930
Tan cierto se irá al infierno
como el despensero Judas.
PAULO. ¡Gran Señor! ¡Señor eterno!
¿Por qué me habéis castigado
con castigo tan inmenso? 935
Diez años y más, Señor,
ha que vivo en el desierto
comiendo yerbas amargas,
salobres aguas bebiendo,
sólo porque vos, Señor, 940
juez piadoso, sabio, recto,

perdonarais mis pecados.
¡Cuán diferente lo veo!
Al infierno tengo de ir.
Ya me parece que siento 945
que aquellas voraces llamas
van abrasando mi cuerpo.
¡Ay! ¡Qué rigor!

PEDRISCO. Ten paciencia.

PAULO. ¿Qué paciencia o sufrimiento
ha de tener el que sabe 950
que ha de ir a los infiernos?
Al infierno, centro oscuro,
donde ha de ser el tormento
eterno, y ha de durar
lo que Dios durare. ¡Ah, cielo! 955
¡Que nunca se ha de acabar!
¡Que siempre han de estar ardiendo
las almas! ¡Siempre! ¡Ay de mí!

PEDRISCO. (*Aparte.*) (Sólo oírle me da miedo.)
Padre, volvamos al monte. 960

PAULO. Que allá volvamos pretendo;
pero no a hacer penitencia,
porque ya no es de provecho.
Dios me dijo que si aquéste
si iba al cielo, me iría al cielo, 965
y al profundo, si al profundo.
Pues es ansí, seguir quiero
su misma vida; perdone
Dios aqueste atrevimiento.
Si su fin he de tener, 970
tenga su vida y sus hechos;
que no es bien que yo en el mundo
esté penitencia haciendo,
y que él viva en la ciudad
con gustos y con contentos, 975
y que a la muerte tengamos
un fin.

PEDRISCO. Es discreto acuerdo.
Bien ha dicho, padre mío.

PAULO. En el monte hay bandoleros:

bandolero quiero ser, 980
porque así igualar pretendo
mi vida con la de Enrico,
pues un mismo fin tendremos.
Tan malo tengo de ser
como él, y peor si puedo; 985
que pues ya los dos estamos
condenados al infierno,
bien es que antes de ir allá
en el mundo nos venguemos.
¡Ah, Señor! ¿Quién tal pensara? 990

PEDRISCO. Vamos, y déjate de eso,
y de estos árboles altos
los hábitos ahorquemos.
Vístete galán.

PAULO. Sí haré;
y yo haré que tengan miedo 995
a un hombre, que, siendo justo,
se ha condenado al infierno.
Rayo del mundo he de ser.

PEDRISCO. ¿Qué se ha de hacer sin dineros?

PAULO. Yo los quitaré al demonio 1000
si fuere cierto el traerlos.

PEDRISCO. Vamos, pues.

PAULO. Señor, perdona
si injustamente me vengo.
Tú me has condenado ya:
tu palabra es caso cierto 1005
que atrás no puede volver.
Pues si es ansí, tener quiero
en el mundo buena vida,
pues tan triste fin espero.
Los pasos pienso seguir 1010
de Enrico.

PEDRISCO. Ya voy temiendo
que he de ir contigo a las ancas
cuando vayas al infierno.

JORNADA SEGUNDA

Sala de la casa de ANARETO

Salen ENRICO *y* GALVÁN.

ENRICO. ¡Válgate el diablo, el juego!
¡Qué mal que me has tratado!
GALVÁN. Siempre eres desdichado.
ENRICO. ¡Fuego en las manos, fuego!
¿Estáis descomulgadas? 5
GALVÁN. Echáronte a perder suertes trocadas.
ENRICO. Derechas no las gano;
si las trueco tampoco.
GALVÁN. El es un juego loco.
ENRICO. Esta derecha mano 10
me tiene destruido:
noventa y nueve escudos he perdido.
GALVÁN. ¿Pues para qué estás triste,
que nada te costaron?
ENRICO. ¡Qué poco que duraron! 15
¿Viste tal cosa? ¿Viste
tal multitud de suertes?
GALVÁN. Con esa pesadumbre te diviertes,
y no cuidas de nada:
y has de matar a Albano; 20
que de Laura el hermano
te tiene ya pagada
la mitad del dinero.
ENRICO. Sin blanca estoy; matar a Albano quiero.
GALVÁN. ¿Y aquesta noche, Enrico, 25
Cherinos y Escalante...?
Empresa es importante.
ENRICO. A ayudallos me aplico.
¿No han de robar la casa
de Octavio el genovés?
GALVÁN. Aqueso pasa. 30
ENRICO. Pues yo seré el primero
que suba a sus balcones:
en tales ocasiones
aventajarme quiero.

Ve y diles que aquí aguardo. 35

GALVÁN. Volando voy, que en todo eres gallardo. *Vase.*

ENRICO. Pues mientras ellos se tardan,
y el manto lóbrego aguardan
que su remedio ha de ser,
quiero un viejo padre ver 40
que aquestas paredes guardan.

Cinco años ha que le tengo
en una cama tullido,
y tanto a estimarle vengo,
que con andar tan perdido, 45
a mi costa le mantengo.

De lo que Celia me da,
o yo por fuerza le quito,
traigo lo que puedo acá,
y su vida solicito, 50
que acabando el curso va.

De lo que de noche puedo,
varias casas escalando,
robar con cuidado o miedo,
voy su sustento aumentando, 55
y a veces sin él me quedo.

Que esta virtud solamente
en mi vida distraída
conservo piadosamente;
que es deuda al padre debida 60
el serle el hijo obediente.

En mi vida le ofendí,
ni pesadumbre le di
en todo cuanto mandó,
siempre obediente me halló 65
desde el día que nací:

que aquestas mis travesuras,
mocedades y locuras
nunca a saberlas llegó;
que a saberlas, bien sé yo 70
que aunque mis entrañas duras,

de peña, al blando cristal
opuesta, fueron formadas,
y mi corazón igual

a las fieras encerradas 75
en riscos de pedernal,
que las hubiera atajado;
pero siempre le he tenido
donde, de nadie informado,
ni un disgusto ha recibido 80
de tantos como he causado.

Descorre las cortinas de la alcoba y se ve a ANARETO *dormido en una silla.*

ENRICO. Aquí está: quiérole ver.
Durmiendo está al parecer.
¡Padre!

ANARETO. (*Despiértase.*) ¡Mi Enrico querido!

ENRICO. Del descuido que he tenido, 85
perdón espero tener
de vos, padre de mis ojos.
¿Heme tardado?

ANARETO. No, hijo.

ENRICO. No os quisiera dar enojos.

ANARETO. En verte me regocijo. 90

ENRICO. No el sol por celajes rojos
saliendo a dar resplandor
a la tiniebla mayor
que espera tan alto bien,
parece al día tan bien, 95
como vos a mí, señor;
que vos para mí sois sol,
y los rayos que arrojáis
dese divino arrebol,
son las canas con que honráis 100
este reino.

ANARETO. Eres crisol
donde la virtud se apura.

ENRICO. ¿Habéis comido?

ANARETO. Yo, no.

ENRICO. Hambre tendréis.

ANARETO. La ventura
de mirarte me quitó 105

	la hambre.	
ENRICO.	No me asegura,	
	padre mío, esa razón,	
	nacida de la afición	
	tan grande que me tenéis;	
	pero agora comeréis	110
	que las dos pienso que son	
	de la tarde. Ya la mesa	
	os quiero, padre, poner.	
ANARETO.	De tu cuidado me pesa.	
ENRICO.	Todo esto, y más ha de hacer	115
	el que obediencia profesa.	
(*Aparte.*)	(Del dinero que jugué,	
	un escudo reservé,	
	para comprar qué comiese;	
	porque aunque al juego le pese,	120
	no ha de faltarme esta fe.)	
	Aquí traigo en el lenzuelo,	
	padre mío, qué comáis.	
	Estimad mi justo celo.	
ANARETO.	Bendito, Dios mío, seáis	125
	en la tierra y en el cielo,	
	pues que tal hijo me distes	
	cuando tullido me vistes,	
	que mis pies y manos sea.	
ENRICO.	Comed, porque yo lo vea.	130
ANARETO.	Miembros cansados y tristes,	
	ayudadme a levantar.	
ENRICO.	Yo, padre, os quiero ayudar.	
ANARETO.	Fuerza me infunden tus brazos.	
ENRICO.	Quisiera en estos abrazos	135
	la vida poderos dar.	
	Y digo, padre, la vida,	
	porque tanta enfermedad	
	es ya muerte conocida.	
ANARETO.	La divina voluntad	140
	se cumpla.	
ENRICO.	Ya la comida	
	os espera. ¿Llegaré	
	la mesa?	

ANARETO. No, hijo mío;
que el sueño me vence.

ENRICO. ¿A fe?
Pues dormid.

ANARETO. Dádome ha un frío 145
muy grande.

ENRICO. Yo os llegaré
la ropa.

ANARETO. No es menester.

ENRICO. Dormid.

ANARETO. Yo, Enrico, quisiera,
por llegar siempre a temer
que en viéndote es la postrera 150
vez que te tengo que ver...
porque aquesta enfermedad
me trata con tal crueldad,
que quisiera que tomaras
estado.

ENRICO. ¿En eso reparas? 155
Cúmplase tu voluntad.
Mañana pienso casarme.
(*Aparte.*) (Quiero darle aqueste gusto,
aunque finja.)

ANARETO. Será darme
la salud.

ENRICO. Hacer es justo 160
lo que tú puedes mandarme.

ANARETO. Moriré, Enrico, contento.

ENRICO. Daré gusto en todo intento,
porque veas de esta suerte
que por sólo obedecerte 165
me sujeto al casamiento.

ANARETO. Pues, Enrico, como viejo
te quiero dar un consejo.
No busques mujer hermosa,
porque es cosa peligrosa 170
ser en cárcel mal segura
alcaide de una hermosura,
donde es la afrenta forzosa.
Está atento, Enrico.

ENRICO. Di.

ANARETO. Yo nunca entienda de ti 175
que de su amor no te fías;
que viendo que desconfías
todo lo ha de hacer ansí.
Con tu mismo ser la iguala:
ámala, sirve y regala; 180
con celos no la des pena;
que no hay mujer que sea buena,
si ve que piensan que es mala.
No declares tu pasión
hasta llegar la ocasión. 185
Y luego... *Duérmese.*

ENRICO. Vencióle el sueño;
que es de los sentidos dueño,
a dar la mejor lición.
Quiero la ropa llegalle
y desta suerte dejalle 190
hasta que repose. *Arrópale.*

Sale GALVÁN.

GALVÁN. Ya
todo prevenido está,
y mira que por la calle
viene Albano.

ENRICO. ¿Quién?

GALVÁN. Albano,
a quien la muerte has de dar. 195

ENRICO. ¿Pues yo he de ser tan tirano?

GALVÁN. ¿Cómo?

ENRICO. ¿Yo lo he de matar
por un interés liviano?

GALVÁN. ¿Ya tienes temor?

ENRICO. Galván,
estos dos ojos que están 200
con este sueño cubiertos,
por mirar que están despiertos,
aqueste temor me dan.
No me atrevo, aunque mi nombre
tiene su altivo renombre 205

en las memorias escrito,
intentar tan gran delito
donde está durmiendo este hombre.

GALVÁN. ¿Quién es?

ENRICO. Un hombre eminente
a quien temo solamente 210
y en esta vida respeto:
que para el hijo discreto
es el padre muy valiente.
Si conmigo le llevara
siempre, nunca yo intentara 215
los delitos que condeno,
pues fuera su vista el freno
que en la ocasión me tirara.
Pero corre esa cortina;
que el no verle podrá ser 220
(pues mi favor afemina)
que rigor venga a tener,
si ahora piedad me inclina.

GALVÁN. (*Corre las cortinas de la alcoba.*)
Ya está corrida.

ENRICO. Galván,
agora que no le veo, 225
ni sus ojos luz me dan,
matemos, si es tu deseo,
cuantos en el mundo están.

GALVÁN. Pues mira que viene Albano
y que de Laura al hermano 230
que le des muerte conviene.

ENRICO. Pues él a buscarla viene,
dale por muerto.

GALVÁN. Eso es llano. *Vanse.*

Salen ENRICO, GALVÁN *y* ALBANO.

ALBANO. El sol a poniente va,
como va mi edad también, 235
y con cuidado estará
mi esposa. *Vase.*

ENRICO. ¡Brazo, detén!

GALVÁN. ¿Qué aguardas, Enrico, ya?

ENRICO. Miro un hombre que es retrato
y viva imagen de aquel 240
a quien siempre de honrar trato;
pues di, si aquí soy crüel,
¿no seré a mi padre ingrato?
Hoy de mis manos tiranas
por ser viejo, Albano, ganas 245
la cortesía que esperas;
que son piadosas terceras
aunque mudas, esas canas.
Vete libre; que repara
mi honor (que así se declara, 250
aunque mi opinión no cuadre)
que pensara que a mi padre
mataba, si te matara.
Canas, los que os aborrecen
hoy a estimaros empiecen; 255
poco les ofenderán,
pues tan seguras se van
cuando enemigos se ofrecen.

GALVÁN. ¡Vive Dios, que no te entiendo!
Otro eres ya del que fuiste. 260

ENRICO. Poco mi valor ofendo.

GALVÁN. Darle la muerte pudiste.

ENRICO. No es eso lo que pretendo.
A nadie temí en mi vida;
varios delitos he hecho, 265
he sido fiero homicida,
y no hay maldad que en mi pecho
no tenga siempre acogida;
pero en llegando a mirar
las canas que supe honrar 270
porque en mi padre las vi,
todo el furor reprimí,
y las procuré estimar.
Si yo supiera que Albano
era de tan larga edad, 275
nunca de Laura al hermano
prometiera tal crueldad.

GALVÁN. Respeto fue necio y vano.

El dinero que te dio
por fuerza habrás de volver, 280
ya que Albano no murió.

ENRICO. Podrá ser.

GALVÁN. ¿Qué es *podrá ser*?

ENRICO. Podrá ser si quiero yo.

GALVÁN. El viene.

Sale OCTAVIO.

OCTAVIO. A Albano encontré,
vivo y sano como yo. 285

ENRICO. Ya lo creo.

OCTAVIO. Y no pensé
que la palabra que dio
de matarle vuesasté
no se cumpliera tan bien
como se cumplió la paga. 290
¿Esto es ser hombre de bien?

GALVÁN. (*Aparte.*) (Este busca que le den
un bofetón con la daga.)

ENRICO. No mato a hombres viejos yo;
y si a voarcé le ofendió, 295
vaya y mátele al momento;
que yo quedo muy contento
con la paga que me dio.

OCTAVIO. El dinero ha de volverme.

ENRICO. Váyase voarcé con Dios. 300
No quiera enojado verme;
que, ¡juro a Dios...!

Sacan las espadas OCTAVIO *y* ENRICO *y se acuchillan.*

GALVÁN. Ya los dos
riñen; el diablo no duerme.

OCTAVIO. Mi dinero he de cobrar.

ENRICO. Pues yo no lo pienso dar. 305

OCTAVIO. Eres un gallina.

ENRICO. ¡Mientes! (*Le hiere.*)

OCTAVIO. ¡Muerto soy!

ENRICO. Mucho lo sientes.

GALVÁN. Hubiérase ido a acostar.

ENRICO. A hombres, como tú, arrogantes,
doy la muerte yo, no a viejos, 310
que con canas y consejos
vencen ánimos gigantes.
Y si quisieres probar
lo que llego a sustentar,
pide a Dios, si él lo permite, 315
que otra vez te resucite,
y te volveré a matar.

GOBERNADOR. ¡Prendelde! ¡Dalde muerte!
(*Antes de salir.*)

GALVÁN. Aquesto es malo,
más de cien hombres vienen a prenderte
con el Gobernador.

ENRICO. Vengan seiscientos, 320
si me prende, Galván, mi muerte es cierta;
si me defiendo, puedo hacer mi dicha
que no me maten, y que yo me escape;
y más quiero morir con honra y fama.
Aquí está Enrico: ¿no llegáis, cobardes? 325

GALVÁN. Cercado te han por todas partes.

ENRICO. Cerquen;
que vive Dios, que tengo de arrojarme
por entre todos.

GALVÁN. Yo tus pasos sigo.

ENRICO. Pues haz cuenta que César va contigo.

Salen el GOBERNADOR *y los que le acompañan;*
ENRICO *y* GALVÁN *les acometen.*

GOBERNADOR. ¿Eres demonio?

ENRICO. Soy un hombre solo 330
que huye de morir.

GOBERNADOR. Pues date preso,
y yo te libraré.

ENRICO. No pienso en eso.
Ansí habéis de prenderme. *Lidiando.*

GALVÁN. Sois cobardes.

ENRICO *sigue acosando a los ministros de justicia, el* GOBERNADOR
se interpone y ENRICO *le da una estocada. Los esbirros dejan*
paso a ENRICO *y a* GALVÁN.

GOBERNADOR. (*Cayendo en brazos de los suyos.*)
¡Ay de mí! ¡Muerto soy!

UN ESBIRRO. ¡Grande desdicha!
¡Mató al Gobernador!

OTRO. ¡Mala palabra! 335

Vanse todos.

Salen ENRICO *y* GALVÁN.

ENRICO. Ya aunque la tierra sus entrañas abra,
y en ella me sepulte, es imposible
que me pueda escapar; tú, mar soberbio,
en tu centro me esconde; con la espada
puesta en la boca tengo de arrojarme. 340
Tened misericordia de mi alma,
Señor inmenso; que aunque soy tan malo,
no dejo de tener conocimiento
de vuestra santa fe. Pero ¿qué hago?
¿Al mar quiero arrojarme cuando dejo, 345
triste, afligido un miserable viejo?
Al padre de mi vida volver quiero,
y llevarle conmigo; a ser Eneas
del viejo Anquises.

GALVÁN. ¿Dónde vas? Detente.

UNA VOZ. (*Dentro.*) Seguidme por aquí.

GALVÁN. ¡Guarda tu vida! 350

ENRICO. Perdonad, padre de mis ojos,
el no poder llevaros en mis brazos,
aunque en el alma bien sé yo que os llevo.
Sígueme tú, Galván.

GALVÁN. Yo ya te sigo.

ENRICO. Por tierra no podremos escaparnos. 355

GALVÁN. Pues arrójome al mar.

ENRICO. Su centro airado
sea sepulcro mío. ¡Ay, padre amado!
¡Cuánto siento el dejaros!

GALVÁN. Ven conmigo.

ENRICO. Cobarde soy, Galván, si no te sigo. *Vanse.*

Salen PAULO *y* PEDRISCO, *de bandoleros, con otros bandoleros que traen presos a tres caminantes.*

BANDOLERO 1.º A ti solo, Paulo fuerte, 360
pues que ya todos te damos
palabra de obedecerte,
que sentencies esperamos
estos tres a vida o muerte.

PAULO. ¿Dejáronnos ya el dinero? 365

PEDRISCO. Ni una blanca nos han dado.

PAULO. Pues, ¿qué aguardas, majadero?

PEDRISCO. Habémosselo quitado.

PAULO. ¿Que ellos no lo dieron? Quiero
sentenciar a todos tres. 370

PEDRISCO. Ya esperamos ver lo que es.

CAMINANTE 1.º ¡Ten con nosotros piedad!

PAULO De ese roble los colgad.

LOS TRES. CAMINANTES. ¡Gran señor!

PEDRISCO. Moved los pies;
que seréis fruta extremada, 375
en esta selva apartada,
de todas aves rapantes.

PAULO. De esta crueldad no te espantes.

PEDRISCO. Ya no me espanto de nada.
Porque verte ayer, señor, 380
ayunar con tal fervor,
y en la oración ocupado,
en tu Dios arrebatado,
pedirle ánimo y favor
para proseguir tu vida 385
en tan grande penitencia;
y en esta selva escondida
verte hoy con tanta violencia,
capitán de forajida
gente, matar pasajeros, 390
tras robarles los dineros;
¿qué más se puede esperar?
Ya no me pienso espantar
de nada.

PAULO. Los hechos fieros
de Enrico imitar pretendo, 395
y aun le quisiera exceder.

Perdone Dios si le ofendo;
que si uno el fin ha de ser,
esto es justo, y yo me entiendo.

PEDRISCO. Así al otro le decían 400
que la escalera rodaba,
otros que rodar le vían.

PAULO. Y a mí que a Dios adoraba,
y por santo me tenían
en este circunvecino 405
monte, el globo cristalino
rompiendo el ángel veloz,
me obligase con su voz
a dejar tan buen camino,
dándome el premio tan malo. 410
Pues hoy verá el cielo en mí
si en las maldades no igualo
a Enrico.

PEDRISCO. ¡Triste de ti!

PAULO. Fuego por la vista exhalo.
Hoy, fieras, que en horizontes 415
y en napolitanos montes
hacéis dulce habitación,
veréis que mi corazón
vence a soberbios faetontes.
Hoy, árboles, que plumajes 420
sois de la tierra, o salvajes
por lo verde que os vestís,
el huésped que recibís
os hará varios ultrajes.
Más que la Naturaleza 425
he de hacer por cobrar fama;
pues para mayor grandeza,
he de dar a cada rama
cada día una cabeza.
Vosotros dais, por ser graves, 430
frutos al hombre süaves;
mas yo con tales racimos
pienso dar frutos opimos
a las voladoras aves;
en verano y en invierno 435

será vuestro fruto eterno;
y si pudiera hacer más,
más hiciera.

PEDRISCO. Tú te vas
gallardamente al infierno.

PAULO. Ve y cuélgalos al momento 440
de un roble.

PEDRISCO. Voy como el viento.

CAMINANTE 1.º ¡Señor!

PAULO. No me repliquéis,
si acaso ver no queréis
el castigo más violento.

PEDRISCO. Venid los tres.

CAMINANTE 2.º ¡Ay de mí! 445

PEDRISCO. Yo he de ser verdugo aquí,
pues a mi dicha le plugo,
para enseñar al verdugo
cuando me ahorquen a mí.

Vanse PEDRISCO *y todos los bandoleros, excepto dos, llevándose a los caminantes.*

PAULO. (*Para sí.*) Enrico, si desta suerte 450
yo tengo de acompañarte,
y si te has de condenar,
contigo me has de llevar;
que nunca pienso dejarte.
Palabra de un ángel fue: 455
tu camino seguiré;
pues cuando Dios, juez eterno,
nos condenare al infierno,
ya habremos hecho por qué.

UNA VOZ. (*Dentro y cantando.*)
No desconfíe ninguno, 460
aunque grande pecador,
de aquella misericordia
de que más se precia Dios.

PAULO. ¿Qué voz es esta que suena?

BANDOLERO 1.º La gran multitud, señor, 465
de esos robles nos impide
ver dónde viene la voz.

LA VOZ. *Con firme arrepentimiento*

de no ofender al Señor
llegue el pecador humilde; 470
que Dios le dará perdón.

PAULO. Subid los dos por el monte,
y ved si es algún pastor
el que canta este romance.

BANDOLERO 2.º A verlo vamos los dos. *Vanse.* 475

LA VOZ. *Su majestad soberana*
da voces al pecador,
porque le llegue a pedir
lo que a ninguno negó.

Sale UN PASTORCILLO, *en lo alto de un monte, tejiendo una corona de flores.*

PAULO. Baja, baja, pastorcillo; 480
que ya estaba, ¡vive Dios!,
confuso con tus razones,
admirado con tu voz.
¿Quién te enseñó ese romance,
que le escucho con temor, 485
pues parece que en ti habla
mi propia imaginación?

PASTORCILLO. Este romance que he dicho,
Dios, señor, me lo enseñó.

PAULO. ¿Dios?

PASTORCILLO. O la iglesia su esposa, 490
a quien en la tierra dio
poder suyo.

PAULO. Bien dijiste.

PASTORCILLO. Advierte que creo en Dios
a pie juntillas, y sé,
aunque rústico y pastor, 495
todos los diez mandamientos,
preceptos que Dios nos dio.

PAULO. ¿Y Dios ha de perdonar
a un hombre que le ofendió
con obras y con palabras 500
y pensamientos?

PASTORCILLO. ¿Pues no?
Aunque sus ofensas sean
más que átomos hay del sol,

y que estrellas tiene el cielo
y rayos la luna dio, 505
y peces el mar salado
en sus cóncavos guardó.
Esta es su misericordia;
que con decirle al Señor:
"Pequé, pequé," muchas veces, 510
le recibe al pecador
en sus amorosos brazos;
que en fin hace como Dios.
Porque si no fuera aquesto,
cuando a los hombres crio, 515
no los criara sujetos
a su frágil condición.
Porque si Dios, sumo bien,
de nada al hombre formó
para ofrecerle su gloria, 520
no fuera ningún blasón
en su Majestad divina
dalle aquella imperfección.
Dióle Dios libre albedrío,
y fragilidad le dio 525
al cuerpo y al alma; luego
dio potestad con acción
de pedir misericordia,
que a ninguno le negó.
De modo que, si, en pecando 530
el hombre, el justo rigor
procediera contra él,
fuera el número menor
de los que en el sacro alcázar
están contemplando a Dios. 535
La fragilidad del cuerpo
es grande; que en una acción,
en un mirar solamente
con deshonesta afición,
se ofende a Dios: de ese modo, 540
porque este triste ofensor,
con la imperfección que tuvo,
le ofende una vez o dos,

¿se había de condenar?
No, señor, aqueso no; 545
que es Dios misericordioso,
y estima al más pecador
porque todos igualmente
le costaron el sudor
que sabéis, y aquella sangre 550
que liberal derramó
haciendo un mar a su cuerpo,
que amoroso dividió
en cinco sangrientos ríos;
que su espíritu formó 555
nueve meses en el vientre
de aquella que mereció
ser Virgen cuando fue Madre,
y claro oriente del sol,
que como clara vidriera 560
sin que la rompiese, entró.
Y si os guiáis por ejemplos,
decid: ¿no fue pecador
Pedro, y mereció después
ser de las almas pastor? 565
Mateo su coronista,
¿no fue también su ofensor?
Y luego, ¿no fue su apóstol,
y tan gran cargo le dio?
¿No fue pecador Francisco? 570
Luego, ¿no le perdonó,
y a modo de honrosa empresa
en su cuerpo le imprimió
aquellas llagas divinas
que le dieron tanto honor, 575
dignándole de tener
tan excelente blasón?
¿La pública pecadora
Palestina no llamó
a Magdalena, y fue santa, 580
por su santa conversión?
Mil ejemplos os dijera,
a estar despacio, señor;

mas mi ganado me aguarda
y ha mucho que ausente estoy. 585

PAULO. Tente, pastor, no te vayas.

PASTORCILLO. No puedo tenerme, no;
que ando por aquestos valles
recogiendo con amor
una ovejuela perdida 590
que del rebaño se huyó;
y esta corona que veis
hacerme con tanto amor,
es para ella, si parece,
porque hacérmela mandó 595
el mayoral que la estima
del modo que le costó.
El que a Dios tiene ofendido,
pídale perdón a Dios,
porque es Señor tan piadoso 600
que a ninguno le negó.

PAULO. Aguarda, pastor.

PASTORCILLO. No puedo.

PAULO. Por fuerza te tendré yo.

PASTORCILLO. Será detenerme a mí
parar el curso del sol. 605

Vásele de entre las manos.

PAULO. Este pastor me ha avisado
en su forma peregrina,
no humana, sino divina,
que tengo a Dios enojado
por haber desconfïado 610
de su piedad (claro está)
y con ejemplos me da
a entender piadosamente
que el hombre que se arrepiente
perdón en Dios hallará. 615
Pues si Enrico es pecador,
¿no puede también hallar
perdón? Ya vengo a pensar
que ha sido grande mi error.

Mas ¿cómo dará el Señor 620
perdón a quien tiene nombre
¡ay de mí! del más mal hombre
que en este mundo ha nacido?
Pastor, que de mí has huido,
no te espantes que me asombre. 625
Si él tuviera algún intento
de tal vez arrepentirse,
bien pudiera recibirse
lo que por engaño siento,
y yo viviera contento. 630
¿Por qué, pastor, queréis vos
que en la clemencia de Dios
halle su remedio medio?
Alma, ya no hay más remedio
que el condenarnos los dos. 635

Sale PEDRISCO.

PEDRISCO. Escucha, Paulo, y sabrás,
aunque de ello ajeno estás
y lo atribuyas a engaño,
el suceso más extraño
que tú habrás visto jamás. 640
En esa verde ribera,
de tantas fieras aprisco,
donde el cristal reverbera,
cuando el afligido risco
su tremendo golpe espera, 645
después de dejar colgados
aquellos tres desdichados,
estábamos Celio y yo,
cuando una voz que se oyó
nos dejó medio turbados. 650
"¡Qué me ahogo!," dijo, y vimos
cuando la vista tendimos
dos hombres nadar valientes
(con espada entre los dientes
uno) y a sacarlos fuimos. 655
Como en el mar hay tormenta,
y está de sangre sedienta,

para anegallos bramaba:
ya en las estrellas los clava,
ya en su centro los asienta. 660

En los cristales no helados
las dos cabezas se vían
de aquestos dos desdichados,
y las olas parecían
ser tablas de degollados. 665

Llegaron al fin, mostrando
el valor que significo;
mas por no estarte cansando,
has de saber que es Enrico
el uno.

PAULO. Estoylo dudando. 670

PEDRISCO. No lo dudes, pues yo llego
a decirlo, y no estoy ciego.

PAULO. ¿Vístele tú?

PEDRISCO. Vile yo.

PAULO. ¿Qué hizo al salir?

PEDRISCO. Echó
un "¡por vida!" y un "reniego." 675

Mira, ¡qué gracias le daba
a Dios que ansí le libraba!

PAULO. (*Para sí.*) ¡Y dirá ahora el pastor
que le ha de dar el Señor
perdón! El juicio me acaba. 680

Mas poco puedo perder,
pues aquí le llego a ver,
en proballe la intención.

PEDRISCO. Ya le trae tu escuadrón.

PAULO. Pues oye lo que has de hacer. 685

Habla aparte con PEDRISCO.

Salen ENRICO *y* GALVÁN, *mojados y las manos atadas, conducidos por Bandoleros.*

ENRICO. ¿Dónde me lleváis ansí?

BANDOLERO 1.° El capitán está aquí
que la respuesta os dará.

PAULO. (*A* PEDRISCO.) Haz esto.

PEDRISCO. Todo se hará.
BANDOLERO 1.º Pues ¿vase el capitán?
PEDRISCO. Sí. 690
¿Dónde iban vuesas mercedes,
que en tan gran peligro dieron,
como es caminar por agua?
¿No responden?
ENRICO. Al infierno.
PEDRISCO. Pues ¿quién le mete en cansarse, 695
cuando hay diablos tan ligeros
que le llevarán de balde?
ENRICO. Por agradecerles menos.
PEDRISCO. Habla voarcé muy bien,
y hace muy a lo discreto 700
en no agradecer al diablo
cosa que haga a su provecho.
¿Cómo se llama voarcé?
ENRICO. Llámome el diablo.
PEDRISCO. Y por eso
se quiso arrojar al mar 705
para remojar el fuego.
¿De dónde es?
ENRICO. Si de cansado
de reñir con agua y viento
no arrojara al mar la espada,
yo os respondiera bien presto 710
a vuestras necias preguntas
con los filos de su acero.
PEDRISCO. Oye, hidalgo, no se atufe,
ni nos eche tantos retos;
que juro a Dios, si me enojo, 715
que le barrene ese cuerpo
más de setecientas veces,
sin las que en su nacimiento
barrenó naturaleza.
Y ha de advertir que está preso, 720
y que si es valiente, yo
soy valiente como un Héctor;
y que si él ha hecho muertes,
sepa que también yo he muerto

muchas hambres y candiles, 725
y muchas pulgas a tiento.
Y si es ladrón, soy ladrón,
y soy el demonio mesmo,
y ¡por vida!...

BANDOLERO 1.° Bueno está.

ENRICO. (*Aparte.*) (¿Esto sufro y no me vengo?) 730

PEDRISCO. Ahora ha de quedar atado
a un árbol.

ENRICO. No me defiendo;
haced de mí vuestro gusto.

PEDRISCO. Y él también.
(*A* GALVÁN.)

GALVÁN. (*Aparte.*) (De esta vez muero.)

PEDRISCO. Si son como vuestra cara, 735
(*A* GALVÁN.) vos tenéis bellacos hechos.
Ea, llegaldos a atar;
que el capitán gusta de ello. (*A* ENRICO.)

ENRICO. ¡Que ansí
me quiera tratar el cielo!

Atan a un árbol a ENRICO *y después a* GALVÁN.

PEDRISCO. ¡Llegad vos!

GALVÁN. Tened piedad! 740

PEDRISCO. Vendarles los ojos quiero
con las ligas a los dos.

GALVÁN. (*Aparte.*) (¿Viose tan extraño aprieto?)
Mire vuesarcé que yo
vivo de su oficio mesmo, 745
y que soy ladrón también.

PEDRISCO. Ahorrará con aquesto
de trabajo a la justicia
y al verdugo de contento.

BANDOLERO 1.° Ya están vendados y atados. 750

PEDRISCO. Las flechas y arcos tomemos,
y dos docenas, no más,
clavemos en cada cuerpo.

BANDOLERO 1.° ¡Vamos!

PEDRISCO. (*Bajo a los* BANDOLEROS.) Aquesto es fingido:

nadie los ofenda.
BANDOLERO 1.º (*Bajo a* PEDRISCO.) Creo 755
que el capitán los conoce.
PEDRISCO. Vamos y ansí los dejemos. *Vanse.*
(*Bajo a los* BANDOLEROS.)
GALVÁN. Ya se van a asaetarnos.
ENRICO. Pues no por aquesto pienso
mostrar flaqueza ninguna. 760
GALVÁN. Ya me parece que siento
una jara en estas tripas.
ENRICO. Vénguese en mí el justo cielo;
que quisiera arrepentirme,
y cuando quiero no puedo. 765

Sale PAULO, *de ermitaño, con cruz y rosario.*

PAULO. (*Aparte.*) (Con esta traza he querido
probar si ese hombre se acuerda
de Dios, a quien ha ofendido.)
ENRICO. ¡Que un hombre la vida pierda
de nadie visto ni oído! 770
GALVÁN. Cada mosquito que pasa
me parece que es saeta.
ENRICO. El corazón se me abrasa.
¡Que mi fuerza esté sujeta
a fortuna, en todo escasa! 775
PAULO. ¡Alabado sea el Señor!
ENRICO. ¡Sea por siempre alabado!
PAULO. Sabed con vuestro valor
llevar este golpe airado
de fortuna.
ENRICO. ¡Gran rigor! 780
¿Quién sois vos, que ansí me habláis?
PAULO. Un monje, que este desierto
donde la muerte esperáis
habita.
ENRICO. Bueno, por cierto.
Y ahora, ¿qué nos mandáis? 785
PAULO. A los que al roble os ataron
y a mataros se apartaron,
supliqué con humildad

que ya que con tal crueldad
de daros muerte trataron, 790
que me dejasen llegar
a hablaros.

ENRICO. ¿Y para qué?

PAULO. Por si os queréis confesar,
pues seguís de Dios la fe.

ENRICO. Pues bien se puede tornar, 795
padre, o lo que es.

PAULO. ¿Qué decís?
¿No sois cristiano?

ENRICO. Sí soy.

PAULO. No lo sois, pues no admitís
el último bien que os doy.
¿Por qué no lo recibís? 800

ENRICO. Porque no quiero.

PAULO. (*Aparte.*) (¡Ay de mí!,
esto mismo presumí.)
¿No veis que os han de matar
ahora?

ENRICO. ¿Quiere callar,
hermano, y dejarme aquí? 805
Si esos señores ladrones
me dieren muerte, aquí estoy.

PAULO. (*Aparte.*) (¡En qué grandes confusiones
tengo el alma!)

ENRICO. Yo no doy
a nadie satisfacciones. 810

PAULO. A Dios sí.

ENRICO. Si Dios ya sabe
que soy tan gran pecador,
¿para qué?

PAULO. ¡Delito grave!
Para que su sacro amor
de darle perdón acabe. 815

ENRICO. Padre, lo que nunca he hecho,
tampoco he de hacer ahora.

PAULO. Duro peñasco es su pecho.

ENRICO. Galván, ¿qué hará la señora
Celia?

GALVÁN. Puesto en tanto estrecho, 820
¿quién se ha de acordar de nada?
PAULO. No se acuerde de esas cosas.
ENRICO. Padre mío, ya me enfada.
PAULO. ¿Estas palabras piadosas
le ofenden?
ENRICO. Cosa es cansada, 825
pues si no estuviera atado,
ya yo le hubiera arrojado
de una coz dentro del mar.
PAULO. Mire que le han de matar.
ENRICO. Ya estoy de aguardar cansado. 830
GALVÁN. Padre, confiéseme a mí,
que ya pienso que estoy muerto.
ENRICO. Quite esta liga de aquí,
padre.
PAULO. Sí haré, por cierto.

Quita la venda a ENRICO *y después a* GALVÁN.

ENRICO. Gracias a Dios que ya vi. 835
GALVÁN. Y a mí también.
PAULO. En buena hora,
y vuelvan la vista ahora
a los que a matarlos vienen.

Salen BANDOLEROS, *con escopetas y ballestas.*

ENRICO. ¿Pues para qué se detienen?
PEDRISCO. Pues que ya su fin no ignora, 840
digo, ¿por qué no confiesa?
ENRICO. No me quiero confesar.
PEDRISCO. (*A un* BANDOLERO.) Celio, el pecho le atraviesa.
PAULO. Dejad que le vuelva a hablar.
Desesperación es ésa. 845
PEDRISCO. Ea, llegalde a matar.
PAULO. ¡Deteneos! (¡triste pena!),
porque si éste se condena,
¿me queda más que dudar?
ENRICO. Cobardes sois: ¿no llegáis, 850

y puerta a mi pecho abrís?
PEDRISCO. De esta vez no os detengáis.
PAULO. Aguardad, que si le herís,
más confuso me dejáis.
¡Mira que eres pecador, 855
hijo!
ENRICO. Y del mundo el mayor:
ya lo sé.
PAULO. Tu bien espero.
Confiésate a Dios.
ENRICO. No quiero,
cansado predicador.
PAULO. Pues salga del pecho mío, 860
si no dilatado río
de lágrimas, tanta copia,
que se anegue el alma propia,
pues ya de Dios desconfío.
Dejad de cubrir, sayal, 865
mi cuerpo, pues está mal,
según siente el corazón
una rica guarnición
sobre tan falso cristal.
(*Desnúdase el saco de ermitaño.*)
En mis torpezas resbalo, 870
y a la culebra me igualo;
mas mi parecer condeno,
porque yo desecho el bueno
mas ella desecha el malo.
Mi adverso fin no resisto, 875
pues mi desventura he visto
y da claro testimonio
el vestirme de demonio,
y el desnudarme de Cristo.
Colgad ese saco ahí 880
para que diga (¡ay de mí!):
"En tal puesto me colgó
Paulo, que no mereció
la gloria que encierro en mí."
Dadme la daga y la espada; 885
esa cruz podéis tomar;

ya no hay esperanza en nada,
pues no me sé aprovechar
de aquella sangre sagrada.
Desatadlos.

Los bandoleros sueltan a ENRICO *y a* GALVÁN.

ENRICO. Ya lo estoy, 890
y lo que he visto no creo.
GALVÁN. Gracias a los cielos doy.
ENRICO. Saber la verdad deseo.
PAULO. ¡Qué desdichado que soy!
¡Ah, Enrico! Nunca nacieras, 895
nunca tu madre te echara
donde, gozando la luz,
fuiste de mis males causa;
o pluguiera a Dios que ya
que infundido el cuerpo y alma, 900
saliste a luz, en sus brazos
te diera la muerte un ama,
un león te deshiciera,
una osa despedazara
tus tiernos miembros entonces, 905
o cayeras en tu casa
del más altivo balcón,
primero que a mi esperanza
hubieras cortado el hilo.
ENRICO. Esta novedad me espanta. 910
PAULO. Yo soy Paulo, un ermitaño,
que dejé mi amada patria
de poco más de quince años,
y en esta oscura montaña
otros diez serví al Señor. 915
ENRICO. ¡Qué ventura!
PAULO. ¡Qué desgracia!
Un ángel, rompiendo nubes
y cortinas de oro y plata,
preguntándole yo a Dios
qué fin tendría, "Repara," 920
me dijo, "ve a la ciudad,
y verás a Enrico (¡ay alma!),

hijo del noble Anareto,
que en Nápoles tiene fama.
Advierte bien en sus hechos, 925
y contempla en sus palabras;
que si Enrico al cielo fuere,
el cielo también te aguarda;
y si al infierno, el infierno."
Yo entonces imaginaba 930
que era algún santo este Enrico;
pero los deseos engañan.
Fui allá, vite luego al punto,
y de tu boca y por fama
supe que eras el peor hombre 935
que en todo el mundo se halla.
Y ansí, por tener tu fin,
quitéme el saco, y las armas
tomé, y el cargo me dieron
de esta forajida escuadra. 940
Quise probar tu intención,
por saber si te acordabas
de Dios en tan fiero trance;
pero salióme muy vana.
Volví a desnudarme aquí, 945
como viste, dando al alma
nuevas tan tristes, pues ya
la tiene Dios condenada.

ENRICO. Las palabras que Dios dice
por un ángel, son palabras, 950
Paulo amigo, en que se encierran
cosas que el hombre no alcanza.
No dejara yo la vida
que seguías; pues fue causa
de que quizá te condenes 955
el atreverte a dejarla.
Desesperación ha sido
lo que has hecho, y aun venganza
de la palabra de Dios,
y una oposición tirana 960
a su inefable poder;
y al ver que no desenvaina

la espada de su justicia
contra el rigor de tu causa,
veo que tu salvación 965
desea; mas ¿qué no alcanza
aquella piedad divina,
blasón de que más se alaba?
Yo soy el hombre más malo
que naturaleza humana 970
en el mundo ha producido;
el que nunca habló palabra
sin juramento, el que a tantos
hombres dio muertes tiranas;
el que nunca confesó 975
sus culpas, aunque son tantas;
el que jamás se acordó
de Dios y su Madre Santa;
ni aun ahora lo hiciera,
con ver puestas las espadas 980
a mi valeroso pecho;
mas siempre tengo esperanza
en que tengo de salvarme;
puesto que no va fundada
mi esperanza en obras mías, 985
sino en saber que se humana
Dios con el más pecador,
y con su piedad se salva.
Pero ya, Paulo, que has hecho
ese desatino, traza 990
de que alegres y contentos
los dos en esta montaña
pasemos alegre vida
mientras la vida se acaba.
Un fin ha de ser el nuestro: 995
si fuere nuestra desgracia
el carecer de la gloria
que Dios al bueno señala,
mal de muchos, gozo es;
pero tengo confïanza 1000
en su piedad, porque siempre
vence a su justicia sacra.

PAULO. Consoládome has un poco.
GALVÁN. Cosa es, por Dios, que me espanta.
PAULO. Vamos donde descanséis. 1005
ENRICO. (*Aparte.*) (¡Ay padre de mis entrañas!)
Una joya, Paulo amigo,
en la ciudad olvidada,
se me queda; y aunque temo
el rigor que me amenaza 1010
si allá vuelvo, he de ir por ella
pereciendo en la demanda.
Un soldado de los tuyos
irá conmigo.
PAULO. Pues vaya
Pedrisco, que es animoso. 1015
PEDRISCO. Por Dios, que ya me espantaba
que no encontraba conmigo.
PAULO. Dadle la mejor espada
a Enrico, y en esas yeguas
que al ligero viento igualan, 1020
os pondréis allá en dos horas.
GALVÁN. (*A* PEDRISCO.) Yo me quedo en la montaña
a hacer tu oficio.
PEDRISCO. (*A* GALVÁN.) Yo voy
donde paguen mis espaldas
los delitos que tú has hecho. 1025
ENRICO. ¡Adiós amigo!
PAULO. Ya basta
el nombre para abrazarte.
ENRICO. Aunque malo, confïanza
tengo en Dios.
PAULO. Yo no la tengo,
cuando son mis culpas tantas. 1030
Muy desconfïado soy.
ENRICO. Aquesa desconfïanza
te tiene de condenar.
PAULO. Ya lo estoy; no importa nada.
¡Ah, Enrico! Nunca nacieras. 1035
ENRICO. Es verdad; mas la esperanza
que tengo en Dios ha de hacer
que haya piedad de mi causa.

JORNADA TERCERA

Cárcel con rejas en el fondo por donde se ve una calle

Salen ENRICO *y* PEDRISCO.

PEDRISCO. ¡Buenos estamos los dos!
ENRICO. ¿Qué diablos estás llorando?
PEDRISCO. ¿Qué diablos he de llorar?
¿No puedo yo lamentar
pecados que estoy pagando 5
sin culpa?
ENRICO. ¿Hay vida como ésta?
PEDRISCO. ¡Cuerpo de Dios con la vida!
ENRICO. ¿Fáltate aquí la comida?
¿No tienes la mesa puesta
a todas horas?
PEDRISCO. ¿Qué importa 10
que la mesa llegue a ver,
si no hay nada que comer?
ENRICO. De necedades acorta.
PEDRISCO. Alarga tú de comida.
ENRICO. ¿No sufrirás como yo? 15
PEDRISCO. Que pague aquel que pecó
es sentencia conocida;
pero yo que no pequé,
¿por qué tengo de pagar?
ENRICO. Pedrisco, ¿quieres callar? 20
PEDRISCO. Enrico, yo callaré;
pero la hambre al fin hará
que hable el que muerto se vio
y que calle aquel que habló
más que un correo.
ENRICO. ¡Que ya 25
piensas que no has de salir
de la cárcel!
PEDRISCO. Error fue.
Desde el día que aquí entré
he llegado a presumir
que hemos de salir los dos... 30
ENRICO. ¿Pues de qué estamos turbados?
PEDRISCO. para ser ajusticiados,

si no lo remedia Dios.
ENRICO. No hayas miedo.
PEDRISCO. Bueno está;
pero teme el corazón 35
que hemos de danzar sin son.
ENRICO. Mejor la suerte lo hará.

Salen CELIA *y* LIDORA, *deteniéndose frente a una ventana de la cárcel.*

CELIA. No quisiera que las dos,
aunque a nadie tengo miedo,
fuéramos juntas.
LIDORA. Bien puedo, 40
pues soy criada, ir con vos.
ENRICO. Quedo, que Celia es aquésta.
PEDRISCO. ¿Quién?
ENRICO. Quien más que a sí me adora.
Mi remedio llega ahora.
PEDRISCO. Bravamente me molesta 45
la hambre.
ENRICO. ¿Tienes acaso
en qué echar todo el dinero
que ahora de Celia espero?
PEDRISCO. Con toda el hambre que paso,
me he acordado, vive Dios, 50
de un talego que aquí tengo. (*Saca un talego.*)
ENRICO. Pequeño es.
PEDRISCO. A pensar vengo
que estamos locos los dos:
tú en pedirle, en darle yo.
ENRICO. ¡Celia hermosa de mi vida! 55
CELIA. (*Aparte.*) ¡Ay de mí, yo soy perdida!
(*A* LIDORA.) Enrico es el que llamó.
(*Llegándose a la ventana.*)
¡Señor Enrico!
PEDRISCO. ¿Señor?
No es buena tanta crianza.
ENRICO. Yo no tenía esperanza, 60
Celia, de tan gran favor.
CELIA. ¿En qué puedo yo serviros?
¿Cómo estáis, Enrico?

ENRICO. Bien,
y ahora mejor, pues ven
a costa de mil suspiros 65
mis ojos los tuyos graves.

CELIA. Yo os quiero dar...

PEDRISCO. ¡Linda cosa!
¡Oh! ¡Qué mujer tan hermosa!
¡Qué palabras tan süaves!
Alto, prevengo el talego. 70
Pienso que no ha de caber...

ENRICO. Celia, quisiera saber
qué me das.

CELIA. Daréte luego
para que salgas de afán...

ENRICO. Ya lo ves.
(*A* PEDRISCO.)

PEDRISCO. Tu dicha es llana. 75

CELIA. las nuevas de que mañana
a ajusticiaros saldrán.

PEDRISCO. El talego está ya lleno;
otro es menester buscar.

ENRICO. ¡Que aquesto llegue a escuchar! 80
¡Celia, escucha!

PEDRISCO. Aquesto es bueno.

CELIA. Ya estoy casada.

ENRICO. ¿Casada?
¡Vive Dios!

PEDRISCO. ¡Tente!

ENRICO. ¿Qué aguardo?
¿Con quién, Celia?

CELIA. Con Lisardo,
y estoy muy bien empleada. 85

ENRICO. Mataréle.

CELIA. Dejaos de eso,
y poneos bien con Dios;
que es lo que os importa a vos.

LIDORA. ¡Vamos, Celia!

ENRICO. Pierdo el seso.
¡Celia, mira!

CELIA. Estoy de prisa. 90

PEDRISCO. Por Dios, que estoy por reírme.
CELIA. Ya sé qué queréis decirme:
que se os diga alguna misa.
Yo lo haré; quedad con Dios.
ENRICO. ¡Quién rompiera aquestas rejas! 95
LIDORA. No escuches, Celia, más quejas;
vámonos de aquí las dos.
ENRICO. ¡Que esto sufro! ¿Hay tal crueldad?
PEDRISCO. Lo que pesa este talego...
CELIA. ¡Qué braveza! *Vase.*
ENRICO. Yo estoy ciego. 100

Vanse CELIA *y* LIDORA.

¿Hay tan grande libertad?
PEDRISCO. Yo no entiendo la moneda
que hay en aqueste talego,
que, ¡vive Dios!, que no pesa
una paja.
ENRICO. ¡Santos cielos! 105
¡Qué aquestas afrentas sufra!
¿Cómo no rompo estos hierros?
¿Cómo estas rejas no arranco?
PEDRISCO. ¡Detente!
ENRICO. ¡Déjame, necio!
¡Vive Dios, que he de rompellas, 110
y he de castigar mis celos!
PEDRISCO. Los porteros vienen.
ENRICO. Vengan.

Salen PORTEROS.

PORTERO 1.° ¿Ha perdido acaso el seso
el homicida ladrón?
ENRICO. Moriré si no me vengo. 115
De mi cadena haré espada.

Rompe la cadena que le sujetaba y da con ella tras el portero y los presos.

PEDRISCO. Que te detengas te ruego.
PORTERO 1.° ¡Asilde, matalde, muera!
ENRICO. Hoy veréis, infames presos,
de los celos el poder 120
en desesperados pechos.

El portero y los presos huyen. ENRICO *los persigue.*

PORTERO 2.º Un eslabón me alcanzó
y dio conmigo en el suelo.

ENRICO. (*Volviendo.*) ¿Por qué, cobardes, huís?

PEDRISCO. Un portero deja muerto. 125

VOCES. (*Dentro.*) A matarle.

ENRICO. ¿Qué es matar?
A falta de noble acero,
no es mala aquesta cadena
con que mis agravios vengo.
¿Para qué de mí huís? 130

PEDRISCO. Al alboroto y estruendo
se ha levantado el alcaide.

Sale el ALCAIDE.

ALCAIDE. ¡Hola! teneos. ¿Qué es esto?

Los carceleros se apoderan de ENRICO.

PORTERO 2.º Ha muerto aquese ladrón
a Fidelio.

ALCAIDE. ¡Vive el cielo!, 135
que a no saber que mañana
dando público escarmiento
has de morir ahorcado,
que hiciera en tu aleve pecho
mil bocas con esta daga. 140

ENRICO. ¡Que esto sufro, Dios eterno!
¡Que me maltraten así!
Fuego por los ojos vierto.
No pienses, alcaide infame,
que te tengo algún respeto 145
por el oficio que tienes,
sino porque más no puedo;
que a poder, ¡ah cielo airado!
entre mis brazos soberbios
te hiciera dos mil pedazos; 150
y despedazado el cuerpo
me le comiera a bocados,

y que no quedara, pienso,
satisfecho de mi agravio.

ALCAIDE. Mañana a las diez veremos 155
si es más valiente un verdugo
que todos vuestros aceros.
Otra cadena le echad.

ENRICO. Eso sí, vengan más hierros;
que de hierros no se escapa 160
hombre que tantos ha hecho.

ALCALDE. Metelde en un calabozo.

ENRICO. Aquése sí es justo premio;
que hombre de Dios enemigo,
no es justo que mire el cielo. (*Llévanle.*) 165

PEDRISCO. ¡Pobre y desdichado Enrico!

PORTERO 2.º Más desdichado es el muerto;
que el cadenazo cruel
le echó en la tierra los sesos.

PEDRISCO. Ya quieren dar la comida. 170

UN CARCELERO. (*Dentro.*) Vayan llegando, mancebos,
por la comida.

PEDRISCO. En buen hora,
porque mañana sospecho
que han de añudarme el tragar,
y será acertado medio 175
que lleve la alforja hecha
para que allá convidemos
a los demonios magnates
a la entrada del infierno. *Vanse.*

ENRICO. En lóbrega confusión, 180
ya, valiente Enrico, os veis,
pero nunca desmayéis;
tened fuerte corazón,
porque aquésta es la ocasión
en que tenéis de mostrar 185
el valor que os ha de dar
nombre altivo, ilustre fama,
Mirad...

UNA VOZ. (*Dentro.*) ¡Enrico!

ENRICO. ¿Quién llama?
Esta voz me hace temblar.

Los cabellos erizados 190
pronostican mi temor;
mas ¿dónde está mi valor?
¿Dónde mis hechos pasados?

LA VOZ. ¡Enrico!

ENRICO. Muchos cuidados
siente el alma. ¡Cielo santo! 195
¿Cúya es voz que tal espanto
infunde en el alma mía?

LA VOZ. ¡Enrico!

ENRICO. A llamar porfía.
De mi flaqueza me espanto.
A esta parte la voz suena 200
que tanto temor me da.
¿Si es algún preso que está
amarrado a la cadena?
¡Vive Dios!, que me da pena.

Sale el DEMONIO.

DEMONIO. (*Invivsible para* ENRICO.) Tu desgracia lastimosa 205
siento.

ENRICO. ¡Qué confuso abismo!
No me conozco a mí mismo,
y el corazón no reposa.
Las alas está batiendo
con impulso de temor. 210
Enrico, ¿éste es el valor?
Otra vez se oye el estruendo.

DEMONIO. Librarte, Enrico, pretendo.

ENRICO. ¿Cómo te puedo creer,
voz, si no llego a saber 215
quién eres y a dónde estás?

DEMONIO. Pues agora me verás.

Aparécele como en forma de una sombra.

ENRICO. Ya no te quisiera ver.

DEMONIO. No temas.

ENRICO. Un sudor frío
por mis venas se derrama. 220

DEMONIO. Hoy cobrarás nueva fama.
ENRICO. Poco de mis fuerzas fío.
No te acerques.
DEMONIO. Desvarío
es el temer la ocasión.
ENRICO. Sosiégate, corazón. 225

A una señal del DEMONIO *se abre un portillo en la pared.*

DEMONIO. ¿Ves aquel postigo?
ENRICO. Sí.
DEMONIO. Pues salte por él, y ansí
no estarás en la prisión.
ENRICO. ¿Quién eres?
DEMONIO. Salte al momento,
y no preguntes quién soy, 230
que yo también preso estoy,
y que te libres intento.
ENRICO. ¿Qué me dices, pensamiento?
¿Libraréme? Claro está.
Aliento el temor me da 235
de la muerte que me aguarda.
Voyme. Mas ¿quién me acobarda?
Mas otra voz suena ya.
(*Cantan dentro.*) *Detén el paso violento,*
mira que te está mejor 240
que de la prisión librarte
el estarte en la prisión.
ENRICO. Al revés me ha aconsejado
la voz que en el aire he oído,
pues mi paso ha detenido, 245
si tú le has acelerado.
Que me está bien he escuchado
el estar en la prisión.
DEMONIO. Esa, Enrico, es ilusión
que te representa el miedo. 250
ENRICO. Yo he de morir si me quedo:
quiérome ir; tienes razón.
(*Cantan.*) *Detente, engañado Enrico;*
no huyas de la prisión;
pues morirás si salieres, 255

y si te estuvieres, no.

ENRICO. Que si salgo he de morir,
y si quedo viviré,
dice la voz que escuché.

DEMONIO. ¿Que al fin no te quieres ir? 260

ENRICO. Quedarme es mucho mejor.

DEMONIO. Atribúyelo a temor;
pero, pues tan ciego estás,
quédate preso, y verás
cómo te ha estado peor. *Vase.* 265

ENRICO. Desapareció la sombra
y confuso me dejó.
¿No es éste el portillo? No.
Este prodigio me asombra.
¿Estaba ciego yo, o vi 270
en la pared un portillo?
Pero yo me maravillo
del gran temor que hay en mí.
¿No puedo salirme yo?
Sí, bien me puedo salir, 275
Pues ¿cómo?... Que he de morir:
la voz me atemorizó.
Algún gran daño se infiere
de lo turbado que fui.
No importa, ya estoy aquí 280
para el mal que me viniere.

Sale el ALCAIDE.

ALCAIDE. Yo solo tengo de entrar:
los demás pueden quedarse.
¡Enrico!

ENRICO. ¿Qué me mandáis?

ALCAIDE. En los rigurosos trances 285
se echa de ver el valor:
ahora podréis mostrarle.
Estad atento.

ENRICO. Decid.

ALCAIDE. (Aun no ha mudado el semblante.)

(*Aparte.*) "En el pleito que es entre partes, de la una, el promotor fiscal de Su Majestad, ausente, y de la otra, reo acusado, Enrico, por los delitos que tiene en el proceso, por ser matador, facineroso, incorregible y otras cosas. Vista, etc. Fallamos que le debemos de condenar y condenamos a que sea sacado de la cárcel donde está, con soga a la garganta y pregoneros delante que digan su delito, y sea llevado a la plaza pública, donde estará una horca de tres palos alta del suelo, en la cual será ahorcado naturalmente. Y ninguna persona sea osada a quitalle della sin nuestra licencia y mandado. Y por esta sentencia definitiva juzgando, ansí la pronunciamos y mandamos, etc."

ENRICO. ¡Que aquesto escuchando estoy! 290
ALCAIDE. ¿Qué dices?
ENRICO. Mira, ignorante,
que eres opuesto muy flaco
a mis brazos arrogantes;
porque si no, yo te hiciera...
ALCAIDE. Nada puede remediarse 295
con arrogancias, Enrico:
lo que aquí es más importante
es poneros bien con Dios.
ENRICO. ¿Y vienes a predicarme
con leerme le sentencia? 300
Vive Dios, canalla infame,
que he de dar fin con vosotros.
ALCAIDE. El demonio que te aguarde. *Vase.*
ENRICO. Ya estoy sentenciado a muerte:
ya mi vida miserable 305
tiene de plazo dos horas.
Voz que mi daño causaste,
¿no dijiste que mi vida
si me quedaba en la cárcel
sería cierta? ¡Triste suerte! 310
Con razón debo culparte,
pues en esta cárcel muero,
cuando pudiera librarme.

Sale un PORTERO.

PORTERO 2.º Dos padres de San Francisco

están para confesarte 315
aguardando fuera.

ENRICO. ¡Bueno!
¡Por Dios que es gentil donaire!
Diga que se vuelvan luego
a su convento los frailes,
si no es que quieren saber 320
a lo que estos hierros saben.

PORTERO 2.º Advierte que has de morir.

ENRICO. Moriré sin confesarme,
que no ha de pagar ninguno
las penas que yo pasare. 325

PORTERO 2.º ¿Qué más hiciera un gentil?

ENRICO. Esto que le he dicho, baste;
que por Dios si me amohino,
que has de llevar las señales
de la cadena en el cuerpo. 330

PORTERO 2.º No aguardo más. *Vase.*

ENRICO. Muy bien haces.
¿Qué cuenta daré yo a Dios
de mi vida, ya que el trance
último llega de mí?
¿Yo tengo de confesarme? 335
Parece que es necedad.
¿Quién podrá ahora acordarse
de tantos pecados viejos?
¿Qué memoria habrá que baste
a recorrer las ofensas 340
que a Dios he hecho? Más vale
no tratar de aquestas cosas,
Dios es piadoso y es grande:
su misericordia alabo;
con ella podré salvarme. 345

Sale PEDRISCO.

PEDRISCO. Advierte que has de morir,
y que ya aquestos dos padres
están de aguardar cansados.

ENRICO. ¿Pues he dicho yo que aguarden?

PEDRISCO. ¿No crees en Dios?

ENRICO. Juro a Cristo, 350
que pienso que he de enojarme,
y que en los padres y en ti
he de vengar mis pesares.
Demonios, ¿qué me queréis?
PEDRISCO. Antes pienso que son ángeles 355
los que esto a decirte vienen.
ENRICO. No acabes de amohinarme;
que por Dios, que de una coz
te eche fuera de la cárcel.
PEDRISCO. Yo te agradezco el cuidado. 360
ENRICO. Vete fuera y no me canses.
PEDRISCO. Tú te vas, Enrico mío,
al infierno como un padre. *Vase.*
ENRICO. Voz, que por mi mal te oí
en esa región del aire, 365
¿fuiste de algún enemigo
que así pretendió vengarse?
No dijiste que a mi vida
le importaba de la cárcel
no hacer ausencia? Pues di, 370
¿cómo quieren ya sacarme
a ajusticiar? Falsa fuiste;
pero yo también cobarde,
pues que me pude salir
y no dar venganza a nadie. 375
Sombra triste, que piadosa
la verdad me aconsejaste,
vuelve otra vez y verás
cómo con pecho arrogante
salgo a tu tremenda voz 380
de tantas oscuridades.
Gente suena; ya sin duda
se acerca mi fin.

Salen ANARETO *y un* PORTERO.

PORTERO 2.º Habladle,
podrá ser que vuestras canas
muevan tan duro diamante. 385
ANARETO. Enrico, querido hijo,

puesto que en verte me aflijo
de tantos hierros cargados,
ver que pagues tu pecado
me da sumo regocijo. 390

¡Venturoso del que, acá
pagando sus culpas, va
con firme arrepentimiento;
que es pintado este tormento
si se compara al de allá! 395

La cama, Enrico, dejé,
y arrimado a este bordón
por quien me sustento en pie,
vengo en aquesta ocasión.

ENRICO. ¡Ay, padre mío!

ANARETO. No sé, 400

Enrico, si aquese nombre
será razón que me cuadre,
aunque mi rigor te asombre.

ENRICO. Eso ¿es palabra de padre?

ANARETO. No es bien que padre me nombre 405
un hijo que no cree en Dios.

ENRICO. Padre mío, ¿eso decís?

ANARETO. No sois ya mi hijo vos,
pues que mi ley no seguís.
Solos estamos los dos. 410

ENRICO. No os entiendo.

ANARETO. ¡Enrico, Enrico!

A reprendos me aplico
vuestro loco pensamiento,
siendo la muerte instrumento
que tan cierto os pronostico. 415

Hoy os han de ajusticiar,
¡y no os queréis confesar!
¡Buena cristiandad, por Dios!,
pues el mal es para vos
y para vos el pesar. 420

Aqueso es tomar venganza
de Dios, que el poder alcanza
del impirio cielo eterno.
Enrico, ved que hay infierno

para tan larga esperanza. 425
Es el quererte vengar
de esa suerte pelear
con un monte o una roca,
pues cuando el brazo le toca,
es para el brazo el pesar. 430
Es, con dañoso desvelo,
escupir el hombre al cielo
presumiendo darle enojos,
pues que le cae en los ojos
lo mismo que arroja al cielo. 435
Hoy has de morir: advierte
que ya está echada la suerte;
confiesa a Dios tus pecados,
y ansí, siendo perdonados,
será vida lo que es muerte. 440
Si quieres mi hijo ser,
lo que te digo has de hacer.
Si no (de pesar me aflijo),
ni te has de llamar mi hijo,
ni yo te he de conocer. 445

ENRICO. Bueno está, padre querido;
que más el alma ha sentido
(buen testigo dello es Dios)
el pesar que tenéis vos,
que el mal que espero afligido. 450
Confieso, padre, que erré;
pero yo confesaré
mis pecados, y después
besaré a todos los pies
para mostraros mi fe. 455
Basta que vos lo mandéis,
padre mío de mis ojos.

ANARETO. Pues ya mi hijo seréis.

ENRICO. No os quisiera dar enojos.

ANARETO. Vamos, porque os confeséis. 460

ENRICO. ¡Oh cuánto siento el dejaros!

ANARETO. ¡Oh cuánto siento el perderos!

ENRICO. ¡Ay ojos! Espejos claros,
antes hermosos luceros,

pero ya de luz avaros. 465

ANARETO. ¡Vamos, hijo!

ENRICO. A morir voy:
todo el valor he perdido.

ANARETO. Sin juicio y sin alma estoy.

ENRICO. Aguardad, padre querido.

ANARETO. ¡Qué desdichado que soy! 470

ENRICO. Señor piadoso y eterno,
que en vuestro alcázar pisáis
cándidos montes de estrellas,
mi petición escuchad.
Yo he sido el hombre más malo 475
que la luz llegó a alcanzar
de este mundo; el que os ha hecho,
más que arenas tiene el mar,
ofensas; mas, Señor mío,
mayor es vuestra piedad. 480
Vos, por redimir al mundo.
por el pecado de Adán,
en una cruz os pusisteis:
pues merezca yo alcanzar
una gota solamente 485
de aquella sangre real.
Vos, Aurora de los cielos,
Vos, Virgen bella, que estáis
de paraninfos cercada,
y siempre amparo os llamáis 490
de todos los pecadores:
yo lo soy, por mí rogad.
Decidle que se le acuerde
a su sacra Majestad
de cuando en aqueste mundo 495
empezó a peregrinar.
Acordalde los trabajos
que pasó en él por salvar
los que inocentes pagaron
por ajena voluntad. 500
Decilde que yo quisiera,
cuando comience a gozar
entendimiento y razón,

pasar mil muertes y más
antes que haberle ofendido. 505

ANARETO. Adentro prisa me dan.

ENRICO. ¡Gran Señor! ¡Misericordia!
No puedo deciros más.

ANARETO. ¡Que esto llegue a ver un padre!

ENRICO. (*Para sí.*) La enigma he entendido ya 510
de la voz y de la sombra:
la voz era angelical
y la sombra era el demonio.

ANARETO. Vamos, hijo.

ENRICO. ¿Quién oirá
ese nombre, que no haga 515
de sus dos ojos un mar?
No os apartéis, padre mío,
hasta que hayan de expirar
mis alientos.

ANARETO. No hayas miedo.
Dios te dé favor.

ENRICO. Sí hará, 520
que es mar de misericordia,
aunque yo voy muerto ya.

ANARETO. Ten valor.

ENRICO. En Dios confío.
Vamos, padre, donde están
los que han de quitarme el ser 525
que vos me pudisteis dar. *Vanse.*

Sale PAULO.

PAULO. Cansado de correr vengo
por este monte intrincado:
atrás la gente he dejado
que a ajena costa mantengo. 530
Al pie de este sauce verde
quiero un poco descansar,
por ver si acaso el pesar
de mi memoria se pierde.
Tú, fuente, que murmurando 535
vas, entre guijas corriendo,
en tu fugitivo estruendo

plantas y aves alegrando:
dame algún contento ahora,
infunde al alma alegría 540
con esa corriente fría,
y con esa voz sonora.
Lisonjeros pajarillos,
que no entendidos cantáis,
y holgazanes gorjeáis 545
entre juncos y tomillos:
dad con picos sonorosos
y con acentos süaves
gloria a mis pesares graves
y sucesos lastimosos. 550
En este verde tapete
jironado de cristal,
quiero divertir mi mal,
que mi triste fin promete.

(*Echase a dormir, y sale el* PASTORCILLO, *deshaciendo la corona de flores que antes tejía.*)

PASTORCILLO. Selvas intrincadas, 555
verdes alamedas,
a quien de esperanzas
adorna Amaltea.
Fuentes que corréis
murmurando apriesa, 560
por menudas guijas,
por blandas arenas.
Ya vuelvo otra vez
a mirar la selva,
y a pisar los valles, 565
que tanto me cuestan.
Yo soy el pastor
que en vuestras riberas
guardé un tiempo alegre
cándidas ovejas. 570
Sus blancos vellones
entre verdes felpas
jirones de plata
a los ojos eran.

Era yo envidiado, 575
por ser guarda buena,
de muchos zagales
que ocupan la selva;
y mi mayoral,
que en ajena tierra 580
vive, me tenía
voluntad inmensa,
porque le llevaba,
cuando quería verlas,
las ovejas blancas 585
como nieve en pellas.
Pero desde el día
que una, la más buena,
huyó del rebaño,
lágrimas me anegan. 590
Mis contentos todos
convertí en tristezas;
mis placeres vivos,
en memorias muertas.
Cantaba en los valles 595
canciones y letras;
mas ya en triste llano
funestas endechas.
Por tenerla amor,
en esta floresta 600
aquesta guirnalda
comencé a tejerla.
Mas no la gozó,
que engañada y necia
dejó a quien la amaba 605
con mayor firmeza.
Y pues no la quiso,
fuerza es que ya vuelva
por venganza justa
hoy a deshacerla. 610

PAULO. Pastor, que otra vez
te vi en esta sierra,
si no muy alegre
no con tal tristeza,

el verte me admira. 615

PASTORCILLO. ¡Ay perdida oveja!
¡De qué gloria huyes
y a qué mal te allegas!

PAULO. ¿No es esa guirnalda
la que en las florestas 620
entonces tejías
con gran diligencia?

PASTORCILLO. Esta misma es;
mas la oveja, necia,
no quiere volver 625
al bien que le espera,
y ansí la deshago.

PAULO. Si acaso volviera,
zagalejo amigo,
¿no la recibieras? 630

PASTORCILLO. Enojado estoy;
mas la gran clemencia
de mi mayoral
dice que aunque vuelvan,
si antes fueron blancas, 635
al rebaño negras,
que les dé mis brazos,
y sin estrañeza
requiebros les diga
y palabras tiernas. 640

PAULO. Pues es superior,
fuerza es que obedezcas.

PASTORCILLO. Yo obedeceré;
pero no quiere ella
volver a mis voces, 645
en sus vicios ciega.
Ya de aquestos montes
en las altas peñas,
la llamé con silbos
y avisé con señas. 650
Ya por los jarales,
por incultas selvas
la anduve a buscar:
¡qué dello me cuesta!

Ya traigo las plantas 655
de jaras diversas
y agudos espinos
rotas y sangrientas.
No puedo hacer más.

PAULO. En lágrimas tiernas 660
baña el pastorcillo
las mejillas bellas.
Pues te desconoce,
olvídate de ella,
y no llores más. 665

PASTORCILLO. Que lo haga es fuerza.
Volved, bellas flores,
a cubrir la tierra,
pues que no fue digna
de vuestra belleza. 670
Veamos si allá
en la tierra nueva
la pondrán guirnalda
tan rica y tan bella.
Quedaos, montes míos, 675
desiertos y selvas,
a Dios, porque voy
con la triste nueva
a mi mayoral.
Y cuando lo sepa 680
(aunque ya lo sabe),
sentirá su mengua,
no la ofensa suya,
aunque es tanta ofensa.
Lleno voy a verle 685
de miedo y vergüenza:
lo que ha de decirme,
fuerza es que lo sienta.
Dirásme: "Zagal,
¿ansí las ovejas 690
que yo os encomiendo
guardáis?" ¡Triste pena!
Yo responderé....
No hallaré respuesta,

si no es que mi llanto 695
la respuesta sea. *Vase.*

PAULO. (*Despertándose.*)
La historia parece
de mi vida aquésta.
De este pastorcillo,
no sé lo que sienta; 700
que tales palabras
fuerza es que prometan
oscuras enigmas....
Mas ¿qué luz es ésta
que a la luz del sol 705
sus rayos se afrentan?

Suena música y se ven dos ángeles que llevan al cielo el alma de ENRICO.

Música celeste
en los aires suena,
y a lo que diviso,
dos ángeles llevan 710
una alma gloriosa
a la excelsa esfera.
Dichosa mil veces,
alma, pues hoy llegas
donde tus trabajos 715
fin alegre tengan.

(*Encúbrese la aparición.*)

Frutas y plantas agrestes,
a quien el hielo corrompe,
¿no veis cómo el cielo rompe
ya sus cortinas celestes? 720
Ya rompiendo densas nubes
y estos transparentes velos,
alma, a gozar de los cielos
feliz y gloriosa subes.
Ya vas a gozar la palma 725
que la ventura te ofrece:
¡triste del que no merece
lo que tú mereces, alma!

Sale GALVÁN.

GALVÁN. Advierte, Paulo famoso,
que por el monte ha bajado 730
un escuadrón concertado,
de gente y armas copioso,
que viene sólo a prendernos.
Si no pretendes morir,
solamente, Paulo, huir 735
es lo que puede valernos.

PAULO. ¿Escuadrón viene?

GALVÁN. Esto es cierto:
ya se divisa la hilera
con su caja y su bandera.
No escapas de preso o muerto, 740
si aguardas.

PAULO. ¿Quién la ha traído?

GALVÁN. Villanos, si no me engaño
(como hacemos tanto daño
en este monte escondido),
de aldeas circunvecinas 745
se han juntado....

PAULO. Pues matallos.

GALVÁN. ¡Qué! ¿Te animas a esperallos?

PAULO. Mal quién es Paulo imaginas.

GALVÁN. Nuestros peligros son llanos.

PAULO. Sí, pero advierte también 750
que basta un hombre de bien
para cuatro mil villanos.

GALVÁN. Ya tocan. ¿No lo oyes?

PAULO. Cierra,
y no receles el daño:
que antes que fuese ermitaño 755
supe también qué era guerra.

Salen el JUEZ *y* VILLANOS, *armados.*

JUEZ. Hoy pagaréis las maldades
que en este monte habéis hecho.

PAULO. En ira se abrasa el pecho.
Soy Enrico en las crueldades. 760

UN VILLANO. Ea, ladrones, rendíos.

GALVÁN. Mejor nos está el morir...;

mas yo presumo de huir;
que para eso tengo bríos.

Huye GALVÁN *y síguenle muchos villanos:* PAULO *se entra acuchillando a los demás. Vanse todos.*

PAULO. (*Dentro.*) Con las flechas me acosáis, 765
y con ventajas reñís:
más de doscientos venís
para veinte que buscáis.

JUEZ. (*Dentro.*) Por el monte va corriendo.

Baja PAULO *por el monte rodando lleno de sangre.*

PAULO. Ya no bastan pies ni manos; 770
muerte me han dado villanos;
de mi cobardía me ofendo.
Volveré a darles la muerte....
Pero no puedo. ¡Ay de mí!,
el cielo a quien ofendí, 775
se venga de aquesta suerte.

Sale PEDRISCO.

PEDRISCO. (*Sin ver a* PAULO *que está moribundo en el suelo*)
Como en las culpas de Enrico
no me hallaron culpado,
luego que públicamente
los jueces le ajusticiaron, 780
me echaron la puerta afuera,
y vengo al monte. ¿Qué aguardo?
¿Qué miro? La selva y monte
anda todo alborotado.
Allí dos villanos corren, 785
las espadas en las manos.
Allí va herido Fineo,
y allí huyen Celio y Fabio,
y aquí, ¡qué gran desventura!,
tendido está el fuerte Paulo. 790

PAULO. ¿Volvéis, villanos, volvéis?
La espada tengo en la mano.
No estoy muerto, vivo estoy,
aunque ya de aliento falto.

PEDRISCO. Pedrisco soy, Paulo mío. 795
PAULO. Pedrisco, llega a mis brazos.
PEDRISCO. ¿Cómo estás ansí?
PAULO. ¡Ay de mí!
Muerte me han dado villanos.
Pero ya estoy muriendo;
saber de ti, amigo, aguardo 800
qué hay del suceso de Enrico.
PEDRISCO. En la plaza le ahorcaron
de Nápoles.
PAULO. Pues ansí,
¿quién duda que condenado
estará al infierno ya? 805
PEDRISCO. Mira lo que dices, Paulo;
que murió cristianamente
confesado y comulgado,
y abrazado con un Cristo,
en cuya vista enclavados 810
los ojos, pidió perdón,
y misericordia, dando
tierno llanto a sus mejillas,
y a los presentes espanto.
Fuera de aqueso, en muriendo 815
resonó en los aires claros
una música divina;
y para mayor milagro
y evidencia más notoria,
dos paraninfos alados 820
se vieron patentemente,
que llevaban entre ambos
el alma de Enrico al cielo.
PAULO. ¡A Enrico, el hombre más malo
que crio naturaleza! 825
PEDRISCO. ¿De aquesto te espantas, Paulo,
cuando es tan piadoso Dios?
PAULO. Pedrisco, eso ha sido engaño:
otra alma fue la que vieron,
no la de Enrico.
PEDRISCO. ¡Dios santo, 830
reducilde vos!

PAULO. Yo muero.
PEDRISCO. Mira que Enrico gozando
está de Dios: pide a Dios
perdón.
PAULO. ¿Y cómo ha de darlo
a un hombre que le ha ofendido 835
como yo?
PEDRISCO. ¿Qué estás dudando?
¿No perdonó a Enrico?
PAULO. Dios
es piadoso....
PEDRISCO. Es muy claro.
PAULO. Pero no con tales hombres.
Ya muero, llega tus brazos. 840
PEDRISCO. Procura tener su fin.
PAULO. Esa palabra me ha dado
Dios: si Enrico se salvó
también yo salvarme aguardo. *Muere.*
PEDRISCO. Lleno el cuerpo de lanzadas 845
quedó muerto el desdichado.
Las suertes fueron trocadas.
Enrico, con ser tan malo,
se salvó, y éste al infierno
se fue por desconfiado. 850
Cubriré el cuerpo infeliz,
cortando a estos sauces ramos.
Mas ¿qué gente es la que viene?

Salen el JUEZ, GALVÁN, *y* VILLANOS.

JUEZ. Si el capitán se ha escapado,
poca diligencia ha sido. 855
UN VILLANO. Yo lo vi caer rodando,
pasado de mil saetas,
de los altivos peñascos.
JUEZ. Un hombre está aquí: prendelde.
PEDRISCO. ¡Ay, Pedrisco desdichado!, 860
(*Aparte.*) esta vez te dan carena.
OTRO VILLANO. (*Señalando a* GALVÁN.)
Este es criado de Paulo
y cómplice en sus delitos.

GALVÁN. Tú mientes como villano;
que sólo lo fui de Enrico, 865
que de Dios está gozando.

PEDRISCO. (*Aparte a* GALVÁN.) Y yo, Galvanito hermano;
no me descubras aquí,
por amor de Dios.

JUEZ. (*A* GALVÁN.) Si acaso
me dices dónde se esconde 870
el capitán que buscamos,
yo te daré libertad.
¡Habla!

PEDRISCO. Buscarle es vano
cuando es muerto.

JUEZ. ¿Cómo muerto?

PEDRISCO. De varias flechas y dardos 875
pasado le hallé, señor,
con la muerte agonizando
en aqueste mismo sitio.

JUEZ. ¿Y dónde está?

PEDRISCO. Entre estos ramos
le metí. (*Va a apartar los ramos y aparece* PAULO *rodeado de llamas.*)
Mas, ¡qué visión 880
descubro de tanto espanto!

PAULO. Si a Paulo buscando vais
bien podéis ya ver a Paulo,
ceñido el cuerpo de fuego,
y de culebras cercado. 885
No doy la culpa a ninguno
de los tormentos que paso:
sólo a mí me doy la culpa,
pues fui causa de mi daño.
Pedí a Dios que me dijese 890
el fin que tendría, en llegando
de mi vida el postrer día;
ofendíle, caso es llano;
y como la ofensa vio
de las almas el contrario, 895
incitóme con querer
perseguirme con engaños.

Forma de un ángel tomó
y engañóme; que a ser sabio,
con su engaño me salvara; 900
pero fui desconfiado
de la gran piedad de Dios,
que hoy a su juicio llegando,
me dijo: "Baja, maldito
de mi Padre, al centro airado 905
de los oscuros abismos,
adonde has de restar penando."
¡Malditos mis padres sean
mil veces, pues me engendraron!
¡Y yo también sea maldito, 910
pues que fui desconfiado!
(*Húndese y sale fuego de la tierra.*)

JUEZ. Misterios son del Señor.

GALVÁN. ¡Pobre y desdichado Paulo!

PEDRISCO. ¡Y venturoso de Enrico
que de Dios está gozando! 915

JUEZ. Porque toméis escarmiento,
no pretendo castigaros;
libertad doy a los dos.

PEDRISCO. Vivas infinitos años.
Hermano Galván, pues ya 920
de ésta nos hemos librado,
¿qué piensas hacer desde hoy?

GALVÁN. Desde hoy pienso ser un santo.

PEDRISCO. Mirando estoy con los ojos
que no haréis muchos milagros. 925

GALVÁN. Esperanza en Dios.

PEDRISCO. Amigo,
quien fuere desconfiado,
mire el ejemplo presente.

JUEZ. No más: a Nápoles vamos
a contar este suceso. 930

PEDRISCO. Y porque éste es tan arduo
y difícil de creer,
siendo verdadero el caso,
vaya el que fuere curioso
(porque sin ser escribano 935

dé fe de ello) a Belarmino;
y si no, más dilatado
en la "Vida de los Padres"
podrá fácilmente hallarlo.
Y con aquesto da fin 940
El mayor desconfiado
y pena y gloria trocadas.
El cielo os guarde mil anos.

NOTES TO ACT I

5–7 "Mine host" of the "inn" is the grass or the broom.

8 "covers the emerald grass with crystal dew."

15 "which Nature has set in a high place."

17–18 Since there is no other company, Night and Day must keep the cave company.

20 **pies,** those of Night and Day.

21–24 "If only, heavenly veil, I could tear open your luminous silk a little in order to see."

33 "without my being able to oblige you." God's mercies, or grace, are gratuitously given.

36 **profundo,** i.e. hell.

40 **que,** "on which."

46 **de vos me acuerdan,** "remind me of you."

50 **jirones de cristal,** "strands of crystal."

60 **calle,** "let . . . be silent." The meaning is that the beauty of the plain outshines that of oriental rugs.

80 **como,** "I eat."

106 **mejor que mejor,** "that will be better than ever."

109 **apartó.** The understood object is **me:** "isolated me."

120–121 Pedrisco parodies the **romance nuevo:** "¿Dónde estás, señora mía, / que no te duele mi mal?" The text appears in the **Romancero general,** ed. A. González Palencia (Madrid, 1947), I, 60–61.

125–126 The hams were very unhappy because, even when not very hungry, he ate them.

130 **las mortales,** understand **hambres.**

135 "that I shall (though a man) give birth to some May (the month of flowers)."

141–144 Paulo had fallen asleep while praying. The idea that sleep is a rehearsal for death, or a symbol of death, was a commonplace. Cf. Quevedo's **Al sueño,** in which the lines occur: "pues no te busco yo por ser descanso, / sino por muda imagen de la muerte"; and Lupercio Leonardo de Argensola's **Soneto V,** which begins: "Imagen espantosa de la muerte, / sueño cruel, no turbes más mi pecho."

147 **enemigo,** the Devil.

149 Paulo next had a vision of death personified and of his own death.

152 **vivo,** i.e. at the moment of death.

153 **Tiróme,** "She dealt me."

155 **derecho, siniestro,** though agreeing with **brazo,** are better rendered "right hand," "left hand."

157–160 "She shot me through the heart: I, who am obviously wounded by the shot, release my soul from its prison, cast away my body, so that mother earth may consume it as a spoil of the battle she has fought."

169–170 The prosecutor read the list of sins and the guardian angel, the list of good works.

170–171 **el Justicia mayor,** "the chief minister of Justice."

173 **levanta.** The greater weight of his sins "raises" the pan (of the balance) containing his good deeds.

175 **reinos del espanto,** "kingdoms of fear," i.e. hell.

181 "or some scheme, trick, or confusion of the adversary," i.e. of the Devil.

187 The allusion is to heaven.

195–196 "and if I were to live a hundred years, I am confident that it would be the same for a hundred years: let me make this clear."

216 **saberlo,** "to find out his destiny."

220 **por soberbio,** "because I am full of pride."

222 **le,** i.e. **a Dios.**

226–227 "and putting a dream before faith in God."

237–240 "He must rectify the sin of the question he asked of God, for I am directing my new deception against just this question."

252 "I have been blinded by the sight of him."

255–256 "so that that vain illusion produced by your adversary (the Devil) may be soothed away."

268 **Gentiles hombres,** "los de buen talle y bien proporcionados de miembros y facciones" (Covarrubias).

287 "I'm already dying to see him."

303 **un paso peregrino,** "an extraordinary occurrence."

308–309 "We will pass unrecognized because of our garb and age."

311 **seguros,** "sure of being unrecognized."

327–328 Two of his favorite taverns from his days in Naples.

336 "What does her fame say about her?"

342–343 Celia, the lady in question, abuses her **discreción,** her smartness, by applying it to vice.

349 **perdidos,** "head over heels in love with her."

357 "a gathering-place of lively fellows," i.e. a whorehouse.

363–364 "even though Spaniards are so cordially detested in Naples." The kingdom of Naples (including Sicily) was for many centuries under Spanish domination.

369 "There's still more to her story."

372 "a man of worse inclinations."

383 **cuanto puede,** "all the money she can."

389 **sus ciertos tiros,** "her own peculiar larcenies."

397 **ojo al dinero,** "watch out for your money."

413 **Severino,** one of Celia's gallants.

417 It is not that he is a good poet, but that he has a good hand as a writer.

418–420 Lisarda correctly understands Celia to mean that Severino writes a good copybook hand which has changed little since grade school. Celia adds that the words written in this hand are those of an ignoramus.

426–427 "Two gentlemen, if one may judge them by their clothing."

435 **sufrimiento,** "restraint."

443 **en competencia,** "on a bet."

447 **algo,** i.e. a poem; **afirmo,** "I award."

451 To give one's heart is to declare one's love. In the ballads, however, Montesinos literally takes the heart of the dead Durandarte to his wife

Belerma. Lidora alludes to this ballad: "He has taken you for a Belerma." For the ballad see **Biblioteca de Autores Españoles,** X, 260.

483 Lisandro admits he knows who Enrico is.

486 "stop winking at me, Celia."

490 Celia whispers to him to behave himself. Enrico is presented as an arrogant bully given to swearing.

499 **hojarasca,** literally "dead leaves," is thieves' slang for "sword."

505 **ellos,** a vulgar form of address, "you." Cf. 522.

518–519 **voarcé, vuarcé** (689), and **vuesasté** (II, 288) are vulgar transitional forms of **vuestra merced. seor** and **seo** (698) are vulgar forms of **señor.**

523 **Callá,** for **Callad.**

526 **llevar palmas,** "to be victorious."

532 **que es belleza,** "it's a beautiful thing to see."

535 By running away.

537 **di,** "I hit."

539 **jeme,** "distancia que hay desde la extremidad del dedo pulgar a la del dedo índice, separando el uno del otro todo lo posible." (Acad.).

542–544 Octavio was wearing a heavy garment over his chest. Galván's sword cut loose some twenty-five pounds of wool from it.

556–557 They are too high and mighty to give you anything.

558–559 Their purse has taken the Franciscan vow of poverty.

568 **cadena,** a gold chain.

579 Enrico and his friends are **rufianes,** pimps and bullyboys, criminals.

596 "It'll be a fine spree."

608–610 Galván is shocked that Enrico should be so unprofessional as to go on a picnic when he has been hired to do a killing, having received a down payment of half the price.

622–623 "for when we've spent the proceeds from the sale of the chain, we'll give him his message (i.e. bump him off)."

640–641 "as tall as a guardsman, whom you used to flirt with."

648 **En buena hora,** "Gladly."

655 Paulo hears Enrico hurling a beggar into the sea.

665–666 "and so that he should not suffer the shame of begging from anyone else from now on, I caught him in my arms."

669 Pedrisco wishes for his master that **ya no será más pobre.**

677 **en lo que para,** "how it turns out."

681 Half of this line is missing.

686 **mi Enrico,** i.e. the saintly Enrico he was expecting to find.

697 "singing hymns of praise and anthems to him."

702–703 **he escalado,** "I have scaled," "I have broken into." **la chica,** "short sword," "dagger."

704 "dancing on the gallows."

706 **Cherinos,** a common name in the literature of the **hampa** or underworld (cf. **El retablo de las maravillas**). In thieves' slang (**germanía**) it meant **friolera,** "trifle."

712 Enrico cannot believe that the stolen cloaks, on display in the store, are not recognized by their owners.

713 **ocasiones,** "contretemps."

714 **ropillas,** "short jackets."

721 Paulo is still expecting another Enrico, a saintly man, to turn up.

734–735 "the best sign of quality, these days, is to be well off."

744 **Jugaba,** "I used to gamble."

749 "and like one properly taught to do it."

754–755 "I then came to the point of always being with others of the same craft."

763 "although they were put to the torture."

764 **en una plaza,** i.e. by being executed in public.

766–767 "having learned my lesson, I resorted to performing my deeds alone."

773 **barato,** a small sum of money paid by winning gamblers or the bank to servants of the gaming hall and to onlookers.

776–777 He means he stabbed the gamblers.

781 **hierros,** "housebreaking tools."

783 "and take over from the owner."

785–787 "and if they did not hand over the money at once, straightaway a knife visited their faces."

796–798 In addition to ten murders committed "for my pleasure" there were twenty which "came out at a doubloon a time" (for each of which he received a fee of a doubloon, worth about $13).

805–806 "I count myself lucky that I was able to find as many as eight virgins."

808 **principal,** "illustrious."

814 "I wrestled with him."

816 **perdió tierra,** "he lost his footing."

823–827 "in the crystal (transparency) of her breast, where ruby gates (bloody wounds) on beautiful crystal fields provided an exit for her soul so that it could escape from her body."

828 "For no other purpose than to do wrong."

862 **me he resistido,** "I have put up resistance."

890–891 Those who sued for positions and favors at court (**pretendientes**) alleged their many services to the crown. Pedrisco, of course, uses irony.

955 "as long as God shall last."

966 **al profundo,** "to the deep place," i.e. hell.

968 **su misma vida,** "the same kind of life Enrico leads."

977 **un fin,** "the same end."

993–994 "let us hang away our religious habits. Put on the gay clothes of a man-about-town."

998 "I'll be the fulminator of the world."

1005 **caso,** "occasion," "cause."

1012 "that I shall be riding pillion with you."

NOTES TO ACT II

4–5 Enrico appears to be cursing the hands which caused him to lose money at cards.

6 "You were ruined by a change in your luck."

14 Galván means that the money lost in gambling had been stolen.

20–23 This is the professional killing alluded to at I, 608–615.

24 **sin blanca estoy,** "I haven't a penny."

25–26 A reference to another criminal job (29–30).

38 The "shadowy mantle" is the night.

45–46 "that even though I'm such a wastrel, I support him with my money."

50 "and I am solicitous about his life."

56 "and sometimes I deny myself food."

71–73 "that although my hard heart (literally, bowels) was made of rock, the opposite of fragile glass."

77 "he would have changed them."

87 **de mis ojos,** "darling."

91–96 "The sun, as it appears in a red haze to give splendor to the greatest darkness (night) which is waiting for this supreme happiness, does not look so good to the day as you, sir, do to me."

120–121 "for, however much it may displease the art of gambling, I shall not give up my fidelity to my father."

124 "Respect the justice of the zealousness with which I look after you."

129 "who may be hands and feet to me."

138–139 "for so much illness is tantamount to death."

142 **Llegaré,** "Shall I move up"; at 146, "I will bring."

154–155 **que tomaras estado,** "that you should get married."

170–173 "for it is risky to be the warder of a beauty in an insecure prison where its dishonoring is inevitable." Anareto advises his son to marry an ugly woman to avoid threats to his honor.

175 Anareto's speech is taken word for word from Lope de Vega's **El remedio en la desdicha** (I, 692–699).

176 **su amor,** i.e. your wife's love.

210–211 "the only man I fear and respect in this life."

217–218 "since the sight of him would be the restraint which would divert me (from my purpose) on these occasions."

233 "to give him up for dead."

240 Albano closely resembles Anareto.

247–248 "for those white hairs of yours, though incapable of speech, are interceding in a plea for pity."

251 "although it may not jibe with my reputation." He means that he does not have the reputation of being a man of honor.

275 "was so old."

284 Octavio is Laura's brother, Enrico's client.

308 "He'd have done better to have gone to bed."

329 Enrico draws on a phrase said by Caesar to a boatman during a dangerous crossing of the river Anius: "Go on, my friend, and fear nothing; you carry Caesar and his fortune in your boat." See **Plutarch's Lives,** tr. John Dryden (The Modern Library), p. 877.

348–349 On the capture of Troy by the Greeks, Aeneas carried his aged father Anchises on his shoulders from the burning city.

374 "Move along."

375 **fruta extremada,** "delicious food."

383 "ecstatic before your God."

399 **yo me entiendo,** "I have my reasons."

400–402 An anecdote meaning that it is too late now to give advice or warning.

406 The "crystalline globe" is the sky.

414 "My eyes shine forth fire."

419 **faetontes,** "Phaethons." Phaethon, the son of Helios, almost burned the earth while he was inexpertly driving the sun's chariot. He symbolizes pride.

424 He will outrage the trees by hanging his victims on their branches.

430–434 As birds pick off grapes, so will they eat the heads of his victims, fruit for the scavengers.

447–449 "since it has so pleased my fortune, so that I may instruct the hangman when they execute me."

519 **de nada,** "out of nothing."

527–528 "he gave the power to beg for mercy."

530–532 "so, if every time man sinned, justice proceeded rigorously against him."

534 **sacro alcázar,** i.e. heaven.

552 "bathing his body like a sea."

554 The number of Christ's wounds is five.

555 **que.** The antecedent is **cuerpo.**

559–601 "and whom (the Holy Ghost) entered as if it were a bright sunrise passing through clear glass, without breaking it."

567 Matthew was a publican and sinner (Luke V, 27–32).

572–577 A reference to the stigmatization of Saint Francis of Assisi. In 1224, while he was praying, there appeared on his body scars corresponding to the five wounds of the crucified Christ. They are here described as an emblem (**empresa**) or escutcheon (**blasón**).

580 Mary Magdalene.

583 "if I had the time, sir."

590 The lost sheep (Matthew, XVIII, 12–13). This is the first clear indication that the Pastorcico is the Church.

592–593 "and this crown which you see me making so lovingly."

597 "to the extent she made him pay," i.e. with his life.

604 "Detaining me would be like stopping the sun in its course."

626 **él,** i.e. Enrico.

632–633 "that in God's mercy a means should be found to restore him to health."

642 "the refuge of so many wild beasts."

643 **cristal,** i.e. water. The allusion is to a waterfall.

652 "when we looked out."

653–654 These two verses were inserted by the Romantic editor Hartzenbusch. The line about the sword is surely wrong, for we learn at 707–709 that Enrico was so buffeted by the sea that he had to discard his sword.

659–660 The drowning men are alternately "affixed to the stars" (raised high by the waves) and "set in its center" (plunged into the depths of the sea).

665 "to be executioners' blocks."

675 "a couple of strong oaths."

683 "in finding out his intention."

695–697 "Well, who puts it into your head to make such an effort (as to swim to hell), when there are such swift devils eager to take you there for free?"

698 "To be less indebted to them."

706 "to douse the fire." The devil is scorched with hell-fire.

722 Hector, the terror of the Greeks at Troy.

724–725 The use of **matar** is deliberately comic. "I too am a great killer — of hungers and lamps and (by touch) fleas."

747 **aquesto,** "this confession."

796 "father, or whatever you call yourself."

799 **el último bien,** "the final blessing," i.e. a confession and absolution.

825 What you say "is a tiresome thing."

827–828 "I would have already kicked you into the sea."

843 "Celio, send one through his chest."

850–851 "You're cowards; when are you going to come and rip open my chest?"

866–869 "for a rich adornment, my heart tells me, ill becomes the false crystal it covers." The rich adornment is the sackcloth, symbolizing his divine calling; the false crystal is his heart.

870–874 "I glide along on my ugly deeds, and I compare myself to the snake; but I reject this comparison because I renounce the good while it renounces the evil one." The snake avoids the one who would do it harm.

881 "so that it may say."

889 The blood of Christ.

890 **lo,** i.e. **desatado,** "undone," "relieved."

902 **ama,** "wetnurse."

908–909 "rather than that you should have cut the thread of my hope."

939 "and they put me in charge."

968 "that glory which can never be praised too much."

986–987 "but on the knowledge that God takes on human form to approach the greatest sinner."

999 "an evil shared by many is a joy."

1001–1002 "because his compassion always overcomes his holy justice." God's justice is always tempered with mercy.

1008 **olvidada,** "left behind." The "jewel" is his father.

1010 He alludes to the fact that he is a wanted man in Naples.

1017 "that I was speechless."

1024–1025 "where my back may pay (with a flogging) for the crimes you have committed."

NOTES TO ACT III

24 Mail carriers had a reputation as gossips. The place where mail arrived was called a **mentidero** ("sitio o lugar donde para conversar se junta la gente ociosa"); it was an important source of news.

27 **Error fue,** "You are wrong."

32 "to be hanged."

36 "that we shall dance without music," i.e. "swing" on the gallows.

37 "Luck will deal with us better than that."

78 Full, that is, of bad news, rather than the money they were hoping for.

85 "and I am very happily married." The use of **empleado** in the sense of "married," "loved," "engaged" is very common in the Golden Age. On this use of **empleo ('dedicación amorosa')** see Lope de Vega, **La Dorotea,** ed. E. S. Morby (Madrid, 1958), p. 122, n. 156.

93 "that I should have a Mass said for you," for your soul, after you're dead.

99 "How heavy this moneybag is!"

101 "Have you ever seen such a wanton woman?"

Stage direction following 116. **da con ella tras el portero y los presos,** "he rushes with it in pursuit of the jailer and the prisoners."

122–123 "A link hit me and felled me to the ground."

140 **bocas,** i.e. wounds.

147 "but because I have come to the end of my tether."

153–154 "and I would still not, I think, have satisfaction for the outrage I feel."

161 **tantos,** i.e. **yerros,** "errors." The pun on **hierro** and **yerro** is very common in the theater of the Golden Age.

164–165 "for it is not just that a man who is God's enemy should see the heavens."

168–169 "for the cruel bump with the chain spilled his brains on the ground."

174–179 "that they will tie a knot around my gullet, and it will be a wise plan to stock up the saddlebag (to fill my belly) so that we may invite the top devils to have a snack on us at the gate of hell."

209–210 "My heart is fluttering with fear."

240–242 "consider that it is better for you to stay in prison than to escape."

Prose following 289 **de la una,** "the party of the first part." **de la otra,** "the party of the second part." **Vista, etc.,** "Whereas, etc."; the Alcaide passes over some routine legal phrases. **pregoneros,** officials who proclaim in public the crimes of which the convicted criminals have been found guilty. **naturalmente,** "by the neck."

294 **yo te hiciera**.... The word he has no time to pronounce is **pedazos.**

298 "is to make your peace with God."

302 "I shall put an end to your life."

303 "The devil take you." A perversion of the usual wish: "May God rest your soul."

306 "has two hours to run."

314 "Two Franciscan fathers."

320–321 "unless they want to find out the feel of these shackles." He threatens to attack them.

324–325 "no one else shall pay for the torments I shall undergo."

326 **gentil,** "heathen."

333–334 "now that the hour of my death is approaching."

342 "not to bother with these things."

357 "Mind you don't make me angry."

363 **como un padre,** "like a real priest": an ironical statement.

384 **Gente suena,** "There's a sound of people coming."

385 **diamante,** i.e. hard heart.

391 "Happy is the man who, in this place."

394–395 "for this torture is nothing compared to that down there (in hell)."

401 **aquese nombre,** i.e. **padre mío.** Anareto implies that he is about to disown his son.

404 "Can a father speak like that?"

409 **mi ley,** "my precept," "my faith."

414–415 "death being the means (by which I hope to reprove you) which I forecast is certain."

422–423 "God, who derives his power from empyreal eternal heaven." **impirio,** a variant of **empíreo,** refers to the Empyrean, the highest heaven, the abode of the blessed spirits. God's unshakeable power is illustrated in the following two **quintillas** by the analogies of fighting a rock and spitting.

437 "that the die is already cast."

440 This line explains the mystery of the promise made by the angelic voice (256).

454 "I will kiss everyone's feet."

471 Enrico begins his prayer to the Lord in heaven (**vuestro alcázar**).

478–479 "more offenses than there are grains of sand in the sea."

489 "surrounded by bearers of good tidings," i.e. by angels.

493–496 "Tell God to remember the time he began his pilgrimage in this world."

506 The jailer is urging Anareto to conclude his visit.

515–516 **nombre,** i.e. **hijo.** "who will not release a flood of tears."

528 **monte intrincado,** "dense forest."

530 I.e. by robbery.

544 The birds sing naturally, without musical knowledge.

551–552 Grass streaked with tiny streams.

558 Amalthea was the she-goat which suckled Zeus. From its horn was made the cornucopia, the horn of plenty. The reference here is to the fertility of the land.

566 The Pastorcillo refers to the cost of the Redemption. He is, as the Good Shepherd, still concerned about the lost sheep, Paulo.

571–574 "Their white fleeces scattered among patches of green plush (the grass visible between the bodies of the sheep) looked like swatches of silver."

577 **muchos zagales,** i.e. the disciples and other Christians.

579–580 **mayoral.** The "head shepherd" is God the Father, who lives in heaven (**en ajena tierra**).

586 "like snowballs." **Pella,** "la que se hace en forma redonda, apretándola con las manos de una parte y de otra, ora sea de nieve ora de manteca o de otra cosa como yeso, etc." (Covarrubias).

596 "merry songs and their words."

632 "but my head shepherd in his great mercy says that, even though those who once were white return black to the flock, I should embrace them."

654 "What pain I had for my trouble!"

655–658 The thorns are broken and bloody because of the shepherd's having trampled through them in search of the lost sheep. Probably an allusion to Christ's crown of thorns.

675–677 **Quedaos...a Dios,** "Good-bye."

704–706 "But what is this light whose rays challenge the sun's light?"

717–718 The wild plants and fruits which are damaged by ice represent Enrico's wild life.

731 **concertado,** "in formation."

740 "You can't escape being captured or killed."

748 "You have a poor idea of the kind of man Paulo is."

751 **un hombre de bien,** "one man of breeding."

753 **Cierra,** "Attack."

759 "My heart is consumed with wrath."

778 **culpado,** "guilty" in the sense of being an accomplice.

780 **me ajusticiaron,** "brought me to justice."

809 **un Cristo,** "a crucifix."

822 **entre ambos,** "both together."

831 **reducilde vos,** "bring him to his senses."

841 "Try to have the same end as he did."

847 "Their fates were switched."

855 "we have been less than diligent in our mission."

861 **carena,** "a drubbing."

899–900 "for if I had been wise, I would have used his trick to save my soul."

904–905 **maldito de mi padre.** Christ says: "cursed by my father (God)."

916–917 "So that you may learn your lesson I do not intend to punish you."

921 **de ésta,** "from this mess."

924–925 "I can see you won't work many miracles."

931 **éste,** understand **suceso.**

933 "even though it really happened."

935–936 "so that, though he's no notary public, he may certify to its truth."

936 **Belarmino,** a cardinal, author of **De arte bene moriendi.** The passage to which we are referred is in Part II, Chapter 10. For Belarmino's significance in the religious thought of his time see R. Menéndez Pidal, **Estudios literarios** (Colección Austral), pp. 56–57, note.

938 A similar legend appears in Saint Paphnutius' **Vitae Patrum** according to Menéndez Pidal.

941–942 These lines constitute an alternative title to the work.

CALDERÓN DE LA BARCA

El médico de su honra

INTRODUCTION

Although he wrote only a handful of them, Calderón is famous for his honor plays. Because in them he pressed the point of honor to the most extreme situations, it is common to refer to "Calderonian honor," as if his understanding of the phenomenon were different from that of his predecessors and contemporaries. But Lope and other dramatists had presented on stage cases of wives murdered by their husbands on the mere suspicion of infidelity, if not simply of laxness in their relations with men.

The problem is traditionally posed in a few uncomplicated propositions. Honor is conceived not so much in terms of self-respect as in terms of the respect bestowed on one by others. Hence words like *opinión*, *respeto*, *honor*, and *honra* tend to become synonyms. A wife's good name constitutes a major part of her husband's honor. If she gives cause (or if some third party gives cause) for her reputation to be regarded lightly, the husband's honor is diminished. In accordance with the code governing the behavior of all gentlemen, he is obliged to kill her as well as any witnesses to his "dishonor." Two reservations must be made: first, these rules do not apply to non-gentlemen, i.e. to servants or *graciosos*; and second, the husband may not, because of the higher obligation to be loyal, kill a man of royal blood. To avenge a dishonor (*deshonra*, *afrenta*, *agravio*, *ultraje*, etc.) a husband must act with extreme caution. If he challenges an offender against his honor to a duel, murders him on the street, or lets it be known *why* he is killing him or his wife, he publicizes the affront, and so compounds his dishonor. The killing must not therefore be a *crime passionnel*, but a premeditated murder carried out secretly in cold blood. Such acts usually appear to be condoned at the end of the play by the king, acting in his capacity as supreme judge. The customary justification is that, honor being equivalent to life itself, a gentleman has a right to kill in defense of his honor, just as he would in defense of his life.

These fictional murders of apparently innocent women have brought the Spanish theater a bad name, especially in Spain itself. The modern Spaniard would like to dissociate himself from these cultural manifestations of the supposed barbarism of his ancestors. Non-Spaniards can afford to consider them more dispassionately, although with no less *connaissance de cause*. In other ages and countries it is by no means unusual for purely secular moral values to compete with religious ones. Most people today, for example, regard patriotism as a virtue, and yet it may (like Spanish honor) lead to behavior which is immoral, judged in the light of the prevailing religious beliefs.

It is certain that very occasionally these barbaric acts of revenge occurred in real life and that sometimes confessors and legal tribunals tempered justice with clemency in judging the husband's motivation. But the student of literature need not concern himself with the historicity of the code. His chief interest is to see if he can (or should) reconcile Calderón's sense of responsibility toward his art and toward Christian values (as shown in his other serious works) with his treatment of honor in the honor play.

Two facts need to be borne in mind. Calderón's husbands, while obeying the social imperative to murder their wives, protest vehemently against the cruel code which drives them to such extremes. And, in religious plays like *La devoción de la Cruz*, Calderón makes abundantly clear his awareness of the superiority of mercy and forgiveness over the Old Testament *lex talionis* and its reincarnation in the code of honor. These facts suggest that the traditional interpretation of the honor plays as exaltations of the bloody code is wrong.

In reading *El médico de su honra* the student will find it helpful to consider the following possibilities. 1) Don Pedro may not be acting as a just king in condoning Don Gutierre's act in having his wife bled to death. He is known to history not only as Peter the Just (*el Justiciero*) but also as Peter the Cruel. To assess the merit of this suggestion it will be necessary to study carefully the King's role as a dispenser of justice throughout the play. 2) The King's statement (III, 881) that in his second marriage Don Gutierre will again have as a last resort the "remedio" of bleeding his wife may constitute not so much an approval of his deed as a revelation to Don Gutierre of the fact that the King knows what he has done. He may in effect be showing clemency to his subject while warning him that his secret crime is known to the King. 3) Despite her protestations of innocence Mencía may have been justly punished — in terms of poetic justice — for her mental infidelity. In placing her husband's honor above her love for the Prince, she does all that is humanly possible to safeguard her marriage; she uses her free will to choose the right course. Yet in her somnolent welcoming of Don Enrique in what she assumes to be his illicit entry into her house, may she not be guilty of adultery in the heart (Matthew V, 28)? 4) If the play is conceived of as a tragedy, Calderón may, without approving wife-murder, be showing the fatal consequences of a series of errors. The errors, mostly defects of prudence, abound in the play. Don Gutierre, Doña Mencía, Don Enrique, the King, and perhaps some of the other characters all commit them. The reader must identify them, and weigh them carefully against the consequences suffered. It has been argued that Don Gutierre's resumption in his second marriage of the cycle of hypersensitive suspiciousness, distrust, and fear amounts to a fate worse than death. He can never rid himself of his superstitious belief in the literal truth of the poetic metaphor he applies to himself; he ends up *plying the trade* of honor (III, 885–891), sacrificing his humanity to an obsessive mercantilism.

Of *El médico de su honra* it can be said that it is one of the most ambiguous plays of an ordinarily unambiguous dramatist. The writing and the construction are excellent. It follows that Calderón is here challenging his public to resolve the ambiguities, to solve the puzzle. It is what is sometimes called an "open" play, since the reader never again ceases to wrestle and live with the problems it raises.

SUGGESTED READING:

EDWARD M. WILSON, "Gerald Brenan's Calderón," *Bulletin of the Comediantes*, VI, i (1952). An important step in the reinterpretation of Calderón's honor plays.

ALEXANDER A. PARKER, *The Approach to the Spanish Drama of the Golden Age* (London, 1957), pp. 4–5. A few lines which offer an important interpretation of the play based on the cruelty of the King.

BRUCE W. WARDROPPER, "Poetry and Drama in Calderón's *El médico de su honra*," *Romanic Review*, XLIX (1958), 3–11. A study of the play as the dramatization of poetic imagery.

ALAN SOONS, "The Convergence of Doctrine and Symbol in *El médico de su honra*," *Romanische Forschungen*, LXXII (1960), 370–380. An overextended interpretation, hardly warranted by the text.

EVERETT W. HESSE, "Introduction" to Calderón de la Barca, *The Surgeon of His Honour*, tr. Roy Campbell (Madison, Wisconsin, 1960).

CYRIL A. JONES, "Introduction" to Pedro Calderón de la Barca, *El médico de su honra* (Oxford, 1961). Reviews earlier criticism of the play.

EDWIN HONIG, "Introduction" to Calderón de la Barca, *Four Plays* (New York, 1961). An interesting attempt to rethink the problem of honor, and especially its development from one play to another, in Calderón. Not concerned specifically with our play.

A. IRVINE WATSON, "Peter the Cruel or Peter the Just?," *Romanistisches Jahrbuch*, XIV (1963), 322–346. In addition to the question in the title (tending to refute Parker's position), the article contains a valuable discussion of the role of the *gracioso*.

DANIEL ROGERS, " 'Tienen los celos pasos de ladrones': Silence in Calderón's *El médico de su honra*," *Hispanic Review*, XXXIII (1965), 273–289. A further examination of the imagery.

El médico de su honra

PERSONAS

EL REY DON PEDRO.
EL INFANTE DON ENRIQUE.
DON GUTIERRE ALFONSO.
DON ARIAS.
DON DIEGO.
COQUÍN, *lacayo.*
DOÑA MENCÍA DE ACUÑA.
DOÑA LEONOR.
INÉS, *criada.*
TEODORA, *criada.*
JACINTA, *esclava.*
LUDOVICO, *sangrador.*
UN SOLDADO. — UN VIEJO.

Pretendientes. — Acompañamiento. — Música. — Criados, criadas

JORNADA PRIMERA

Suena ruido de caza, y sale cayendo el INFANTE DON ENRIQUE, DON ARIAS *y* DON DIEGO, *y algo detrás* EL REY DON PEDRO, *todos de camino.*

DON ENRIQUE. ¡Jesús mil veces! (*Cae sin sentido.*)
DON ARIAS. ¡El cielo
te valga!
REY. ¿Qué fue?
DON ARIAS. Cayó
el caballo, y arrojó
desde él al infante al suelo.
REY. Si las torres de Sevilla 5
saluda de esa manera,
¡nunca a Sevilla viniera,
nunca dejara a Castilla! —
¡Enrique, hermano!
DON DIEGO. ¡Señor!
REY. ¿No vuelve?
DON ARIAS. A un tiempo ha perdido 10
pulso, color y sentido.
¡Qué desdicha!
DON DIEGO. ¡Qué dolor!

REY. Llegad a esa quinta bella
que está del camino al paso,
don Arias, a ver si acaso, 15
recogido un poco en ella,
cobra salud el infante.
Todos os quedad aquí,
y dadme un caballo a mí,
que he de pasar adelante; 20
que aunque este horror y mancilla
mi rémora pudo ser,
no me quiero detener
hasta llegar a Sevilla.
Allá llegará la nueva 25
del suceso. *Vase.*

DON ARIAS. Esta ocasión
de su fiera condición
ha sido bastante prueba.
¿Quién a un hermano dejara,
tropezando desta suerte 30
en los brazos de la muerte?
¡Vive Dios!...

DON DIEGO. Cala, y repara
en que, si oyen las paredes,
los troncos, don Arias, ven,
y nada nos está bien. 35

DON ARIAS. Tú, don Diego, llegar puedes
a esa quinta: di que aquí
el infante mi señor
cayó. — Pero no; mejor
será que los dos así 40
le llevemos donde pueda
descansar.

DON DIEGO. Has dicho bien.

DON ARIAS. Viva Enrique, y otro bien
la suerte no me conceda. *Llevan al infante.*

Salen DOÑA MENCÍA *y* JACINTA, *esclava herrada.*

DOÑA MENCÍA. Desde la torre los vi, 45
y aunque quién son no podré
distinguir, Jacinta, sé

que una gran desdicha allí
ha sucedido. Venía
un bizarro caballero 50
en un bruto tan ligero,
que en el viento parecía
un pájaro que volaba;
y es razón que lo presumas,
porque un penacho de plumas 55
matices al aire daba.
El campo y el sol en ellas
compitieron resplandores;
el campo le dio sus flores,
y el sol le dio sus estrellas; 60
porque cambiaban de modo,
y de modo relucían,
que en todo al sol parecían,
y a la primavera en todo.
Corrió, pues, y tropezó 65
el caballo, de manera
que lo que ave entonces era,
cuando en la tierra cayó,
fue rosa; y así en rigor
imitó su lucimiento 70
en sol, cielo, tierra y viento,
ave, bruto, estrella y flor.

JACINTA. ¡Ay señora! En casa ha entrado...
DOÑA MENCÍA. ¿Quién?
JACINTA. un confuso tropel
de gente.
DOÑA MENCÍA. ¿Mas que con él 75
a nuestra quinta han llegado?

Salen DON ARIAS *y* DON DIEGO, *y sacan al* INFANTE *y siéntanle en una silla.*

DON DIEGO. En las casas de los nobles
tiene tan divino imperio
la sangre del rey, que ha dado
en la vuestra atrevimiento 80
para entrar desta manera.
DOÑA MENCÍA (*Ap.*) (¡Qué es esto que miro, cielos!)
DON DIEGO. El infante don Enrique,

hermano del rey don Pedro,
a vuestras puertas cayó, 85
y llega aquí medio muerto.

DOÑA MENCÍA. ¡Válgame Dios, qué desdicha!

DON ARIAS. Decidnos a qué aposento
podrá retirarse, en tanto
que vuelva al primero aliento 90
su vida. — Pero ¡qué miro!
¡Señora!

DOÑA MENCÍA. ¡Don Arias!

DON ARIAS. Creo
que es sueño fingido cuanto
estoy escuchando y viendo.
¿Que el infante don Enrique, 95
más amante que primero,
vuelva a Sevilla, y te halle
con tan infeliz encuentro,
puede ser verdad?

DOÑA MENCÍA. Sí es.
¡Ojalá que fuera sueño! 100

DON ARIAS. Pues ¿qué haces aquí?

DOÑA MENCÍA. Despacio
lo sabrás; que ahora no es tiempo
sino sólo de acudir
a la vida de tu dueño.

DON ARIAS. ¡Quién le dijera que así 105
llegara a verte!

DOÑA MENCÍA. Silencio,
que importa mucho, don Arias.

DON ARIAS. ¿Por qué?

DOÑA MENCÍA. Va mi honor en ello. —
Entrad en ese retrete,
donde está un catre cubierto 110
de un cuero turco y de flores;
y en él, aunque humilde lecho,
podrá descansar. — Jacinta,
saca tú ropa al momento,
aguas y olores que sean 115
dignos de tan alto empleo. *Vase* JACINTA.

DON ARIAS. Los dos, mientras se adereza,

aquí al infante dejemos,
y a su remedio acudamos,
si hay en desdichas remedio. *Vanse los dos.* 120

DOÑA MENCÍA. Ya se fueron; ya he quedado
sola. ¡Oh quién pudiera, cielos,
con licencia de su honor
hacer aquí sentimientos!
¡Oh quién pudiera dar voces, 125
y romper con el silencio
cárceles de nieve, donde
está aprisionado el fuego!,
que ya, resuelto en cenizas,
es ruina que está diciendo: 130
"¡Aquí fue amor!" — Mas ¿qué digo?
¿Qué es esto, cielos, qué es esto?
Yo soy quien soy. Vuelva el aire
los repetidos acentos
que llevó; porque aun perdidos, 135
no es bien que publiquen ellos
lo que yo debo callar;
porque ya, con más acuerdo,
ni para sentir soy mía;
y solamente me huelgo 140
de tener hoy que sentir,
por tener en mis deseos
que vencer, pues no hay virtud
sin experiencia. Perfecto
está el oro en el crisol, 145
el imán en el acero,
el diamante en el diamante,
los metales en el fuego:
y así mi honor en sí mismo
se acrisola, cuando llego 150
a vencerme; pues no fuera
sin experiencias perfecto.
¡Piedad, divinos cielos!
¡Viva callando, pues callando muero!
¡Enrique! ¡Señor!

DON ENRIQUE. (*Volviendo en sí.*) ¿Quién llama? 155

DOÑA MENCÍA. Albricias...
DON ENRIQUE. ¡Válgame el cielo!
DOÑA MENCÍA. que vive tu alteza.
DON ENRIQUE. ¿Dónde
estoy?
DOÑA MENCÍA. En parte, a lo menos,
donde de vuestra salud
hay quien se huelgue.
DON ENRIQUE. Lo creo, 160
si esta dicha, por ser mía,
no se deshace en el viento,
pues consultando conmigo
estoy, si despierto sueño,
o si dormido discurro, 165
pues a un tiempo duermo y velo.
¿Pero para qué averiguo,
poniendo a mayores riesgos
la verdad? Nunca despierte,
si es verdad que ahora duermo; 170
y nunca duerma en mi vida,
si es verdad que estoy despierto.
DOÑA MENCÍA. Vuestra alteza, gran señor,
trate, prevenido y cuerdo,
de su salud, cuya vida 175
dilate siglos eternos,
fénix de su misma fama,
imitando al que en el fuego
ave, llama, ascua y gusano,
urna, pira, voz e incendio, 180
nace, vive, dura y muere,
hijo y padre de sí mesmo;
que después sabrá de mí
dónde está.
DON ENRIQUE. No lo deseo;
que si estoy vivo y te miro, 185
ya mayor dicha no espero;
ni mayor dicha tampoco,
si te miro estando muerto;
pues es fuerza que sea gloria
donde vive ángel tan bello. 190

Y así no quiero saber
qué acasos ni qué sucesos
aquí mi vida guiaron,
ni aquí la tuya trajeron;
pues con saber que estoy donde 195
estás tú, vivo contento;
y así ni tú que decirme,
ni yo que escucharte tengo.

DOÑA MENCÍA. (*Ap.* Presto de tantos favores
será desengaño el tiempo.) 200
Dígame ahora, ¿cómo está
vuestra alteza?

DON ENRIQUE. Estoy tan bueno,
que nunca estuve mejor;
sólo en esta pierna siento
un dolor.

DOÑA MENCÍA. Fue gran caída; 205
pero en descansando, pienso
que cobraréis la salud;
y ya os están previniendo
cama donde descanséis.
Que me perdonéis, os ruego, 210
la humildad de la posada;
aunque disculpada quedo...

DON ENRIQUE. Muy como señora habláis,
Mencía. ¿Sois vos el dueño
de esta casa?

DOÑA MENCÍA. No, señor; 215
pero de quien lo es, sospecho
que lo soy.

DON ENRIQUE. ¿Y quién lo es?

DOÑA MENCÍA. Un ilustre caballero,
Gutierre Alfonso Solís,
mi esposo y esclavo vuestro. 220

DON ENRIQUE. ¡Vuestro esposo! *Levántase.*

DOÑA MENCÍA. Sí, señor.
No os levantéis, deteneos;
ved que no podéis estar
en pie.

DON ENRIQUE. Sí puedo, sí puedo.

Sale DON ARIAS.

DON ARIAS. Dame, gran señor, las plantas 225
que mil veces toco y beso,
agradecido a la dicha
que en tu salud nos ha vuelto
la vida a todos.

Sale DON DIEGO.

DON DIEGO. Ya puede
vuestra alteza a este aposento 230
retirarse, donde está
prevenido todo aquello
que pudo en la fantasía
bosquejar el pensamiento.

DON ENRIQUE. Don Arias, dadme un caballo, 235
dadme un caballo, don Diego.
Salgamos presto de aquí.

DON ARIAS. ¿Qué decís?

DON ENRIQUE. Que me deis presto
un caballo.

DON DIEGO. Pues, señor...

DON ARIAS. Mira...

DON ENRIQUE. Estáse Troya ardiendo, 240
y Eneas de mis sentidos,
he de librarlos del fuego. *Vase* DON DIEGO.
¡Ay, don Arias, la caída
no fue acaso, sino agüero
de mi muerte! Y con razón, 245
pues fue divino decreto
que viniese a morir yo,
con tan justo sentimiento,
donde tú estabas casada,
porque nos diesen a un tiempo 250
pésames y parabienes
de tu boda y de mi entierro.
De verse el bruto a tu sombra,
pensé que altivo y soberbio
engendró con osadía 255
bizarros atrevimientos,
cuando, presumiendo de ave,

con relinchos cuerpo a cuerpo
desafiaba los rayos,
después que venció los vientos. 260
Y no fue sino que al ver
tu casa, montes de celos
se le pusieron delante
porque tropezase en ellos;
que aun un bruto se desboca 265
con celos; y no hay tan diestro
jinete, que allí no pierda
los estribos al correrlos.
Milagro de tu hermosura
presumí el feliz suceso 270
de mi vida; pero ya,
más desengañado, pienso
que no fue sino venganza
de mi muerte, pues es cierto
que muero, y que no hay milagros 275
que se examinen muriendo.

DOÑA MENCÍA. Quien oyere a vuestra alteza
quejas, agravios, desprecios,
podrá formar de mi honor
presunciones y conceptos 280
indignos dél. Y yo ahora,
por si acaso llevó el viento
cabal alguna razón,
sin que en partidos acentos
la troncase, responder 285
a tantos agravios quiero,
porque donde fueron quejas,
vayan con el mismo aliento
desengaños. Vuestra alteza,
liberal de sus deseos, 290
generoso de sus gustos,
pródigo de sus afectos,
puso los ojos en mí:
es verdad, yo lo confieso.
Bien sabe, de tantos años 295
de experiencias, el respeto
con que constante mi honor

fue una montaña de hielo,
conquistada de las flores,
escuadrones que arma el tiempo. 300
Si me casé, ¿de qué engaño
se queja, siendo sujeto
imposible a sus pasiones,
reservado a sus intentos,
pues soy para dama más, 305
lo que para esposa menos?
Y así, en esta parte ya
disculpada, en la que tengo
de mujer, a vuestros pies
humilde, señor, os ruego 310
no os ausentéis desta casa,
poniendo a tan claro riesgo
la salud.

DON ENRIQUE. ¿Cuánto mayor
en esta casa le tengo?

Salen DON GUTIERRE *y* COQUÍN.

DON GUTIERRE. Déme los pies vuestra alteza, 315
si puedo de tanto sol
tocar, ¡oh rayo español!,
la majestad y grandeza.
Con alegría y tristeza
hoy a vuestras plantas llego, 320
y mi aliento, lince y ciego,
entre asombros y desmayos,
es águila a tantos rayos,
mariposa a tanto fuego.
Tristeza de la caída 325
que puso con triste efeto
a Castilla en tanto aprieto,
y alegría de la vida
que vuelve restituida
a su pompa, a su belleza, 330
cuando en gusto vuestra alteza
trueca ya la pena mía:
¿quién vio triste la alegría?
¿Quién vio alegre la tristeza?

Honrad por tan breve espacio 335
esta esfera, aunque pequeña;
porque el sol no se desdeña,
después que ilustró un palacio,
de iluminar el topacio
de algún pajizo arrebol; 340
y pues sois rayo español,
descansad aquí; que es ley
hacer el palacio el rey
también, si hace esfera el sol.

DON ENRIQUE. El gusto y pesar estimo 345
del modo que le sentís,
Gutierre Alfonso Solís;
y así en el alma le imprimo,
donde a tenerle me animo
guardado.

DON GUTIERRE. Sabe tu alteza 350
honrar.

DON ENRIQUE. Y aunque la grandeza
desta casa fuera aquí
grande esfera para mí,
pues lo fue de una belleza,
no me puedo detener; 355
que pienso que esta caída
ha de costarme la vida;
y no sólo por caer,
sino también por hacer
que no pasase adelante 360
mi intento... Y es importante
irme; que hasta un desengaño
cada minuto es un año,
es un siglo cada instante.

DON GUTIERRE. Señor, ¿vuestra alteza tiene 365
causa tal, que su inquietud
aventure la salud
de una vida que previene
tantos aplausos?

DON ENRIQUE. Conviene
llegar a Sevilla hoy. 370

DON GUTIERRE. Necio en apurar estoy

vuestro intento; pero creo
que mi lealtad y deseo...

DON ENRIQUE. Y si yo la causa os doy,
¿qué diréis?

DON GUTIERRE. Yo no os la pido; 375
que a vos, señor, no es bien hecho
examinaros el pecho.

DON ENRIQUE. Pues escuchad. Yo he tenido
un amigo tal, que ha sido
otro yo.

DON GUTIERRE. Dichoso fue. 380

DON ENRIQUE. A éste en ausencia fie
el alma, la vida, el gusto
en una mujer. ¿Fue justo
que, atropellando la fe
que debió al respeto mío, 385
faltase en ausencia?

DON GUTIERRE. No.

DON ENRIQUE. Pues a otro dueño le dio
llaves de aquel albedrío.
Al pecho que yo le fío
introdujo otro señor; 390
otro goza su favor.
¿Podrá un hombre enamorado
sosegar con tal cuidado,
descansar con tal dolor?

DON GUTIERRE. No, señor.

DON ENRIQUE. Cuando los cielos 395
tanto me fatigan hoy,
que en cualquier parte que estoy,
estoy mirando mis celos,
tan presentes mis desvelos
están delante de mí, 400
que aquí los miro, y así
de aquí ausentarme deseo;
que aunque van conmigo, creo
que se han de quedar aquí.

DOÑA MENCÍA. Dicen que el primer consejo 405
ha de ser de la mujer;
y así, señor, quiero ser

(perdonad si os aconsejo)
quien os dé consuelo. Dejo
aparte celos, y digo 410
que aguardéis a vuestro amigo
hasta ver si se disculpa;
que hay calidades de culpa
que no merecen castigo.
No os despeñe vuestro brío: 415
mirad, aunque estéis celoso,
que ninguno es poderoso
en el ajeno albedrío.
Cuanto al amigo, confío
que os he respondido ya; 420
cuanto a la dama, quizá
fuerza, y no mudanza, fue;
oídla vos, que yo sé
que ella se disculpará.

DON ENRIQUE. No es posible.

Sale DON DIEGO.

DON DIEGO. Ya está allí 425
el caballo apercibido.

DON GUTIERRE. Si es del que hoy habéis caído,
no subáis en él, y aquí
recibid, señor, de mí
una pía hermosa y bella, 430
a quien una palma sella,
signo que vuestra la hace;
que también un bruto nace
con mala o con buena estrella.
Es este prodigio, pues, 435
proporcionado y bien hecho,
dilatado de anca y pecho;
de cabeza y cuello es
corto, de brazos y pies
fuerte, a uno y otro elemento 440
les da en sí lugar y asiento,
siendo el bruto de la palma
tierra el cuerpo, fuego el alma,
mar la espuma, y todo viento.

DON ENRIQUE. El alma aquí no podría 445
distinguir lo que procura,
la pía de la pintura,
o por mejor bizarría,
la pintura de la pía.

COQUÍN. Aquí entro yo. A mí me dé 450
vuestra alteza mano o pie,
lo que está (que esto es más llano)
o más a pie o más a mano.

DON GUTIERRE. Aparta, necio.

DON ENRIQUE. ¿Por qué?
Dejadle, su humor le abona. 455

COQUÍN. En hablando de la pía,
entra la persona mía,
que es su segunda persona.

DON ENRIQUE. Pues ¿quién sois?

COQUÍN. ¿No lo pregona
mi estilo? Yo soy, en fin, 460
Coquín, hijo de Coquín,
de aquesta casa escudero,
de la pía despensero,
pues le siso al celemín
la mitad de la comida; 465
y, en efecto, señor, hoy,
por ser vuestro día, os doy
norabuena muy cumplida.

DON ENRIQUE. ¿Mi día?

COQUÍN. Es cosa sabida.

DON ENRIQUE. Su día llama uno a aquel 470
que es a sus gustos fiel;
si lo fue a la pena mía,
¿cómo pudo ser mi día?

COQUÍN. Cayendo, señor, en él;
y para que se publique 475
en cuantos lunarios hay,
desde hoy diré: "A tantos cay
san infante don Enrique."

DON GUTIERRE. Tu alteza, señor, aplique
la espuela al ijar; que el día 480
ya en la tumba helada y fría,

huésped del undoso dios,
hace noche.

DON ENRIQUE. Guárdeos Dios,
hermosísima Mencía.
Y porque veáis que estimo 485
el consejo, buscaré
a esta dama, y della oiré
la disculpa. (*Ap.* Mal reprimo
el dolor, cuando me animo
a no decir lo que callo. 490
Lo que en este lance hallo,
ganar y perder se llama;
pues él me ganó la dama,
y yo le gané el caballo.)

Vanse EL INFANTE, DON ARIAS, DON DIEGO *y* COQUÍN.

DON GUTIERRE. Bellísimo dueño mío, 495
ya que vive tan unida
a dos almas una vida,
dos vidas a un albedrío,
de tu amor e ingenio fío
hoy que licencia me des 500
para ir a besar los pies
al rey mi señor, que viene
de Castilla; y le conviene
a quien caballero es
irle a dar la bienvenida. 505
Y fuera desto, ir sirviendo
al infante Enrique entiendo
que es acción justa y debida,
ya que debí a su caída
el honor que hoy ha ganado 510
nuestra casa.

DOÑA MENCÍA. ¿Qué cuidado
más te lleva a darme enojos?

DON GUTIERRE. No otra cosa, ¡por tus ojos!

DOÑA MENCÍA. ¿Quién duda que haya causado
algún deseo Leonor? 515

DON GUTIERRE. ¿Eso dices? No la nombres.

DOÑA MENCÍA. ¡Oh qué tales sois los hombres!
¡Hoy olvido, ayer amor,

ayer gusto, y hoy rigor!

DON GUTIERRE. Ayer, como al sol no vía, 520
hermosa me parecía
la luna; mas hoy, que adoro
al sol, ni dudo ni ignoro
lo que hay de la noche al día.
Escúchame un argumento. 525
Una llama en noche oscura
arde hermosa, luce pura,
cuyos rayos, cuyo aliento
dulce ilumina del viento
la esfera; sale el farol 530
del cielo, y a su arrebol
todo a sombra se reduce;
ni arde, ni alumbra, ni luce,
que es mar de rayos el sol.
Aplícolo ahora: yo amaba 535
una luz, cuyo esplendor
vivió planeta mayor,
que sus rayos sepultaba:
una llama me alumbraba;
pero era una llama aquélla, 540
que eclipsas divina y bella,
siendo de luces crisol;
porque hasta que sale el sol,
parece hermosa una estrella.

DOÑA MENCÍA. ¡Qué lisonjero os escucho! 545
Muy parabólico estáis.

DON GUTIERRE. En fin, ¿licencia me dais?

DOÑA MENCÍA. Pienso que la deseáis mucho;
por eso cobarde lucho
conmigo.

DON GUTIERRE. ¿Puede en los dos 550
haber engaño, si en vos
quedo yo, y vos vais en mí?

DOÑA MENCÍA. Pues como os quedéis aquí,
adiós, don Gutierre.

DON GUTIERRE. Adiós. *Vase.*

Sale JACINTA.

JACINTA.	Triste, señora, has quedado.	555
DOÑA MENCÍA.	Sí, Jacinta, y con razón.	
JACINTA.	No sé qué nueva ocasión	
	te ha suspendido y turbado,	
	que una inquietud, un cuidado	
	te ha divertido.	
DOÑA MENCÍA.	Es así.	560
JACINTA.	Bien puedes fiar de mí.	
DOÑA MENCÍA.	¿Quieres ver si de ti fío	
	mi vida y el honor mío?	
	Pues escucha atenta.	
JACINTA.	Di.	
DOÑA MENCÍA.	Nací en Sevilla, y en ella	565
	me vio Enrique, festejó	
	mis desdenes, celebró	
	mi nombre... ¡felice estrella!	
	Fuese, y mi padre atropella	
	la libertad que hubo en mí:	570
	la mano a Gutierre di,	
	volvió Enrique, y en rigor,	
	tuve amor, y tengo honor.	
	Esto es cuanto sé de mí. *Vanse.*	

Sala en el alcázar de Sevilla

Salen DOÑA LEONOR *e* INÉS, *con mantos.*

INÉS.	Ya sale para entrar en la capilla:	575
	aquí le espera, y a sus pies te humilla.	
DOÑA LEONOR.	Lograré mi esperanza,	
	si recibe mi agravio la venganza.	

Salen EL REY, CRIADOS, UN SOLDADO, UN VIEJO, PRETENDIENTES.

(*Voces dentro*)	¡Plaza!	
PRETENDIENTE 1.°	Tu majestad aquéste lea.	
REY.	Yo le haré ver.	
PRETENDIENTE 2.°	Tu alteza, señor, vea	580
	éste.	
REY.	Está bien.	
PRETENDIENTE 2.° (*Ap.*)	(Pocas palabras gasta.)	
PRETENDIENTE 3.°	Yo soy...	

REY. El memorial solo me basta.
UN SOLDADO. (*Ap.*) (¡Turbado estoy! Mal el temor resisto.)
REY. ¿De qué os turbáis?
SOLDADO. ¿No basta haberos visto?
REY. Sí basta. ¿Qué pedís?
SOLDADO. Yo soy soldado. 585
Una ventaja.
REY. Poco habéis pedido
para haberos turbado.
Una jineta os doy.
SOLDADO. ¡Felice he sido!
UN VIEJO. Un pobre viejo soy, limosna os pido.
REY. Tomad este diamante. 590
UN VIEJO. ¿Para mí os le quitáis?
REY. Y no os espante;
que, para darle de una vez, quisiera
sólo un diamante todo el mundo fuera.
DOÑA LEONOR. Señor, a vuestras plantas
mis pies turbados llegan. 595
De parte de mi honor vengo a pediros
con voces que se anegan en suspiros,
con suspiros que en lágrimas se anegan,
justicia: para vos y Dios apelo.
REY. Sosegaos, señora, alzad del suelo. 600
DOÑA LEONOR. Yo soy...
(*Levántase.*)
REY. No prosigáis de esa manera.
Salíos todos afuera.

Vanse todos menos la dama.

Hablad ahora, porque si venisteis
de parte del honor, como dijisteis,
indigna cosa fuera 605
que en público el honor sus quejas diera,
y que a tan bella cara
vergüenza la justicia le costara.
DOÑA LEONOR. Pedro, a quien llama el mundo Justiciero,
planeta soberano de Castilla, 610
a cuya luz se alumbra este hemisfero,
Júpiter español, cuya cuchilla
rayos esgrime de templado acero,

cuando blandida al aire alumbra y brilla,
sangriento giro, que entre nubes de oro 615
corta los cuellos de uno y otro moro:
yo soy Leonor, a quien Andalucía
llama (lisonja fue) Leonor la bella;
no porque fuese la hermosura mía
quien el nombre adquirió, sino la estrella; 620
que quien decía bella, ya decía
infelice; que el nombre incluye y sella
a la sombra no más de la hermosura
poca dicha, señor, poca ventura.
Puso los ojos, para darme enojos, 625
un caballero en mí, que ¡ojalá fuera
basilisco de amor a mis despojos,
áspid de celos a mi primavera!
Luego el deseo sucedió a los ojos,
el amor al deseo, y de manera 630
mi calle festejó, que en ella vía
morir la noche y expirar el día.
¿Con qué razones, gran señor, herida
la voz, diré que, a tanto amor postrada,
aunque el desdén me publicó ofendida, 635
la voluntad me confesó obligada?
De obligada pasé a agradecida,
luego de agradecida a apasionada;
que en la universidad de enamorados
dignidades de amor se dan por grados. 640
Poca centella incita mucho fuego,
poco viento movió mucha tormenta,
poca nube al principio arroja luego
mucho diluvio, poca luz alienta
mucho rayo después, poco amor ciego 645
descubre mucho engaño; y así intenta,
siendo centella, viento, nube, ensayo,
ser tormenta, diluvio, incendio y rayo.
Diome palabra que sería mi esposo;
que ése de las mujeres es el cebo 650
con que engaña al honor el cauteloso
pescador, cuya pasta es el Erebo,
que aduerme los sentidos, temeroso.

El labio aquí fallece, y no me atrevo
a decir que mintió. No es maravilla. 655
¿Qué palabra se dio para cumplilla?
Con esta libertad entró en mi casa,
si bien siempre el honor fue reservado;
porque yo, liberal de amor, y escasa
de honor, me atuve siempre a este sagrado. 660
Mas la publicidad a tanto pasa,
y tanto esta opinión se ha dilatado,
que en secreto quisiera más perderla,
que con público escándalo tenerla.
Pedí justicia; pero soy muy pobre; 665
quejéme dél; pero es muy poderoso;
y ya que es imposible que yo cobre,
pues se casó, mi honor, Pedro famoso,
si sobre tu piedad divina, sobre
tu justicia me admites generoso, 670
que me sustente en un convento pido.
Gutierre Alfonso de Solís ha sido.

REY. Señora, vuestros enojos
siento con razón, por ser
un Atlante, en quien descansa 675
todo el peso de la ley.
Si Gutierre está casado,
no podrá satisfacer,
como decís, por entero
vuestro honor; pero yo haré 680
justicia como convenga
en esta parte; si bien
no os debe restituir
honor que vos os tenéis.
Oigamos a la otra parte 685
disculpas suyas; que es bien
guardar el segundo oído
para quien llegue después;
y fiad, Leonor, de mí,
que vuestra causa veré 690
de suerte, que no os obligue
a que digáis otra vez
que sois pobre, él poderoso,

siendo yo en Castilla rey.
Mas Gutierre viene allí. 695
Podrá, si conmigo os ve,
conocer que me informasteis
primero. Aquese cancel
os encubra: aquí aguardad,
hasta que salgáis después. 700

DOÑA LEONOR. En todo he de obedeceros. *Escóndese.*

Sale COQUÍN.

COQUÍN. (*Para sí.*) De sala en sala, pardiez,
a la sombra de mi amo,
que allí se quedó, llegué
hasta aquí. ¡Válgame Alá! 705
¡Vive Dios, que está aquí el rey!
Él me ha visto, y se mesura.
Plegue al cielo que no esté
muy alto aqueste balcón,
por si me arroja por él. 710

REY. ¿Quién sois?

COQUÍN. ¿Yo, señor?

REY. Vos.

COQUÍN. Yo
(¡válgame el cielo!) soy quien
vuestra majestad quisiere,
sin quitar y sin poner;
porque un hombre muy discreto 715
me dio por consejo ayer,
no fuese quien en mi vida
vos no quisieseis; y fue
de manera la lición,
que antes, ahora y después, 720
quien vos quisiéredes sólo
fui, quien gustareis seré,
quien os place soy; y en esto,
¡mirad con quién y sin quién!
Y así, con vuestra licencia, 725
por donde vine me iré
hoy con mis pies de compás,
si no con compás de pies.

REY. Aunque me habéis respondido
cuanto pudiera saber, 730
quién sois os he preguntado.

COQUÍN. Y yo os hubiera también
al tenor de la pregunta
respondido, a no temer
que en diciéndoos quién soy, luego 735
por un balcón me arrojéis,
por haberme entrado aquí
tan sin qué ni para qué,
teniendo un oficio yo
que vos no habéis menester. 740

REY. ¿Qué oficio tenéis?

COQUÍN. Yo soy
cierto correo de a pie,
portador de todas nuevas,
hurón de todo interés,
sin que se me haya escapado 745
señor, profeso o novel;
y del que me ha dado más,
digo más, digo más bien.
Todas las casas son mías,
y aunque lo son, esta vez 750
la de don Gutierre Alfonso
es mi accesoria, en quien fue
mi pasto meridïano
un andaluz cordobés.
Soy cofrade del contento; 755
el pesar no sé quién es,
ni aun para servirle. En fin,
soy, aquí donde me veis,
mayordomo de la risa,
gentilhombre del placer 760
y camarero del gusto,
pues que me visto con él.
Y por ser esto, he temido
el darme aquí a conocer,
porque un rey que no se ríe, 765
temo que me libre cien
esportillas batanadas,

con pespuntes al envés,
por vagabundo.

REY. ¿En fin, sois
hombre que a cargo tenéis 770
la risa?

COQUÍN. Sí, mi señor;
y porque lo echéis de ver,
esto es jugar de gracioso
en palacio. *Cúbrese.*

REY. Está muy bien;
y pues sé quién sois, hagamos 775
los dos un concierto.

COQUÍN. ¿Y es?

REY. ¿Hacer reir profesáis?

COQUÍN. Es verdad.

REY. Pues cada vez
que me hiciéredes reir,
cien escudos os daré; 780
y si no me hubiereis hecho
reir en término de un mes,
os han de sacar los dientes.

COQUÍN. Testigo falso me hacéis,
y es ilícito contrato 785
de enorme lesión.

REY. ¿Por qué?

COQUÍN. Porque quedaré lisiado
si le acepto, ¿no se ve?
Dicen, cuando uno se ríe,
que enseña los dientes; pues 790
enseñarlos yo llorando,
será reírme al revés.
Dicen que sois tan severo,
que a todos dientes hacéis;
¿qué os hice yo, que a mí solo 795
deshacérmelos queréis?
Pero vengo en el partido;
que porque ahora me dejéis
ir libre, no lo rehuso;
pues por lo menos un mes 800
me hallo aquí, como en la calle,

de vida; y al cabo dél,
no es mucho que tome postas
en mi boca la vejez.
Y así voy a examinarme 805
de cosquillas. Voto a diez,
que os habéis de reir. Adiós,
y veámonos después. *Vase.*

Salen DON ENRIQUE, DON GUTIERRE, DON DIEGO, DON ARIAS, *y toda la compañía.*

DON ENRIQUE. Déme vuestra majestad
la mano.
REY. Vengáis con bien, 810
Enrique. ¿Cómo os sentís?
DON ENRIQUE. Más, señor, el susto fue
que el golpe: estoy bueno.
DON GUTIERRE. A mí
vuestra majestad me dé
la mano, si mi humildad 815
merece tan alto bien;
porque el suelo que pisáis
es soberano dosel
que ilumina de los vientos
uno y otro rosicler. 820
Y vengáis con la salud
que este reino ha menester,
para que os adore España
coronado de laurel.
REY. De vos, don Gutierre Alfonso... 825
DON GUTIERRE. ¿Las espaldas me volvéis?
REY. grandes querellas me dan.
DON GUTIERRE. Injustas deben de ser.
REY. ¿Quién es, decidme, Leonor,
una principal mujer 830
de Sevilla?
DON GUTIERRE. Una señora
bella, ilustre y noble es,
de lo mejor de esta tierra.
REY. ¿Qué obligación la tenéis,
a que habéis correspondido 835

necio, ingrato y descortés?

DON GUTIERRE. No os he de mentir en nada;
que el hombre, señor, de bien
no sabe mentir jamás,
y más delante del rey. 840
Servíla, y mi intento entonces
casarme con ella fue,
si no mudara las cosas
de los tiempos el vaivén.
Visitéla, entré en su casa 845
públicamente; si bien
no le debo a su opinión
de una mano el interés.
Viéndome desobligado,
pude mudarme después, 850
y así, libre de este amor,
en Sevilla me casé
con doña Mencía de Acuña,
dama principal, con quien
vivo, fuera de Sevilla, 855
una casa de placer.
Leonor, mal aconsejada
(que no la aconseja bien
quien destruye su opinión),
pleitos intentó poner 860
a mi desposorio, donde
el más riguroso juez
no halló causa contra mí,
aunque ella dice que fue
diligencia del favor. 865
¡Mirad vos si a una mujer
hermosa favor faltara,
si le hubiera menester!
Con este engaño pretende,
puesto que vos lo sabéis, 870
valerse de vos; y así
yo me pongo a vuestros pies,
donde a la justicia vuestra
dará la espada mi fe,
y mi lealtad la cabeza. 875

REY. ¿Qué causa tuvisteis, pues,
para tan grande mudanza?
DON GUTIERRE. ¿Novedad tan grande es
mudarse un hombre? ¿No es cosa
que cada día se ve? 880
REY. Sí, pero de extremo a extremo
pasar el que quiso bien,
no fue sin grande ocasión.
DON GUTIERRE. Suplícoos no me apretéis;
que soy hombre que, en ausencia 885
de las mujeres, daré
la vida por no decir
cosa indigna de su ser.
REY. ¿Luego vos causa tuvisteis?
DON GUTIERRE. Sí, señor; pero creed 890
que, si para mi descargo
hoy hubiera menester
decirlo, cuando importara
vida y alma, amante fiel
de su honor, no lo dijera. 895
REY. Pues yo lo quiero saber.
DON GUTIERRE. Señor...
REY. Es curiosidad.
DON GUTIERRE. Mirad...
REY. No me repliquéis;
que me enojaré, por vida...
DON GUTIERRE. Señor, señor, no juréis; 900
que mucho menos importa
que yo deje aquí de ser
quien soy, que veros airado.
REY. (*Ap.*) (Que dijese, le apuré,
el suceso en alta voz, 905
porque pueda responder
Leonor, si aquéste me engaña;
y si habla verdad, porque,
convencida con su culpa,
sepa Leonor que lo sé.) 910
Decid, pues.
DON GUTIERRE. A mi pesar
lo digo. Una noche entré

en su casa, sentí ruido
en una cuadra, llegué,
y al mismo tiempo que ya 915
fui a entrar, pude el bulto ver
de un hombre, que se arrojó
del balcón; bajé tras él,
y sin conocerle, al fin
pudo escaparse por pies. 920

DON ARIAS. (*Ap.*) (¡Válgame el cielo!, ¿qué es esto
que miro?)

DON GUTIERRE. Y aunque escuché
satisfacciones, y nunca
di a mi agravio entera fe,
fue bastante esta aprensión 925
a no casarme; porque
si amor y honor son pasiones
del ánimo, a mi entender,
quien hizo al amor ofensa,
se le hace al honor en él; 930
porque el agravio del gusto
al alma toca también.

Sale DOÑA LEONOR.

DOÑA LEONOR. Vuestra majestad perdone;
que no puedo detener
el golpe a tantas desdichas 935
que han llegado de tropel.

REY. (*Ap.*) (¡Vive Dios, que me engañaba!
La prueba sucedió bien.)

DOÑA LEONOR. Y oyendo contra mi honor
presunciones, fuera ley 940
injusta que yo cobarde
dejara de responder;
que menos perder importa
la vida, cuando me dé
este atrevimiento muerte, 945
que vida y honor perder.
Don Arias entró en mi casa...

DON ARIAS. Señora, espera, detén
la voz. Vuestra majestad

licencia, señor, me dé, 950
porque el honor desta dama
me toca a mí defender.
Esa noche estaba en casa
de Leonor una mujer
con quien me hubiera casado, 955
si de la parca el cruel
golpe no cortara fiero
su vida. Yo, amante fiel
de su hermosura, seguí
sus pasos, y en casa entré 960
de Leonor (atrevimiento
de enamorado), sin ser
parte a estorbarlo Leonor.
Llegó don Gutierre, pues;
temerosa, Leonor dijo 965
que me retirase a aquel
aposento; yo lo hice.
¡Mil veces mal haya, amén,
quien de una mujer se rinde
a admitir el parecer! 970
Sintióme, entró, y a la voz
de marido, me arrojé
por el balcón. Y si entonces
volví el rostro a su poder
porque era marido, hoy 975
que dice que no lo es,
vuelvo a ponerme delante.
Vuestra majestad me dé
campo, en quien defienda altivo
que no he faltado a quien es 980
Leonor, pues a un caballero
se le concede la ley.

DON GUTIERRE. Yo saldré donde... *Empuñan.*

REY. ¿Qué es esto?
¿Cómo las manos tenéis
en las espadas, delante 985
de mí? ¿No tembláis de ver
mi semblante? Donde estoy,
¿hay soberbia ni altivez?—

Presos los llevad al punto:
en dos torres los tened; 990
y agradeced que no os pongo
las cabezas a los pies. *Vase.*

DON ARIAS. Si perdió Leonor por mí
su opinión, por mí también
la tendrá; que esto se debe 995
al honor de una mujer.

DON GUTIERRE (*Ap.*) (No siento en desdicha tal
ver riguroso y crüel
al rey; sólo siento que hoy,
Mencía, no te he de ver.) *Vase.* 1000

DON ENRIQUE. (*Ap.*) (Con ocasión de la caza,
preso Gutierre, podré
ver esta tarde a Mencía.)
Don Diego, conmigo ven;
que tengo de porfiar 1005
hasta morir, o vencer. *Vanse.*

DOÑA LEONOR. ¡Muerta quedo! ¡Plegue a Dios,
ingrato, aleve y cruel,
falso, engañador, fingido,
sin fe, sin Dios y sin ley, 1010
que como inocente pierdo
mi honor, venganza me dé
el cielo! ¡El mismo dolor
sientas que siento, y a ver
llegues, bañado en tu sangre, 1015
deshonras tuyas, porqué
mueras con las mismas armas
que matas, amén, amén!
¡Ay de mí!, mi honor perdí.
¡Ay de mí!, mi muerte hallé. *Vase.* 1020

JORNADA SEGUNDA

Jardín de la quinta

Salen JACINTA *y* DON ENRIQUE *como a oscuras.*

JACINTA. Llega con silencio.

DON ENRIQUE. Apenas
los pies en la tierra puse.
JACINTA. Éste es el jardín, y aquí,
pues de la noche te encubre
el manto, y pues don Gutierre 5
está preso, no hay que dudes
sino que conseguirás
victorias de amor tan dulces.
DON ENRIQUE. Si la libertad, Jacinta,
que te prometí, presumes 10
poco premio a bien tan grande,
pide más, y no te excuses
por cortedad: vida y alma
es bien que por tuyas juzgues.
JACINTA. Aquí mi señora siempre 15
viene, y tiene por costumbre
pasar un poco la noche.
DON ENRIQUE. Calla, calla, no pronuncies
otra razón, porque temo
que los vientos nos escuchen. 20
JACINTA. Ya, pues, porque tanta ausencia
no me indicie o no me culpe
deste delito, no quiero
faltar de allí. *Vase.*
DON ENRIQUE. Amor ayude
mi intento. Estas verdes hojas 25
me escondan y disimulen;
que no seré yo el primero
que a vuestras espaldas hurte
rayos al sol. Acteón
con Diana me disculpe. *Escóndese.* 30

Salen DOÑA MENCÍA, JACINTA, TEODORA *y* CRIADAS.

DOÑA MENCÍA. ¡Silvia, Teodora, Jacinta!
JACINTA. ¿Qué mandas?
DOÑA MENCÍA. Que traigas luces,
y venid todas conmigo
a divertir pesadumbres
de la ausencia de Gutierre, 35
donde el natural presume

vencer hermosos países
que el arte dibuja y pule. —
Teodora.

TEODORA. Señora mía.

DOÑA MENCÍA. Divierte con voces dulces 40
esta tristeza.

TEODORA. Holgaréme
que de letra y tono gustes.

Canta TEODORA, *y duérmese* DOÑA MENCÍA.

JACINTA. No cantes más; que parece
que ya el sueño al alma infunde
sosiego y descanso. Y pues 45
hallaron sus inquietudes
en él sagrado, nosotras
no la despertemos.

TEODORA. Huye
con silencio la ocasión.

JACINTA. (*Ap.*) (Yo lo haré, porque la busque 50
quien la deseó. ¡Oh criadas,
y cuántas honras ilustres
se han perdido por vosotras!)

Vanse todas las criadas.

Sale DON ENRIQUE.

DON ENRIQUE. Sola se quedó. No duden
mis sentidos tanta dicha. 55
Y ya que a esto me dispuse,
pues la ventura me falta,
tiempo y lugar me aseguren. —
¡Hermosísima Mencía!

DOÑA MENCÍA. (*Despierta.*) ¡Válgame Dios!

DON ENRIQUE. No te asustes. 60

DOÑA MENCÍA. ¿Qué es esto?

DON ENRIQUE. Un atrevimiento,
a quien es bien que disculpen
tantos años de esperanza.

DOÑA MENCÍA. ¿Pues, señor, vos...

DON ENRIQUE. No te turbes.

DOÑA MENCÍA. desta suerte...

DON ENRIQUE. No te alteres. 65
DOÑA MENCÍA. entrasteis...
DON ENRIQUE. No te disgustes.
DOÑA MENCÍA. en mi casa, sin temer
que así a una mujer destruye,
y que así ofende a un vasallo
tan generoso y ilustre? 70
DON ENRIQUE. Esto es tomar tu consejo.
Tú me aconsejas que escuche
disculpas de aquella dama,
y vengo a que te disculpes
conmigo de mis agravios. 75
DOÑA MENCÍA. Es verdad, la culpa tuve;
pero si he de disculparme,
tu alteza, señor, no dude
que es en orden a mi honor.
DON ENRIQUE. ¿Que ignoro, acaso presumes, 80
el respeto que les debo
a tu sangre y tus costumbres?
El achaque de la caza,
que en estos campos dispuse,
no fue fatigar la caza, 85
estorbando que salude
a la venida del día,
sino a ti, garza, que subes
tan remontada, que tocas
por las campañas azules 90
de los palacios del sol
los dorados balaustres.
DOÑA MENCÍA. Muy bien, señor, vuestra alteza
a las garzas atribuye
esta lucha, pues la garza 95
de tal instinto presume,
que volando hasta los cielos,
rayo de pluma sin lumbre,
ave de fuego con alma,
con instinto alada nube, 100
pardo cometa sin fuego,
quiere que su intento burlen
azores reales; y aun dicen

que, cuando de todos huye,
conoce al que ha de matarla; 105
y así, antes que con él luche,
el temor la hace que tiemble,
se estremezca y se espeluce.
Así yo, viendo a tu alteza,
quedé muda, absorta estuve, 110
conocí el riesgo, y temblé;
tuve miedo y horror tuve,
porque mi temor no ignore,
porque mi espanto no dude
que es quien me ha de dar la muerte. 115

DON ENRIQUE. Ya llegué a hablarte, ya tuve
ocasión, no he de perderla.

DOÑA MENCÍA. ¿Cómo esto los cielos sufren?
Daré voces.

DON ENRIQUE. A ti misma
te infamas.

DOÑA MENCÍA. ¿Cómo no acuden 120
a darme favor las fieras?

DON ENRIQUE. Porque de enojarme huyen.

Dentro DON GUTIERRE.

DON GUTIERRE. Ten ese estribo, Coquín,
y llama a esa puerta.

DOÑA MENCÍA. ¡Cielos!
No mintieron mis recelos, 125
llegó de mi vida el fin.
Don Gutierre es éste, ¡ay Dios!

DON ENRIQUE. ¡Oh qué infelice nací!

DOÑA MENCÍA. ¿Qué ha de ser, señor, de mí,
si os halla conmigo a vos? 130

DON ENRIQUE. ¿Pues qué he de hacer?

DOÑA MENCÍA. Retiraros.

DON ENRIQUE. ¿Yo me tengo de esconder?

DOÑA MENCÍA. El honor de una mujer
a más que esto ha de obligaros.
No podéis salir (¡soy muerta!); 135
que como allá no sabían
mis criadas lo que hacían,

abrieron luego la puerta.
Aun salir no podéis ya.

DON ENRIQUE. ¿Qué haré en tanta confusión? 140

DOÑA MENCÍA. Detrás de ese pabellón,
que en mi misma cuadra está,
os esconded.

DON ENRIQUE. No he sabido,
hasta la ocasión presente,
qué es temor. ¡Oh qué valiente 145
debe de ser un marido! *Escóndese.*

DOÑA MENCÍA. Si, inocente una mujer,
no hay desdicha que no aguarde,
¡válgame Dios, qué constante
culpada debe de ser! 150

Salen DON GUTIERRE, COQUÍN *y* JACINTA.

DON GUTIERRE. Mi bien, señora, los brazos
darme una y mil veces puedes.

DOÑA MENCÍA. Con envidia de estas redes,
que en tan amorosos lazos
están inventando abrazos. 155

DON GUTIERRE. No dirás que no he venido
a verte.

DOÑA MENCÍA. Fineza ha sido
de amante firme y constante.

DON GUTIERRE. No dejo de ser amante
yo, mi bien, por ser marido; 160
que por propia la hermosura
no desmerece jamás
las finezas; antes más
las alienta y asegura,
y así a su riesgo procura 165
los medios, las ocasiones.

DOÑA MENCÍA. En obligación me pones.

DON GUTIERRE. El alcaide que conmigo
está, es mi deudo y amigo,
y quitándome prisiones 170
al cuerpo, me las echó
al alma, porque me ha dado
ocasión de haber llegado

a tan grande dicha yo,
como es a verte.

DOÑA MENCÍA. ¿Quién vio 175
mayor gloria...

DON GUTIERRE. que la mía?;
aunque, si bien advertía,
hizo muy poco por mí
en dejarme que hasta aquí
viniese; pues si vivía 180
yo sin alma en la prisión
por estar en ti, mi bien,
darme libertad fue bien,
para que en esta ocasión
alma y vida con razón 185
otra vez se viese unida;
porque estaba dividida,
teniendo en prolija calma,
en una prisión el alma
y en otra prisión la vida. 190

DOÑA MENCÍA. Dicen que dos instrumentos
conformemente templados,
por los ecos dilatados
comunican los acentos:
tocan el uno, y los vientos 195
hiere el otro, sin que allí
nadie le toque; y en mí
esta experiencia se viera;
pues si el golpe allá te hiriera,
muriera yo desde aquí. 200

COQUÍN. ¿Y no le darás, señora,
tu mano por un momento
a un preso de cumplimiento,
pues llora, siente y ignora
por qué siente y por qué llora, 205
y está su muerte esperando
sin saber por qué ni cuándo?
Pero...

DOÑA MENCÍA. Coquín, ¿qué hay en fin?

COQUÍN. Fin al principio en Coquín
hay, que eso estoy contando: 210

mucho el rey me quiere, pero
si el rigor pasa adelante,
mi amo será muerto andante,
pues irá con escudero.

DOÑA MENCÍA. Poco regalarte espero, 215
(*A don Gutierre.*) porque como no aguardaba
huésped, descuidada estaba.
Cena os quiero apercibir.

DON GUTIERRE. Una esclava puede ir.

DOÑA MENCÍA. Ya, señor, ¿no va una esclava? 220
Yo lo soy, y lo he de ser.
Jacinta, venme a ayudar.
(*Ap.*) (En salud me he de curar:
ved, honor, cómo ha de ser,
porque me he de resolver 225
a una temeraria acción.) *Vanse las dos.*

DON GUTIERRE. Tú, Coquín, a esta ocasión
aquí te queda, y extremos
olvida, y mira que habemos
de volver a la prisión 230
antes del día, y ya falta
poco: aquí puedes quedarte.

COQUÍN. Yo quisiera aconsejarte
una industria, la más alta
que el ingenio humano esmalta: 235
en ella tu vida está.
¡Oh qué industria...

DON GUTIERRE. Dila ya.

COQUÍN. para salir sin lesión
sano y bueno de prisión!

DON GUTIERRE. ¿Cuál es?

COQUÍN. No volver allá. 240
¿No estás bueno? ¿No estás sano?
Con no volver, claro ha sido
que sano y bueno has salido.

DON GUTIERRE. ¡Vive Dios, necio, villano,
que te mate por mi mano! 245
¿Pues tú me has de aconsejar
tan vil acción, sin mirar
la confïanza que aquí

hizo el alcaide de mí?
COQUÍN. Señor, yo llego a dudar 250
(que soy más desconfïado)
de la condición del rey;
y así el honor de esa ley
no se entiende en el criado,
y hoy estoy determinado 255
a dejarte y no volver.
DON GUTIERRE. ¿Dejarme tú?
COQUÍN. ¿Qué he de hacer?
DON GUTIERRE. Y de ti, ¿qué han de decir?
COQUÍN. ¿Y heme de dejar morir,
por sólo bien parecer? 260
Si el morir, señor, tuviera
descarte o enmienda alguna,
cosa que de dos la una
un hombre hacerla pudiera,
yo probara la primera 265
por servirte; mas ¿no ves
que rifa la vida es?
Entro en ella, vengo y tomo
cartas, y piérdola: ¿cómo
me desquitaré después? 270
Perdida se quedará,
si la pierdo por tu engaño,
desde aquí a ciento y un año.

Sale DOÑA MENCÍA, *sola, muy alborotada.*

DOÑA MENCÍA. Señor, tu favor me da.
DON GUTIERRE. ¡Válgame Dios! ¿Qué será? 275
¿Qué puede haber sucedido?
DOÑA MENCÍA. Un hombre...
DON GUTIERRE. ¡Presto!
DOÑA MENCÍA. escondido
en mi aposento he topado,
encubierto y rebozado.
Favor, Gutierre, te pido. 280
DON GUTIERRE. ¿Qué dices? ¡Válgame el cielo!
Ya es forzoso que me asombre.
¿Embozado en casa un hombre?

DOÑA MENCÍA. Yo le vi.
DON GUTIERRE. Todo soy hielo.
Toma esa luz.
COQUÍN. ¿Yo?
DON GUTIERRE. El recelo 285
pierde, pues conmigo vas.
DOÑA MENCÍA. Villano, ¿cobarde estás?
Saca tú la espada, y yo
iré. — La luz se cayó.
Al tomar la luz, la mata disimuladamente.

Salen JACINTA *y* DON ENRIQUE, *siguiéndola.*

DON GUTIERRE. Esto me faltaba más; 290
pero a oscuras entraré. *Vase.*
JACINTA. (Síguete, señor, por mí.
(*Ap. a don Enrique.*) Seguro vas por aquí,
que toda la casa sé.)

Mientras DON GUTIERRE *ha entrado dentro por una puerta, lleva* JACINTA *a* DON ENRIQUE *por otro lado. Vuelve a salir* DON GUTIERRE, *y encuentra a* COQUÍN.

COQUÍN. ¿Dónde iré yo?
DON GUTIERRE. Ya topé 295
el hombre.
COQUÍN. Señor, advierte...
DON GUTIERRE. ¡Vive Dios, que de esta suerte,
hasta que sepa quién es,
le he de tener! Que después
le darán mis manos muerte. 300
COQUÍN. Mira que yo...
DOÑA MENCÍA (*Ap.*) (¡Qué rigor!
Si es que con él ha encontrado,
¡ay de mí!)

Sale JACINTA *con luz.*

DON GUTIERRE. Luz han sacado. —
¿Quién eres, hombre?
COQUÍN. Señor,
yo soy.
DON GUTIERRE. ¡Qué engaño! ¡Qué error! 305
COQUÍN. Pues yo, ¿no te lo decía?

DON GUTIERRE. Que me hablabas presumía,
pero no que eras el mismo
que tenía. ¡Oh ciego abismo
del alma y paciencia mía! 310

DOÑA MENCÍA. (*Ap. a ella.*) (¿Salió ya, Jacinta?

JACINTA. Sí.)

DOÑA MENCÍA. ¿Cómo esto en tu ausencia pasa?
Mira bien toda la casa;
que como saben que aquí
no estás, se atreven así 315
ladrones.

DON GUTIERRE. A verla voy.
Suspiros al cielo doy
que mis sentimientos lleven,
si es que a mi casa se atreven,
por ver que en ella no estoy. 320

Vanse él y COQUÍN.

JACINTA. Grande atrevimiento fue
determinarte, señora,
a tan grande acción ahora.

DOÑA MENCÍA. En ella mi vida hallé.

JACINTA. ¿Por qué lo hiciste?

DOÑA MENCÍA. Porqué 325
si yo no se lo dijera,
y Gutierre lo sintiera,
la presunción era clara,
pues no se desengañara
de que yo cómplice era; 330
y no fue dificultad
en ocasión tan cruel,
haciendo del ladrón fiel,
engañar con la verdad.

Sale DON GUTIERRE, *y debajo de la capa hay una daga.*

DON GUTIERRE. ¿Qué ilusión, qué vanidad 335
de esta suerte te burló?
Toda la casa vi yo;
pero en ella no topé
sombra de que verdad fue

lo que a ti te pareció. 340
(*Ap.* Mas es engaño, ¡ay de mí!,
que esta daga que hallé, ¡cielos!,
con sospechas y recelos
previene mi muerte en sí.
Mas no es esto para aquí.) 345
Mi bien, mi esposa, Mencía,
ya la noche en sombra fría
su manto va recogiendo,
y cobardemente huyendo
de la hermosa luz del día. 350
Mucho siento, claro está,
el dejarte en esta parte,
por dejarte, y por dejarte
con este temor; mas ya
es hora.

DOÑA MENCÍA. Los brazos da 355
a quien te adora.

DON GUTIERRE. El favor
estimo.

Al ir a abrazarle DOÑA MENCÍA, *ve la daga.*

DOÑA MENCÍA. ¡Tente, señor!
¿Tú la daga para mí?
En mi vida te ofendí,
detén la mano al rigor, 360
detén...

DON GUTIERRE. ¿De qué estás turbada,
mi bien, mi esposa, Mencía?

DOÑA MENCÍA. Al verte así, presumía
que ya en mi sangre bañada,
hoy moría desangrada. 365

DON GUTIERRE. Como a ver la casa entré,
así esta daga saqué.

DOÑA MENCÍA. Toda soy una ilusión.

DON GUTIERRE. ¡Jesús, qué imaginación!

DOÑA MENCÍA. En mi vida te he ofendido. 370

DON GUTIERRE. ¡Qué necia disculpa ha sido!
Pero suele una aprensión
tales miedos prevenir.

DOÑA MENCÍA. Mis tristezas, mis enojos,
en tu ausencia estos antojos, 375
suelen, mi dueño, fingir.

DON GUTIERRE. Si yo pudiere venir,
vendré a la noche, y adiós.

DOÑA MENCÍA. Él vaya, señor, con vos. —
(*Ap.* ¡Oh qué asombros! ¡oh qué extremos!) 380

DON GUTIERRE. (*Ap.*) (¡Ay honor, mucho tenemos
que hablar a solas los dos!)

Vanse cada uno por su puerta.

Cámara real en el alcázar

Salen EL REY *y* DON DIEGO *con rodelas y capa de color, y como representa, se muda en traje de negro.*

REY. Ten, don Diego, esa rodela.

DON DIEGO. Tarde vienes a acostarte.

REY. Toda la noche rondé 385
de aquesta ciudad las calles,
que quiero saber así
sucesos y novedades
de Sevilla, que es lugar
donde cada noche salen 390
cuentos nuevos; y deseo
desta manera informarme
de todo, para saber
lo que convenga.

DON DIEGO. Bien haces,
que el rey debe ser un Argos 395
en su reino, vigilante:
el emblema de aquel cetro
con dos ojos lo declare.
Mas ¿qué vio tu majestad?

REY. Vi recatados galanes, 400
damas desveladas vi,
músicas, fiestas y bailes,
muchos garitos, de quien
eran siempre voces grandes
la tablilla, que decía: 405
"Aquí hay juego, caminante."

Vi valientes infinitos,
y no hay cosa que me canse
tanto como ver valientes,
y que por oficio pase 410
ser uno valiente aquí.
Mas porque no se me alaben
que no doy examen yo
a oficio tan importante,
a una tropa de valientes 415
probé solo en una calle.

DON DIEGO. Mal hizo tu majestad.

REY. Antes bien, pues con su sangre
llevaron iluminada...

DON DIEGO. ¿Qué?

REY. la carta del examen. 420

Sale COQUÍN.

COQUÍN. (*Ap.*) (No quise entrar en la torre
con mi amo, por quedarme
a saber lo que se dice
de su prisión. Pero ¡tate!
— que es un pero muy honrado 425
del celebrado linaje
de los tates de Castilla —
porque el rey está delante.)

REY. Coquín.

COQUÍN. Señor.

REY. ¿Cómo va?

COQUÍN. Responderé a lo estudiante. 430

REY. ¿Cómo?

COQUÍN. *De corpore bene,*
pero *de pecuniis male.*

REY. Decid algo, pues sabéis,
Coquín, que como me agrade,
tenéis aquí cien escudos. 435

COQUÍN. Fuera hacer tú aquesta tarde
el papel de una comedia
que se intitula: *El Rey ángel.*
Pero con todo eso traigo
hoy un cuento que contarte, 440

que remata en epigrama.
REY. Si es vuestra, será elegante.
Vaya el cuento.
COQUÍN. Yo vi ayer
de la cama levantarse
un capón con bigotera. 445
¿No te ríes de pensarle
curándose sobre sano
con tan vagamundo parche?
A esto un epigrama hice.
(No te pido, Pedro el Grande, 450
casas ni viñas; que sólo
risa pido en este guante:
dad vuestra bendita risa
a un gracioso vergonzante.)
"Floro, casa muy desierta 455
la tuya debe de ser,
porque eso nos da a entender
la cédula de la puerta:
donde no hay carta, ¿hay cubierta?
¿Cáscara sin fruta? No, 460
no pierdas tiempo; que yo,
esperando los provechos,
he visto labrar barbechos,
mas barbi-deshechos no."
REY. ¡Qué frialdad!
COQUÍN. Pues adiós, dientes. 465

Sale DON ENRIQUE.

DON ENRIQUE. Dadme vuestra mano.
REY. Infante,
¿cómo estáis?
DON ENRIQUE. Tengo salud,
contento de que se halle
vuestra majestad con ella;
y esto, señor, a una parte: 470
don Arias...
REY. Don Arias es
vuestra privanza: sacadle
de la prisión, y haced vos,

Enrique, esas amistades,
y agradézcanos la vida. 475

DON ENRIQUE. La tuya los cielos guarden,
y heredero de ti mismo,
apuestes eternidades
con el tiempo. *Vase el* REY.
Iréis, don Diego,
a la torre, y al alcaide 480
le diréis que traiga aquí
los dos presos. (*Ap.*) (¡Cielos! Dadme

Vase DON DIEGO.

paciencia en tales desdichas
y prudencia en tantos males.)
Coquín, ¿tú estabas aquí? 485

COQUÍN. Y más me valiera en Flandes.

DON ENRIQUE. ¿Cómo?

COQUÍN. Es el rey un prodigio
de todos los animales.

DON ENRIQUE. ¿Por qué?

COQUÍN. La naturaleza
permite que el toro brame, 490
ruja el león, muja el buey,
el asno rebuzne, el ave
cante, el caballo relinche,
ladre el perro, el gato maye,
aulle el lobo, el lechón gruña, 495
y sólo permitió darle
risa al hombre, y Aristóteles
risible animal le hace
por definición perfecta;
y el rey, contra el orden y arte, 500
no quiere reírse. Déme
el cielo, para sacarle
risa, todas las tenazas
del buen gusto y del donaire. *Vase.*

Salen DON GUTIERRE, DON ARIAS, *y* DON DIEGO.

DON DIEGO. Ya, señor, están aquí 505
los presos.

DON GUTIERRE. Danos tus plantas.

Hoy al cielo nos levantas.

DON ENRIQUE. El rey, mi señor, de mí
(porque humilde le pedí
vuestras vidas este día) 510
estas amistades fía.

DON GUTIERRE. El honrar es dado a vos. —
Coteja la daga que se halló con la espada del infante.
(*Ap.*) (¿Qué es esto que miro? ¡Ay Dios!)

DON ENRIQUE. Las manos os dad.

DON ARIAS. La mía
es ésta.

DON GUTIERRE. Y éstos mis brazos, 515
cuyo lazo y nudo fuerte
no desatará la muerte,
sin que los haga pedazos.

DON ARIAS. Confirmen estos abrazos
firme amistad desde aquí. 520

DON ENRIQUE. Esto queda bien así.
Entrambos sois caballeros
en acudir los primeros
a su obligación; y así
está bien el ser amigo 525
uno y otro; y quien pensare
que no queda bien, repare
en que ha de reñir conmigo.

DON GUTIERRE. A cumplir, señor, me obligo
las amistades que juro: 530
obedeceros procuro,
y pienso que me honraréis
tanto, que de mi creeréis
lo que de mí estáis seguro.
Sois fuerte enemigo vos, 535
y cuando lealtad no fuera,
por temor no me atreviera
a romperlas, vive Dios.
Vos y yo para otros dos
me estuviera a mí muy bien; 540
mostrara entonces también
que sé cumplir lo que digo:
mas con vos por enemigo,

¿quién ha de atreverse, quién?
Tanto enojaros temiera 545
el alma cuerda y prudente,
que a miraros solamente
tal vez aun no me atreviera;
y si en ocasión me viera
de probar vuestros aceros, 550
cuando yo sin conoceros
a tal extremo llegara,
que se muriera estimara
la luz del sol por no veros.

DON ENRIQUE (*Ap.*) (De sus quejas y suspiros 555
grandes sospechas prevengo.)
Venid conmigo, que tengo
muchas cosas que deciros,
don Arias.

DON ARIAS. Iré a serviros.

Vanse DON ENRIQUE, DON DIEGO *y* DON ARIAS.

DON GUTIERRE. Nada Enrique respondió; 560
sin duda se convenció
de mi razón. ¡Ay de mí!
¿Podré ya quejarme? Sí;
pero consolarme, no.
Ya estoy solo, ya bien puedo 565
hablar. ¡Ay Dios!, ¡quién supiera
reducir sólo a un discurso,
medir con sola una idea,
tantos géneros de agravios,
tantos linajes de penas 570
como cobardes me asaltan,
como atrevidos me cercan!
¡Ahora, ahora, valor,
salga repetido en quejas,
salga en lágrimas envuelto 575
el corazón a las puertas
del alma, que son los ojos!
Y en ocasión como ésta,
bien podéis, ojos, llorar:
no lo dejéis de vergüenza. 580
¡Ahora, valor, ahora

es tiempo de que se vea
que sabéis medir iguales
el valor y la prudencia!
Pero cese el sentimiento, 585
y a fuerza de honor, y a fuerza
de valor, aún no me dé
para quejarme licencia;
porque adula sus penas
el que pide a la voz justicia dellas. 590
Pero vengamos al caso,
quizá hallaremos respuesta.
¡Oh, ruego a Dios que la haya!
¡Oh, plegue a Dios que la tenga! —
Anoche llegué a mi casa, 595
es verdad; pero las puertas
me abrieron luego, y mi esposa
estaba segura y quieta.
En cuanto a que me avisaron
de que estaba un hombre en ella, 600
tengo disculpa en que fue
la que me avisó ella mesma.
En cuanto a que se mató
la luz, ¿qué testigo prueba
aquí que no pudo ser 605
un caso de contingencia?
En cuanto a que hallé esta daga,
hay criados de quien pueda
ser. En cuanto (¡ay dolor mío!)
que con la espada convenga 610
del infante, puede ser
otra espada como ella;
que no es labor tan extraña,
que no hay mil que la parezcan.
Y apurando más el caso, 615
confieso (¡ay de mí!) que sea
del infante, y más confieso,
que estaba allí, aunque no fuera
posible dejar de verle;
mas siéndolo, ¿no pudiera 620
no estar culpada Mencía?

Que el oro es llave maestra,
que las guardas de criadas
por instantes nos falsea.
¡Oh!, ¡cuánto me estimo haber 625
hallado esta sutileza!
Y así acortemos discursos,
pues todos juntos se cierran
en que Mencía es quien es,
y soy quien soy. No hay quien pueda 630
borrar de tanto esplendor
la hermosura y la pureza.
— Pero sí puede, mal digo;
que al sol una nube negra,
si no le mancha, le turba, 635
si no le eclipsa, le hiela.
¿Qué injusta ley condena
que muera el inocente y que padezca?
A peligro estáis, honor,
no hay hora en vos que no sea 640
crítica: en vuestro sepulcro
vivís; puesto que os alienta
la mujer, en ella estáis
pisando siempre la huesa.
Yo os he de curar, honor, 645
y pues al principio muestra
este primero accidente
tan grave peligro, sea
la primera medicina
cerrar al daño las puertas, 650
atajar al mal los pasos.
Y así os receta y ordena
el médico de su honra
primeramente la dieta
del silencio, que es guardar 655
la boca, tener paciencia;
luego dice que apliquéis
a vuestra mujer finezas,
agrados, gustos, amores,
lisonjas, que son las fuerzas 660
defensibles, porque el mal

con el despego no crezca;
que sentimientos, disgustos,
celos, agravios, sospechas
con la mujer, y más propia, 665
aun más que sanan, enferman.
Esta noche iré a mi casa,
de secreto entraré en ella
por ver qué malicia tiene
el mal; y hasta apurar ésta, 670
disimularé, si puedo,
esta desdicha, esta pena,
este rigor, este agravio,
este dolor, esta ofensa,
este asombro, este delirio, 675
este cuidado, esta afrenta,
estos celos... ¿Celos dije?
¡Qué mal hice! Vuelva, vuelva
al pecho la voz. Mas no,
que si es ponzoña que engendra 680
mi pecho, si no me dio
la muerte (¡ay de mí!) al verterla,
al volverla a mí podrá;
que de la víbora cuentan
que la mata su ponzoña, 685
si fuera de sí la encuentra.
¿Celos dije? ¿Celos dije?
Pues basta; que cuando llega
un marido a saber que hay
celos, faltará la ciencia; 690
y es la cura postrera
que el médico de honor hacer intenta. *Vase.*

Salen DON ARIAS *y* DOÑA LEONOR.

DON ARIAS. No penséis, bella Leonor,
que el no haberos visto fue
porque negar intenté 695
las deudas que a vuestro honor
tengo; y acreedor a quien
tanta deuda se previene,
el deudor buscando viene,

no a pagar, porque no es bien 700
que necio y loco presuma
que pueda jamás llegar
a satisfacer y dar
cantidad que fue tan suma;
pero en fin, ya que no pago, 705
que soy el deudor confieso:
no os vuelvo el rostro, y con eso
la obligación satisfago.

DOÑA LEONOR. Señor don Arias, yo he sido
la que, obligada de vos, 710
en las cuentas de los dos
más interés ha tenido.
Confieso que me quitasteis
un esposo a quien quería;
mas quizá la suerte mía 715
por ventura mejorasteis,
pues es mejor que sin vida,
sin opinión, sin honor
viva, que no sin amor,
de un marido aborrecida. 720
Yo tuve la culpa, yo
la pena siento, y así
sólo me quejo de mí
y de mi estrella.

DON ARIAS. Eso no:
quitarme, Leonor hermosa, 725
la culpa, es querer negar
a mis deseos lugar,
pues si mi pena amorosa
os significo, ella diga
en cifra sucinta y breve 730
que es vuestro amor quien me mueve,
mi deseo quien me obliga
a deciros que pues fui
causa de penas tan tristes,
si esposo por mí perdistes, 735
tengáis esposo por mí.

DOÑA LEONOR. Señor don Arias, estimo,
como es razón, la elección;

y aunque con tanta razón
dentro del alma la imprimo, 740
licencia me habéis de dar
de responderos también
que no puede estarme bien;
no, señor, porque a ganar
no llegaba yo infinito, 745
sino porque si vos fuisteis
quien a Gutierre le disteis
de un mal formado delito
la ocasión, y ahora viera
que me casaba con vos, 750
fácilmente entre los dos
de aquella sospecha hiciera
evidencia; y disculpado,
con demostración tan clara,
con todo el mundo quedara 755
de haberme a mí despreciado.
Y yo estimo de manera
el quejarme con razón,
que no he de darle ocasión
a la disculpa primera; 760
porque, si en un lance tal
le culpan cuantos le ven,
no han de pensar que hizo bien
quien yo pienso que hizo mal.

DON ARIAS. Frívola respuesta ha sido 765
la vuestra, bella Leonor;
pues cuando de antiguo amor
os hubiera convencido
la experiencia, ella también
disculpa en la enmienda os da. 770
¿Cuánto peor os estará
que tenga por cierto quien
imaginó vuestro agravio,
y no le constó después
la satisfacción?

DOÑA LEONOR. No es 775
amante prudente y sabio,
don Arias, quien aconseja

lo que en mi daño sabe.
Pues si agravio entonces fue,
no por eso ahora deja 780
de ser agravio también;
y peor, cuanto haber sido
de imaginado a creído;
y a vos no os estará bien
tampoco.

DON ARIAS. Como yo sé 785
la inocencia de ese pecho
en la ocasión, satisfecho
siempre de vos estaré.
En mi vida he conocido
galán necio, escrupuloso 790
y con extremo celoso,
que en llegando a ser marido,
no le castiguen los cielos.
Gutierre pudiera bien
decirlo, Leonor, pues quien 795
levantó tantos desvelos
de un hombre en la ajena casa,
extremos pudiera hacer
mayores, pues llega a ver
lo que en la propia le pasa. 800

DOÑA LEONOR. Señor don Arias, no quiero
escuchar lo que decís,
que os engañáis, o mentís.
Don Gutierre es caballero,
que en todas las ocasiones 805
con obrar y con decir
sabrá, vive Dios, cumplir
muy bien sus obligaciones;
y es hombre cuya cuchilla,
o cuyo consejo sabio, 810
sabrá no sufrir su agravio
ni a un infante de Castilla.
Si pensáis vos que con eso
mis enojos aduláis,
muy mal, don Arias, pensáis; 815
y si la verdad confieso,

mucho perdisteis conmigo,
pues si fuerais noble vos,
no hablárades, vive Dios,
así de vuestro enemigo. 820
Y yo, aunque ofendida estoy,
y aunque la muerte le diera
con mis manos si pudiera,
no le murmurara hoy
en el honor, desleal. 825
Sabed, don Arias, que quien
una vez le quiso bien,
no se vengará en su mal.

DON ARIAS. No supe qué responder;
muy grande ha sido mi error, 830
pues en escuelas de honor
arguyendo, una mujer
me convence. Iré al infante,
y humilde le rogaré
que de estos cuidados dé 835
parte ya de aquí adelante
a otro; y porque no lo yerre,
ya que el día va a morir,
me ha de matar, o no he de ir
en casa de don Gutierre. *Vase.* 840

Sale DON GUTIERRE, *como saltando unas tapias.*

DON GUTIERRE. En el mudo silencio
de la noche, que adoro y reverencio,
por sombra aborrecida,
como sepulcro de la humana vida,
de secreto he venido 845
hasta mi casa, sin haber querido
avisar a Mencía
de que ya libertad del rey tenía,
para que descuidada
estuviese (¡ay de mí!) desta jornada. 850
Médico de mi honra
me llamo, pues procuro mi deshonra
curar; y así he venido
a visitar mi enfermo a hora que ha sido

de ayer la misma (¡cielos!), 855
a ver si el accidente de mis celos
a su tiempo repite:
el dolor mis intentos facilite.
Las tapias de la huerta
salté, porque no quise por la puerta 860
entrar. ¡Ay Dios, qué introducido engaño
es en el mundo, no querer su daño
examinar un hombre,
sin que el recelo ni el temor le asombre!
Dice mal quien lo dice; 865
que no es posible, no, que un infelice
no llore sus desvelos;
mintió quien dijo que calló con celos,
o confiéseme aquí que no los siente.
Mas ¡sentir y callar!, otra vez miente. 870
Éste es el sitio donde
suele de noche estar; aun no responde
el eco entre estos ramos.
Vamos pasito, honor, que ya llegamos;
que en estas ocasiones 875
tienen los celos pasos de ladrones. —

Descubre una cortina donde está DOÑA MENCÍA *durmiendo.*

¡Ay, hermosa Mencía,
qué mal tratas mi amor y la fe mía!
Volverme otra vez quiero.
Bueno he hallado mi honor, hacer no quiero 880
por ahora otra cura,
pues la salud en él está segura.
Pero ¿ni una criada
la acompaña? ¿Si acaso retirada
aguarda?... — ¡Oh pensamiento 885
injusto! ¡oh vil temor! ¡oh infame aliento!
Ya con esta sospecha
no he de volverme; y pues que no aprovecha
tan grave desengaño,
apuremos de todo en todo el daño. 890
Mato la luz, y llego, *Apaga la luz.*
sin luz y sin razón, dos veces ciego;

pues bien encubrir puedo
el metal de la voz, hablando quedo. —
¡Mencía! *Despiértala.*

DOÑA MENCÍA. ¡Ay Dios!, ¿qué es esto?

DON GUTIERRE. No des voces. 895

DOÑA MENCÍA. ¿Quién es?

DON GUTIERRE. Mi bien, yo soy: ¿no me conoces?

DOÑA MENCÍA. Sí, señor; que no fuera
otro tan atrevido...

DON GUTIERRE (*Ap.*) (Ella me ha conocido.)

DOÑA MENCÍA. que así hasta aquí viniera. 900
¿Quién hasta aquí llegara,
que no fuérades vos, que no dejara
en mis manos la vida,
con valor y con honra defendida?

DON GUTIERRE. (*Ap.*) (¡Qué dulce desengaño! 905
¡Bien haya, amén, el que apuró su daño!)
Mencía, no te espantes de haber visto
tal extremo.

DOÑA MENCÍA. ¡Qué mal, temor, resisto
el sentimiento!

DON GUTIERRE. Mucha razón tiene
tu valor.

DOÑA MENCÍA. ¿Qué disculpa me previene... 910

DON GUTIERRE. Ninguna.

DOÑA MENCÍA. de venir así tu alteza?

DON GUTIERRE. (*Ap.*) (¡Tu alteza! No es conmigo. ¡Ay Dios!, ¡qué escucho!
Con nuevas dudas lucho.
¡Qué pesar!, ¡qué desdicha!, ¡qué tristeza!)

DOÑA MENCÍA. ¿Segunda vez pretende ver mi muerte? 915
¿Piensa que cada noche...

DON GUTIERRE. (*Ap.*) (¡Oh trance fuerte!)

DOÑA MENCÍA. puede esconderse...

DON GUTIERRE. (*Ap.*) (¡Cielos!)

DOÑA MENCÍA. y matando la luz...

DON GUTIERRE. (*Ap.*) (¡Matadme, celos!)

DOÑA MENCÍA. salir a riesgo mío
delante de Gutierre?

DON GUTIERRE. (*Ap.*) (Desconfío 920
de mí, pues que dilato

morir, y con mi aliento no la mato.
El venir no ha extrañado
el infante ni dél se ha recatado;
sino sólo ha sentido
que en ocasión se ponga — ¡estoy perdido! — 925
de que otra vez se esconda.
¡Mi venganza a mi agravio corresponda!)

DOÑA MENCÍA. Señor, vuélvase luego.

DON GUTIERRE. (*Ap.*) (¡Ay Dios!, todo soy rabia, todo fuego.) 930

DOÑA MENCÍA. Tu alteza así otra vez no llegue a verse.

DON GUTIERRE. (*Ap.*) (¿Quién por eso no más ha de volverse?)

DOÑA MENCÍA. Mirad que es hora que Gutierre venga.

DON GUTIERRE. (*Ap.*) (¡Habrá en el mundo quien paciencia tenga!
Sí, si prudente alcanza 935
oportuna ocasión a su venganza.)
No vendrá, yo le dejo
entretenido; y guárdame un amigo
las espaldas el tiempo que conmigo
estáis: él no vendrá, yo estoy seguro. 940

Sale JACINTA.

JACINTA. (*Ap.*) (Temerosa procuro
ver quién hablaba aquí.)

DOÑA MENCÍA. Gente he sentido.

DON GUTIERRE. ¿Qué haré?

DOÑA MENCÍA. ¿Qué? Retirarte,
no a mi aposento, sino a otra parte.

Vase DON GUTIERRE *detrás del paño.*

¡Hola!

JACINTA. Señora...

DOÑA MENCÍA. El aire que corría 945
entre esos ramos, mientras yo dormía,
la luz ha muerto; luego
traed luces. *Vase* JACINTA.

DON GUTIERRE. (*Ap.*) (Encendidas en mi fuego.
Si aquí estoy escondido,
han de verme, y de todos conocido, 950
podrá saber Mencía
que he llegado a entender la pena mía;
y porque no lo entienda

y dos veces me ofenda,
una con tal intento, 955
y otra pensando que lo sé y consiento,
dilatando su muerte,
he de hacer la deshecha desta suerte.)

Éntrase, y dice en voz alta.

¡Hola! ¿Cómo está aquí desta manera?

DOÑA MENCÍA. Éste es Gutierre: otra desdicha espera 960
mi espíritu cobarde.

DON GUTIERRE. ¡No han encendido luces, y es tan tarde!

Sale JACINTA *con luz, y* DON GUTIERRE *por otra puerta de donde se escondió.*

JACINTA. Ya la luz está aquí.

DON GUTIERRE. ¡Bella Mencía!

DOÑA MENCÍA. ¡Oh mi esposo, mi bien y gloria mía!

DON GUTIERRE. (*Ap.*) (¡Qué fingidos extremos! 965
Mas, alma y corazón, disimulemos.)

DOÑA MENCÍA. Señor, ¿por dónde entrasteis?

DON GUTIERRE. De esa huerta,
con la llave que tengo, abrí la puerta.
Mi esposa, mi señora,
¿en qué te entretenías?

DOÑA MENCÍA. Vine ahora 970
a este jardín, y entre estas fuentes puras
me dejó el aire a oscuras.

DON GUTIERRE. No me espanto, bien mío;
que el aire que mató la luz, tan frío
corre, que es un aliento 975
respirado del céfiro violento,
y que no sólo advierte
muerte a las luces, a las vidas muerte,
y pudieras dormida
a sus soplos perder también la vida. 980

DOÑA MENCÍA. Entenderte pretendo,
y aunque más lo procuro, no te entiendo.

DON GUTIERRE. ¿No has visto ardiente llama
perder la luz al aire que la hiere,
y que a este tiempo de otra luz inflama 985
la pavesa? Una vive y otra muere

a sólo un soplo. Así, desta manera,
la lengua de los vientos lisonjera
matarte la luz pudo,
y darme luz a mí.

DOÑA MENCÍA. (*Ap.*) (El sentido dudo.) 990
Parece que celoso
hablas en dos sentidos.

DON GUTIERRE. (*Ap.*) (Riguroso
es el dolor de agravios;
mas con celos ningunos fueron sabios.)
¡Celoso! ¿Sabes tú lo que son celos? 995
Que yo no sé qué son, ¡viven los cielos!
Porque si lo supiera,
y celos...

DOÑA MENCÍA. (*Ap.*) ¡Ay de mí!

DON GUTIERRE. llegar pudiera
a tener — ¿qué son celos?
átomos, ilusiones y desvelos — 1000
no más que de una esclava, una criada,
por sombra imaginada,
con hechos inhumanos
a pedazos sacara con mis manos
el corazón, y luego 1005
envuelto en sangre, desatado en fuego,
el corazón comiera
a bocados, la sangre me bebiera,
el alma le sacara,
y el alma, ¡vive Dios!, despedazara, 1010
si capaz de dolor el alma fuera.
— Pero ¿cómo hablo yo desta manera?

DOÑA MENCÍA. Temor al alma ofreces.

DON GUTIERRE. ¡Jesús, Jesús mil veces!
Mi bien, mi esposa, cielo, gloria mía, 1015
ah mi dueño, ah Mencía,
perdona, por tus ojos,
esta descompostura, estos enojos;
que tanto un fingimiento
fuera de mí llevó mi pensamiento; 1020
y vete por tu vida; que prometo
que te miro con miedo y con respeto,

corrido deste exceso.
¡Jesús! No estuve en mí, no tuve seso.

DOÑA MENCÍA. (*Ap.*) (Miedo, espanto, temor y horror tan fuerte 1025
parasismos han sido de mi muerte.)

DON GUTIERRE. (*Ap.*) (Pues médico me llamo de mi honra,
yo cubriré con tierra mi deshonra.)

JORNADA TERCERA

Alcázar de Sevilla

Sale todo el acompañamiento, y DON GUTIERRE, *y* EL REY.

DON GUTIERRE. Pedro, a quien el indio polo
coronar de luz espera,
hablarte a solas quisiera.

REY. Idos todos. — Ya estoy solo.

Vase el acompañamiento.

DON GUTIERRE. Pues a ti, español Apolo, 5
a ti, castellano Atlante,
en cuyos hombros constante
se ve durar y vivir
todo un orbe de zafir,
todo un globo de diamante; 10
a ti, pues, rindo en despojos
la vida, mal defendida
de tantas penas, si es vida
vida con tantos enojos.
No te espantes que los ojos 15
también se quejen, señor;
que dicen que amor y honor
pueden, sin que a nadie asombre,
permitir que llore un hombre;
y yo tengo honor y amor: 20
honor, que siempre he guardado
como noble y bien nacido,
y amor, que siempre he tenido
como esposo enamorado.
Adquirido y heredado 25
uno y otro en mí se ve,

hasta que tirana fue
la nube que turbar osa
tanto esplendor en mi esposa
y tanto lustre en mi fe. 30
No sé cómo signifique
mi pena... Turbado estoy...
y más cuando a decir voy
que fue vuestro hermano Enrique
contra quien pido se aplique 35
desa justicia el rigor;
no porque sepa, señor,
que el poder mi honor contrasta;
pero imaginarlo basta
quien sabe que tiene honor. 40
La vida de vos espero
de mi honra: así la curo
con prevención, y procuro
que ésta la sane primero;
porque si en rigor tan fiero 45
malicia en el mal hubiera,
junta de agravios hiciera,
a mi honor desahuciara,
con la sangre le lavara,
con la tierra le cubriera. — 50
No os turbéis: con sangre digo
solamente de mi pecho;
que Enrique, estad satisfecho,
está seguro conmigo.
Y para esto hable un testigo: 55
esta daga, esta brillante
lengua de acero elegante,
suya fue; ved este día
si está seguro, pues fía
de mí su daga el infante. 60

REY. Don Gutierre, bien está;
y quien de tan invencible
honor corona las sienes,
que con los rayos compiten
del sol, satisfecho viva 65
de que su honor...

DON GUTIERRE. No me obligue
vuestra majestad, señor,
a que piense que imagine
que yo he menester consuelos
que mi opinión acrediten. 70
¡Vive Dios, que tengo esposa
tan honesta, casta y firme,
que deja atrás las romanas
Lucrecia y Porcia, y Tomiris!
Ésta ha sido prevención 75
solamente.

REY. Pues decidme:
para tantas prevenciones,
Gutierre, ¿qué es lo que visteis?

DON GUTIERRE. Nada: que hombres como yo
no ven; basta que imaginen, 80
que sospechen, que prevengan,
que recelen, que adivinen,
que...no sé cómo lo diga;
que no hay voz que signifique
una cosa, que no sea 85
un átomo indivisible.
Sólo a vuestra majestad
di parte, para que evite
el daño que no hay; porque
si le hubiera, de mí fíe 90
que yo le diera el remedio
en vez, señor, de pedirle.

REY. Pues ya que de vuestro honor
médico os llamáis, decidme,
don Gutierre, ¿qué remedios 95
antes del último hicisteis?

DON GUTIERRE. No pedí a mi mujer celos,
y desde entonces la quise
más: vivía en una quinta
deleitosa y apacible; 100
y para que no estuviera
en las soledades triste,
traje a Sevilla mi casa,
y a vivir en ella vine,

adonde todo lo goza 105
sin que nada a nadie envidie;
porque malos tratamientos
son para maridos viles
que pierden a sus agravios
el miedo, cuando los dicen. 110

REY. El infante viene allí,
y si aquí os ve, no es posible
que deje de conocer
las quejas que dél me disteis.
Mas acuérdome que un día 115
me dieron con voces tristes
quejas de vos, y yo entonces
detrás de aquellos tapices
escondí a quien se quejaba;
y en el mismo caso pide 120
el daño el propio remedio,
pues al revés lo repite.
Y así quiero hacer con vos
lo mismo que entonces hice;
pero con un orden más, 125
y es que nada aquí os obligue
a descubriros. Callad
a cuanto viereis.

DON GUTIERRE. Humilde
estoy, señor, a tus pies.
Seré el pájaro que fingen 130
con una piedra en la boca. *Escóndese.*

Sale EL INFANTE.

REY. Vengáis norabuena, Enrique,
aunque mala habrá de ser,
pues me halláis...

DON ENRIQUE. ¡Ay de mí triste!

REY. enojado.

DON ENRIQUE. ¿Pues, señor, 135
con quién lo estáis, que os obligue?

REY. Con vos, infante, con vos.

DON ENRIQUE. Será mi vida infelice.
Si enojado tengo al sol,

	veré mi mortal eclipse.	140
REY.	¿Vos, Enrique, no sabéis	
	que más de un acero tiñe	
	el agravio en sangre real?	
DON ENRIQUE.	¿Pues por quién, señor, lo dice	
	vuestra majestad?	
REY.	Por vos	145
	lo digo, por vos, Enrique.	
	El honor es reservado	
	lugar, donde el alma asiste.	
	Yo no soy rey de las almas:	
	harto en esto solo os dije.	150
DON ENRIQUE.	No os entiendo.	
REY.	Si a la enmienda	
	vuestro amor no se apercibe,	
	dejando vanos intentos	
	de bellezas imposibles,	
	donde el alma de un vasallo	155
	con ley soberana vive,	
	podrá ser de mi justicia	
	que aun mi sangre no se libre.	
DON ENRIQUE.	Señor, aunque tu precepto	
	es ley que tu lengua imprime	160
	en mi corazón, y en él	
	como en el bronce se escribe,	
	escucha disculpas mías;	
	que no será bien que olvides	
	que con iguales orejas	165
	ambas partes han de oírse.	
	Yo, señor, quise a una dama	
	(que ya sé por quién lo dices,	
	si bien con poca ocasión):	
	en efecto, yo la quise	170
	tanto...	
REY.	¿Qué importa, si ella	
	es beldad tan imposible...?	
DON ENRIQUE.	Es verdad, pero...	
REY.	Callad.	
DON ENRIQUE.	Pues, señor, ¿no me permites	
	disculparme?	

REY. No hay disculpa; 175
que es belleza que no admite
objeción.

DON ENRIQUE. Es cierto, pero
el tiempo todo lo rinde,
el amor todo lo puede.

REY. (*Ap.*) (¡Válgame Dios!, qué mal hice 180
en esconder a Gutierre.)
Callad, callad.

DON ENRIQUE. No te incites
tanto contra mí, ignorando
la causa que a esto me obligue.

REY. Yo lo sé todo muy bien. 185
(*Ap.*) (¡Oh qué lance tan terrible!)

DON ENRIQUE. Pues yo, señor, he de hablar:
en fin, doncella la quise.
¿Quién, decid, agravió a quién?
¿Yo a un vasallo...

DON GUTIERRE. (*Ap.*) (¡Ay infelice!) 190

DON ENRIQUE. que antes que fuese su esposa,
fue...?

REY. No tenéis qué decirme,
callad, callad, que ya sé
que por disculpa fingisteis
tal quimera. Infante, infante, 195
vamos mediando los fines.
¿Conocéis aquesta daga?

DON ENRIQUE. Sin ella a palacio vine
una noche.

REY. ¿Y no sabéis
dónde la daga perdisteis? 200

DON ENRIQUE. No, señor.

REY. Yo sí, pues fue
adonde fuera posible
mancharse con sangre vuestra,
a no ser el que la rige
tan noble y leal vasallo. 205
¿No veis que venganza pide
el hombre que aun ofendido
el pecho y las armas rinde?

¿Veis este puñal dorado?
Jeroglífico es que dice 210
vuestro delito: a quejarse
viene de vos, y he de oírle.
Tomas su acero, y en él
os mirad; veréis, Enrique,
vuestros defectos.

DON ENRIQUE. Señor, 215
considera que me riñes
tan severo, que turbado...

REY. Toma la daga. — ¿Qué hiciste,

Dale la daga, y al tomarla, turbado, EL INFANTE *corta al* REY *la mano.*

traidor?

DON ENRIQUE. ¿Yo?

REY. ¿Desta manera
tu acero en mi sangre tiñes? 220
¿Tú la daga que te di,
hoy contra mi pecho esgrimes?
¿Tú me quieres dar la muerte?

DON ENRIQUE. Mira, señor, lo que dices;
que yo turbado...

REY. ¿Tú a mí 225
te atreves? ¡Enrique, Enrique!
Detén el puñal, ya muero.

DON ENRIQUE. ¡Hay confusiones más tristes!
Mejor es volver la espalda,
y aun ausentarme y partirme 230
donde en mi vida te vea,
(*Cáesele la daga*)
porque de mí no imagines
que puedo verter tu sangre
yo ¡mil veces infelice! *Vase.*

REY. ¡Válgame el cielo!, ¿qué es esto? 235
¡Oh qué aprensión insufrible!
Bañado me vi en mi sangre,
muerto estuve. ¿Qué infelice
imaginación me cerca,
que con espantos horribles 240
y con helados temores

el pecho y el alma oprime?
Ruego a Dios que estos principios
no lleguen a tales fines,
que con diluvios de sangre 245
el mundo se escandalice. *Vase por otra puerta.*

DON GUTIERRE. ¡Todo es prodigios el día!
Con asombros tan terribles,
de que yo estaba escondido
no es mucho que el rey se olvide. 250
¡Válgame Dios!, ¿qué escuché?
Mas ¿para qué lo repite
la lengua, cuando mi agravio
con mi desdicha se mide?
Arranquemos de una vez 255
de tanto mal las raíces.
Muera Mencía; su sangre
bañe el lecho donde asiste;
y pues aqueste puñal
hoy segunda vez me rinde 260
el infante, con él muera.
(*Levanta la daga*)
Mas no es bien que lo publique;
porque si sé que el secreto
altas victorias consigue,
y que agravio que es oculto 265
oculta venganza pide,
muera Mencía de suerte
que ninguno lo imagine.
Pero antes que llegue a esto,
la vida el cielo me quite, 270
porque no vea tragedias
de un amor tan infelice.
¿Para cuándo, para cuándo
esos azules viriles
guardan un rayo? ¿No es tiempo 275
de que sus puntas se vibren,
preciando de tan piadosos?
¿No hay, claros cielos, decidme,
para un desdichado muerte?
¿No hay un rayo para un triste? *Vase.* 280

Sala en casa de don Gutierre

Salen DOÑA MENCÍA *y* JACINTA.

JACINTA. Señora, ¿qué tristeza
turba la admiración a tu belleza,
que la noche y el día
no haces sino llorar?

DOÑA MENCÍA. La pena mía
no se rinde a razones. 285
En una confusión de confusiones,
ni medidas, ni cuerdas,
desde la noche triste, si te acuerdas,
que, viviendo en la quinta,
te dije que conmigo había, Jacinta, 290
hablado don Enrique
(no sé cómo mi mal te signifique),
y tú después dijiste que no era
posible, porque afuera,
a aquella misma hora que yo digo, 295
el infante también habló contigo,
estoy triste y dudosa,
confusa, divertida y temerosa,
pensando que no fuese
Gutierre quien conmigo habló.

JACINTA. ¿Pues ése 300
es engaño que pudo
suceder?

DOÑA MENCÍA. Sí, Jacinta, que no dudo
que de noche, y hablando
quedo, y yo tan turbada, imaginando
en él mismo, venía, 305
bien tal engaño suceder podía.
Con esto el verle agora
conmigo alegre, y que consigo llora
(porque al fin los enojos,
que son grandes amigos de los ojos, 310
no les encubren nada),
me tiene en tantas penas anegada.

Sale COQUÍN.

COQUÍN. Señora.
DOÑA MENCÍA. ¿Qué hay de nuevo?
COQUÍN. Apenas a contártelo me atrevo.
Don Enrique, el infante... 315
DOÑA MENCÍA. Tente, Coquín, no pases adelante.
Que su nombre no más me causa espanto.
Tanto le temo, o le aborrezco tanto.
COQUÍN. No es de amor el suceso,
y por eso lo digo.
DOÑA MENCÍA. Y yo por eso 320
lo escucharé.
COQUÍN. El infante
que fue, señora, tu imposible amante,
con don Pedro su hermano
hoy un lance ha tenido. Pero en vano
contártele pretendo, 325
por no saberle bien, o porque entiendo
que no son justas leyes
que hombres de burlas hablen de los reyes.
Esto aparte, en efeto,
Enrique me llamó, y con gran secreto 330
dijo: "A doña Mencía
este recado da de parte mía.
Que su desdén tirano
me ha quitado la gracia de mi hermano,
y huyendo desta tierra, 335
hoy a la ajena patria me destierra,
donde vivir no espero,
pues de Mencía aborrecido muero."
DOÑA MENCÍA. ¿Por mí el infante ausente,
sin la gracia del rey? ¡Cosa que intente, 340
con novedad tan grande,
que mi opinión en voz del vulgo ande!
¿Qué haré?, ¡cielos!
JACINTA. Ahora
el remedio mejor será, señora,
prevenir este daño.
COQUÍN. ¿Cómo puede? 345
JACINTA. Rogándole al infante que se quede;
pues si una vez se ausenta,

como dicen, por ti, será tu afrenta
pública; que no es cosa
la ausencia de un infante tan dudosa 350
que no se diga luego
cómo y por qué.

COQUÍN. ¿Pues cuándo oirá ese ruego,
si, calzada la espuela,
ya en su imaginación Enrique vuela?

JACINTA. Escribiéndole ahora 355
un papel en que diga mi señora
que a su opinión conviene
que no se ausente, pues para eso tiene
lugar, si tú le llevas.

DOÑA MENCÍA. Pruebas de honor son peligrosas pruebas; 360
pero con todo quiero
escribir el papel, pues considero,
y no con necio engaño,
que es de dos daños éste el menor daño,
si hay menor en los daños que recibo. 365
Quedaos aquí los dos, mientras yo escribo. *Vase.*

JACINTA. ¿Qué tienes estos días,
Coquín, que andas tan triste? ¿No solías
ser alegre? ¿Qué efeto
te tiene así?

COQUÍN. Metíme a ser discreto 370
por mi mal, y hame dado
tan grande hipocondría en este lado
que me muero.

JACINTA. ¿Y qué es hipocondría?

COQUÍN. Es una enfermedad que no la había
habrá dos años, ni en el mundo era. 375
Usóse poco ha, y de manera
lo que se usa, amiga, no se excusa,
que una dama, sabiendo que se usa,
le dijo a su galán muy triste un día:
"Tráigame un poco uced de hipocondría." 380
Mas señor entra ahora.

JACINTA. ¡Ay Dios! Voy a avisar a mi señora.

Sale DON GUTIERRE.

DON GUTIERRE. Tente, Jacinta, espera.
¿Dónde corriendo vas de esa manera?
JACINTA. Avisar pretendía 385
a mi señora de que ya venía
tu persona.
DON GUTIERRE. (*Ap.*) (¡Oh criados,
en efecto, enemigos no excusados!
Turbado de temor los dos se han puesto.)
Ven acá, dime tú lo que hay en esto: 390
dime por qué corrías.
JACINTA. Sólo por avisar de que venías,
señor, a mi señora.
DON GUTIERRE. Los labios sella.
(*Ap.*) (Mas deste lo sabré mejor que della.)
Coquín, tú me has servido 395
noble siempre, en mi casa te has criado:
a ti vuelvo rendido;
dime, dime por Dios lo que ha pasado.
COQUÍN. Señor, si algo supiera,
de lástima no más te lo dijera. 400
¡Plegue a Dios! mi señor...
DON GUTIERRE. ¡No, no des voces!
¿De qué aquí te turbaste?
COQUÍN. Somos de buen turbar; mas esto baste.
DON GUTIERRE. (*Ap.*) (Señas los dos se han hecho.
Ya no son cobardías de provecho.) 405
Idos de aquí los dos. — Solos estamos,

Vanse los dos.

honor, lleguemos ya; desdichas, vamos.
¿Quién vio en tantos enojos
matar las manos y llorar los ojos?

Alza una cortina, y descubre a DOÑA MENCÍA *escribiendo.*

(Escribiendo Mencía 410
está; ya es fuerza ver lo que escribía.)

Llega a ella y quítale el papel.

DOÑA MENCÍA. ¡Ay Dios! ¡Válgame el cielo!

Se desmaya.

DON GUTIERRE. Estatua viva se quedó de hielo.
(*Lee.*) *Vuestra alteza, señor...* ¡Que por alteza
vino mi honor a dar a tal bajeza! 415
no se ausente... Detente,
voz; pues le ruega aquí que no se ausente,
a tanto mal me ofrezco,
que casi las desdichas me agradezco. —
¿Si aquí la doy la muerte...? 420
Mas esto ha de pensarse desta suerte:
despediré criadas y criados;
solos han de quedarse mis cuidados
conmigo; y ya que ha sido
Mencía la mujer que yo he querido 425
más en mi vida, quiero
que en el último vale, en el postrero
parasismo, me deba
la más nueva piedad, la acción más nueva;
ya que la cura he de aplicar postrera, 430
no muera el alma, aunque la vida muera.

Escribe y vase. — Vuelve en sí DOÑA MENCÍA.

DOÑA MENCÍA. ¡Señor, detén la espada,
no me juzgues culpada:
el cielo sabe que inocente muero!
¿Qué fiera mano, qué sangriento acero 435
en mi pecho ejecutas? ¡Tente, tente!
¡Una mujer no mates inocente! —
Mas ¿qué es esto?, ¡ay de mí!, ¿no estaba agora
Gutierre aquí? ¿No vía (¿quién lo ignora?)
que, en mi sangre bañada, 440
moría en rubias ondas anegada?
¡Ay Dios, este desmayo
fue de mi vida aquí mortal ensayo!
¡Qué ilusión! Por verdad lo dudo y creo.
El papel romperé. — ¡Pero qué veo! 445
De mi esposo es la letra, y desta suerte
la sentencia me intima de mi muerte:

(*Lee.*) "*El amor te adora, el honor te aborrece; y así el uno te mata y el otro te avisa. Dos horas tienes de vida: cristiana eres, salva el alma, que la vida es imposible.*"

¡Válgame Dios! ¡Jacinta, hola! ¿Qué es esto?
¿Nadie responde? ¡Otro temor funesto!
¿No hay alguna criada? 450
Mas ¡ay de mí!, la puerta está cerrada,
¿nadie en casa me escucha?
Mucha es mi turbación, mi pena es mucha.
Destas ventanas son los hierros rejas,
(y en vano a nadie le diré mis quejas,) 455
que caen a unos jardines, donde apenas
habrá quien oiga repetidas penas.
¿Dónde iré desta suerte,
tropezando en la sombra de mi muerte? *Vase.*

Calle

Salen EL REY *y* DON DIEGO.

REY. En fin, ¿Enrique se fue? 460
DON DIEGO. Sí, señor: aquesta tarde
salió de Sevilla.
REY. Creo
que ha presumido arrogante
que él solamente de mí
podrá en el mundo librarse. 465
¿Y dónde va?
DON DIEGO. Yo presumo
que a Consuegra.
REY. Está el infante
maestre allí, y querrán los dos
a mis espaldas vengarse
de mí.
DON DIEGO. Tus hermanos son, 470
y es forzoso que te amen
como hermano, y como a rey
te adoren: dos naturales
obediencias son.
REY. Y Enrique,
¿quién lleva que le acompañe? 475
DON DIEGO. Don Arias.
REY. Es su privanza.
DON DIEGO. Música hay en esta calle.

REY. Vámonos llegando a ellos:
quizá con lo que cantaren
me divertiré.

DON DIEGO. La música 480
es antídoto a los males.

(*Cantan dentro.*) *El infante don Enrique*
hoy se despidió del rey;
su pesadumbre y su ausencia
quiera Dios que pare en bien. 485

REY. ¡Qué triste voz! Vos, don Diego,
echad por aquesa calle,
no se nos escape quien
canta desatinos tales.

Vase cada uno por su puerta.

Sala en la casa de don Gutierre, en Sevilla

Salen DON GUTIERRE *y* LUDOVICO, *cubierto el rostro.*

DON GUTIERRE. Entra, no tengas temor; 490
que ya es tiempo que destape
tu rostro y encubra el mío. *Tápase.*

LUDOVICO. ¡Válgame Dios!

DON GUTIERRE. No te espante
nada que vieres.

LUDOVICO. Señor,
de mi casa me sacasteis 495
esta noche; pero apenas
me tuvisteis en la calle,
cuando un puñal me pusisteis
al pecho, sin que cobarde
vuestro intento resistiese, 500
que fue cubrirme y vendarme
el rostro, y darme mil vueltas
luego a mis propios umbrales.
Dijísteisme que mi vida
estaba en no destaparme; 505
una hora he andado con vos,
sin saber por dónde ande.
Y con ser la admiración
de aqueste caso tan grave,

más me turba y me suspende 510
impensadamente hallarme
en una casa tan rica,
sin ver que la habite nadie
sino vos, habiéndoos visto
siempre ese embozo delante. 515
¿Qué me queréis?

DON GUTIERRE. Que te esperes
aquí solo un breve instante. *Vase.*

LUDOVICO. ¡Qué confusiones son éstas
que a tal extremo me traen!
¡Válgame Dios!

Vuelve DON GUTIERRE.

DON GUTIERRE. Tiempo es ya 520
de que entres aquí; mas antes
escúchame: aqueste acero
será de tu pecho esmalte,
si resistes lo que yo
tengo ahora de mandarte. 525
Asómate a ese aposento.
¿Qué ves en él?

LUDOVICO. Una imagen
de la muerte, un bulto veo
que sobre una cama yace:
dos velas tiene a los lados, 530
y un crucifijo delante.
Quién es, no puedo decir;
que con unos tafetanes
el rostro tiene cubierto.

DON GUTIERRE. Pues a ese vivo cadáver 535
que ves, has de dar la muerte.

LUDOVICO. Pues ¿qué quieres?

DON GUTIERRE. Que la sangres,
y la dejes que, rendida
a su violencia, desmaye
la fuerza, y que en tanto horror 540
tú atrevido la acompañes,
hasta que por breve herida
ella expire y se desangre.

No tienes a qué apelar,
si buscas en mí piedades, 545
sino obedecer, si quieres
vivir.

LUDOVICO. Señor, tan cobarde
te escucho, que no podré
obedecerte.

DON GUTIERRE. Quien hace
por consejos rigurosos 550
mayores temeridades,
darte la muerta sabrá.

LUDOVICO. Fuerza es que mi vida guarde.

DON GUTIERRE. Haces bien; que ya en el mundo
hay quien viva porque mate. 555
Desde aquí te estoy mirando,
Ludovico: entra delante. *Vase* LUDOVICO.
Éste fue el más fuerte medio
para que mi afrenta acabe
disimulada, supuesto 560
que el veneno fuera fácil
de averiguar, las heridas
imposibles de ocultarse.
Y así, constando la muerte,
y diciendo que fue lance 565
forzoso hacer la sangría,
ninguno podrá probarme
lo contrario, si es posible
que una venda se desate.
Haber traído a este hombre 570
con recato semejante,
fue bien, pues si descubierto
viniera, y viera sangrarse
una mujer, y por fuerza,
fuera presunción notable. 575
Éste no podrá decir,
cuando refiera este trance,
quién fue la mujer; demás
que, cuando de aquí le saque,
muy lejos ya de mi casa 580
estoy dispuesto a matarle.

Médico soy de mi honor:
la vida pretendo darle
con una sangría; que todos
curan a costa de sangre. *Vase.* 585

Calle

Vuelven EL REY *y* DON DIEGO, *cada uno por su puerta; y cantan dentro.*

Para Consuegra camina,
donde piensa que han de ser
teatros de mil tragedias
las montañas de Montiel.

REY. ¡Don Diego!

DON DIEGO. Señor...

REY. Supuesto 590
que cantan en esta calle,
¿no hemos de saber quién es?
¿Habla por ventura el aire?

DON DIEGO. No te desvele, señor,
oir estas necedades; 595
porque a vuestro enojo ya
versos en Sevilla se hacen.

REY. Dos hombres vienen aquí.

DON DIEGO. Es verdad: no hay que esperarles
respuesta. Hoy el conocerlos 600
me importa.

Saca DON GUTIERRE *a* LUDOVICO, *tapado el rostro.*

DON GUTIERRE. (*Ap.*) (¡Que así me ataje
el cielo, que con la muerte
deste hombre eche otra llave
al secreto! — Ya me es fuerza
de aquestos dos retirarme; 605
que nada me está peor
que conocerme en tal parte.
Dejaréle en este puesto.) *Vase.*

DON DIEGO. De los dos, señor, que antes
venían, se volvió el uno, 610
y el otro se quedó.

REY. A darme
confusión; que si le veo

a la poca luz que esparce
la luna, no tiene forma
su rostro: confusa imagen 615
el bulto, mal acabado,
parece de un blanco jaspe.

DON DIEGO. Téngase tu majestad,
que yo llegaré.

REY. Dejadme,
don Diego. — ¿Quién eres, hombre? 620

LUDOVICO. Dos confusiones son parte,
señor, a no responderos: *Descúbrese.*
la una, la humildad que trae
consigo un pobre oficial,
para que con reyes hable 625
(que ya os conocí en la voz,
luz que tan notorio os hace),
la otra, la novedad
del suceso más notable
que el vulgo, archivo confuso, 630
califica en sus anales.

REY. ¿Qué os ha sucedido?

LUDOVICO. A vos
lo diré, escuchadme aparte.

REY. Retiraos allí, don Diego.

DON DIEGO. (*Ap.*) (Sucesos son admirables 635
cuantos esta noche veo:
Dios con bien della me saque.)

LUDOVICO. No la vi el rostro, mas sólo
entre repetidos ayes
escuché: "Inocente muero; 640
el cielo no te demande
mi muerte." Esto dijo, y luego
expiró; y en este instante
el hombre mató la luz,
y por los pasos que antes 645
entré, salí. Sintió ruido
al llegar a aquesta calle,
y dejóme en ella solo.
Fáltame ahora de avisarte,
señor, que saqué bañadas 650

las manos en roja sangre,
y que fui por las paredes,
como que quise arrimarme,
manchando todas las puertas,
por si pueden las señales 655
descubrir la casa.

REY. ¡Bien
hicisteis! Venid a hablarme
con lo que hubiereis sabido,
y tomad este diamante,
y decid que por las señas 660
dél os permitan hablarme
a cualquier hora que vais.

LUDOVICO. El cielo, señor, os guarde. *Vase.*

REY. Vamos, don Diego.

DON DIEGO. ¿Qué es eso?

REY. El suceso más notable 665
del mundo.

DON DIEGO. Triste has quedado.

REY. Forzoso ha sido asombrarme.

DON DIEGO. Vente a acostar, que ya el día
entre dorados celajes
asoma.

REY. No he de poder 670
sosegar, hasta que halle
una cosa que deseo.

DON DIEGO. ¿No miras que ya el sol sale,
y que podrán conocerte
desta suerte?

Sale COQUÍN.

COQUÍN. Aunque me mates, 675
habiéndote conocido,
¡oh señor!, tengo de hablarte:
escúchame.

REY. Pues, Coquín,
¿de qué los extremos son?

COQUÍN. Esta es una honrada acción, 680
de hombre bien nacido en fin;
que aunque hombre me consideras

de burlas con loco humor,
llegando a veras, señor,
soy hombre de muchas veras. 685
Oye lo que he de decir,
pues de veras vengo a hablar;
que quiero hacerte llorar,
ya que no puedo reir.
Gutierre, mal informado 690
por aparentes recelos,
llegó a tener viles celos
de su honor; y hoy obligado
a tal sospecha, que halló
escribiendo (¡error cruel!) 695
para el infante un papel
a su esposa, que intentó
con él que no se ausentase,
porque ella causa no fuese
de que en Sevilla se viese 700
la novedad que causase
pensar que ella le ausentaba...
Con esta inocencia, pues
(que a mí me consta), con pies
cobardes, adonde estaba 705
llegó, y el papel tomó,
y, sus celos declarados,
despidiendo a los criados,
todas las puertas cerró,
solo se quedó con ella. 710
Yo, enternecido de ver
una infelice mujer
perseguida de su estrella,
vengo, señor, a avisarte
que tu brazo altivo y fuerte 715
hoy la libre de la muerte.

REY. ¿Con qué he de poder pagarte
tal piedad?

COQUÍN. Con darme aprisa
libre, sin más accidentes,
de la acción contra mis dientes. 720

REY. No es ahora tiempo de risa.

COQUÍN. ¿Cuándo lo fue?
REY. Y pues el día
aun no se muestra, lleguemos,
don Diego. Así, pues, daremos
color a una industria mía, 725
de entrar en casa mejor:
diciendo que me ha cogido
cerca el día, y he querido
disimular el color
del vestido; y una vez 730
allá, el estado veremos
del suceso; y así haremos
como rey, supremo juez.
DON DIEGO. No hubiera industria mejor.
COQUÍN. De su casa lo has tratado 735
tan cerca, que ya has llegado;
que ésta es su casa, señor.
REY. Don Diego, espera.
DON DIEGO. ¿Qué ves?
REY. ¿No ves sangrienta una mano
impresa en la puerta?
DON DIEGO. Es llano. 740
REY. (*Ap.*) (Gutierre sin duda es
el crüel que anoche hizo
una acción tan inclemente.
No sé qué hacer. Cuerdamente
sus agravios satisfizo.) 745

Salen DOÑA LEONOR *e* INÉS.

DOÑA LEONOR. Salgo a misa antes del día,
porque ninguno me vea
en Sevilla, donde crea
que olvido la pena mía.
Mas gente hay aquí. ¡Ay Inés! 750
¿El rey qué hará en esta casa?
INÉS. Tápate en tanto que pasa.
REY. Acción excusada es,
porque ya estáis conocida.
DOÑA LEONOR. No fue encubrirme, señor, 755
por excusar el honor

de dar a tus pies la vida.

REY. Esa acción es para mí,
de recatarme de vos,
pues sois acreedor, por Dios, 760
de mis honras; que yo os di
palabra, y con gran razón,
de que he de satisfacer
vuestro honor, y lo he de hacer
en la primera ocasión. 765

DON GUTIERRE. (*Dentro.*) ¡Hoy me he de desesperar,
cielo airado, si no baja
un rayo de esas esferas
y en cenizas me desata!
¿Qué es esto?

DON DIEGO. Loco furioso 770
don Gutierre de su casa
sale.

REY. ¿Dónde vais, Gutierre?

DON GUTIERRE. (*Sale.*) A besar, señor, tus plantas;
y de la mayor desdicha,
de la tragedia más rara, 775
escucha la admiración,
que eleva, admira y espanta.
Mencía, mi amada esposa,
tan hermosa como casta,
virtüosa como bella 780
(dígalo a voces la fama);
Mencía, a quien adoré
con la vida y con el alma,
anoche a un grave accidente
vio su perfección postrada, 785
por desmentirla divina
este accidente de humana.
Un médico, que lo es
el de mayor nombre y fama,
y el que en el mundo merece 790
inmortales alabanzas,
la recetó una sangría,
porque con ella esperaba
restitüir la salud

a un mal de tanta importancia. 795
Sangróse, en fin; que yo mismo,
por estar sola la casa,
llamé el barbero, no habiendo
ni criados ni criadas.
A verla en su cuarto, pues, 800
quise entrar esta mañana...
— Aquí la lengua enmudece.
Aquí el aliento me falta.
Veo de funesta sangre
teñida toda la cama, 805
toda la ropa cubierta,
y que en ella, ¡ay Dios!, estaba
Mencía, que se había muerto
esta noche desangrada.
Ya se ve cuán fácilmente 810
una venda se desata.
¿Pero para qué presumo
reducir hoy a palabras
tan lastimosas desdichas?
Vuelve a esta parte la cara, 815
y verás sangriento el sol,
verás la luna eclipsada,
deslucidas las estrellas
y las esferas borradas;
y verás a la hermosura 820
más triste y más desdichada,
que por darme mayor muerte
no me ha dejado sin alma.

Descúbrese a DOÑA MENCÍA *en una cama, desangrada.*

REY. ¡Notable suceso! (*Ap.*) (Aquí
la prudencia es de importancia. 825
Mucho en reportarme haré.
Tomó notable venganza.)
Cubrid ese horror que asombra,
ese prodigio que espanta,
espectáculo que admira, 830
símbolo de la desgracia.
Gutierre, menester es

consuelo; y porque le haya
en pérdida que es tan grande
con otra tanta ganancia, 835
dadle la mano a Leonor;
que es tiempo que satisfaga
vuestro valor lo que debe,
y yo cumpla la palabra
de volver en la ocasión 840
por su valor y su fama.

DON GUTIERRE. Señor, si de tanto fuego
aún las cenizas se hallan
calientes, dadme lugar
para que llore mis ansias. 845
¿No queréis que escarmentado
quede?

REY. Esto ha de ser, y basta.

DON GUTIERRE. Señor, ¿queréis que otra vez,
no libre de la borrasca,
vuelva al mar? ¿Con qué disculpa? 850

REY. Con que vuestro rey lo manda.

DON GUTIERRE. Señor, escuchad aparte
disculpas.

REY. Son excusadas.
¿Cuáles son?

DON GUTIERRE. ¿Si vuelvo a verme
en desdichas tan extrañas 855
que de noche halle embozado
a vuestro hermano en mi casa...?

REY. No dar crédito a sospechas.

DON GUTIERRE. ¿Y si detrás de mi cama
hallase tal vez, señor, 860
de don Enrique la daga?

REY. Presumir que hay en el mundo
mil sobornadas criadas,
y apelar a la cordura.

DON GUTIERRE. A veces, señor, no basta. 865
¿Si veo rondar después
de noche y de día mi casa?

REY. Quejárseme a mí.

DON GUTIERRE. ¿Y si cuando

llego a quejarme, me aguarda
mayor desdicha escuchando? 870

REY. ¿Qué importa, si él desengaña,
que fue siempre su hermosura
una constante muralla
de los vientos defendida?

DON GUTIERRE. ¿Y si volviendo a mi casa, 875
hallo algún papel que pide
que el infante no se vaya?

REY. Para todo habrá remedio.

DON GUTIERRE. ¿Posible es que a esto le haya?

REY. Sí, Gutierre.

DON GUTIERRE. ¿Cuál, señor? 880

REY. Uno vuestro.

DON GUTIERRE. ¿Qué es?

REY. Sangrarla.

DON GUTIERRE. ¿Qué decís?

REY. Que hagáis borrar
las puertas de vuestra casa;
que hay mano sangrienta en ellas.

DON GUTIERRE. Los que de un oficio tratan 885
ponen, señor, a las puertas
un escudo de sus armas;
trato en honor, y así pongo
mi mano en sangre bañada
a la puerta; que el honor 890
con sangre, señor, se lava.

REY. Dádsela, pues, a Leonor;
que yo sé que su alabanza
la merece.

DON GUTIERRE. Sí, la doy.
Mas mira que va bañada 895
en sangre, Leonor.

DOÑA LEONOR. No importa;
que no me admira ni espanta.

DON GUTIERRE. Mira que médico he sido
de mi honra: no está olvidada
la ciencia.

DOÑA LEONOR. Cura con ella 900
mi vida, en estando mala.

DON GUTIERRE. Pues con esa condición
te la doy. Con esto acaba
El médico de su honra.
Perdonad sus muchas faltas. 905

NOTES TO ACT I

Stage directions at beginning. The play opens outside Gutierre's plaisance or country house near Seville, and continues inside it. Later there are other shifts of scene (for example, to the royal residence in the city). These must be imagined.

7–8 "would he had never come to Seville, never left Castile."

10 **¿No vuelve?,** "Isn't he recovering his senses yet?"

16 **recogido un poco,** "resting a while."

33–34 "if walls have ears, tree trunks have eyes."

43–44 "May Enrique live! May fortune grant me no other favor!"

Stage direction following 44 **esclava herrada,** "branded slave."

55–56 The horse's plumed headgear made him resemble a bird.

69 **fue rosa,** was like a rose because of the beautiful red color of the blood it shed.

71–72 To each element or pseudo-element belongs a creature: **ave** to **viento; bruto** to **tierra; estrella** to **cielo; flor** (the fiery red rose) to **sol.**

75 **¿Mas que,** "Do you mean that."

77–81 The prince's royal blood is the justification for his party's otherwise unwarranted intrusion into a private house.

90 **al primer aliento,** i.e. to its normal breathing.

108 **Va mi honor en ello,** "My honor depends on it."

115 **aguas y olores,** "colognes and perfumes."

124 "express my true feelings at this time."

126–128 "and break out not just of enforced silence but of icy jails in which fire is imprisoned." The prudence of honor enjoins silence from a married woman in love with another man. The fire symbolizes Mencía's passion; the icy jails, the frigid behavior which covers up her adulterous desire.

131 **¡Aquí fue amor!,** "This is the site of a love which once was!" The expression evokes the elegiac saying "Aquí fue Troya," used to allude to the violent passing of human glory and its reduction to ashes (129).

133 **quien soy,** here, might be interpreted as meaning "an honorable married woman," who puts her marriage vows and her husband's good name above the selfish passion for a former lover. **Vuelva,** for **Devuelva.** Mencía wishes to retract the oblique allusion to her love for the Prince.

138–139 "for now, with a fuller realization (of my duty and of reality), I am not my own woman even in the matter of feeling." Even in the most spontaneous, uncontrollable part of her life she belongs to her husband; she has, since her marriage, no moral right even to think of loving another man.

140–144 The feeling of shame at her lack of self-control has given way to a feeling of challenge; she will dominate her illicit desire. True virtue comes, not from innocence, but from experience.

147 "the polished diamond in the rough diamond."

149–151 "and so my honor is tempered in its own crucible, when I succeed in overcoming my weakness."

154 "Let me live in silence, as I am dying (with love) in silence."

161 **por ser mía.** Enrique considers himself an especially fortunate man.

173 **Vuestra alteza.** Note that Mencía, by this increase in formality (in 157 she has called Enrique *tu alteza*), is trying to recall her ex-lover to a sense of responsibility toward her married status.

177–182 The meaning is that Enrique's fame and honor should be reborn out of this crisis, as the mythological phoenix is reborn as a worm from the ashes of its own funeral pyre.

183 The subject of **sabrá** is **vuestra alteza.**

189 "for this must be heaven."

197–198 "and so you have no need to tell me anything, or I to listen to you."

199–200 "Time will quickly disabuse him concerning all the favors he enjoys (at finding himself in the presence of his beloved)."

213 Enrique, beginning to realize that Mencía is the mistress of her house (and hence married), changes from the **tú** form of address (cf. 185–198) to the less familiar **vos.**

215–217 Mencía denies being the mistress (**dueño**) of the house, although she admits to being the mistress of its master, her husband.

223–224 The Prince should not yet stand up because of his weakened state after the accident.

227–229 "grateful for the good fortune which has restored life to us all by restoring you to good health."

233–234 "which imagination could conceive," literally "which thought could adumbrate in the imagination."

240–242 At the time of the fiery destruction of Troy Aeneas evacuated family, friends, and gods. Enrique means to rescue his senses from the fires of his destructive passion so that he may live a new life as did Aeneas.

253 "When the horse saw that it was in your shadow," your neighborhood.

257–260 "when, with the pretension of being a bird neighing, it challenged the sun's rays in close combat, after defeating (rising above) the winds," i.e. the horse curvetted high in the air.

262–264 Enrique's jealousy, stirred by the proximity of his former beloved, arose like mountains to cause his horse to stumble with fright.

268 **al correrlo,** "on suffering them" (pangs of jealousy).

270 **feliz suceso,** his happiness at being in love.

275–276 "there is no way of investigating miracles when you are dying."

282–285 "in case the wind bore away some complete word (one of the words you have spoken which tends to dishonor me), without fracturing it into (incomprehensible) syllables." Mencía fears lest others may hear Enrique's complaints against her earlier conduct.

295–300 Mencía, reviewing their previous relationship, insists that her sense of honor made her initially insensible (an iceberg) to Enrique's wooing, but eventually (under pressure from time's squadrons) she yielded a little to his sweet words (flowers, compliments).

302–304 "since I am a person unattainable by your passions, immune to your designs." Mencía means that her inferior social status makes it impossible for the Prince to think of marrying her.

305–306 "for I am too worthy to be your mistress **(dama)** and too unworthy to be your wife."

314 **le,** understand **riesgo.**

316–317 **sol, rayo,** imagery frequently used, as here, in reference to royal persons.

321–324 "and my courage (in coming into your royal presence), sharp-eyed like a lynx and at the same time blind, amidst such astounding and dismaying events, soars like an eagle toward your sun's rays and hastens to self-destruction like a moth to your sun's fire." The extravagant language of courtesy reveals a Gutierre watchful for possible dishonor at the same time that he is sensible of the honor done him and his house by the Prince's presence. He also reveals his mixed feelings: distress at the accident and joy at the recovery.

336 **esfera,** "sphere" (of the heavens), in reference to his house.

337–340 "for the sun does not disdain, after honoring a palace with its light, to illuminate with wanly ruddy rays a topaz." The topaz, here symbolizing Gutierre's "humble" country seat, is found accidentally lying on the ground among the roots picked for food by local rustics; the point is that it is inconspicuous (in contrast to the royal palace).

342–344 "it is a law of nature that, just as the sun makes its own orbit, the royal presence makes a palace (out of any house)."

351–355 Returning the compliment, the Prince alleges that his host's house is not too small for him; it is too large since it is the proper sphere of Mencía's great beauty. The implications of this conventional language are multiple. Cf. the ambiguity of 359–361, understood in one way by Gutierre and in another by Mencía.

362–364 **Desengaño,** the shattering revelation of a reality (in this case Mencía's married state), brings baroque man to the point of seeing things **sub specie aeternitatis,** out of the context of time. The implication here is simply that Enrique is impatient to leave. No doubt Gutierre thinks the Prince is referring to the **memento mori** represented by his fall from the horse.

380 It is a common dramatic device to have a character tell his story as though it happened to an intimate friend, an **alter ego.** Enrique is thus enabled to present his point of view to Mencía about their relationship without the husband's suspecting the truth. But can we be sure his suspicions are not aroused? Is not this the first inkling that Gutierre, a naturally suspicious man, receives of the threat to his honor?

387–388 "Well, he delivered to another lover the keys to her free will." He subjected her to the temptation of being wooed by another man.

403–404 Another subtle — perhaps not subtle enough — allusion to the fact that Mencía is the cause of his jealousy. The idea is that his jealousy, although it accompanies him wherever he goes, is at the same time everywhere.

413 **calidades,** "certain kinds."

415 "Don't be driven to rashness by your impulsiveness."

417–418 "that no one can sway another's free will."

431 The horse seems to bear some palm-shaped marking, which, being a sign of triumph, is appropriate to the Prince.

440 **a uno y otro elemento,** "to all four elements."

447–449 **pintura,** "description." **por mejor bizarría,** "to put it more elegantly."

450–453 After finally asking leave to kiss his highness' foot or hand, Coquín reduces the request to absurdity by asking to kiss whatever the Prince may have most "at hand" (or "at foot").

455 **su humor le abona,** "his good humor excuses him."

464–465 Coquín, presenting himself in a humorously bad light, pretends he eats half of the oats destined for the horse.

467 **día,** "great day," "day of great fortune," "saint's day."

471 "which is propitious to his pleasure."

477–478 **A tantos cay,** "On such-and-such a date falls (Saint Prince Henry's day)." The joke is based on the ambiguity of the verb "to fall." **cay** is a diphthongization of **cae.**

480–483 The sun is setting into Neptune's tomb, the western ocean.

488 **Mal reprimo,** "I can hardly repress."

496–498 Their married life is such that, though they have two souls, they have but a single life together, and though (in another sense) they have two lives, they have but a single will (since they always agree).

510–511 Note the dramatic irony in these lines. If the house has been honored by the Prince's presence, its honor is in jeopardy because the Prince and the wife were — perhaps still are — in love.

515 We learn that Gutierre has had a premarital affair.

520–522 The sun is Mencía; the moon, Leonor.

524 "the great difference there is between night and day."

525 **argumento,** "illustration."

530–534 **farol del cielo,** the sun. When the sun rises, the candle flame, which shone so brightly in the dark, is reduced to a shadow (**sombra**) of its former self.

535 **Aplícolo,** i.e. the **argumento.**

536–538 "a light, whose brilliance existed as it does in a distant planet, concealing its rays."

546 "You're a great teller of parables." **parabólico** is an emendation proposed by E. M. Wilson to make sense of the obviously garbled word **paralífico** in the early editions.

548–549 Mencía cannot — for fear of the possibility her husband may go philandering — quite bring herself to consent to his leaving her.

551–552 An allusion (as in 496–498) to the sacramental union of two fleshes in marriage, as well as to the idea that people who love possess each other's hearts.

596–570 Mencía's father, crushing her freedom to choose her own love, forced her to marry Gutierre.

573 Conjugal honor is properly placed before love (and especially before extramarital love).

575 The subject of **sale,** not revealed, is **El Rey.**

579 **¡Plaza!,** "make way!" **aquéste,** understand **papel,** "this petition."

588 **jineta,** "a lance," symbolizing the rank of infantry captain.

592–593 The King, disparaging his own munificence, says he wishes he could give the whole world, as easily as he can give a diamond, to the poor.

607–608 "and that such a beautiful face should have to buy justice at the cost of shame."

612–613 "whose sword battles with thunderbolts of tempered steel." She refers symbolically to the armed might of the royal armies.

615 **giro,** "circular movement." The reference is to the maneuvering of the armies ranged against the Moorish forces.

622–624 "for the name (**'la bella'**) comprises and seals into the mere shadow of beauty little happiness, sire, and little good fortune."

626–628 "would that he had killed me like a basilisk with love when he left me (**mis despojos**) or like an asp with jealousy when he first saw me (**mi primavera**)."

631–632 The meaning is that Leonor's lover stayed near her house all night and all day.

633–634 **herida la voz,** "with broken voice," i.e. sobbing.

635–636 "even though by my coldness I declared myself offended, my will (the faculty of loving) confessed my sense of obligation (to his great love)."

641–648 The idea is that big events have little beginnings, as her tiny love led to a great deception, because it subsumes all of her illustrations.

650–653 "for that is the lure with which women's honor is deceived by the cunning fisherman (i.e. the seducer), and which is compounded with water from the fearful Erebus which dulls the senses." The Erebus, one of the underworld rivers, symbolizes darkness and death.

655 **No es maravilla,** "It's not surprising."

658–660 Leonor means that, even though she was more attentive to love than honor, she preserved her honor in the narrow sense that she did not yield her body. The "public scandal" (664) is the result of the neighbor's shock at seeing a man visit a single lady's house. Thus, while Leonor has remained chaste, she has lost her honor in the eyes of the public.

667–671 The only way Leonor can recover her honor is by marrying her lover; but the lover has meanwhile married another woman; so as a second-best solution she asks the King to order him to pay her dowry so that she can flee the public scandal by entering a nunnery.

675 **Atlante,** "Atlas," the Titan who was forced to bear the weight of heaven on his shoulders.

683–684 Gutierre need not restore the honor which Leonor has **not** lost, i.e. the personal sense she has that she has nothing to be ashamed of.

687–688 "to hear both sides."

705 Either Coquín invokes Allah as a comic interjection, or he is to be thought of as a Moor. Later editions give the exclamation as **¡El cielo me valga!**

707 **se mesura,** "looks stern." The defenestration alluded to in the next lines is a common crime or punishment in the **comedia.**

712–714 "I am whoever Your Majesty wishes me to be, without additions or subtractions."

724 A comic summation of his answer to the King's question **¿Quién sois?** He is the **quien** referred to several times in his long answer, and also a negative **quien (sin quien)** since he is about to leave.

727–728 "with my compass-like feet (long strides) even if not very steadily (in time, **compás** as a musical term)."

738 "so much without why or wherefore."

741–748 Coquín explains euphemistically that he is a gossip by profession, selling the secrets he knows to the highest bidder. **señor, profeso o novel,** "any gentleman, cloistered monk or novice," but the phrase implies also "any gentleman, by birth or by elevation." The latter are those who have bought their letters of nobility or have surreptitiously begun to pose as gentlemen.

753 **accesoria,** "servants' quarters," "edificio contiguo a otro principal y dependiente de éste" (Acad.). Coquín hangs around everybody's house, prying into their affairs, but Gutierre's house (where he lives as his hired servant) is his **accesoria** where he eats his midday meal.

755 "I belong to the guild of the happy." A **cofrade** is a member of a **cofradía,** a religious organization of laymen.

762 "since I clad myself (as a valet would) with him" (i.e. it, **el gusto**)." Coquín's ordinary garb is frivolity.

766–769 A complicated, amusing way of saying "fear he will give me a good drubbing." More literally: "I fear he will deliver to me a hundred baskets (of the sort carried by **pícaros** for a living) which have been beaten in a fulling mill (**batán**), with knitting knots on the wrong side (suggesting the beating of a backside with a knotted whip), because I am a vagrant."

774 Coquín, acting like a clown, puts on his hat in the King's presence, a privilege reserved for grandees.

786 **enorme lesión,** a legal term meaning that the buyer has been cheated of more than half the just price. **lesión** also refers to "bodily harm," as Coquín goes on to explain.

794 "that you show everyone your teeth," "that you snarl at everyone."

797 "But I agree to the contract."

800–802 "for I have stumbled unexpectedly here (as I might have on something in the street) on one whole month of life."

803–804 "it would not be surprising if old age took up sentry duty in my mouth." **posta** meant "sentry post." Coquín would expect to be prematurely toothless and old-looking when the contract expired.

805–806 "and so I'll look into my ability as a laugh-maker."

816 **humildad,** "low estate."

817–820 "because the ground you tread is a sovereign canopy illuminated by the glow of sunrise and sunset," i.e. his dominion is imagined as stretching from the eastern to the western ends of the earth.

824 "crowned with laurel," symbolic of triumph.

826 Gutierre is puzzled and dismayed because the King shows his displeasure by turning his back.

840 "and especially not in the King's presence."

847–848 "I do not owe to her reputation any obligation to marry her," i.e. my conduct did not cause such scandal that I would dishonor her by not marrying her. Gutierre's interpretation of the public reaction to his visiting Leonor's house runs counter to hers.

855 **vivo,** "I inhabit." **Vivir** is here used transitively, the object being **casa de placer,** their country seat.

859 The reference is to the scandalmongers, her neighbors.

865 Leonor, having lost the lawsuit she brought to prevent Gutierre's marriage to Mencía, alleges that the judge was prejudiced by her opponent's having curried favor with him.

874 "where my word as a gentleman (**mi fe**) will give you my sword and my loyalty (will give you) my head." He presents himself for beheading if he does not speak the truth.

881–883 "Yes, but for a man once deeply in love to pass from one extreme to the other, it could not have been without great cause." Gutierre, trying to protect Leonor, has just claimed that he changed his affections out of pure fickleness.

911–912 Gutierre will tell his side of the story, which reflects on Leonor's honor, only because the King has insisted.

920 "he was able to flee."

922 "that I hear." Arias, we soon learn, was involved in the escapade Gutierre is describing.

923–924 "and never quite believed that I had been affronted."

928 **ánimo,** "the soul." The distinction between Latin **anima** and **animus** tends to be blurred in Spanish. Cf. Margherita Morreale, **Versiones españolas de "Animus" y "Anima"** (Granada, 1957). Gutierre's point is that dishonor incurred in a love affair can be as serious as dishonor incurred in marriage. This is an extreme view (**entender**) since lovers are merely betrothed whereas spouses are sacramentally united; the argument in 931–932 is so far-fetched as to border on insanity.

934–936 "I cannot help fighting back at all these misfortunes which have suddenly burst upon me."

956–958 "if a cruel blow of fate had not savagely cut short her life."

962 "without Leonor's being in a position to prevent me."

968–970 "Accursèd a thousand-fold may he be — amen — who submits to the point of accepting a woman's advice!"

972 **marido** "(the man I presumed to be her) husband."

973–977 Arias declined to challenge the man he thought was Leonor's husband in order to safeguard her honor; now that he knows Gutierre was not her husband he offers to fight in defense of her honor and his own.

978–982 "Designate, Your Majesty, a dueling place where I may proudly defend the fact that Leonor did not fail to behave like the lady she is, since the law grants this right to a gentleman." **le** refers to **campo,** "field of battle."

983–988 To lay hands on a sword in the king's presence was an act of **lèse-majesté.** The King is angry, and determined to punish the two gentlemen.

991–992 "and be thankful I do not have you beheaded."

1001 "On the pretext of going hunting."

1005 **porfiar,** "persevere" (in my seduction of Mencía).

1008–1010 The opprobriums are directed against Gutierre.

1014–1016 Leonor's anguished prayer for the dishonoring of Gutierre is eventually granted.

NOTES TO ACT II

1–2 Enrique means that he was treading lightly.

6–7 "there is no reason for hesitancy, for you will certainly achieve."

9 Enrique has promised the slave her freedom as a reward for admitting him into Mencía's house.

12–13 "ask for more, and do not hold back out of embarrassment: my life and soul."

24 **allí,** i.e. Mencía's presence.

27–30 "I will not be the first man who has stolen rays from the sun by hiding behind your backs." He addresses the leaves, which provide shadow in which to hide. Actaeon, who hid in similar circumstances to watch Diana bathing, provides a noble precedent for the interloper.

36–38 "to this place where nature is so presumptuous as to exceed the beautiful landscapes designed and embellished by art."

47 **en él,** i.e. in sleep.

48–49 "The likelihood (of our waking her) disappears with silence." The meaning is: Let us slip away silently while she sleeps.

50–51 "I will go away, so that the man who desired her (Enrique, hiding in the bushes) may seek her out."

57–58 "since fortune always fails me, at least may time and place favor my intent."

61–63 "What is all this about? — A rash act which may be properly forgiven after so many years of hoping to do it."

64–70 Mencía's speech consists of a single sentence, interrupted by Enrique's three reassurances.

75 **mis agravios,** "the offenses you committed against me."

79 "that (my excuse) is based on (the preservation of) my honor."

83–92 "The purpose of the hunt, which I organized in this part of the country, was not to harass the game by preventing it from greeting the sunrise, but (to harass) you, my heron, who rise so high in the air that in blue fields (the sky) you touch the golden balustrades of the sun's palace." The imagery of love-making as a heron hunt is common in lyric poetry. See Alfonso Reyes, **Capítulos de literatura española: segunda serie** (México, 1945), pp. 91–99. The heron is **altiva,** "high-flying," "proud," "disdainful," a great challenge to the lover-huntsman.

98–101 As often in Calderón, the heron is described in terms of element imagery.

102–103 The heron "wants royal falcons to be frustrated in their intentions." In other words, a woman who is a commoner tries to escape from her royal pursuers.

115 Mencía, recognizing like the heron the hunter who is to cause her death, has a foreboding of the tragedy which will befall her.

120–121 "Why do not savage beasts come to succor me?"

138 The servants have opened the door to admit their master; hence Enrique's exit is blocked.

141 **pabellón,** a curtained canopy over and around a bed.

145–146 Enrique, in the fear of encountering a vengeful Gutierre, is impressed with the bravery needed by a husband, who must always be ready to defend his honor to the death.

147–150 "If, when a wife is innocent, there is no misfortune she does not expect, — Lord help me! — how constant must be her ill fortune when she is guilty!"

153–155 Mencía, urged to embrace her husband, replies: "(I will), envying these nets which are imitating embraces in such amorous knots." This is not clear. The nets may be the **pabellón** (141) behind which Enrique is hiding, and which casts shadows suggesting embracing figures; or they may be the foliage of the bushes outside, in which Enrique has been hiding. In either case the expression of her love is deceptive, for she is thinking of her accomplice in the deception of her husband.

161–163 "for, just because it belongs to one (through marriage), beauty never fails to deserve the attentions of a lover."

165–166 "and so, when (one's wife's beauty) is endangered, it procures means, opportunities (to rush to its defense)."

170–172 The prison warden, by releasing Gutierre, made him his spiritual prisoner because of the great obligation of gratitude incurred.

177 **si bien advertía,** "if he thought about it carefully."

182 "because it (my soul) dwelt in you, my love." Cf. I, 550–553.

187–190 "because (my life-and-soul) was indeed divided, having — with an uneasy calm — soul in one prison (in the person of his wife) and life in another prison (the jail at Seville)."

191–200 Mencía compares herself and her husband to two stringed instruments, perfectly in tune: if one is plucked, the other emits a sympathetic reverberation.

203 "a complimentary prisoner."

209 Coquín picks up Mencía's insignificant **en fin** to say "there is an end at the beginning in Coquín." That is, early in his life there is a threat of death.

213–214 **muerto andante,** "corpse-errant," a play on **caballero andante,** "knight-errant." If Gutierre is executed, his squire (**escudero**) will accompany him to the scaffold, for he too has incurred the King's wrath.

215 "I can't do much to entertain you."

220 In answer to Gutierre's suggestion that a slave get supper ready, Mencía declares herself his willing slave. She is eager to leave the room to try to get Enrique out of the house.

223 "Though I am healthy I must cure myself." Note that the basic imagery of the play, expressed in its title, makes its first appearance on the lips of Mencía. Her attempt to cure herself in health (while innocent) fails, and her husband must be the physician.

228–229 **aquí,** "in this room." Gutierre is thinking of following his wife to the kitchen. **extremos olvida,** "don't make a fuss about it."

235 **esmalta,** "has ever contrived."

242–243 "By not returning (to jail), it's obvious that you have escaped safe and sound." The **gracioso**'s comic common sense outrages his noble master's sense of honor: has he not pledged his word to return to the prison?

253–254 "and so the point of honor involved in your pledge should not be understood to apply to your servant."

258 Gutierre even sees his servant's problems from the point of view of honor, the **qué dirán.** Coquín, not a man of honor, will gladly sacrifice any reputation for fidelity he may have for the privilege of staying alive (259–260).

259–273 "If, sir, there were any way of discarding or rectifying death (as in a game of cards), if there were any choice a man might make between two alternatives, I would try one of them for the sake of continuing to serve you; but don't you see that life is a game of chance? I enter it, I come and take some cards, and I lose it. How can I then play a return match? It will stay lost, if I lose it through a mistake of yours, for the next hundred and one years."

275–280 This is the stratagem called by Golden Age dramatists **engañar con la verdad** (cf. 384). Mencía tells the truth — that there is a man in the house — in order to deceive her husband by smuggling Enrique out of the house in the confusion.

287–289 Mencía, as part of her plan, seizes the candle from the reluctant Coquín, and extinguishes it as if by accident.

290 "This is the last straw."

295–296 Gutierre, seizing Coquín in the dark, is under the impression he has captured the intruder.

302–303 Mencía, realizing her husband has captured someone in the dark, fears it must be Enrique.

307–309 Gutierre was aware that the voice was Coquín's but not that it was his captive who was speaking.

314–316 Mencía tries to minimize her husband's suspicion by suggesting the intruder was a common burglar.

324 "By this action I saved my life."

328–330 "the presumption (that he would have killed me) was inescapable, since he could not have been persuaded that I was not an accomplice."

333 "using (the story about) the thief as a pointer."

339–340 "the slightest evidence that your impression had any truth to it."

351–354 "I regret, of course, leaving you at this time because of the fact that I **am** leaving you, and because I am leaving you scared (by the intruder)."

357 Mencía, with her guilty feeling, immediately jumps to the conclusion that Gutierre is about to slay her because she has dishonored him.

365 Mencía intuits her fate, which is to be **desangrada.**

366–367 Gutierre, his suspicions aroused, pretends he had the dagger with him all the time.

370 "Never in my life have I offended you."

374–376 "My gloominess, my irascibility often cause me to have this wild sort of fantasy in your absence, my lord."

379 **El,** i.e. **Dios.**

395 **Argos,** Argus, who had a hundred eyes.

397–398 As a result of the invention of printing, emblem books became enormously popular. An emblem was a woodcut of a symbolic picture accompanied by a motto, designed to teach a moral lesson or to be a subject for meditation. The scepter with two eyes means that royal power depends on vigilance.

403–405 "many casinos, whose signs screamed out."

410–411 The King, reciting the nocturnal sins he has seen, alludes to the **valientes** or **valentones,** criminal thugs, who frequented this port city. "Bravery" is here a trade.

413 **examen.** There is some ironic playing on this word. The King authorizes examinations of the competence of certain artisans to ply their trade; he does not of course for criminals. But on this occasion, by routing a gang of

them, he has conducted a kind of examination for criminals (**probé**, 416). The — metaphorical — illuminated certificate that they had undergone this examination was written in their own blood (418–420). In this last passage there may also be an allusion to the certificate of **limpieza de sangre,** required for high position, proving that one has no Moorish or Jewish blood in one's veins.

423 It will be remembered that Coquín is a dealer in gossip (I, 741–748).

425–428 Coquín is pulled up short by the realization that he has run across the King. He at once gives up his search for gossip saying "But look out!" He then explains that the family of "Look-out" is a noble one, with scions called "But."

431 "Well in body, but poorly in money."

434 **como me agrade,** "provided it pleases me."

436–438 (If you gave me the money) "it would be as if you played the title role this afternoon in the play called **The Angel King.**" A play of this name has been attributed to Calderón.

442 **vuestra. Epigrama** to day is masculine.

445 "a eunuch with a moustache case." **Bigotera** is a device placed on a moustache while the owner is in bed to prevent its losing its shape. After castration there is little facial hair. This eunuch, called Floro in the epigram (with overtones of sexual ambiguity), is trying desperately to cultivate a moustache as a sign of masculinity.

447 "curing himself when he is well." Note the ironic reflection of Mencía's words in 223.

452 **guante,** symbol of the challenge to make the King laugh.

455 **desierta,** "barren," "arid."

458 "the name-plate on your door."

459–460 "where there's no letter can there be an envelope?; can there be a rind without a fruit?" By implication, without maleness there can be no moustache.

461–464 "for in the hope of producing crops I have seen fallow land being cultivated, but not beardless faces." **barbecho,** "fallow land" suggests **barbihecho,** "fresh-shaved," and hence puns with the coinage **barbi-deshecho,** "with undone beard."

469 **con ella,** "in good health."

474–475 **haced esas amistades,** "patch up their quarrel."

477–480 The meaning is: "May you live forever."

486 "And I'd be better off in Flanders."

502–503 Coquín, with his mind on the threatened tooth extraction, prays for the "extraction forceps" of wit to "draw" laughter from the royal mouth.

513 Gutierre realizes that the design of the dagger left by the intruder in his house matches that of the sword worn by the Prince.

533–534 "so much that you will believe of me what you have every right to believe," i.e. that I will continue to be Arias' friend.

538 **romperlas,** i.e. **las amistades.**

539–540 "You and I (fighting together) against two other men would suit me very well."

549–554 "and if I should ever find myself ranged against your sword, if I came to such a pass without recognizing you, I should guess that the sun's light would die so that I should not be able to see you." This is an oblique hint that, despite his protestations of loyalty, Gutierre may yet have, in defense of his honor, to fight Enrique in the dark as an unknown intruder into his house and seducer of his wife. Enrique gets the point (555–556).

574–577 "let my heart come forth redoubled in laments, let it come forth enveloped in tears, through the soul's doors, which are the eyes." In other words, let my grief show itself in my capacity to weep.

580 "do not restrain your tears out of shame."

583–584 "that you know how to measure equal parts of courage and prudence."

586–587 "and out of consideration for my honor, and for my courage."

589–590 "for he who demands justice for his sorrows assuages them."

606 "a coincidence."

610 **convenga,** "matches."

613–614 "for its workmanship is not so unusual that there aren't a thousand like it."

616 **confieso,** "I admit."

622–624 "For gold is a master key, and the lock-wards who are servants are always being tampered with."

628 **se cierran,** "reach the conclusion."

642–644 "since woman gives you your first breath, in her you are forever treading on your grave." Since woman gives life to honor, she can also destroy it.

648–651 "let the first remedy be to close the doors to harm, to head off evil."

655–656 **guardar la boca,** "to hold one's tongue."

657 **apliquéis,** "apply," as a poultice. The imagery here is all medical.

665 "in woman, and especially in one's wife."

669–670 "to see how malignant the sickness is."

672–677 The demonstrative adjectives mean "This . . . of mine."

678–679 "Let my broken heart speak up again."

682–683 "when I shed it (this poison, rather than normal tears), when it is administered to me again, it will be able to (kill me)."

688–690 "when a husband realizes he is jealous, he delivers himself up to ignorance."

697 **acreedor.** Though the statement is couched in general terms, the specific creditor to whom Arias alludes is Leonor, since he is under an obligation to defend her honor.

702–704 "that he can ever hope to satisfy and pay back such a huge debt."

714 **esposo,** "prospective husband."

719–720 Leonor, unlike Mencía and Gutierre, rates conjugal love above conjugal honor.

729 **significo,** "I indicate."

730 "in abbreviated, succinct form."

735–736 "since you lost a husband (Gutierre) through an act of mine, you may gain a husband (myself) through an act of mine."

738 **la elección,** "the husband you have chosen for me" (yourself).

740 "I cherish it (literally print it, your choice) in my soul."

744–745 "not, sir, because I would not make an infinite gain thereby."

748–749 "the occasion falsely to imagine a crime on my part."

751–753 "he would easily convert his suspicion of our connivance into clear proof."

755–756 "it would be evident to everybody that he held me in contempt."

767–770 "since, when experience shall have convinced you of your long-standing love, experience will also forgive you for your change of heart."

771–775 "How much worse will it be for you if it (our connivance) is considered true by a man who imagined your dishonor and failed to recognize that your honor has been satisfied?" Arias argues that Gutierre is so blind to the obvious that Leonor should not care what he thinks.

782–783 "and (it would be a still) worse (affront) in so far as it has passed from mere imagination to firm belief."

787 **en la ocasión,** "on that occasion."

790 "and jealous in the extreme."

796 "stirred up such a fuss."

799–800 Arias gleefully hints at Gutierre's impending dishonoring at the hands of the Prince.

806 "in word and deed."

828 "will not take vengeance by explaining his misfortune."

831–832 "wrangling in schools of honor." The allusion is to the old academic practice of "wrangling" or debating the pros and cons of a thesis.

834–837 "and I will humbly beseech him to confide his amorous intentions from now on to someone else; and lest there be any mistake about it." Arias decides not to be the Prince's accomplice in the dishonoring of Gutierre.

843–844 "hated (by others) for its darkness, as the entombment of human life."

848 "that I received my liberty from the King."

850 **jornada,** "day's work," his ignominious task of spying on his wife.

854 **mi enfermo,** "my patient," i.e. his sick honor.

856–857 "to see if my attack of jealousy recurs at its due time."

861–864 "What an intrusive error exists in the world when a man hesitates to investigate the harm done to him and neither his suspicion nor his fear is startled (at his reluctance)!"

869 **aquí,** "at this place and time."

872–873 The subject of **suele estar** is Mencía. The night is still.

876 "jealousy treads as lightly as a sneak-thief."

879 **Volverme,** "Go away."

880 Seeing Mencía alone, Gutierre is reassured about his honor. By 883, however, he is suspicious again.

886 **¡oh infame aliento!,** "O infamous breath (of suspicion)!"

888–890 "and since so bright a revelation (of Mencía's innocence) does not convince me, let us investigate our harm down to the last drop."

893–894 "for I can well conceal the timbre of my voice by speaking softly." The idea is to waken Mencía in the dark to see if she is expecting a lover.

905–906 "What a lovely revelation! Blessed indeed is the man who (has dared to) look into his own plight!" Gutierre is convinced by Mencía's first words that she expects no one but him to awaken her in her own house. He goes on to reassure her about the lengths (**extremo**) to which he has gone to test her. She understands **extremo** to refer to the Prince's rashness in breaking into her house. The ambiguity suddenly ceases (911), and Gutierre learns the dreadful truth with this second **desengaño,** this time an authentic one.

915 "Have you come a second time to jeopardize my life?" Each new statement of Mencía's compounds the impression Gutierre receives of her guilt. She reveals the deception of the previous night, and betrays her own complicity in it.

920–927 "I distrust myself since I do not at once fall dead, nor do I kill her with my (angry) breath. The Prince's visit did not surprise her or cause her to fear; she merely regretted that he should have placed himself in a situation — I'm ruined! — in which he might have to hide again."

929–933 Mencía, seeming to react more modestly, urges her visitor to go away. Then she reveals the expediency (not the morality) of her motive: her husband may return at any moment.

934–936 Gutierre's passionate sense of outrage is such that he is inclined to strike her down at this moment. But the demand of honor for secrecy is such that he restrains himself in the interests of prudence. He decides, still playing the part of the Prince, to tell her that her husband has been taken care of.

948 **Encendidas en mi fuego,** "Lighted with the fire (of my jealous passion)."

953–956 "and so that she will not realize (that I realize I am deceived) and so that she will not give offense twice, once with the intention of doing so and a second time by thinking that I know about (my dishonor) and consent to it."

958 "I shall dissemble in this way."

977–980 "and which not only forebodes death to candles, but also death to human lives, and, sleeping in its gusts you too might have lost your life."

983–990 Just as a flame, about to be blown out, may kindle another flame, so in the same moment Mencía's light (her life) is doomed to extinction and Gutierre's light (his enlightenment about his wife's conduct) is born.

997–1011 Gutierre's tirade says that he is such a volcano of a man that, if he could be jealous even because a mere servant gave slight grounds for suspicion (1002), he would tear out her heart, eat it, drink the blood, tear out her soul, and destroy it. As he gives vent to his rage, we realize the tremendous effort he is making to control himself in the interest of preserving his public reputation. The **crime passionnel** of which he is eminently capable would not serve the ends of his honor.

1019–1020 "a fiction of the mind carried me outside myself with rage."

1024 "God! I was not myself, I was not being sensible."

NOTES TO ACT III

1–2 **indio polo. Polo** could be used to mean any region of the earth covered by a pole of a heavenly body, especially the polestar. "Peter, whom the Indies expect to crown with glory," i.e. with empire.

5 **Apolo,** here probably in the sense of sun god, dispenser of justice.

6–10 The King supports the weight of the heavens (of eternal justice).

11–14 "To you, then, I surrender the spoils of my life, ill-defended against so many troubles, if a life burdened with so many trials deserves to be called a life."

25 Love is acquired; honor, inherited.

27–30 The "tyrannical cloud" which dulls Mencía's brilliance and Gutierre's love is of course that of dishonor.

37–40 "not because I know, sire, that (the Prince's) might is ranged against my honor; but a man who knows he has honor need only imagine it" — need only imagine that a threat to his honor exists.

41–43 "I depend on you for the life of my honor: in this way I can cure it with preventive medicine."

45–50 "for if in such savage cruelty there were malice (sickness) in my wrong, I would call for a consultation about my affronts, I would give my honor up for dead, I would wash it clean with blood, and I would bury it in the ground." The imagery is all medical: **junta de médicos,** "la consulta que tienen sobre el enfermo peligroso"; **desahuciado,** "el enfermo de cuya salud desconfían los médicos" (Covarrubias).

53–54 Even to satisfy a debt of honor a commoner may not lay hands on a person of royal blood.

66–76 Gutierre does not want the King to think that he needs words of consolation in this threat to his honor. To save appearances he swears to his wife's trustworthiness. Lucretia's suicide following her rape by Tarquinius Sextus is a famous example of devotion to chastity. Portia, the wife of Caesar's murderer Brutus, is an example of conjugal fidelity. Tomyris, queen of the Massagetae, killed the tyrant Cyrus in battle.

78 In other words: what first-hand evidence do you have of the attack on your honor?

84–86 "there is no word capable of denoting something, unless it is an indivisible atom." Words are too precise to express the ambiguity and complexity of honor.

89 **el daño que no hay,** "the jeopardy (to my honor) which does not (yet) exist."

91 "that I would personally administer the remedy instead, sire, of beseeching it."

96 **último,** "the ultimate remedy," death.

97 "I refrained from accusing my wife of infidelity."

102 "sad in her isolation."

106 "having no need to envy anybody anything," i.e. where she has everything she needs.

108–110 Ignoble husbands find relief in bringing their affronts into the open; noble ones prefer to suffer by suppressing the offenses done to them.

116 The King refers to Leonor's complaint about Gutierre's treatment of her.

121 **el propio remedio,** "the same treatment."

130–131 The fictitious bird is the wild goose. Horozco y Covarrubias, in an emblem book of 1589, depicts a bird flying over craggy mountains. The motto is **Silentium vita,** "to be silent is to live." The accompanying poem explains that, in its fear of being killed by an eagle, the bird tries to fly as silently as possible, and even puts a stone in its mouth lest it forget itself and cackle. The ultimate source is in Plutarch's **Moralia.** See Max Oppenheimer, Jr., "Two Stones and One Bird," **Modern Language Notes,** LXVII (1952), 253–254.

132–133 "Welcome, Enrique, though you may be ill-come."

136 **que os obligue,** "that I may oblige you," by helping you.

139–140 "if I have given annoyance to the sun (the King), I will suffer a deadly eclipse (I will surely lose my life)."

141–143 The King himself assumes the dishonor of Gutierre. The implication is that, when royalty dishonors a subject, the royal house itself is implicated. It must be borne in mind that Peter would be killed treacherously by the pretender, this same half-brother Enrique, Henry of Trastamara, after the battle of Montiel in 1369. There may be a dark foreboding of this event in these words. (Peter was the only legitimate son of Alfonso XI; Henry and Fadrique were Alfonso's bastard sons, twins born to his mistress Leonor de Guzmán.)

147–150 A man's honor is a precious possession, an inheritance of his soul. The King may dispense external honors (**honras**), but, since "el alma sólo es de Dios," he has no authority over this private area of a man's life (**honor**).

153–154 "abandoning your hopeless projects aimed at beautiful women you cannot possess."

157–158 "it may be that not even my own flesh and blood will be exempt from the severity of my justice."

162 **como en el bronce,** "as if etched on a bronze plate," i.e. ineradicably.

165 **iguales orejas,** "impartial ears."

168–169 "for I well know whom you are talking about, albeit on flimsy grounds."

176–177 "she is a beautiful woman who (because she is married) cannot allow any speech made in your defense."

177–178 "just as with time all resistance can be overcome, so with love anything can be accomplished."

184 **la causa,** "the circumstances of my love."

190–192 Enrique feels aggrieved because, as the points of suspension imply, Mencía was his mistress before she was Gutierre's wife. From his point of view a subject has robbed a prince of his mistress.

196 "let us examine the evidence."

204–205 "were not the man in possession of it (the dagger) such a remarkable, loyal subject."

207 **aun ofendido,** "even though affronted."

211–212 The third person forms refer to the dagger. "It has come to be a plaintiff against you, and I intend to hear it out."

225–226 "You dare to attack me?"

235–245 The King, in this soliloquy as well as in his scene with Enrique, sees his brother's accidental cutting of his hand as a foreboding of his violent death. See note to 141–143.

247 "This day is full of wonders!"

253–254 "when the extent of my dishonor can be measured in terms of my unhappiness."

257–258 "Let Mencía die; let her blood bathe the bed in which she sleeps."

261 **con él,** i.e. **con aqueste puñal.**

262 "But it is not proper for me to do it publicly."

268 "that no one will imagine that I did it."

273–275 "How serious does a crime have to be before a thunderbolt will strike a man down?" **azules viriles,** the sky of mighty Jupiter. Gutierre, torn between his love for his wife and his obligation (as he sees it) to kill her, calls for a providential end to his life before he can carry out the assassination.

275–277 "Isn't it time for the ends of heaven to tremble with the sympathy on which they pride themselves so much?"

282 "prevents our full appreciation of your beauty."

284–285 "My grief cannot be reduced to words."

287 "neither moderate nor rational."

289 "when, at the time we were living in our country house." They have since moved to the city (103–104).

298 **divertida,** "distracted."

304–305 "and I, so disturbed, dreaming about him (Gutierre), he must have come." The dreams were fearful ones (because of Enrique's intrusion); hence Mencía was disturbed.

307–312 Mencía sees through Gutierre's forced cheerfulness to his underlying anguish.

319 **el suceso,** "my news."

327–328 "it is not just and lawful that clowns should speak of royalty."

336 "today he exiles me to someone else's native land."

340–342 "Something else designed, being such an unheard-of piece of news, to cause my reputation to be bandied about by the rabble!" The Prince's banishment as a result of his relationship with Mencía diminishes her public honor still more.

349–352 "for the absence of a prince under such dubious circumstances is nothing that can be talked about without people asking how and why."

354 "Enrique is already in flight in his imagination."

359 **lugar,** "time."

360 "Efforts made on behalf of honor are risky efforts."

365 Mencía wonders if all of her injuries are not of the highest degree (so that it would be improper to speak of lesser and greater ones).

370–371 "I insisted on being clever — to my great misfortune." He refers to his wager with the King.

376–377 "It began to be fashionable not long ago, and something that is fashionable, my friend, cannot be avoided." 377 is a proverb: "Proverbio: 'Lo que se usa, no se excusa'; esto se entiende cuando el uso no es contra lo santo y justo, que en tal caso, al mal uso quebrarle la pierna" (Covarrubias).

380 **uced,** form of **vuestra merced.**

381 **señor,** "our master."

388 **no excusados,** "inescapable."

390 "Come here, tell me what all this is about."

403 "We are easily perturbed; that's all I can tell you."

405 "These are not acts of cowardice for the sake of gain." The exchange of signs between the servants is evidence of their complicity in something vital.

408–409 "Who ever saw a killer in such distress that he wept?"

414–415 "To think that through a 'Your Highness' my honor should slump to such lowness!"

418–419 "I submit to such great evil that I am almost grateful for my misfortunes." The reality of his ignominy is so great that his reactions to it are inadequate.

427 **el último vale,** "the last farewell."

428–429 "she will be indebted to me for the most unheard-of pity, the most unheard-of act." He has resolved, by not killing her in cold blood, to give her a chance to save her soul by a final act of repentance.

436 **ejecutas,** "do you brandish."

442–443 "my swoon was here in this life a rehearsal for death."

454 "The grills over these windows are prison bars."

467 **Consuegra,** a town in the province of Toledo.

467–470 The Maestre de Santiago was Enrique's twin brother, Fadrique. The King's fear of the conspiracy led him to have Fadrique killed in 1358.

478 **a ellos,** i.e. **a los músicos.**

484–485 "may God grant that his wrongful exile come to a good end."

487 **echad,** "run."

499–500 "without my opposing in my cowardice what you were doing."

502–503 "and spin me around a thousand times at my very doorstep."

508–510 "And although my astonishment at this event is so overwhelming, I am even more perturbed and suspenseful."

522–523 "this blade will enamel your breast with your blood."

526 "Take a look into this room."

533–534 "for the face is covered with a taffeta scarf."

537 In ancient medicine blood-letting was a remedy for many illnesses. The surgeon, who doubled as a barber, was the physician's assistant, like the modern Spanish **practicante.**

539–540 **desmaye la fuerza,** "her strength may drain away."

541 (I want you) "to stay with her bravely."

543 "she expires and loses all her blood."

544–545 "you have no right of appeal if you expect to find any mercy in me." Gutierre threatens to kill the blood-letter if he resists.

547–549 Ludovico is so trembling with fear that he does not believe himself capable of handling the knife.

550 "on the cruel advice (of honor)."

555 "there is one who may live so that he may kill."

560–561 **supuesto que,** "since." Poison and stabbing are ruled out as too detectable methods of murdering.

564 **constando,** "notifying."

572 **descubierto,** "without blindfold."

575 **presunción,** "overconfidence."

586–589 The street singers are still singing of Enrique's exile and of the future treason at Montiel.

593 The song is so prophetic that the King fears it may be the natural voice of the wind.

599–601 Instead of calling out to the two men, Diego proposes to accost them.

601–608 Gutierre, seeing himself approached, at first thinks of killing Ludovico, but he has to abandon him and run to avoid being recognized.

617 Jasper is a multicolored quartz. **Jaspe,** in the seventeenth century, referred to a kind of white marble. The King means that Ludovico's head, swathed in bandages, looks in the darkness like an unfinished sculptured bust.

619 "I will approach him. — No, let me."

621–622 "Two sources of confusion, sire, are the reason why I do not answer you (by giving my name)."

627 The King's voice is a source of enlightenment (**luz**) which makes him well known.

630–631 "which the masses, an archive of confusion (with their rumors), have ever inscribed in their annals."

633 Ludovico will not deny the King the truth, but he is too terrified to let anyone else hear it. Diego must withdraw.

639 **repetidos ayes,** "repeated moans."

645–646 "and, retracing my steps, I left."

653 "as if I were trying to hold myself up."

655–656 "in case the bloody handprints might identify the house."

658 "bringing whatever information you may learn."

660–662 The diamond will be a sign to the palace guards that Ludovico is to be admitted to the King at any hour.

668–670 "day is already breaking among golden wisps of cloud."

680–685 **Burlas** and **veras** are antonyms. Though Coquín was a jester, he is now deadly serious in his commitment to truth.

689 "since I cannot make you laugh."

691 "by suspicions based on appearances."

694–697 "for he found . . . his wife writing."

702 "the thought that she was the cause of his absence."

715–716 Coquín has rushed off to secure the royal intervention before Mencía's death, which he does not yet know about.

718–720 Coquín, now **un hombre de veras,** reverts briefly to his stereotype, only to be reprimanded by the King. "By exempting me forthwith, with no more conditions, from the suit against my teeth."

724–730 "In this way, then, we will give effect to a stratagem I have planned the better to enter his house: we will say that I was surprised by daybreak nearby, and I wanted to dissemble the color of my clothing." The King is dressed in dark clothes, **de noche**; so as not to appear to be a night owl, he will pretend to want to change his clothes in Gutierre's house.

743–745 The King's judgment vacillates. The act was unmerciful (**inclemente**); yet Gutierre acted sanely, prudently (**cuerdamente**) as a man of honor.

748 **donde crea,** "where he (anyone who saw her) might think."

757 "of laying my life at your feet."

758–761 "That act of submission, of fearing to see you, belongs rather to me, for I, by God, am indebted to you for public honors."

766 **desesperar,** a euphemism for **suicidarse.**

786–787 "so that this human attribute should deny her appearance of divinity."

788 **Un médico.** Gutierre, while referring to himself, expects the King to understand the allusion literally.

816–817 The celestial imagery applies to Mencía's beautiful features.

833–836 "and so that there may be some consolation in so great a loss by your making an equally great gain, give your hand in marriage to Leonor."

839–841 "and that I should keep my word to attend at the proper time to her merit and her honor."

842 **fuego,** symbolic of his love for Mencía.

871 The reference of the **él** is difficult to determine. Probably it is to Enrique, whose evidence to the King, overheard by Gutierre, tended to exculpate Mencía.

881 This line is hard to interpret. The King has, in his review of Gutierre's grounds for suspecting his wife, implied that he has been too suspicious, too unforgiving, too impetuous. Now, he seems to say, if the evidence proves overwhelming, the last resort is to kill the wife. It should be noted that he does not say: **should be** to kill the wife. It is only at this moment that the King lets Gutierre know that he knows that Gutierre caused his wife to be killed.

885–888 "tradesmen, sire, put a symbol of their trade over their door; I deal in honor."

892 "Give it (your blood-soaked hand), then, to Leonor."

900–901 Cure my life with it if you find it to be sick."

CALDERÓN DE LA BARCA

El príncipe constante

INTRODUCTION

Calderón's best known play *La vida es sueño* is the study of a natural man becoming a moral man. In *El príncipe constante* the poet shows us the process by which a moral man becomes a saint. Both plays deal with changes of state. The title of *El príncipe constante*, implying that the Prince does not change, thus displays a definite irony. The poetic intuition of the play concerns the potentiality for self-transformation inherent even in unswerving human nature. The drama demonstrates that only those constant men whose single-mindedness is applied to the true faith have the kinetic force to grow in the direction of holiness. It asks, and answers, the question of what a saint is. A saint adds to the common dimension of morality an exceptional breadth of heroism and courage, abnegation and sacrifice. Constancy, of course, is implied in the transcendent moral behavior of the saint. But steadfastness alone will not guarantee sanctity. What is important is the area of life in which this quality is made to operate.

Most of the characters in the play are constant in one way or another. Even the *gracioso* Brito after an initial cowardly impulse, turns out to be Don Fernando's faithful servant in their dire captivity. Don Juan Coutiño, as befits a nobleman, actually excels Brito as the constant companion and vassal of the degraded Prince. The Moor Muley's friendship, based on his sense of obligation to the Christian who once gave him his freedom so he might see his beloved, is maintained firmly even when Don Fernando's status is reduced from that of honored guest to that of a Job on a dunghill. His love for Fénix never wavers. Muley, the noblest Moor of them all, exemplifies steadfastness in all his personal relationships. If he does not set the royal captive free, it is only because the latter states the moral principle that his loyalty to the King of Fez is a higher imperative than his friendship for the Prince of Portugal. It could even be argued that the King of Fez, although he changes from urbane sovereign to despotic tyrant, shows a remarkable constancy in his insistence that the city of Ceuta is the only ransom he will accept in exchange for Don Fernando's liberty. But perhaps this quality is better described as stubbornness, a perversion of constancy.

The counter-theme of inconstancy is seen in the actions of Fénix, the symbol of sensuality and beauty. Her melancholy introversion, amounting to inordinate selfishness, effectively prevents her from dedicating herself to any ideal or person. Her love for Muley is not firm enough to withstand the parental pressure put on her to marry Tarudante; but she will stand up to her father when, bowing to the inevitable, he invites the victorious Christians to take her life. In the garden scene of Act II she consents to an intimate, possibly amorous, relationship with Don Fernando; but when she sees him a short while later on his dunghill, she turns away from him forever, unable to bear his disgusting stench and his suppliant voice. Her craving for esthetic pleasures — the songs and the flowers in the two garden scenes — blinds her to the suffering of the prisoners who bring these pleasures to her. This deep-rooted selfishness is the cause of her inconstancy. From this negative character we learn that the essence of Don Fernando's and Muley's constancy lies in their unselfishness, their dedication to principles other than their own immediate interests. Calderón makes the difference between her and them visible in the dramatic action when Fénix and Tarudante are exchanged for the dead Prince on the understanding that the ransom is sadly inadequate. In the same way Fénix's superb physical beauty is shown to be infinitely less valuable than the Christian city of Ceuta, whose name Calderón takes to mean "beauty."

Fénix's inadequacy is on the moral plane. But Muley, a noble gentleman who shares the same essential moral values as Fernando, has an inadequacy of a different sort. In the tales of Moors and Christians contained in *El Abencerraje* and the *romancero nuevo* religion is subordinated to a common code of gentlemanly behavior: coexistence was predicated on what men did rather than on what they believed. Calderón, who often felt the call to rectify traditional errors, argues in *El príncipe constante* that it does make a difference whether one is a Christian or a Muslim. Constancy itself is not enough; it is constancy in the Christian faith that creates a hero of the moral world.

SUGGESTED READING:

E. M. WILSON AND W. J. ENTWISTLE, "Calderón's *Príncipe constante:* Two Appreciations," *Modern Language Review*, XXXIV (1939), 207–222. A good-natured polemic about how to read the play.

BRUCE W. WARDROPPER, "Christian and Moor in Calderón's *El príncipe constante*," *Modern Language Review*, LIII (1958), 512–520.

LEO SPITZER, "The Figure of Fénix in Calderón's *El príncipe constante*," in Bruce W. Wardropper, ed., *Critical Essays on the Theatre of Calderón* (New York, 1965), pp. 137–160. A brilliant stylistic analysis which reveals a great deal that was hidden in the play.

El príncipe constante

PERSONAS

DON FERNANDO, *príncipe*	TARUDANTE, *rey de Marruecos*
DON ENRIQUE, *príncipe*	FÉNIX, *infanta*
DON JUAN COUTIÑO	ROSA
EL REY DE FEZ, *viejo*	ZARA
MULEY, *general*	ESTRELLA
CELÍN	CELIMA
BRITO, *gracioso*	*Soldados*
ALFONSO, *rey de Portugal*	*Cautivos*

La escena es en Fez y sus contornos, y en los de Tánger.

JORNADA PRIMERA

Salen dos Cautivos cantando lo que quisieren, y ZARA.

ZARA. Cantad aquí, que ha gustado,
mientras toma de vestir,
Fénix hermosa de oir
las canciones que ha escuchado
tal vez en los baños, llenas 5
de dolor y sentimiento.

CAUTIVO 1.º Música, cuyo instrumento
son los hierros y cadenas
que nos aprisionan ¿puede
haberla alegrado?

ZARA. Sí: 10
ella escucha desde aquí.
Cantad.

CAUTIVO 2.º Esa pena excede,
Zara hermosa, a cuantas son,
pues sólo un rudo animal,

sin discurso racional, 15
canta alegre en la prisión.

ZARA. ¿No cantáis vosotros?

CAUTIVO 3.º Es
para divertir las penas
propias, mas no las ajenas.

ZARA. Ella escucha, cantad pues. 20

CAUTIVOS. (*Cantando.*) *Al peso de los años*
lo eminente se rinde;
que a lo fácil del tiempo
no hay conquista difícil.

Sale ROSA.

ROSA. Despejad, cautivos; dad 25
a vuestras canciones fin;
porque sale a este jardín
Fénix, a dar vanidad
al campo con su hermosura,
segunda aurora del prado. 30

Vanse los Cautivos, y salen las moras vistiendo a FÉNIX.

ESTRELLA. Hermosa te has levantado.

ZARA. No blasone el alba pura
que la debe este jardín
la luz y fragancia hermosa,
ni la púrpura la rosa, 35
ni la blancura el jazmín.

FÉNIX. El espejo.

ESTRELLA. Es excusado
querer consultar con él
los borrones que el pincel
sobre la tez no ha dejado. 40
(*Danle un espejo.*)

FÉNIX. ¿De qué sirve la hermosura
(cuando lo fuese la mía),
si me falta la alegría,
si me falta la ventura?

CELIMA. ¿Qué sientes?

FÉNIX. Si yo supiera, 45
¡ay Celima!, lo que siento,

de mi mismo sentimiento
lisonja al dolor hiciera;
pero de la pena mía
no sé la naturaleza; 50
que entonces fuera tristeza
lo que hoy es melancolía.
Sólo sé que sé sentir;
lo que sé sentir no sé;
que ilusión del alma fue. 55

ZARA. Pues no pueden divertir
tu tristeza estos jardines,
que a la primavera hermosa
labran estatuas de rosa
sobre templos de jazmines, 60
hazte al mar: un barco sea
dorado carro del sol.

ROSA. Y cuando tanto arrebol
errar por sus ondas vea,
con grande melancolía 65
el jardín al mar dirá:
"Ya el sol en su centro está.
Muy breve ha sido este día."

FÉNIX. Pues no me puede alegrar,
formando sombras y lejos, 70
la emulación que en reflejos
tienen la tierra y el mar,
cuando con grandezas sumas
compiten entre esplendores
las espumas a las flores, 75
las flores a las espumas;
porque el jardín, envidioso
de ver las ondas del mar,
su curso quiere imitar;
y así al céfiro amoroso 80
matices rinde y olores,
que soplando en ellas bebe,
y hacen las hojas que mueve
un océano de flores;
cuando el mar, triste de ver 85
la natural compostura

del jardín, también procura
adornar y componer
   su playa, la pompa pierde;
y, a segunda ley sujeto, 90
compite con dulce efeto
campo azul y golfo verde,
   siendo, ya con rizas plumas,
ya con mezclados colores,
el jardín un mar de flores, 95
y el mar un jardín de espumas:
   sin duda mi pena es mucha,
no la pueden lisonjear
campo, cielo, tierra y mar.

ZARA. Gran pena contigo lucha. 100

Sale EL REY, *con un retrato.*

REY. Si acaso permite el mal,
cuartana de tu belleza,
dar treguas a tu tristeza,
este bello original
   (que no es retrato el que tiene 105
alma y vida) es del infante
de Marruecos, Tarudante,
que a rendir a tus pies viene
   su corona: embajador
es de su parte; y no dudo 110
que embajador que habla mudo
trae embajadas de amor.
   Favor en su amparo tengo:
diez mil jinetes alista
que enviar a la conquista 115
de Ceuta, que ya prevengo.
   Dé la vergüenza esta vez
licencia: permite amar
a quien se ha de coronar
rey de tu hermosura en Fez. 120

FÉNIX. (*Ap.*) (¡Válgame Alá!)

REY. ¿Qué rigor
te suspende de esa suerte?

FÉNIX. (*Ap.*) (La sentencia de mi muerte.)

REY. ¿Qué es lo que dices?

FÉNIX. Señor,

si sabes que siempre has sido 125

mi dueño, mi padre y rey,

¿qué he de decir? (¡Ay Muley!

(*Aparte.*) ¡Grande ocasión has perdido!)

El silencio (¡ay infelice!)

hace mi humildad inmensa. 130

(*Aparte.*) (Miente el alma, si lo piensa;

miente la voz, si lo dice.)

REY. Toma el retrato.

FÉNIX. (*Ap.*) (Forzada,

la mano le tomará;

pero el alma no podrá.) 135

(*Disparan una pieza.*)

ZARA. Esta salva es a la entrada

de Muley, que hoy ha surgido

del mar de Fez.

REY. Justa es.

Sale MULEY, *con bastón de general.*

MULEY. Dame, gran señor, los pies.

REY. Muley, seas bien venido. 140

MULEY. Quien penetra el arrebol

de tan soberana esfera,

y a quien en el puerto espera

tal aurora, hija del sol,

fuerza es que venga con bien. 145

Dame, señora, la mano,

que este favor soberano

puede mereceros quien

con amor, lealtad y fe

nuevos triunfos os previene, 150

y fue a serviros, y viene

tan amante como fue.

(*Aparte.*) (¡Válgame el cielo! ¿Qué veo?)

FÉNIX. Tú, Muley (estoy mortal),

vengas con bien.

MULEY. (No, con mal 155

(*Aparte.*) será, si a mis ojos creo.)

REY. En fin, Muley, ¿qué hay del mar?
MULEY. Hoy tu sufrimiento pruebas:
de pesar te traigo nuevas,
porque ya todo es pesar. 160
REY. Pues cuanto supieres di;
que en un ánimo constante
siempre se halla igual semblante
para el bien y el mal. — Aquí
te sienta, Fénix.
FÉNIX. Si haré. 165
REY. Todos os sentad. — Prosigue,
y nada a callar te obligue.
MULEY. Ni hablar ni callar podré.
Salí, como me mandaste,
con dos galeazas solas, 170
gran señor, a recorrer
de Berbería las costas.
Fue tu intento que llegase
a aquella ciudad famosa,
llamada en un tiempo Elisa, 175
aquella que está en la boca
del Freto Hercúleo fundada,
y de Ceido nombre toma;
que Ceido (Ceuta, en hebreo
vuelto el árabe idïoma) 180
quiere decir hermosura,
y ella es ciudad siempre hermosa.
Aquella, pues, que los cielos
quitaron a tu corona,
quizá por justos enojos 185
del gran profeta Mahoma,
y en oprobio de las armas
nuestras ya vemos ahora
que pendones portugueses
en sus torres se enarbolan, 190
teniendo siempre a los ojos
un padrastro que baldona
nuestros aplausos, un freno
que nuestro orgullo reporta,
un Cáucaso que detiene 195

al Nilo de tus victorias
la corriente, y puesto en medio,
el paso a España le estorba.
Iba con órdenes, pues,
de mirar e inquirir todas 200
sus fuerzas, para decirte
la disposición y forma
que hoy tiene, y cómo podrás
a menos peligro y costa
emprender la guerra. El cielo 205
te conceda la victoria
con esta restitución,
aunque la dilate agora
mayor desdicha; pues creo
que está su empresa dudosa, 210
y con más necesidad
te está apellidando otra:
pues las armas prevenidas
para la gran Ceuta, importa
que sobre Tánger acudan; 215
porque amenazada llora
de igual pena, igual desdicha,
igual ruina, igual congoja.
Yo lo sé, porque en el mar
una mañana vi (a la hora 220
que, medio dormido el sol,
atropellando las sombras
del ocaso, desmaraña
sobre jazmines y rosas
rubios cabellos, que enjugan 225
con paños de oro a la aurora
lágrimas de fuego y nieve,
que el sol convirtió en aljófar),
que a largo trecho del agua
venía una gruesa tropa 230
de naves; si bien entonces
no pudo la vista absorta
determinarse a decir
si eran naos o si eran rocas;
porque como en los matices 235

sutiles pinceles logran
unos visos, unos lejos,
que en perspectiva dudosa
parecen montes tal vez,
y tal ciudades famosas, 240
porque la distancia siempre
monstruos imposibles forma;
así en países azules
hicieron luces y sombras,
confundiendo mar y cielo, 245
con las nubes y las ondas
mil engaños a la vista;
pues ella entonces curiosa
sólo percibió los bultos
y no distinguió las formas. 250
Primero nos pareció,
viendo que sus puntas tocan
con el cielo, que eran nubes
de las que a la mar se arrojan
a concebir en zafir 255
lluvias que en cristal abortan;
y fue bien pensado, pues
esta innumerable copia
pareció que pretendía
sorberse el mar gota a gota. 260
Luego de marinos monstruos
nos pareció errante copia,
que a acompañar a Neptuno
salían de sus alcobas;
pues, sacudiendo las velas, 265
que son del viento lisonja,
pensamos que sacudían
las alas sobre las olas.
Ya parecía más cerca
una inmensa Babilonia, 270
de quien los pensiles fueron
flámulas que el viento azotan.
Aquí ya desengañada
la vista, mejor se informa
de que era armada, pues vio 275

a los surcos de las proas
(cuando batidas espumas
ya se encrespan, ya se entorchan)
rizarse montes de plata,
de cristal cuajarse rocas. 280
Yo, que vi tanto enemigo,
volví a su rigor la proa;
que también saber huir
es linaje de victoria.
Y así, como más experto 285
en estos mares, la boca
tomé de una cala, adonde,
al abrigo y a la sombra
de dos montecillos, pude
resistir la poderosa 290
furia de tan gran poder,
que mar, cielo y tierra asombra.
Pasan sin vernos, y yo,
deseoso (¿quién lo ignora?)
de saber dónde seguía 295
esta armada su derrota,
a la campaña del mar
salí otra vez, donde logra
el cielo mis esperanzas,
en esta ocasión dichosas; 300
pues vi que de aquella armada
se había quedado sola
una nave, y que en el mar
mal defendida zozobra:
porque, según después supe, 305
de una tormenta, que todas
corrieron, había salido
deshecha, rendida y rota;
y así llena de agua estaba,
sin que bastasen las bombas 310
a agotarla, y titubeando
ya a aquella parte, ya a estotra
estaba a cada vaivén
si se ahoga o no se ahoga.
Llegué a ella, y aunque moro, 315

les di alivio en sus congojas;
que el tener en las desdichas
compañía, de tal forma
consuela, que el enemigo
suele servir de lisonja. 320
El deseo de vivir
tanto a algunos les provoca,
que haciendo al intento escalas
de gúmenas y maromas,
a la prisión se vinieron; 325
si bien otros les baldonan,
diciéndoles que el vivir
eterno es vivir con honra;
y aun así se resistieron:
¡portuguesa vanagloria! 330
De los que salieron, uno
muy por extenso me informa.
Dice, pues, que aquella armada
ha salido de Lisboa
para Tánger, y que viene 335
a sitiarla con heroica
determinación que veas
en sus almenas famosas
las quinas que ves en Ceuta
cada vez que el sol se asoma. 340
Duarte de Portugal,
cuya fama vencedora
ha de volar con las plumas
de las águilas de Roma,
envía a sus dos hermanos 345
Enrique y Fernando, gloria
deste siglo, que los mira
coronados de victorias.
Maestres de Cristo y de Avis
son; los dos pechos adornan 350
cruces de perfiles blancos,
una verde y otra roja.
Catorce mil portugueses
son, gran señor, los que cobran
sus sueldos, sin los que vienen 355

sirviéndolos a su costa.
Mil son los fuertes caballos,
que la soberbia española
los vistió para ser tigres,
los calzó para ser onzas. 360
Ya a Tánger habrán llegado,
y ésta, señor, es la hora
que, si su arena no pisan,
al menos sus mares cortan.
Salgamos a defenderla; 365
tú mismo las armas toma;
baje en tu valiente brazo
el azote de Mahoma;
y del libro de la muerte
desate la mejor hoja; 370
que quizá se cumple hoy
una profecía heroica
de Morábitos, que dicen
que en la margen arenosa
del Africa ha de tener 375
la portuguesa corona
sepulcro infeliz; y vean
que aquesta cuchilla corva
campañas verdes y azules
volvió, con su sangre, rojas. 380

REY. Calla, no me digas más;
que de mortal furia lleno,
cada voz es un veneno
con que la muerte me das.
Mas sus bríos arrogantes 385
haré que en Africa tengan
sepulcro, aunque armados vengan
sus maestres los infantes.
Tú, Muley, con los jinetes
de la costa parte luego, 390
mientras yo en tu amparo llego;
que si, como me prometes,
en escaramuzas diestras
le ocupas, porque tan presto
no tomen tierra, y en esto 395

la sangre heredada muestras,
yo tan veloz llegaré
como tú con lo restante
del ejército arrogante
que en ese campo se ve; 400
y así la sangre concluya
tantos duelos en un día,
porque Ceuta ha de ser mía,
y Tánger no ha de ser suya. *Vase.*

MULEY. Aunque de paso, no quiero 405
dejar, Fénix, de decir,
ya que tengo de morir,
la enfermedad de que muero;
que aunque pierdan mis recelos
el respeto a tu opinión, 410
si celos mis penas son,
ninguno es cortés con celos.
¿Qué retrato ¡ay enemiga!
en tu blanca mano vi?
¿Quién es el dichoso, di? 415
¿Quién?... Mas espera, no diga
tu lengua tales agravios:
basta, sin saber quién sea,
que yo en tu mano le vea,
sin que le escuche en tus labios. 420

FÉNIX. Muley, aunque mi deseo
licencia de amar te dio,
de ofender y injuriar no.

MULEY. Es verdad, Fénix, ya veo
que no es estilo ni modo 425
de hablarte; pero los cielos
saben que, en habiendo celos,
se pierde el respeto a todo.
Con grande recato y miedo
te serví, quise y amé; 430
mas si con amor callé,
con celos, Fénix, no puedo,
no puedo.

FÉNIX. No ha merecido
tu culpa satisfacción;

pero yo por mi opinión 435
satisfacerte he querido;
que un agravio entre los dos
disculpa tiene; y así,
te la doy.

MULEY. ¿Pues hayla?

FÉNIX. Sí.

MULEY. ¡Buenas nuevas te dé Dios! 440

FÉNIX. Este retrato ha enviado...

MULEY. ¿Quién?

FÉNIX. Tarudante el infante.

MULEY. ¿Para qué?

FÉNIX. Porque ignorante
mi padre de mi cuidado...

MULEY. Bien.

FÉNIX. pretende que estos dos 445
reinos...

MULEY. No me digas más.
¿Esa disculpa me das?
¡Malas nuevas te dé Dios!

FÉNIX. Pues ¿qué culpa habré tenido
de que mi padre lo trate? 450

MULEY. De haber hoy, aunque te mate,
el retrato recibido.

FÉNIX. ¿Pude excusarlo?

MULEY. ¿Pues no?

FÉNIX. ¿Cómo?

MULEY. Otra cosa fingir.

FÉNIX. Pues ¿qué pude hacer?

MULEY. Morir; 455
que por ti lo hiciera yo.

FÉNIX. Fue fuerza.

MULEY. Más fue mudanza.

FÉNIX. Fue violencia.

MULEY. No hay violencia.

FÉNIX. Pues ¿qué pudo ser?

MULEY. Mi ausencia,
sepulcro de mi esperanza. 460
Y para no asegurarme
de que te puedes mudar,

ya yo me vuelvo a ausentar:
vuelve, Fénix, a matarme.

FÉNIX. Forzosa es la ausencia, parte... 465

MULEY. Ya lo está el alma primero.

FÉNIX. a Tánger, que en Fez te espero,
donde acabes de quejarte.

MULEY. Sí haré, si mi mal dilato.

FÉNIX. Adiós, que es fuerza el partir. 470

MULEY. Oye: ¿al fin me dejas ir
sin entregarme el retrato?

FÉNIX. Por el Rey no le he deshecho.

MULEY. Suelta, que no será en vano
que saque yo de tu mano 475
a quien me saca del pecho. *Vanse.*

Tocan un clarín, hay ruido de desembarcar, y van saliendo DON FERNANDO, DON ENRIQUE, DON JUAN COUTIÑO *y soldados portugueses.*

D. FERNANDO. Yo he de ser el primero, Africa bella,
que he de pisar tu margen arenosa,
porque, oprimida al peso de mi huella,
sientas en tu cerviz la poderosa 480
fuerza que ha de rendirte.

D. ENRIQUE. Yo en el suelo
africano la planta generosa
el segundo pondré. ¡Válgame el cielo! *Cae.*
Hasta aquí los agüeros me han seguido.

D. FERNANDO. Pierde, Enrique, a esas cosas el recelo, 485
porque el caer agora antes ha sido
que ya, como a señor, la misma tierra
los brazos en albricias te ha pedido.

D. ENRIQUE. Desierta esta campaña y esta sierra
los alarbes, al vernos, han dejado. 490

D. JUAN. Tánger las puertas de sus muros cierra.

D. FERNANDO. Todos se han retirado a su sagrado.
Don Juan Coutiño, conde de Miralva,
reconoced la tierra con cuidado:
antes que el sol, reconociendo el alba, 495
con más furia nos hiera y nos ofenda,
haced a la ciudad la primer salva.
Decid que defenderse no pretenda,

porque la he de ganar a sangre y fuego,
que el campo inunde, el edificio encienda. 500

D. JUAN. Tú verás que a sus mismas puertas llego,
aunque volcán de llamas y de rayos
le deje al sol con pardas nubes ciego. *Vase.*

Sale el gracioso BRITO, *de soldado.*

BRITO. ¡Gracias a Dios que abriles piso y mayos,
y en la tierra me voy por donde quiero, 505
sin sustos, sin vaivenes ni desmayos!
Y no en el mar, adonde, si primero
no se consulta un monstruo de madera,
que es juez de palo, en fin, el más ligero
no se puede escapar de una carrera 510
en el mayor peligro. ¡Ah tierra mía!
No muera en agua yo, como no muera
tampoco en tierra hasta el postrero día.

D. FERNANDO. ¿Qué dices, Brito?

BRITO. Una oración se fragua
fúnebre, que es sermón de Berbería: 515
panegírico es que digo al agua,
y en emponomio horténsico me quejo;
porque este enojo, desde que se fragua
con ella el vino, me quedó, y ya es viejo.

D. ENRIQUE. ¡Que escuches este loco!

D. FERNANDO. Y que tu pena, 520
sin razón, sin arbitrio y sin consejo,
¡tanto de ti te priva y te divierte!

D. ENRIQUE. El alma traigo de temores llena:
echada juzgo contra mí la suerte,
desde que, de Lisboa al salir, sólo 525
imágenes he visto de la muerte.
Apenas, pues, al berberisco polo
prevenimos los dos esta jornada,
cuando de un parasismo el mismo Apolo
amortajado en nubes, la dorada 530
faz escondió, y el mar sañudo y fiero
deshizo con tormentas nuestra armada.
Si miro al mar, mil sombras considero;
si al cielo miro, sangre me parece

su velo azul; si al aire lisonjero, 535
aves nocturnas son las que me ofrece;
si a la tierra, sepulcros representa,
donde mísero yo caiga y tropiece.

D. FERNANDO. Pues descifrarte aquí mi amor intenta
causa de un melancólico accidente. 540
Sorbernos una nave una tormenta,
es decirnos que sobra aquella gente
para ganar la empresa a que venimos:
verter púrpura el cielo transparente
es gala, no es horror; que si fingimos 545
monstruos al agua y pájaros al viento,
nosotros hasta aquí no los trajimos;
pues si ellos aquí están, ¿no es argumento
que a la tierra que habitan inhumanos
pronostican el fin fiero y sangriento? 550
Estos agüeros viles, miedos vanos,
para los moros vienen, que los crean,
no para que los duden los cristianos.
Nosotros dos lo somos; no se emplean
nuestras armas aquí por vanagloria 555
de que en los libros inmortales lean
ojos humanos esta gran victoria.
La fe de Dios a engrandecer venimos.
Suyo será el honor, suya la gloria,
si vivimos dichosos. Si morimos, 560
el castigo de Dios justo es temerle:
éste no viene envuelto en miedos vanos:
a servirle venimos, no a ofenderle:
cristianos sois, haced como cristianos. —
Pero ¿qué es esto?

Sale DON JUAN.

D. JUAN. Señor, 565
yendo al muro a obedecerte,
a la falda de ese monte
vi una tropa de jinetes
que de la parte de Fez
corriendo a esta parte vienen 570
tan veloces, que a la vista

aves, no brutos, parecen.
El viento no los sustenta,
la tierra apenas los siente;
y así la tierra ni el aire 575
sabe si corren o vuelen.

D. FERNANDO. Salgamos a recibirlos,
haciendo primero frente
los arcabuceros: luego
los que caballos tuvieren 580
salgan también a su usanza,
con lanzas y con arneses.
¡Ea, Enrique, buen principio
esta ocasión nos ofrece!
¡Animo!

D. ENRIQUE. ¡Tu hermano soy! 585
No me espantan accidentes
del tiempo, ni me espantara
el semblante de la muerte. *Vanse.*

BRITO. El cuartel de la salud
me toca a mí guardar siempre. 590
¡Oh qué brava escaramuza!
Ya se embisten, ya acometen.
¡Famoso juego de cañas!
Ponerme en cobro conviene.

Vase, y tocan al arma; salen peleando de dos en dos DON JUAN *y* DON ENRIQUE.

D. ENRIQUE. A ellos, que ya los moros 595
vencidos la espalda vuelven.

D. JUAN. Llenos de despojos quedan,
de caballos y de gentes,
estos campos.

D. ENRIQUE. ¿Don Fernando
dónde está, que no parece? 600

D. JUAN. Tanto se ha empeñado en ellos,
que ya de vista se pierde.

D. ENRIQUE. Pues a buscarle, Coutiño.

D. JUAN. Siempre a tu lado me tienes.

Vanse, y salen DON FERNANDO, *con la espada de* MULEY, *y* MULEY, *con adarga.*

D. FERNANDO. En la desierta campaña, 605
que tumba común parece
de cuerpos muertos, si ya
no es teatro de la muerte,
sólo tú, moro, has quedado,
porque rendida tu gente 610
se retiró, y tu caballo,
que mares de sangre vierte,
envuelto en polvo y espuma
que él mismo levanta y pierde,
te dejó, para despojo 615
de mi brazo altivo y fuerte,
entre los sueltos caballos
de los vencidos jinetes.
Yo ufano con tal victoria,
que me ilustra y desvanece 620
más que el ver esta campaña
coronada de claveles;
pues es tanta la vertida
sangre con que se guarnece,
que la piedad de los ojos 625
fue tan grande, tan vehemente
de no ver siempre desdichas,
de no mirar ruinas siempre,
que por el campo buscaban
entre lo rojo lo verde. 630
En efecto, mi valor,
sujetando tus valientes
bríos, de tantos perdidos
un suelto caballo prende,
tan monstruo, que siendo hijo 635
del viento, adopción pretende
del fuego, y entre los dos
lo desdice y lo desmiente
el color, pues siendo blanco,
dice el agua: "Parto es éste 640
de mi esfera; sola yo
pude cuajarle de nieve."
En fin, en lo veloz, viento,
rayo en fin en lo eminente,

era por lo blanco cisne, 645
por lo sangriento era sierpe,
por lo hermoso era soberbio,
por lo atrevido valiente,
por los relinchos lozano
y por las cernejas fuerte. 650
En la silla y en las ancas
puestos los dos juntamente,
mares de sangre rompimos,
por cuyas ondas crueles
este bajel animado, 655
hecho proa de la frente,
rompiendo el globo de nácar
desde el codón al copete,
pareció entre espuma y sangre
(ya que bajel quise hacerle) 660
de cuatro espuelas herido,
que cuatro vientos le mueven.
Rindióse al fin, si hubo peso
que tanto Atlante rindiese;
si bien el de las desdichas 665
hasta los brutos lo sienten;
o ya fue que enternecido
allá en su instinto dijese:
"*Triste camina el alarbe*
y el español parte alegre; 670
¿luego yo contra mi patria
soy traidor y soy aleve?
No quiero pasar de aquí."
Y puesto que triste vienes,
tanto que, aunque el corazón 675
disimula cuanto puede,
por la boca y por los ojos,
volcanes que el pecho enciende,
ardientes suspiros lanza
y tiernas lágrimas vierte; 680
admirado mi valor
de ver, cada vez que vuelve,
que a un golpe de la fortuna
tanto se postre y sujete

tu valor, pienso que es otra 685
la causa que te entristece;
porque por la libertad
no era justo ni decente
que tan tiernamente llore
quien tan duramente hiere. 690
Y así, si el comunicar
los males alivio ofrece
al sentimiento, entre tanto
que llegamos a mi gente,
mi deseo a tu cuidado, 695
si tanto favor merece,
con razones le pregunta
comedidas y corteses:
¿Qué sientes? pues ya yo creo
que el venir preso no sientes. 700
Comunicado el dolor,
se aplaca, si no se vence;
y yo, que soy el que tuve
más parte en este accidente
de la fortuna, también 705
quiero ser el que consuele
de tus suspiros la causa,
si la causa lo consiente.

MULEY. *Valiente eres, español,*
y cortés como valiente; 710
tan bien vences con la lengua,
como con la espada vences.
Tuya fue la vida, cuando
con la espada entre mi gente
me venciste; pero agora 715
que con la lengua me prendes,
es tuya el alma, porque
alma y vida se confiesen
tuyas: de ambas eres dueño,
pues ya crüel, ya clemente, 720
por el trato y por las armas
me has cautivado dos veces.
Movido de la piedad
de oírme, español, y verme,

preguntado me has la causa 725
de mis suspiros ardientes;
y aunque confieso que el mal
repetido y dicho suele
templarse, también confieso
que quien le repite quiere 730
aliviarse; y es mi mal
tan dueño de mis placeres
que por no hacerles disgusto,
y que aliviado me deje,
no quisiera repetirle; 735
mas ya es fuerza obedecerte,
y quiérotela decir
por quien soy y por quien eres.
Sobrino del rey de Fez
soy; mi nombre es Muley Jeque, 740
familia que ilustran tantos
bajaes y belerbeyes.
Tan hijo fui de desdichas
desde mi primer oriente,
que en el umbral de la vida 745
nací en manos de la muerte.
Una desierta campaña,
que fue sepulcro eminente
de españoles, fue mi cuna:
pues, para que lo confieses, 750
en los Gelves nací el año
que os perdisteis en los Gelves.
A servir al rey mi tío
vine infante. — Pero empiecen
las penas y las desdichas: 755
cesen las venturas, cesen. —
Vine a Fez, y una hermosura,
a quien he adorado siempre,
junto a mi casa vivía,
porque más cerca muriese. 760
Desde mis primeros años,
porque más constante fuese
este amor, más imposible
de acabarse y de romperse,

ambos nos criamos juntos, 765
y amor en nuestras niñeces
no fue rayo, pues hirió
en lo humilde, tierno y débil
con más fuerza que pudiera
en lo augusto, altivo y fuerte; 770
tanto, que para mostrar
sus fuerzas y sus poderes,
hirió nuestros corazones
con arpones diferentes.
Pero como la porfía 775
del agua en las piedras suele
hacer señal, por la fuerza
no, sino cayendo siempre,
así las lágrimas mías,
porfïando eternamente, 780
la piedra del corazón,
más que los diamantes fuerte,
labraron, y no con fuerza
de méritos excelentes,
pero con mi mucho amor
vino en fin a enternecerse. 785
En este estado viví
algún tiempo, aunque fue breve,
gozando en auras süaves
mil amorosos deleites. 790
Ausentéme, por mi mal:
harto he dicho en *ausentéme*,
pues en mi ausencia otro amante
ha venido a darme muerte.
El dichoso, yo infelice, 795
él asistiendo, yo ausente,
yo cautivo y libre él,
me contrastara mi suerte
cuando tú me cautivaste:
mira si es bien me lamente. 800

D. FERNANDO. Valiente moro y galán,
si adoras como refieres,
si idolatras como dices,
si amas como encareces,

si celas como suspiras, 805
si como recelas temes,
y si como sientes amas,
dichosamente padeces,
no quiero por tu rescate
más precio de que le aceptes. 810
Vuélvete, y dile a tu dama
que por su esclavo te ofrece
un portugués caballero;
y si obligada pretende
pagarme el precio por ti, 815
yo te doy lo que me debe:
cobra la deuda en amor,
y logra tus intereses.
Ya el caballo, que rendido
cayó en el suelo, parece 820
con el ocio y el descanso
que restituido vuelve;
y porque sé qué es amor,
y qué es tardanza en ausentes,
no te quiero detener: 825
sube en tu caballo y vete.

MULEY. Nada mi voz te responde;
que a quien liberal ofrece,
sólo aceptar es lisonja.
Dime, portugués, quién eres. 830

D. FERNANDO. Un hombre noble, y no más.

MULEY. Bien lo muestras. Seas quien fueres,
para el bien y para el mal
soy tu esclavo eternamente.

D. FERNANDO. Toma el caballo, que es tarde. 835

MULEY. Pues si a ti te lo parece,
¿qué hará quien vino cautivo
y libre a su dama vuelve? *Vase.*

D. FERNANDO. Generosa acción es dar,
y más la vida.

MULEY. (*Dentro.*) ¡Valiente 840
portugués!

D. FERNANDO. Desde el caballo
habla. — ¿Qué es lo que me quieres?

MULEY. (*Dentro.*) Espero que he de pagarte
algún día tantos bienes.

D. FERNANDO. Gózalos tú.

MULEY. (*Dentro.*) Porque, al fin, 845
hacer bien nunca se pierde.
Alá te guarde, español.

D. FERNANDO. Si Alá es Dios, con bien te lleve.

(*Suenan dentro cajas y trompetas.*)

Mas ¿qué trompeta es esta
que el aire turba y la región molesta? 850
Y por estotra parte
cajas se escuchan: música de Marte
son las dos.

Sale DON ENRIQUE.

D. ENRIQUE. ¡Oh Fernando!
Tu persona, veloz vengo buscando.

D. FERNANDO. Enrique. ¿Qué hay de nuevo?

D. ENRIQUE. Aquellos ecos, 855
ejércitos de Fez y de Marruecos
son; porque Tarudante
al rey de Fez socorre, y arrogante
el rey con gente viene:
en medio cada ejército nos tiene, 860
de modo que, cercados,
somos los sitiadores y sitiados.
Si la espalda volvemos
al uno, mal del otro nos podemos
defender: pues por una y otra parte 865
nos deslumbran relámpagos de Marte.
¿Qué haremos, pues, de confusiones llenos?

D. FERNANDO. ¿Qué? Morir como buenos,
con ánimos constantes.
¿No somos dos Maestres, dos infantes, 870
cuando bastara ser dos portugueses
particulares para no haber visto
la cara al miedo? Pues *Avis y Cristo*
a voces repitamos,
y por la fe muramos, 875
pues a morir venimos.

Sale DON JUAN.

D. JUAN. Mala salida a tierra dispusimos.
D. FERNANDO. Ya no es tiempo de medios:
a los brazos apelen los remedios,
pues uno y otro ejército nos cierra 880
en medio. ¡*Avis y Cristo!*
D. JUAN. ¡Guerra, guerra!

Éntranse sacando las espadas, dase la batalla, y sale BRITO.

BRITO. Ya nos cogen en medio
un ejército y otro, sin remedio.
¡Qué bellaca palabra!
La llave eterna de los cielos abra 885
un resquicio siquiera,
que de aqueste peligro salga afuera
quien aquí se ha venido
sin qué ni para qué. Pero fingido
muerto estaré un instante, 890
y muerto lo tendré para adelante.

Cáese en el suelo, y sale un moro acuchillando a DON ENRIQUE.

MORO. ¿Quién tanto se defiende,
siendo mi brazo rayo que desciende
desde la cuarta esfera?
D. ENRIQUE. Pues aunque yo tropiece, caiga y muera 895
en cuerpos de cristianos,
no desmaya la fuerza de las manos;
que ella de quien yo soy mejor avisa.
BRITO. ¡Cuerpo de Dios con él, y qué bien pisa!

Písanle, y éntranse, y salen MULEY *y* DON JUAN COUTINO *riñendo.*

MULEY. Ver, portugués valiente, 900
en ti fuerza tan grande, no lo siente
mi valor; pues quisiera
daros hoy la victoria.
D. JUAN. ¡Pena fiera!
Sin tiento y sin aviso,
son cuerpos de cristianos cuantos piso. 905
BRITO. Yo se lo perdonara,
a trueco, mi señor, que no pisara.

Vanse los dos, y salen por la otra puerta DON ENRIQUE *y* DON JUAN, *retirándose de los moros, y luego* EL REY *y* DON FERNANDO.

REY. Rinde la espada, altivo
portugués; que si logro el verte vivo
en mi poder, prometo 910
ser tu amigo. ¿Quién eres?

D. FERNANDO. Un caballero soy; saber no esperes
más de mí. Dame muerte.

Sale DON JUAN, *y pónese a su lado.*

D. JUAN. Primero, gran señor, mi pecho fuerte,
que es muro de diamante, 915
tu vida guardará puesto delante.
¡Ea, Fernando mío,
muéstrese ahora el heredado brío!

REY. Si esto escucho, ¿qué espero?
Suspéndanse las armas, que no quiero 920
hoy más felice gloria;
que este preso me basta por victoria.
Si tu prisión o muerte
con tal sentencia decretó la suerte,
da la espada, Fernando, 925
al Rey de Fez.

Sale MULEY.

MULEY. ¿Qué es lo que estoy mirando?

D. FERNANDO. Sólo a un rey la rindiera;
que desesperación negarla fuera.

Sale DON ENRIQUE.

D. ENRIQUE. ¡Preso mi hermano!

D. FERNANDO. Enrique,
tu voz más sentimiento no publique; 930
que en la suerte importuna
éstos son los sucesos de fortuna.

REY. Enrique, don Fernando
está hoy en mi poder; y aunque, mostrando
la ventaja que tengo, 935
pudiera daros muerte, yo no vengo
hoy más que a defenderme;

que vuestra sangre no viniera a hacerme
honras tan conocidas
como podrán hacerme vuestras vidas. 940
Y para que el rescate
con más puntualidad al Rey se trate,
vuelve tú; que Fernando
en mi poder se quedará, aguardando
que vengas a libralle; 945
pero dile a Duarte que en llevalle
será su intento vano,
si a Ceuta no me entrega por su mano.
Y agora vuestra Alteza,
a quien debo esta honra, esta grandeza, 950
a Fez venga conmigo.

D. FERNANDO. Iré a la esfera cuyos rayos sigo.

MULEY. (*Aparte.*) (Porque yo tenga, ¡cielos!,
más que sentir entre amistad y celos.)

D. FERNANDO. Enrique, preso quedo. 955
Ni al mal ni a la fortuna tengo miedo.
Dirásle a nuestro hermano
que haga aquí como príncipe cristiano
en la desdicha mía.

D. ENRIQUE. ¿Pues quién de sus grandezas desconfía? 960

D. FERNANDO. Esto te encargo, y digo:
que haga como cristiano.

D. ENRIQUE. Yo me obligo
a volver como tal.

D. FERNANDO. Dame esos brazos.

D. ENRIQUE. Tú eres el preso, y pónesme a mí lazos.

D. FERNANDO. Don Juan, adiós.

D. JUAN. Yo he de quedar contigo: 965
de mí no te despidas.

D. FERNANDO. ¡Leal amigo!

D. ENRIQUE. ¡Oh infelice jornada!

D. FERNANDO. Dirásle al Rey..., mas no le digas nada,
si con grande silencio el miedo vano
estas lágrimas lleva al Rey mi hermano. 970

Vanse y salen dos moros, y ven a BRITO *como muerto.*

MORO 1.° Cristiano muerto es éste.

MORO 2.° Porque no causen peste,
echad al mar los muertos.

BRITO. En dejándoos los cascos bien abiertos
a tajos y a reveses; *Acuchíllalos.* 975
que ainda mortos somos portugueses.

JORNADA SEGUNDA

Sale FÉNIX.

FÉNIX. ¡Zara! ¡Rosa! ¡Estrella! ¿No
hay quien me responda?

Sale MULEY.

MULEY. Sí,
que tú eres sol para mí
y para ti sombra yo,
y la sombra al sol siguió. 5
El eco dulce escuché
de tu voz, y apresuré
por esta montaña el paso.
¿Qué sientes?

FÉNIX. Oye, si acaso
puedo decir lo que fue. 10
Lisonjera, libre, ingrata,
dulce y süave una fuente
hizo apacible corriente
de cristal y undosa plata;
lisonjera se desata, 15
porque hablaba y no sentía;
süave, porque fingía;
libre, porque claro hablaba;
dulce, porque murmuraba,
e ingrata, porque corría. 20
Aquí cansada llegué
después de seguir ligera
en este monte una fiera,
en cuya frescura hallé
ocio y descanso; porqué 25

de un montecillo a la espalda,
de quien corona y guirnalda
fueron clavel y jazmín,
sobre un catre de carmín
hice un foso de esmeralda. 30
Apenas en él rendí
el alma al susurro blando
de las soledades, cuando
ruido en las hojas sentí.
Atenta me puse, y vi 35
una caduca africana,
espíritu en forma humana,
ceño arrugado y esquivo,
que era un esqueleto vivo
de lo que fue sombra vana, 40
cuya rústica fiereza,
cuyo aspecto esquivo y bronco
fue escultura hecha de un tronco
sin pulirse la corteza.
Con melancolía y tristeza, 45
pasiones siempre infelices
(para que te atemorices)
una mano me tomó,
y entonces ser tronco yo
afirmé por las raíces. 50
Hielo introdujo en mis venas
el contacto, horror las voces,
que discurriendo veloces,
de mortal veneno llenas,
articuladas apenas, 55
esto les pude entender:
"¡Ay infelice mujer!
¡Ay forzosa desventura!
¿Que en efecto esta hermosura
precio de un muerto ha de ser?" 60
Dijo, y yo tan triste vivo
que diré mejor que muero;
pues por instantes espero
de aquel tronco fugitivo
cumplimiento tan esquivo, 65

de aquel oráculo yerto
el presagio y fin tan cierto,
que mi vida ha de tener. —
¡Ay de mí! ¡Que yo he de ser
precio vil de un hombre muerto! *Vase.* 70

MULEY. Fácil es de descifrar
ese sueño, esa ilusión,
pues las imágenes son
de mi pena singular.
A Tarudante has de dar 75
la mano de esposa; pero
yo, que en pensarlo me muero,
estorbaré mi rigor;
que él no ha de gozar tu amor
si no me mata primero. 80
Perderte yo, podrá ser;
mas no perderte y vivir:
luego si es fuerza el morir,
antes que lo llegue a ver
precio mi vida ha de ser 85
con que ha de comprarte, ¡ay cielos!
Y tú en tantos desconsuelos
precio de un muerto serás,
pues que morir me verás
de amor, de envidia y de celos. 90

Salen tres Cautivos y el infante DON FERNANDO.

CAUTIVO 1.° Desde aquel jardín te vimos,
donde estamos trabajando,
andar a caza, Fernando,
y todos juntos venimos
a arrojarnos a tus pies. 95

CAUTIVO 2.° Solamente este consuelo
aquí nos ofrece el cielo.

CAUTIVO 3.° Pïedad como suya es.

D. FERNANDO. Amigos, dadme los brazos;
y sabe Dios si con ellos 100
quisiera de vuestros cuellos
romper los nudos y lazos
que os aprisionan; que a fe

que os darían libertad
antes que a mí; mas pensad 105
que favor del cielo fue
esta piadosa sentencia;
él mejorará la suerte,
que a la desdicha más fuerte
sabe vencer la prudencia. 110

Sufrid con ella el rigor
del tiempo y de la fortuna:
deidad bárbara, importuna,
hoy cadáver y ayer flor,
no permanece jamás, 115
y así os mudará de estado. —
¡Ay Dios! que al necesitado
darle consejo no más,
no es prudencia; y en verdad,
que aunque quiera regalaros, 120
no tengo esta vez qué daros:
mis amigos, perdonad.

Ya de Portugal espero
socorro, presto vendrá:
vuestra mi hacienda será; 125
para vosotros la quiero.

Si me vienen a sacar
del cautiverio, ya digo
que todos iréis conmigo;
id con Dios a trabajar, 130
no disgustéis vuestros dueños.

CAUTIVO 1.º Señor, tu vida y salud
hace nuestra esclavitud
dichosa.

CAUTIVO 2.º Siglos pequeños
son los del fénix, señor, 135
para que vivas. *Vanse.*

D. FERNANDO. El alma
queda en lastimosa calma,
viendo que os vais sin favor
de mis manos. ¡Quién pudiera
socorrerlos! ¡Qué dolor! 140

MULEY. Aquí estoy viendo el amor

con que la desdicha fiera
de esos cautivos tratáis.

D. FERNANDO. Duélome de su fortuna,
y en la desdicha importuna, 145
que a esos esclavos miráis,
aprendo a ser infelice;
y algún día podrá ser
que los haya menester.

MULEY. ¿Eso vuestra Alteza dice? 150

D. FERNANDO. Naciendo infante, he llegado
a ser esclavo; y así
temo venir desde aquí
a más miserable estado;
que si ya en aquéste vivo, 155
mucha más distancia tray
de infante a cautivo, que hay
de cautivo a más cautivo.
Un día llama a otro día,
y así llama y encadena 160
llanto a llanto y pena a pena.

MULEY. ¡No fuera mayor la mía!
Que vuestra Alteza mañana,
aunque hoy cautivo está,
a su patria volverá; 165
pero mi esperanza es vana,
pues no puede alguna vez
mejorarse mi fortuna,
mudable más que la luna.

D. FERNANDO. Cortesano soy de Fez, 170
y nunca de los amores
que me contaste te oí
novedad.

MULEY. Fueron en mí
recatados los favores.
El dueño juré encubrir; 175
pero a la amistad atento,
sin quebrar el juramento
te lo tengo de decir.
Tan solo mi mal ha sido
como solo mi dolor; 180

porque el fénix y mi amor
sin semejante han nacido.
En ver, oir y callar
fénix es mi pensamiento;
fénix es mi sufrimiento 185
en temer, sentir y amar;
fénix mi desconfianza
en llorar y padecer;
en merecerla y temer
aun es fénix mi esperanza, 190
fénix mi amor y cuidado;
y pues que es fénix te digo,
como amante y como amigo
ya lo he dicho y lo he callado. *Vase.*

D. FERNANDO. Cuerdamente declaró 195
el dueño amante y cortés:
si fénix su pena es,
no he de competirla yo,
que la mía es común pena.
No me doy por entendido; 200
que muchos la han padecido
y vive de enojos llena.

Sale EL REY.

REY. Por la falda deste monte
vengo siguiendo a tu Alteza,
porque, antes que el sol se oculte 205
entre corales y perlas,
te diviertas en la lucha
de un tigre, que ahora cercan
mis cazadores.

D. FERNANDO. Señor,
gustos por puntos inventas 210
para agradarme: si así
a tus esclavos festejas,
no echarán menos la patria.

REY. Cautivos de tales prendas
que honran al dueño, es razón 215
servirlos desta manera.

Sale DON JUAN.

D. JUAN. Sal, gran señor, a la orilla
del mar, y verás en ella
el más hermoso animal
que añadió naturaleza 220
al artificio; porque
una cristiana galera
llega al puerto, tan hermosa,
aunque toda oscura y negra,
que al verla se duda cómo 225
es alegre su tristeza.
Las armas de Portugal
vienen por remate della;
que como tienen cautivo
a su Infante, tristes señas 230
visten por su esclavitud,
y a darle libertad llegan,
diciendo su sentimiento.

D. FERNANDO. Don Juan, amigo, no es ésa
de su luto la razón; 235
que si al librarme vinieran,
en fe de mi libertad
fueran alegres las muestras.

Sale DON ENRIQUE, *de luto, con un pliego.*

D. ENRIQUE. Dadme, gran señor, los brazos.

REY. Con bien venga vuestra Alteza. 240

D. FERNANDO. ¡Ay, don Juan, cierta es mi muerte!

REY. ¡Ay, Muley, mi dicha es cierta!

D. ENRIQUE. Ya que de vuestra salud
me informa vuestra presencia,
para abrazar a mi hermano 245
me dad, gran señor, licencia.
¡Ay Fernando!

D. FERNANDO. Enrique mío,
¿qué traje es ése? Mas cesa:
harto me han dicho tus ojos,
nada me diga tu lengua. 250
No llores, que si es decirme
que es mi esclavitud eterna,
eso es lo que más deseo:

albricias pedir pudieras,
y en vez de dolor y luto 255
vestir galas y hacer fiestas.
¿Cómo está el Rey mi señor?
Porque como él salud tenga,
nada siento. ¿Aun no respondes?

D. ENRIQUE. Si repetidas las penas 260
se sienten dos veces, quiero
que sola una vez las sientas. —
Tú escúchame, gran señor:
que aunque una montaña sea
rustico palacio, aquí 265
te pido me des audiencia,
a un preso la libertad,
y atención justa a estas nuevas.
Rota y deshecha la armada,
que fue con vana soberbia 270
pesadumbre de las ondas,
dejando en Africa presa
la persona del Infante,
a Lisboa di la vuelta.
Desde el punto que Duarte 275
oyó tan trágicas nuevas,
de una tristeza cubrió
el corazón, de manera
que, pasando a ser letargo
la melancolía primera, 280
desmintió muriendo a cuantos
dicen que no matan penas.
Murió el Rey, que esté en el cielo.

D. FERNANDO. ¡Ay de míl! ¿Tanto le cuesta
mi prisión?

REY. De esa desdicha 285
sabe Alá lo que me pesa.
Prosigue.

D. ENRIQUE. En su testamento
el Rey mi señor ordena
que luego por la persona
del Infante se dé a Ceuta. 290
Y así yo con los poderes

de Alfonso, que es quien le hereda,
porque sólo este lucero
supliera del sol la ausencia,
vengo a entregar la ciudad; 295
y pues...

D. FERNANDO. No prosigas, cesa;
cesa, Enrique; porque son
palabras indignas ésas,
no de un portugués infante,
de un maestre que profesa 300
de Cristo la religión,
pero aun de un hombre lo fueran
vil, de un bárbaro sin luz
de la fe de Cristo eterna.
Mi hermano, que esté en el cielo, 305
si en su testamento deja
esa cláusula, no es
para que se cumpla y lea,
sino para mostrar sólo
que mi libertad desea, 310
y ésa se busque por otros
medios y otras conveniencias,
o apacibles o crueles.
Porque decir: "Dése a Ceuta,"
es decir: hasta eso haced 315
prodigiosas diligencias.
Que a un rey católico y justo
¿cómo fuera, cómo fuera
posible entregar a un moro
una ciudad que le cuesta 320
su sangre, pues fue el primero
que con sola una rodela
y una espada enarboló
las quinas en sus almenas?
Y esto es lo que importa menos. 325
Una ciudad que confiesa
católicamente a Dios,
la que ha merecido iglesias
consagradas a sus cultos
con amor y reverencia, 330

¿fuera católica acción,
fuera religión expresa,
fuera cristiana piedad,
fuera hazaña portuguesa
que los templos soberanos, 335
Atlantes de las esferas,
en vez de doradas luces,
adonde el sol reverbera,
vieran otomanas sombras;
y que sus lunas opuestas 340
en la iglesia, estos eclipses,
ejecutasen tragedias?
¿Fuera bien que sus capillas
a ser establos vinieran,
sus altares a pesebres, 345
y cuando aqueso no fuera,
volvieran a ser mezquitas?
Aquí enmudece la lengua,
aquí me falta el aliento,
aquí me ahoga la pena; 350
porque en pensarlo no más
el corazón se me quiebra,
el cabello se me eriza
y todo el cuerpo me tiembla.
Porque establos y pesebres 355
no fuera la vez primera
que hayan hospedado a Dios;
pero en ser mezquitas, fueran
un epitafio, un padrón
de nuestra inmortal afrenta, 360
diciendo: "Aquí tuvo Dios
posada, y hoy se la niegan
los cristianos para darla
al demonio." Aun no se cuenta
(acá moralmente hablando) 365
que nadie en casa se atreva
de otro a ofenderle: ¿era justo
que entrara en su casa mesma
a ofender a Dios el vicio,
y que acompañado fuera 370

de nosotros, y nosotros
le guardáramos la puerta,
y para dejarle dentro
a Dios echásemos fuera?
Los católicos que habitan 375
con sus familias y haciendas
hoy, quizá prevaricaran
en la fe, por no perderlas.
¿Fuera bien ocasionar
nosotros la contingencia 380
deste pecado? Los niños
que tiernos crían en ella
los cristianos, ¿fuera bueno
que los moros indujeran
a sus costumbres y ritos 385
para vivir en su secta?
¿En mísero cautiverio
fuera bueno que murieran
hoy tantas vidas, por una
que no importa que se pierda? 390
¿Quién soy yo? ¿Soy más que un hombre?
Si es número que acrecienta
el ser infante, ya soy
un cautivo: de nobleza
no es capaz el que es esclavo; 395
yo lo soy: luego ya yerra
el que infante me llamare.
Si no lo soy, ¿quién ordena
que la vida de un esclavo
en tanto precio se venda? 400
Morir es perder el ser,
yo le perdí en una guerra:
perdí el ser, luego morí;
morí, luego ya no es cuerda
hazaña que por un muerto 405
hoy tantos vivos perezcan.
Y así estos vanos poderes,
hoy divididos en piezas,
serán átomos del sol,
serán del fuego centellas. *Rómpelos* 410

Mas no, yo los comeré
porque aun no quede una letra
que informe al mundo que tuvo
la lusitana nobleza
este intento. — Rey, yo soy 415
tu esclavo, dispón, ordena
de mí; libertad no quiero,
ni es posible que la tenga.
Enrique, vuelve a tu patria:
di que en Africa me dejas 420
enterrado; que mi vida
yo haré que muerte parezca.
Cristianos, Fernando es muerto;
moros, un esclavo os queda;
cautivos, un compañero 425
hoy se añade a vuestras penas;
cielos, un hombre restaura
vuestras divinas iglesias;
mar, un mísero con llanto
vuestran ondas acrecienta; 430
montes, un triste os habita,
igual ya de vuestras fieras;
viento, un pobre con sus voces
os duplica las esferas;
tierra, un cadáver os labra 435
en las entrañas su huesa;
porque rey, hermano, moros,
cristianos, sol, luna, estrellas,
cielo, tierra, mar y viento,
montes, fieras, todos sepan 440
que hoy un *Príncipe constante*,
entre desdichas y penas,
la fe católica ensalza,
la ley de Dios reverencia;
pues cuando no hubiera otra 445
razón más que tener Ceuta
una iglesia consagrada
a la Concepción eterna
de la que es Reina y Señora
de los cielos y la tierra, 450

perdiera, vive ella misma,
mil vidas en su defensa.

REY. Desagradecido, ingrato
a las glorias y grandezas
de mi reino, ¿cómo así 455
hoy me quitas, hoy me niegas
lo que más he deseado?
Mas si en mi reino gobiernas
más que en el tuyo, ¿qué mucho
que la esclavitud no sientas? 460
Pero ya que esclavo mío
te nombras y te confiesas,
como a esclavo he de tratarte:
tu hermano y los tuyos vean
que como un esclavo vil 465
los pies ahora me besas.

D. ENRIQUE. ¡Qué desdicha!

MULEY. ¡Qué dolor!

D. ENRIQUE. ¡Qué desventura!

D. JUAN. ¡Qué pena!

REY. Mi esclavo eres.

D. FERNANDO. Es verdad,
y poco en eso te vengas; 470
que si para una jornada
salió el hombre de la tierra,
al fin de varios caminos
es para volver a ella.
Más tengo que agradecerte 475
que culparte, pues me enseñas
atajos para llegar
a la posada más cerca.

REY. Siendo esclavo, tú no puedes
tener títulos ni rentas. 480
Hoy Ceuta está en tu poder:
si cautivo te confiesas,
si me confiesas por dueño,
¿por qué no me das a Ceuta?

D. FERNANDO. Porque es de Dios, y no es mía. 485

REY. ¿No es precepto de obediencia
obedecer al señor?

Pues yo te mando con ella
que la entregues.

D. FERNANDO. En lo justo
dice el cielo que obedezca 490
el esclavo a su señor;
porque si el señor dijera
a su esclavo que pecara,
obligación no tuviera
de obedecerle; porque 495
quien peca mandado, peca.

REY. Daréte muerte.

D. FERNANDO. Esa es vida.

REY. Pues para que no lo sea,
vive muriendo; que yo
rigor tengo.

D. FERNANDO. Y yo paciencia. 500

REY. Pues no tendrás libertad.

D. FERNANDO. Pues no será tuya Ceuta.

REY. ¡Hola!

Sale CELÍN.

CELÍN. Señor...

REY. Luego al punto
aqueste cautivo sea
igual a todos: al cuello 505
y a los pies le echad cadenas;
a mis caballos acuda,
y en baño y jardín, y sea
abatido como todos;
no vista ropas de seda, 510
sino sarga humilde y pobre;
coma negro pan, y beba
agua salobre; en mazmorras
húmedas y oscuras duerma;
y a criados y a vasallos 515
se extienda aquesta sentencia.
Llevadlos todos.

D. ENRIQUE. ¡Qué llanto!

MULEY. ¡Qué desdicha!

D. JUAN. ¡Qué tristeza!

REY. Veré, bárbaro, veré
si llega a más tu paciencia 520
que mi rigor.

D. FERNANDO. Sí verás;
porque ésta en mí será eterna. *Llévanle.*

REY. Enrique, por el seguro
de mi palabra, que vuelvas
a Lisboa te permito; 525
el mar africano deja.
Di en tu patria que el infante,
su Maestre de Avis, queda
curándome los caballos;
que a darle libertad vengan. 530

D. ENRIQUE. Sí harán, que si yo le dejo
en su infelice miseria,
y me sufre el corazón
el no acompañarle en ella,
es porque pienso volver 535
con más poder y más fuerza,
para darle libertad.

REY. Muy bien harás, como puedas.

MULEY. (*Aparte.*) (Ya ha llegado la ocasión
de que mi lealtad se vea. 540
La vida debo a Fernando,
yo le pagaré la deuda.) *Vanse.*

Salen CELÍN *y* EL INFANTE, *con cadena y vestido de cautivo.*

CELÍN. El Rey manda que asistas
en aqueste jardin, y no resistas
su ley a tu obediencia. *Vase.* 545

D. FERNANDO. Mayor que su rigor es mi paciencia.

Salen los Cautivos, y uno canta mientras los otros cavan en el jardín.

CAUTIVO 1.º (*Canta.*) *A la conquista de Tánger,*
contra el tirano de Fez,
al infante don Fernando
envió su hermano el Rey. 550

D. FERNANDO. ¡Que un instante mi historia
no deje de cansar a la memoria!

Triste estoy y turbado.

CAUTIVO 2.º ¿Cautivo, cómo estáis tan descuidado?
No lloréis, consolaos; que ya el Maestre 555
dijo que volveremos
presto a la patria, y libertad tendremos.
Ninguno ha de quedar en este suelo.

D. FERNANDO. (*Aparte.*) (¡Qué presto perderéis ese consuelo!)

CAUTIVO 2.º Consolad los rigores, 560
y ayudadme a regar aquestas flores.
Tomad los cubos, y agua me id trayendo.
de aquel estanque.

D. FERNANDO. Obedecer pretendo.
Buen cargo me habéis dado,
pues agua me pedís; que mi cuidado, 565
sembrando penas, cultivando enojos,
llenaré en la corriente de mis ojos. *Vase.*

Sale DON JUAN *y otro de los cautivos.*

CAUTIVO 2.º A este baño han echado
más cautivos.

D. JUAN. Miremos con cuidado
si estos jardines fueron 570
donde vino, o si acaso éstos le vieron;
porque en su compañía
menos el llanto y el dolor sería,
y mayor el consuelo. —
Dígasme, amigo, que te guarde el cielo, 575
si viste cultivando
este jardín al maestre don Fernando.

CAUTIVO 2.º No, amigo, no le he visto.

D. JUAN. Mal el dolor y lágrimas resisto.

CAUTIVO 3.º Digo que el baño abrieron, 580
y que nuevos cautivos a él vinieron.

Sale DON FERNANDO, *con los cubos de agua.*

D. FERNANDO. (*Aparte.*) (Mortales, no os espante
ver un maestre de Avis, ver un infante
en tan mísera afrenta;
que el tiempo estas miserias representa.) 585

D. JUAN. Pues señor, ¡vuestra Alteza
en tan mísero estado! De tristeza
rompa el dolor el pecho.

D. FERNANDO. ¡Válgate Dios, qué gran pesar me has hecho,
don Juan, en descubrirme! 590
Que quisiera ocultarme y encubrirme
entre mi misma gente,
sirviendo pobre y miserablemente.

CAUTIVO 2.° Señor, que perdonéis humilde os ruego
haber andado yo tan loco y ciego. 595

CAUTIVO 1.° Dadnos, señor, los pies.

D. FERNANDO. Alzad, amigo,
no hagáis tal ceremonia ya conmigo.
Ved que yo humilde vivo,
y soy entre vosotros un cautivo.

D. JUAN. Vuestra Alteza...

D. FERNANDO. ¿Qué Alteza 600
ha de tener quien vive en tal bajeza?
Ninguno ya me trate
sino como a su igual.

D. JUAN. ¡Que no desate
un rayo el cielo para darme muerte!

D. FERNANDO. Don Juan, no ha de quejarse desa suerte 605
un noble. ¿Quién del cielo desconfía?
La prudencia, el valor, la bizarría
se ha de mostrar ahora.

Sale ZARA, *con un azafate.*

ZARA. Al jardín sale Fénix mi señora,
y manda que matices y colores 610
borden este azafate de sus flores.

D. FERNANDO. Yo llevársele espero,
que en cuanto sea servir, seré el primero.

CAUTIVO 1.° Ea, vamos a cogellas.

ZARA. Aquí os aguardo mientras vais por ellas. 615

D. FERNANDO. No me hagáis cortesías:
iguales vuestras penas y las mías
son; y pues nuestra suerte,
si hoy no, mañana ha de igualar la muerte,
no será acción liviana 620

no dejar hoy que hacer para mañana.

Vanse todos, haciendo cortesías al Infante; quédase ZARA, *y salen* FÉNIX *y* ROSA.

FÉNIX. ¿Mandaste que me trajesen
las flores?
ZARA. Ya lo mandé.
FÉNIX. Sus colores deseé
para que me divirtiesen. 625
ROSA. ¡Que tales, señora, fuesen,
creyendo tus fantasías,
tan graves melancolías!
ZARA. ¿Qué te obligó a estar así?
FÉNIX. No fue sueño lo que vi, 630
que fueron desdichas mías.
Cuando sueña un desdichado
que es dueño de algún tesoro,
ni dudo, Zara, ni ignoro
que entonces es bien soñado; 635
mas si a soñar ha llegado
en fortuna tan incierta
que desdicha le concierta,
ya aquello sus ojos ven,
pues soñando el mal y el bien, 640
halla el mal cuando despierta.
Piedad no espero, ¡ay de mí!,
porque mi mal será cierto.
ZARA. ¿Y qué dejas para el muerto,
si tu lo sientes así? 645
FÉNIX. Ya mis desdichas creí.
¡Precio de un muerto! ¿Quién vio
tal pena? No hay gusto, no,
a una infelice mujer.
¿Que al fin de un muerto he de ser? 650
¿Quién será ese muerto?

Sale DON FERNANDO, *con las flores.*

D. FERNANDO. Yo.
FÉNIX. ¡Ay cielos! ¿Qué es lo que veo?
D. FERNANDO. ¿Qué te admira?

FÉNIX. De una suerte
me admira el oirte y verte.
D. FERNANDO. No lo jures, bien lo creo. 655
Yo pues, Fénix, que deseo
servirte humilde, traía
flores, de la suerte mía
jeroglíficos, señora,
pues nacieron con la aurora, 660
y murieron con el día.
FÉNIX. A la maravilla dio
ese nombre al descubrilla.
D. FERNANDO. ¿Qué flor, di, no es maravilla
cuando te la sirvo yo? 665
FÉNIX. Es verdad. Di, ¿quién causó
esta novedad?
D. FERNANDO. Mi suerte.
FÉNIX. ¿Tan rigurosa es?
D. FERNANDO. Tan fuerte.
FÉNIX. Pena das.
D. FERNANDO. Pues no te asombre.
FÉNIX. ¿Por qué?
D. FERNANDO. Porque nace el hombre 670
sujeto a fortuna y muerte.
FÉNIX. ¿No eres Fernando?
D. FERNANDO. Sí soy.
FÉNIX. ¿Quién te puso así?
D. FERNANDO. La ley
de esclavo.
FÉNIX. ¿Quién la hizo?
D. FERNANDO. El Rey.
FÉNIX. ¿Por qué?
D. FERNANDO. Porque suyo soy. 675
FÉNIX. ¿Pues no te ha estimado hoy?
D. FERNANDO. Y también me ha aborrecido.
FÉNIX. ¿Un día posible ha sido
a desunir dos estrellas?
D. FERNANDO. Para presumir por ellas, 680
las flores habrán venido.
Estas que fueron pompa y alegría
despertando al albor de la mañana,

a la tarde serán lástima vana,
durmiendo en brazos de la noche fría. 685
Este matiz, que al cielo desafía,
iris listado de oro, nieve y grana,
será escarmiento de la vida humana:
¡tanto se emprende en término de un día!
A florecer las rosas madrugaron, 690
y para envejecerse florecieron:
cuna y sepulcro en un botón hallaron.
Tales los hombres sus fortunas vieron:
en un día nacieron y expiraron;
que pasados los siglos, horas fueron. 695

FÉNIX. Horror y miedo me has dado,
ni oírte ni verte quiero;
sé el desdichado primero
de quien huye un desdichado.

D. FERNANDO. ¿Y las flores?

FÉNIX. Si has hallado 700
jeroglíficos en ellas,
deshacellas y rompellas
sólo sabrán mis rigores.

D. FERNANDO. ¿Qué culpa tienen las flores?

FÉNIX. Parecerse a las estrellas. 705

D. FERNANDO. ¿Y no las quieres?

FÉNIX. Ninguna
estimo en su rosicler.

D. FERNANDO. ¿Cómo?

FÉNIX. Nace la mujer
sujeta a muerte y fortuna;
y en esta estrella importuna 710
tasada mi vida vi.

D. FERNANDO. ¿Flores con estrellas?

FÉNIX. Sí.

D. FERNANDO. Aunque sus rigores lloro,
esa propiedad ignoro.

FÉNIX. Escucha, sabráslo.

D. FERNANDO. Di. 715

FÉNIX. Esos rasgos de luz, esas centellas
que cobran con amagos superiores
alimentos del sol en resplandores,

aquello viven que se duele dellas.
Flores nocturnas son; aunque tan bellas, 720
efímeras padecen sus ardores;
pues si un día es el siglo de las flores,
una noche es la edad de las estrellas.
De esa, pues, primavera fugitiva
ya nuestro mal, ya nuestro bien se infiere: 725
registro es nuestro, o muera el sol o viva.
¿Qué duración habrá que el hombre espere,
o qué mudanza habrá, que no reciba
de astro, que cada noche nace y muere?

Vase, y sale MULEY.

MULEY. A que se ausentase Fénix 730
en esta parte esperé:
que el águila más amante
huye de la luz tal vez.
¿Estamos solos?
D. FERNANDO. Sí.
MULEY. Escucha.
D. FERNANDO. ¿Qué quieres, noble Muley? 735
MULEY. Que sepas que hay en el pecho
de un moro lealtad y fe.
No sé por dónde empezar
a declararme, ni sé
si diga cuánto he sentido 740
este inconstante desdén
del tiempo, este estrago injusto
de la suerte, este cruel
ejemplo del mundo, y este
de la fortuna vaivén. 745
Pero a riesgo estoy, si aquí
hablar contigo me ven;
que tratarte sin respeto
es ya decreto del Rey.
Y así, a mi dolor dejando 750
la voz, que él podrá más bien
explicarse, como esclavo
vengo a arrojarme a esos pies.
Yo lo soy tuyo, y así

no vengo, Infante, a ofrecer 755
mi favor, sino a pagar
deuda que un tiempo cobré.
La vida que tú me diste,
vengo a darte; que hacer bien
es tesoro que se guarda 760
para cuando es menester.
Y porque el temor me tiene
con grillos de miedo al pie,
y está mi pecho y mi cuello
entre el cuchillo y cordel, 765
quiero, acortando discursos,
declararme de una vez.
Y así digo, que esta noche
tendré en el mar un bajel
prevenido; en las troneras 770
de las mazmorras pondré
instrumentos que desarmen
las prisiones que tenéis;
luego, por parte de afuera,
los candados romperé. 775
Tú con todos los cautivos
que Fez encierra, hoy en él
vuelve a tu patria, seguro
de que yo lo quedo en Fez;
pues es fácil el decir 780
que ellos pudieron romper
la prisión; y así los dos
habremos librado bien,
yo el honor y tú la vida;
pues es cierto que, a saber 785
el Rey mi intento, me diera
por traidor con justa ley:
que no sintiera el morir.
Y porque son menester
para granjear voluntades 790
dineros, aquí se ve
a estas joyas reducido
innumerable interés.
Este es, Fernando, el rescate

de mi prisión, ésta es 795
la obligación que te tengo;
que un esclavo noble y fiel
tan inmenso bien había
de pagar alguna vez.

D. FERNANDO. Agradecerte quisiera 800
la libertad; pero el Rey
sale al jardín.

MULEY. ¿Hate visto
conmigo?

D. FERNANDO. No.

MULEY. Pues no des
que sospechar.

D. FERNANDO. Destos ramos
haré rústico cancel 805
que me encubra mientras pasa.

Vase, y sale EL REY.

REY. (*Aparte.*) (¿Con tal secreto Muley
y Fernando? ¿E irse el uno
en el punto que me ve,
y disimular el otro? 810
Algo hay aquí que temer.
Sea cierto, o no sea cierto,
mi temor procuraré
asegurar). Mucho estimo...

MULEY. Gran señor, dame tus pies. 815

REY. hallarte aquí.

MULEY. ¿Qué me mandas?

REY. Mucho he sentido el no ver
a Ceuta por mía.

MULEY. Conquista,
coronado de laurel,
sus muros; que a tu valor 820
mal se podrá defender.

REY. Con más doméstica guerra
se ha de rendir a mis pies.

MULEY. ¿De qué suerte?

REY. Desta suerte:
con abatir y poner 825

a Fernando en tal estado
que él mismo a Ceuta me dé.
Sabrás pues, Muley amigo,
que yo he llegado a temer
que del Maestre la persona 830
no está muy segura en Fez.
Los cautivos, que en estado
tan abatido le ven,
se lastiman, y recelo
que se amotinen por él. 835
Fuera desto, siempre ha sido
poderoso el interés;
que las guardas con el oro
son fáciles de romper.

MULEY. (Yo quiero apoyar agora 840
(*Aparte.*) que todo esto puede ser,
porque de mí no se tenga
sospecha.) Tú temes bien,
fuerza es que quieran librarle.

REY. Pues sólo un remedio hallé, 845
porque ninguno se atreva
a atropellar mi poder.

MULEY. ¿Y es, señor?

REY. Muley, que tú
le guardes, y a cargo esté
tuyo; a ti no ha de torcerte 850
ni el temor ni el interés.
Alcaide eres del Infante,
procura guardarle bien;
porque en cualquiera ocasión
tú me has de dar cuenta dél. *Vase.* 855

MULEY. Sin duda alguna que oyó
nuestros conciertos el Rey.
¡Válgame Alá!

Sale DON FERNANDO.

D. FERNANDO. ¿Qué te aflige?

MULEY. ¿Has escuchado?

D. FERNANDO. Muy bien.

MULEY. ¿Pues para qué me preguntas 860

qué me aflige, si me ves
en tan ciega confusión,
y entre mi amigo y el Rey,
el amistad y el honor
hoy en batalla se ven? 865
Si soy contigo leal
he de ser traidor con él;
ingrato seré contigo,
si con él me juzgo fiel.
¿Qué he de hacer (¡valedme, cielos!), 870
pues al mismo que llegué
a rendir la libertad
me entrega, para que esté
seguro en mi confianza?
¿Qué he de hacer si ha echado el Rey 875
llave maestra al secreto?
Mas para acertarlo bien
te pido que me aconsejes;
dime tú qué debo hacer.

D. FERNANDO. Muley, amor y amistad 880
en grado inferior se ven
con la lealtad y el honor.
Nadie iguala con el Rey;
él sólo es igual consigo:
y así mi consejo es 885
que a él le sirvas y me faltes.
Tu amigo soy; y porqué
esté seguro tu honor,
yo me guardaré también;
y aunque otro llegue a ofrecerme 890
libertad, no aceptaré
la vida, porque tu honor
conmigo seguro esté.

MULEY. Fernando, no me aconsejas
tan leal como cortés. 895
Sé que te debo la vida,
y que pagártela es bien;
y así lo que está tratado
esta noche dispondré.
Líbrate tú, que mi vida 900

se quedará a padecer
tu muerte: líbrate tú,
que nada temo después.

D. FERNANDO. ¿Y será justo que yo
sea tirano y cruel 905
con quien conmigo es piadoso,
y mate al honor, cruel,
que a mí me está dando vida?
No, y así te quiero hacer
juez de mi causa y mi vida: 910
aconséjame también.
¿Tomaré la libertad
de quien queda a padecer
por mí? ¿Dejaré que sea
uno con su honor crüel, 915
por ser liberal conmigo?
¿Qué me aconsejas?

MULEY. No sé;
que no me atrevo a decir
sí ni no: el no, porqué
me pesará que lo diga; 920
y el sí, porque echo de ver
si voy a decir que sí,
que no te aconsejo bien.

D. FERNANDO. Sí aconsejas, porque yo,
por mi Dios y por mi ley, 925
seré un *príncipe constante*
en la esclavitud de Fez.

JORNADA TERCERA

Salen MULEY *y* EL REY.

MULEY. (*Aparte.*) (Ya que socorrer no espero,
por tantas guardas del Rey.
a don Fernando, hacer quiero
sus ausencias, que ésta es ley
de un amigo verdadero.) 5
Señor, pues yo te serví

en tierra y mar, como sabes,
si en tu gracia merecí
lugar, en penas tan graves
atento me escucha.

REY. Di. 10

MULEY. Fernando...

REY. No digas más.

MULEY. ¿Posible es que no me oirás?

REY. No, que en diciendo Fernando,
ya me ofendes.

MULEY. ¿Cómo, o cuándo?

REY. Como ocasión no me das 15
de hacer lo que me pidieres,
cuando me ruegas por él.

MULEY. ¿Si soy su guarda, no quieres,
señor, que dé cuenta dél?

REY. Di; pero piedad no esperes. 20

MULEY. Fernando, cuya importuna
suerte sin piedad alguna
vive, a pesar de la fama,
tanto que el mundo le llama
el monstruo de la fortuna, 25
examinando el rigor,
mejor dijera el poder
de tu corona, señor,
hoy a tan mísero ser
le ha traído su valor, 30
que en un lugar arrojado,
tan humilde y desdichado
que es indigno de tu oído,
enfermo, pobre y tullido,
piedad pide al que ha pasado; 35
porque como le mandaste
que en las mazmorras durmiese,
que en los baños trabajase,
que tus caballos curase
y nadie a comer le diese, 40
a tal extremo llegó,
como era su natural
tan flaco, que se tulló;

y así la fuerza del mal
brío y majestad rindió. 45
Pasando la noche fría
en una mazmorra dura,
constante en su fe porfía;
y al salir la lumbre pura
del sol, que es padre del día, 50
los cautivos (¡pena fiera!)
en una mísera estera
le ponen en tal lugar,
que es, ¿diré lo?, un muladar;
porque es su olor de manera, 55
que nadie puede sufrille
junto a su casa; y así
todos dan en despedille,
y ha venido a estar allí
sin hablalle y sin oílle, 60
ni compadecerse dél.
Sólo un criado y un fiel
caballero en pena extraña
le consuela y acompaña.
Estos dos parten con él 65
su porción, tan sin provecho,
que para uno solo es poca;
pues cuando los labios toca,
se suele pasar al pecho
sin que lo sepa la boca; 70
y aun a estos dos los castiga
tu gente, por la piedad
que al dueño a servir obliga:
mas no hay rigor ni crueldad,
por más que ya los persiga, 75
que dél los pueda apartar.
Mientras uno va a buscar
de comer, el otro queda
con quien consolarse pueda
de su desdicha y pesar. 80
Acaba ya rigor tanto:
ten del príncipe, señor,
puesto en tan fiero quebranto,

ya que no piedad, horror,
asombro, ya que no llanto. 85

REY. Bien está, Muley.

Sale FÉNIX.

FÉNIX. Señor.
si ha merecido en tu amor
gracia alguna mi humildad,
hoy a vuestra Majestad
vengo a pedir un favor. 90

REY. ¿Qué podré negarte a ti?

FÉNIX. Fernando el Maestre...

REY. Está bien,
ya no hay que pasar de ahí.

FÉNIX. horror da a cuantos le ven
en tal estado; de ti 95
sólo merecer quisiera...

REY. ¡Detente, Fénix, espera!
¿Quién a Fernando le obliga
para que su muerte siga,
para que infelice muera? 100
Si, por ser leal y fiel
a su fe, sufre castigo
tan dilatado y cruel,
él es el cruel consigo,
que yo no lo soy con él. 105
¿No está en su mano el salir
de su miseria y vivir?
Pues eso en su mano está,
entregue a Ceuta, y saldrá
de padecer y sentir 110
tantas penas y rigores.

Sale CELÍN.

CELÍN. Licencia aguardan que des,
señor, dos embajadores:
de Tarudante uno es,
y el otro del portugués 115
Alfonso.

FÉNIX. (*Aparte.*) (¿Hay penas mayores?

Sin duda que por mí envía
Tarudante.)

MULEY. (*Aparte.*) (Hoy perdí, cielos,
la esperanza que tenía.
Mátenme amistad y celos, 120
todo lo perdí en un día.)

REY. Entren pues. En este estrado
conmigo te sienta, Fénix.

Siéntanse, y salen ALFONSO *y* TARUDANTE, *cada uno por su puerta.*

TARUDANTE. Generoso rey de Fez...,

D. ALFONSO. Rey de Fez altivo y fuerte..., 125

TARUDANTE. cuya fama...

D. ALFONSO. cuya vida...

TARUDANTE. nunca muera...

D. ALFONSO. viva siempre...

TARUDANTE. y tú de aquel sol aurora...

D. ALFONSO. tú de aquel ocaso oriente...

TARUDANTE. a pesar de siglos dures... 130

D. ALFONSO. a pesar de tiempos reines...

TARUDANTE. porque tengas...

D. ALFONSO. porque goces...

TARUDANTE. felicidades...

D. ALFONSO. laureles...

TARUDANTE. altas dichas...

D. ALFONSO. triunfos grandes...

TARUDANTE. pocos males.

D. ALFONSO. muchos bienes. 135

TARUDANTE. ¿Cómo, mientras hablo yo,
tú, cristiano, a hablar te atreves?

D. ALFONSO. Porque nadie habla primero
que yo, donde yo estuviere.

TARUDANTE. A mí, por ser de nación 140
alarbe, el lugar me deben
primero; que los extraños
donde hay propios, no prefieren.

D. ALFONSO. Donde saben cortesía,
sí hacen; pues vemos siempre 145
que dan en cualquiera parte
el mejor lugar al huésped.

TARUDANTE. Cuando esa razón lo fuera,
aun no pudiera vencerme;
porque el primero *lugar* 150
sólo se le debe al huésped.

REY. Ya basta, y los dos ahora
en mis estrados se sienten.
Hable el portugués, que en fin
por de otra ley se le debe 155
más honor.

TARUDANTE. (*Aparte.*) (Corrido estoy.)

D. ALFONSO. Ahora yo seré breve:
Alfonso de Portugal,
rey famoso, a quien celebre
la fama en lenguas de bronce 160
a pesar de envidia y muerte,
salud te envía, y te ruega
que, pues libertad no quiere
Fernando, como su vida
la ciudad de Ceuta cueste, 165
que reduzcas su valor
hoy a cuantos intereses
el más avaro codicie,
el más liberal desprecie;
y que dará en plata y oro 170
tanto precio como pueden
valer dos ciudades. Esto
te pide amigablemente;
pero si no se le entregas,
que ha de librarle promete 175
por armas, a cuyo efecto
ya sobre la espalda leve
del mar ciudades fabrica
de mil armados bajeles;
y jura que a sangre y fuego 180
ha de librarle y vencerte,
dejando aquesta campaña
llena de sangre, de suerte
que cuando el sol se levante
halle los matices verdes 185
esmeraldas, y los pierda

rubíes cuando se acueste.
TARUDANTE. Aunque como embajador
no me toca responderte,
en cuanto toca a mi Rey, 190
puedo, cristiano, atreverme,
porque ya es suyo este agravio,
como hijo que obedece
al Rey mi señor; y así
decir de su parte puedes 195
a don Alfonso que venga,
porque en término más breve
que hay de la noche a la aurora
vea en púrpura caliente
agonizar estos campos, 200
tanto que los cielos piensen
que se olvidaron de hacer
otras flores que claveles.
D. ALFONSO. Si fueras, moro, mi igual,
pudiera ser que se viese 205
reducida esta victoria
a dos jóvenes valientes;
mas dile a tu Rey que salga
si ganar fama pretende;
que yo haré que salga el mío. 210
TARUDANTE. Casi has dicho que lo eres,
y siendo así, Tarudante
sabrá también responderte.
D. ALFONSO. Pues en campaña te espero.
TARUDANTE. Yo haré que poco me esperes, 215
que soy rayo.
D. ALFONSO. Yo viento.
TARUDANTE. Volcán soy, que llamas vierte.
D. ALFONSO. Hidra soy, que fuego arroja.
TARUDANTE. Yo soy furia.
D. ALFONSO. Yo soy muerte.
TARUDANTE. ¿Que no te espantes de oírme? 220
D. ALFONSO. ¿Que no te mueras de verme?
REY. Señores, vuestras Altezas
— ya que los enojos pueden
correr al sol las cortinas

que le embozan y oscurecen — 225
adviertan que en tierra mía
campo aplazarse no puede
sin mí; y así yo le niego,
para que tiempo me quede
de serviros.

D. ALFONSO. No recibo 230
yo hospedajes ni mercedes
de quien recibo pesares.
Por Fernando vengo: el verle
me obligó a llegar a Fez
disfrazado desta suerte. 235
Antes de entrar en tu corte
supe que a esta quinta alegre
asistías; y así vine
a hablarte, porque fin diese
la esperanza que me trajo; 240
y pues tan mal me sucede,
advierte, señor, que sólo
la respuesta me detiene.

REY. La respuesta, rey Alfonso,
será compendiosa y breve: 245
que si no me das a Ceuta,
no hayas miedo que le lleves.

D. ALFONSO. Pues ya he venido por él
y he de llevarle: prevente
para la guerra que aplazo. — 250
Embajador, o quien eres,
véamonos en campaña.
¡Hoy toda el Africa tiemble! *Vase.*

TARUDANTE. Ya que no pude lograr
la fineza, hermosa Fénix, 255
de serviros como esclavo,
logre al menos la de verme
a vuestros pies. Dad la mano
a quien un alma os ofrece.

FÉNIX. Vuestra Alteza, gran señor, 260
finezas y honras no aumente
a quien le estima, pues sabe
lo que a sí mismo se debe.

MULEY. (*Aparte.*) (¿Qué espera quien esto llega
a ver y no se da muerte?) 265

REY. Ya que vuestra Alteza vino
a Fez impensadamente,
perdone del hospedaje
la cortedad.

TARUDANTE. No consiente
mi ausencia más dilación 270
que le de un plazo muy breve;
y supuesto que venía
mi embajador con poderes
para llevar a mi esposa,
como tú dispuesto tienes, 275
no, por haberlo yo sido,
mi fineza desmerece
la brevedad de la dicha.

REY. En todo, señor, me vences;
y así por pagar la deuda, 280
como porque se previenen
tantas guerras, es razón
que desocupado quedes
destos cuidados; y así
volverte luego conviene 285
antes que ocupen el paso
las amenazadas huestes
de Portugal.

TARUDANTE. Poco importa,
porque yo vengo con gente
y ejército numeroso, 290
tal, que esos campos parecen
más ciudades que desiertos,
y volveré brevemente
con ella a ser tu soldado.

REY. Pues luego es bien que se apreste 295
la jornada; pero en Fez
será bien, Fénix, que entres
a alegrar esa ciudad.
Muley.

MULEY. ¿Gran señor?

REY. Prevente,

que con la gente de guerra 300
has de ir sirviendo a Fénix,
hasta que quede segura,
y con su esposo la dejes. *Vase.*

MULEY. (*Aparte.*) (Esto sólo me faltaba,
para que, estando yo ausente, 305
aun me falta mi socorro
a Fernando, y no le quede
esta pequeña esperanza.) *Vanse.*

Sacan en brazos al infante DON FERNANDO, DON JUAN, BRITO *y Cautivos, y sacan una estera en que sentarle.*

D. FERNANDO. Ponedme en aquesta parte,
para que goce mejor 310
la luz que el cielo reparte.
¡Oh inmenso, oh dulce Señor,
qué de gracias debo darte!
Cuando como yo se vía
Job, el día maldecía; 315
mas era por el pecado
en que había sido engendrado;
pero yo bendigo el día
por la gracia que nos da
Dios en él; pues claro está 320
que cada hermoso arrebol
y cada rayo del sol,
lengua de fuego será
con que le alabo y bendigo.

BRITO. ¿Estás bien, señor, así? 325

D. FERNANDO. Mejor que merezco, amigo.
¡Qué de piedades aquí,
oh Señor, usáis conmigo!
Cuando acaban de sacarme
de un calabozo, me dais 330
un sol para calentarme:
liberal, Señor, estáis.

CAUTIVO 1.° Sabe el cielo si quedarme
y acompañaros quisiera;
mas ya veis que nos espera 335
el trabajo.

D. FERNANDO. Hijos, adiós.
CAUTIVO 2.° ¡Qué pesar!
CAUTIVO 3.° ¡Qué ansia tan fiera!

Vanse los Cautivos.

D. FERNANDO. ¿Quedáis conmigo los dos?
D. JUAN. Yo también te he de dejar.
D. FERNANDO. ¿Qué haré yo sin tu favor? 340
D. JUAN. Presto volveré, señor;
que sólo voy a buscar
algo que comas, porqué
después que Muley se fue
de Fez, nos falta en el suelo 345
todo el humano consuelo;
pero con todo eso iré
a procurarle, si bien
imposibles solicito,
porque ya cuantos me ven, 350
por no ir contra el edito
que manda que no te den
ni agua tampoco, ni a mí
me venden nada, señor,
por ver que te asisto a ti; 355
que a tanto llega el rigor
de la suerte. Pero aquí
gente viene. *Vase.*
D. FERNANDO. ¡Oh si pudiera
mover a alguno a piedad
mi voz, para que siquiera 360
un instante más viviera
padeciendo!

Salen EL REY, TARUDANTE, FÉNIX, CELÍN.

CELÍN. Gran señor,
por una calle has venido
que es fuerza que visto seas
del Infante y advertido. 365
REY. Acompañarte he querido,
(*A Tarudante.*) porque mi grandeza veas.
TARUDANTE. Siempre mis honras deseas.
D. FERNANDO. Dadle de limosna hoy

a este pobre algún sustento; 370
mirad que hombre humano soy,
y que afligido y hambriento,
muriendo de hambre estoy.
Hombres, doleos de mí,
que una fiera de otra fiera 375
se compadece.

BRITO. Ya aquí
no hay pedir de esa manera.

D. FERNANDO. ¿Cómo he de decir?

BRITO. Así:
moros, tened compasión,
y algo que este pobre coma 380
le dad en esta ocasión,
por el santo zancarron
del gran profeta Mahoma.

REY. Que tenga fe en este estado
tan mísero y desdichado, 385
más me ofende, y más me infama.
Maestre, Infante.

BRITO. El Rey llama.

D. FERNANDO. ¿A mí? Brito, haste engañado:
ni Infante ni Maestre soy,
el cadáver suyo sí; 390
y pues ya en la tierra estoy,
aunque Infante y Maestre fui,
no es ése mi nombre hoy.

REY. Pues no eres Maestre ni Infante,
respóndeme por Fernando. 395

D. FERNANDO. Ahora, aunque me levante
de la tierra, iré arrastrando
a besar tu pie.

REY. Constante
te muestras a mi pesar.
¿Es humildad o valor 400
esta obediencia?

D. FERNANDO. Es mostrar
cuanto debe respetar
el esclavo a su señor.
Y pues que tu esclavo soy,

y estoy en presencia tuya 405
esta vez tengo de hablarte:
mi Rey y señor, escucha.
Rey te llamé, y aunque seas
de otra ley, es tan augusta
de los reyes la deidad, 410
tan fuerte y tan absoluta,
que engendra ánimo piadoso;
y así es forzoso que acudas
a la sangre generosa
con piedad y con cordura; 415
que aun entre brutos y fieras
este nombre es de tan suma
autoridad, que la ley
de naturaleza ajusta
obediencias; y así leemos 420
en repúblicas incultas
al león rey de las fieras,
que cuando la frente arruga
de guedejas se corona,
ser piadoso, pues que nunca 425
hizo presa en el rendido.
En las saladas espumas
del mar el delfín, que es rey
de los peces, le dibujan
escamas de plata y oro 430
sobre la espalda cerúlea
coronas, y ya se vio
de una tormenta importuna
sacar los hombres a tierra,
porque el mar no los consuma. 435
El águila caudalosa,
a quien copete de plumas
riza el viento en sus esferas,
de cuantas aves saludan
al sol es emperatriz, 440
y con piedad noble y justa,
porque brindado no beba
el hombre entre plata pura
la muerte, que en los cristales

mezcló la ponzoña dura 445
del áspid, con pico y alas
los revuelve y los enturbia.
Aun entre plantas y piedras
se dilata y se dibuja
este imperio: la granada, 450
a quien coronan las puntas
de una corteza, en señal
de que es reina de las frutas,
envenenada marchita
los rubíes que la ilustran, 455
y los convierte en topacios,
color desmayada y mustia.
El diamante, a cuya vista
ni aun el imán ejecuta
su propiedad, que por rey 460
esta obediencia le jura,
tan noble es que la traición
del dueño no disimula;
y la dureza, imposible
de que buriles la pulan, 465
se deshace entre sí misma,
vuelta en cenizas menudas.
Pues si entre fieras y peces,
plantas, piedras y aves, usa
esta majestad de rey 470
de piedad, no será injusta
entre los hombres, señor:
porque el ser no te disculpa
de otra ley, que la crueldad
en cualquiera ley es una. 475
No quiero compadecerte
con mis lástimas y angustias
para que me des la vida,
que mi voz no la procura;
que bien sé que he de morir 480
de esta enfermedad que turba
mis sentidos, que mis miembros
discurre helada y caduca.
Bien sé que herido de muerte

estoy, porque no pronuncia 485
voz la lengua cuyo aliento
no sea una espada aguda.
Bien sé al fin que soy mortal,
y que no hay hora segura;
y por eso dio una forma 490
con una materia en una
semejanza la razón
al ataúd y a la cuna.
Acción nuestra es natural
cuando recibir procura 495
algo un hombre, alzar las manos
en esta manera juntas;
mas cuando quiere arrojarlo,
de aquella misma acción usa,
pues las vuelve boca abajo 500
porque así las desocupa.
El mundo, cuando nacemos,
en señal de que nos busca,
en la cuna nos recibe,
y en ella nos asegura 505
boca arriba; pero cuando
o con desdén o con furia,
quiere arrojarnos de sí,
vuelve las manos que junta,
y aquel instrumento mismo 510
forma esta materia muda;
pues fue cuna boca arriba
lo que boca abajo es tumba.
Tan cerca vivimos, pues,
de nuestra muerte, tan juntas 515
tenemos, cuando nacemos,
el lecho como la cuna.
¿Qué aguarda quien esto oye?
Quien esto sabe, ¿qué busca?
Claro está que no será 520
la vida: no admite duda;
la muerte sí: ésta te pido,
porque los cielos me cumplan
un deseo de morir

por la fe; que, aunque presumas 525
que esto es desesperación,
porque el vivir me disgusta,
no es sino afecto de dar
la vida en defensa justa
de la fe, y sacrificar 530
a Dios vida y alma juntas:
y así, aunque pida la muerte,
el afecto me disculpa.
Y si la piedad no puede
vencerte, el rigor presuma 535
obligarte. ¿Eres león?
Pues ya será bien que rujas,
y despedaces a quien
te ofende, agravia e injuria.
¿Eres águila? Pues hiere 540
con el pico y con las uñas
a quien tu nido deshace.
¿Eres delfín? Pues anuncia
tormentas al marinero
que el mar de este mundo surca. 545
¿Eres árbol real? Pues muestra
todas las ramas desnudas
a la violencia del tiempo
que ira de Dios ejecuta.
¿Eres diamante? Hecho polvos 550
sé pues venenosa furia,
y cánsate, porque yo,
aunque más tormentos sufra,
aunque más rigores vea,
aunque llore más angustias, 555
aunque más miserias pase,
aunque halle más desventuras,
aunque más hambre padezca,
aunque mis carnes no cubran
estas ropas, y aunque sea 560
mi esfera esta estancia sucia,
firme he de estar en mi fe;
porque es el sol que me alumbra,
porque es la luz que me guía,

es el laurel que me ilustra. 565
No has de triunfar de la Iglesia;
de mí, si quisieres, triunfa:
Dios defenderá mi causa,
pues yo defiendo la suya.

REY. ¿Posible es que en tales penas 570
blasones y te consueles?
Siendo propias, ¿qué condenas?
No me duelan, siendo ajenas,
si tú de ti no te dueles.
Que pues tu muerte causó 575
tu misma mano y yo no,
no esperes piedad de mí;
ten tú lástima de ti,
Fernando, y tendréla yo. *Vase.*

D. FERNANDO. (*A Tarudante.*) Señor, vuestra Majestad 580
me valga.

TARUDANTE. ¡Qué desventura! *Vase.*

D. FERNANDO. (*A Fénix.*) Si es alma de la hermosura
esa divina deidad,
vos, señora, me amparad
con el Rey.

FÉNIX. ¡Qué gran dolor! 585

D. FERNANDO. ¿Aun no me miráis?

FÉNIX. ¡Qué horror!

D. FERNANDO. Hacéis bien; que vuestros ojos
no son para ver enojos.

FÉNIX. ¡Qué lástima! ¡Qué pavor!

D. FERNANDO. Pues aunque no me miréis 590
y ausentaros intentéis,
señora, es bien que sepáis,
aunque tan bella os juzgáis,
que más que yo no valéis,
y yo quizá valgo más. 595

FÉNIX. Horror con tu voz me das,
y con tu aliento me hieres.
¡Déjame, hombre! ¿Qué quieres?
Que no puedo sentir más. *Vase.*

Sale DON JUAN, *con un pan.*

D. JUAN. Por alcanzar este pan 600
que traerte, me han seguido
los moros, y me han herido
con los palos que me dan.

D. FERNANDO. Esa es la herencia de Adán.

D. JUAN. Tómale.

D. FERNANDO. Amigo leal, 605
tarde llegas, que mi mal
es ya mortal.

D. JUAN. Déme el cielo
en tantas penas consuelo.

D. FERNANDO. Pero ¿qué mal no es mortal,
si mortal el hombre es, 610
y en este confuso abismo
la enfermedad de sí mismo
le viene a matar después?
Hombre, mira que no estés
descuidado: la verdad 615
sigue, que hay eternidad;
y otra enfermedad no esperes
que te avise, pues tú eres
tu mayor enfermedad.
Pisando la tierra dura 620
de continuo el hombre está,
y cada paso que da
es sobre su sepultura.
Triste ley, sentencia dura
es saber que en cualquier caso 625
cada paso (¡gran fracaso!)
es para andar adelante,
y Dios no es a hacer bastante
que no haya dado aquel paso.
Amigos, a mi fin llego: 630
llevadme de aquí en los brazos.

D. JUAN. Serán los últimos lazos
de mi vida.

D. FERNANDO. Lo que os ruego,
noble don Juan, es que luego
que expire me desnudéis. 635
En la mazmorra hallaréis

de mi religión el manto,
que le traje tiempo tanto;
con éste me enterraréis
descubierto, si el Rey fiero 640
ablanda la saña dura,
dándome la sepultura.
Esta señalad; que espero
que, aunque hoy cautivo muero,
rescatado he de gozar 645
el sufragio del altar;
que pues yo os he dado a vos
tantas Iglesias, mi Dios,
alguna me habéis de dar. *Llévanle.*

Sale DON ALFONSO *y soldados con arcabuces.*

D. ALFONSO. Dejad a la inconstante 650
playa azul esa máquina arrogante
de naves, que causando al cielo asombros
el mar sustenta en sus nevados hombros:
y en estos horizontes
aborten gente los preñados montes 655
del mar, siendo con máquinas de fuego
cada bajel un edificio griego.

Sale DON ENRIQUE.

D. ENRIQUE. Señor, tú no quisiste que saliera
nuestra gente de Fez en la ribera,
y este puesto escogiste 660
para desembarcar: infeliz fuiste,
porque por una parte
marchando viene el numeroso Marte,
cuyo ejército al viento desvanece,
y los collados de los montes crece. 665
Tarudante conduce gente tanta,
llevando a su mujer, felice Infanta
de Fez, hacia Marruecos...
Mas respondan las lenguas de los ecos.

D. ALFONSO. Enrique, a eso he venido, 670
a esperarle a este paso; que no ha sido
esta elección acaso; prevenida

estaba, y la razón está entendida:
si yo a desembarcar a Fez llegara,
esta gente y la suya en ella hallara; 675
y estando divididos,
hoy con menos poder están vencidos;
y antes que se prevengan,
toca al arma.

D. ENRIQUE. Señor, advierte y mira
que es sin tiempo esta guerra.

D. ALFONSO. Ya mi ira 680
ningún consejo alcanza.
No se dilate un punto esta venganza:
entre en mi brazo fuerte
por Africa el azote de la muerte.

D. ENRIQUE. Mira que ya la noche, 685
envuelta en sombras, el luciente coche
del sol esconde entre las ondas puras.

D. ALFONSO. Pelearemos a oscuras;
que a la fe que me anima
ni el tiempo ni el poder la desanima. 690
Fernando, si el martirio que padeces,
pues es suya la causa, a Dios le ofreces,
cierta está la victoria:
tuyo será el honor, suya la gloria.

D. ENRIQUE. Tu orgullo altivo yerra. 695

D. FERNANDO. (*Dentro.*) ¡Embiste, gran Alfonso! ¡Guerra, guerra!

D. ALFONSO. ¿Oyes confusas voces
romper los vientos tristes y veloces?

D. ENRIQUE. Sí, y en ellos se oyeron
trompetas que a embestir señal hicieron. 700

D. ALFONSO. ¡Pues a embestir, Enrique! Que no hay duda
que el cielo ha de ayudarnos hoy.

Sale el infante DON FERNANDO *con manto capitular, y una luz.*

D. FERNANDO. Sí ayuda,
porque obligado el cielo,
que vio tu fe, tu religión, tu celo,
hoy tu causa defiende. 705
Librarme a mí de esclavitud pretende,

porque, por raro ejemplo,
por tantos templos Dios me ofrece un templo;
y con esta luciente
antorcha desasida del oriente, 710
tu ejército arrogante
alumbrando he de ir siempre delante,
para que hoy en trofeos
iguales, grande Alfonso, a tus deseos,
llegues a Fez, no a coronarte agora, 715
sino a librar mi ocaso en el aurora. *Vase.*

D. ENRIQUE. Dudando estoy, Alfonso, lo que veo.

D. ALFONSO. Yo no, todo lo creo;
y si es de Dios la gloria,
no digas guerra ya, sino victoria. *Vanse.* 720

Salen EL REY *y* CELÍN; *y en lo alto del tablado* DON JUAN *y un Cautivo, y* EL INFANTE *en un ataúd, que se vea la caja no más.*

D. JUAN. Bárbaro, gózate aquí
de que tirano quitaste
la mejor vida.

REY. ¿Quién eres?

D. JUAN. Un hombre, que, aunque me maten,
no he de dejar a Fernando, 725
y aunque de congoja rabie,
he de ser perro leal
que en muerte he de acompañarle.

REY. Cristiano, ese es padrón
que a las futuras edades 730
informe de mi justicia;
que rigor no ha de llamarse
venganza de agravios hechos
contra personas reales.
Venga Alfonso agora, venga 735
con arrogancia a sacarle
de esclavitud; que aunque yo
perdí esperanzas tan grandes
de que Ceuta fuese mía,
porque las pierda arrogante 740
de su libertad, me huelgo
de verle en estrecha cárcel.

Aun muerto no ha de estar libre
de mis rigores notables;
y así puesto a la vergüenza 745
quiero que esté a cuantos pasen.

D. JUAN. Presto verás tu castigo,
que por campañas y mares
ya descubro desde aquí
mis cristianos estandartes. 750

REY. Subamos a la muralla
a saber sus novedades. *Vanse.*

D. JUAN. Arrastrando las banderas
y destemplados los parches,
muertas las cuerdas y luces, 755
todas son tristes señales.

Tocan cajas destempladas, sale el infante DON FERNANDO, *con una hacha alumbrando a* DON ALFONSO *y* DON ENRIQUE, *que traen cautivos a* TARUDANTE, FÉNIX *y* MULEY; *y todos los soldados.*

D. FERNANDO. En el horror de la noche,
por sendas que nadie sabe,
te guié: ya con el sol
pardas nubes se deshacen. 760
Victorioso, gran Alfonso,
a Fez conmigo llegaste:
éste es el muro de Fez,
trata en él de mi rescate. *Vase.*

D. ALFONSO. ¡Ah de los muros! Decid 765
al Rey que salga a escucharme.

Salen el REY *y* CELÍN *al muro.*

REY. ¿Qué quieres, valiente joven?

D. ALFONSO. Que me entregues al Infante,
al Maestre don Fernando,
y te daré por rescate 770
a Tarudante y a Fénix,
que presos están delante.
Escoge lo que quisieres:
morir Fénix, o entregarle.

REY ¿Qué he de hacer, Celín amigo, 775
en confusiones tan grandes?

Fernando es muerto, y mi hija
está en su poder, ¡Mudable
condición de la fortuna
que a tal estado me trae! 780

FÉNIX. ¿Qué es esto, señor? Pues viendo
mi persona en este trance,
mi vida en este peligro,
mi honor en este combate,
¡dudas qué has de responder! 785
¿Un minuto ni un instante
de dilación te permite
el deseo de librarme?
En tu mano está mi vida,
¿y consientes (¡pena grave!) 790
que la mía (¡dolor fiero!)
injustas prisiones aten?
De tu voz está pendiente
mi vida (¡rigor notable!),
¿y permites que la mía 795
turbe la esfera del aire?
A tus ojos ves mi pecho
rendido a un desnudo alfanje,
¿y consientes que los míos
tiernas lágrimas derramen? 800
Siendo Rey, has sido fiera;
siendo padre, fuiste áspid;
siendo juez, eres verdugo:
ni eres Rey, ni juez, ni padre.

REY. Fénix, no es la dilación 805
de la respuesta negarte
la vida, cuando los cielos
quieren que la mía acabe.
Y puesto que ya es forzoso
que una ni otra se dilate, 810
sabe, Alfonso, que a la hora
que Fénix salió ayer tarde,
con el sol llegó al ocaso,
sepultándose en dos mares
de la muerte y de la espuma, 815
juntos el sol y el Infante.

Esta caja humilde y breve
es de su cuerpo el engaste.
Da la muerte a Fénix bella:
venga tu sangre en mi sangre. 820

FÉNIX. ¡Ay de mí! Ya mi esperanza
de todo punto se acabe.

REY. Ya no me queda remedio
para vivir un instante.

D. ENRIQUE. ¡Válgame el cielo! ¿Qué escucho? 825
¡Qué tarde, cielos, qué tarde
le llegó la libertad!

D. ALFONSO. No digas tal; que si antes
Fernando en sombras nos dijo
que de esclavitud le saque, 830
por su cadáver lo dijo,
porque goce su cadáver
por muchos templos un templo
y a él se ha de hacer el rescate. —
Rey de Fez, porque no pienses 835
que muerto Fernando vale
menos que aquesta hermosura,
por él, cuando muerto yace,
te la trueco. Envía, pues,
la nieve por los cristales, 840
el enero por los mayos,
por las rosas los diamantes,
y al fin, un muerto infelice
por una divina imagen.

REY. ¿Qué dices, invicto Alfonso? 845

D. ALFONSO. Que esos cautivos le bajen.

FÉNIX. Precio soy de un hombre muerto;
cumplió el cielo su homenaje.

REY. Por el muro descolgad
el ataúd, y entregadle; 850
que para hacer las entregas
a sus pies voy a arrojarme.

Vase y bajan el ataúd con cuerdas por el muro.

D. ALFONSO. En mis brazos os recibo,
divino príncipe mártir.

D. ENRIQUE. Yo, hermano, aquí te respeto. 855

D. JUAN. Dame, invicto Alfonso, dame
la mano.

D. ALFONSO. Don Juan, amigo.
¡Buena cuenta del Infante
me habéis dado!

D. JUAN. Hasta su muerte
le acompañé, hasta mirarle 860
libre; vivo y muerto estuve
con él: mirad dónde yace.

D. ALFONSO. Dadme, tío, vuestra mano;
que aunque necio e ignorante
a sacaros del peligro 865
vine, gran señor, tan tarde,
en la muerte, que es mayor,
se muestran las amistades.
En un templo soberano
haré depósito grave 870
de vuestro dichoso cuerpo. —

(*Al Rey.*) A Fénix y a Tarudante
te entrego, Rey, y te pido
que aquí con Muley la cases,
por la amistad que yo sé 875
que tuvo con el Infante.
Ahora llegad, cautivos,
vuestro Infante ved, llevadle
en hombros hasta la armada.

REY. Todos es bien le acompañen. 880

D. ALFONSO. Al son de dulces trompetas
y templadas cajas marche
el ejército con orden
de entierro, para que acabe,
pidiendo perdón aquí 885
de yerros que son tan grandes,
el Católico Fernando,
Príncipe en la fe constante.

NOTES TO ACT I

1–3 "Sing here (i.e., in the palace garden of the King of Fez), for the beautiful Fénix has expressed the desire to hear, while she gets dressed."

5 **baño,** "patio con chozas alrededor, en el cual los moros tenían encerrados a los cautivos." (Acad.).

11 **aquí,** Fénix's room, overlooking the garden.

17–19 "We sing to distract our own sorrows, not someone else's."

21–24 The song is ambiguous in its symbolic reference to the events which will take place in the play. "What is exalted surrenders to the weight of years; for there is no conquest which is difficult for the facility of time."

28–29 "to add to the meadow's vanity with her beauty." The meadow, vain about its own beauty, is vainer when Fénix's is added to its own. When she rises, it is as if the sun has risen a second time (30).

32–36 "Let not the pure dawn boast that this garden owes to it its light and lovely fragrance, nor the rose its red color, nor the jasmine its whiteness." By implication these qualities of light, aroma, and color are imparted to their possessors by this "new dawn," Fénix.

37 "It is unnecessary to consult the mirror in search of smudges left on your complexion by the paintbrush." The brush is either that of the divine painter, God, who created the subtle coloration of her skin or, more literally, the applicator of the cosmetics used by Fénix. In either case, her complexion is beyond reproach.

42 "even if my beauty were indeed beauty." Fénix modestly disclaims her servants' praise of her beauty.

44 **¿Qué sientes?** "What is the nature of your feeling?" The question is something of a leitmotiv in the play (cf. 693 and II,9).

47–48 "I would assuage my sorrow with my own feeling." A feeling of known origin would be less severe than the unformulated anguish she feels.

51–52 Melancholy is strictly speaking a psychosomatic disorder: the excess of black bile causes irascibility and dejection. The cause of the physiological imbalance is a mystery to Fénix, but it must be something very deep-seated. Sadness is a mere psychological state for which a cause can usually be predicated. According to this analysis Fénix's **sentimiento** or malaise must be characterized as **melancolía.**

58–60 A garden is nature reduced to art; therefore the gardens may be said to "fashion statues of roses upon temples of jasmines," for the banks of flowers resemble architecture adorned by statuary.

61–62 "set out to sea: let a boat be a gilded carriage for the sun." The sun is Fénix, because like it she is uniquely beautiful.

67–68 Although it is early morning, the garden, seeing the sun Fénix in the midst of the sea, will think it is high noon and that time is flying past.

70–71 **sombras,** "shading" and **lejos,** "perspective" are technical terms from the visual arts. **reflejos,** "reflections," but also "interplay of analogies." The speech presents the natural rivalry of two elements (earth and water) in two beautiful forms (garden and sea), each of which has two especially beautiful "creatures" (flowers and foam). The **pena** of this beautiful woman can find no solace in these two comparable areas of natural beauty.

77–84 The garden, surrendering its clustered flowers to the zephyr, allows them to sway back and forth as if they were the crests of the ocean.

90 "and, subject to a different law." The sea obeys the dictate of majesty **(pompa),** whereas the garden obeys that of beauty. The sea, renouncing its law, adopts in rivalry that of the garden; that is, it attempts to create its own beautiful flowers out of its foamy waves. Similarly, the garden, seeking majesty, converts its gentle flowers into mighty waves. The subject of **compite** (91) is the singular coalition **campo azul y golfo verde.**

93–94 **rizas plumas,** "curled feathers," i.e. the crests of the waves. **mezclados colores,** "profusion of colores," i.e. the flowers.

102 Fénix's malaise constantly recurs to trouble her, like an intermittent fever.

103 "to give relief to your sadness."

104–105 Fénix's father bears a portrait, which he calls an original since it is of a living person.

108–109 Tarudante offers her his crown (i.e. his kingdom) in the sense that he wishes to marry her.

111 The portait, a symbolic ambassador, cannot speak with words; it can only express intent.

113 "His alliance brings me support" (in the form of military reinforcements).

116 **que ya prevengo,** "which I am preparing to undertake."

117–120 "May my feeling of shame authorize me on this occasion (to speak frankly). Let yourself be loved by him who shall be crowned king of your beauty in Fez."

121–123 "What sudden tenseness grips you in this way? My death sentence." Fénix, in love with Muley, is appalled at the thought of marrying Tarudante for reasons of state.

127 **¿qué he de decir?,** "how can I gainsay you?"

130 In modest filial obedience, silence gives consent; she cannot bring herself to agree verbally to her father's proposal. She accepts the portrait reluctantly, as an act of duty.

136 "This salvo heralds the appearance."

142–144 **tan soberana esfera,** the orbit of the sun, i.e. of the King, whose daughter is the dawn, Fénix.

148 "is due to one who."

154 **estoy mortal,** "I am sick unto death." An aside revealing Fénix's unhappiness because of her proposed betrothal to Tarudante.

155–156 "No, I must be ill-come, if I believe what I see." Muley wrongly interprets Fénix's distress as displeasure at seeing him again.

157 The King asks Muley for news of the Portuguese fleet which is approaching Africa.

162–164 "for in a man of steadfast heart one will always find a stoical attitude to good and evil."

168 "I can neither speak (because of my distress) nor be silent (because of my duty to speak)."

175–181 Ceuta, originally a Carthaginian colony, was apparently called by the Romans **Exilissa** or **Lissa Civitas.** The alternative name **Ad Septem Fratres** is thought to have given the Arabic name **Sebta** (Spanish **Ceuta**). Calderón's etymology (from the proper name **Ceido**) has no scholarly basis, nor does his explanation of the name's meaning. Ceuta's symbolic meaning in the play ("spiritual beauty") should, however, be borne in mind, in contrast with Fénix's symbolism of physical beauty. **Freto Hercúleo,** i.e. **Fretum Herculeum,** the Latin name of the Straits of Gibraltar.

183 **Aquélla.** The preposition *a* is absorbed by the first vowel. It is a dative of interest.

192 "a stepfather who jeers at our approval." From the Moorish viewpoint, the real father of Ceuta is the King of Fez, while the Portuguese are interlopers.

195–198 "a Caucasian mountain which impedes the steady onrush (Nile) of your victories, and, standing between, denies them (the flood of victories) passage to Spain." Ceuta is an outpost for the defense of the Iberian peninsula against Moorish aggression.

201 **sus,** i.e. Ceuta's.

203 The understood subject of **tiene** is **Ceuta.**

207 **restitución,** "recovery," "recapture."

210 "that the (success of the) undertaking is dubious."

212 "another (enterprise) is crying out to you." **apellidar,** "to call in the name of the King."

215 It behooves "that they be rushed to (the defense of) Tangiers."

220 The parenthesis contains a long beautiful description of dawn. Muley's intelligence report continues after it closes.

223–228 The sun "untangles, against the colors of jasmines and roses, its fair hairs, which dry like golden cloths the dawn's tears of fire and snow (dewdrops seen in the sun's rays and in their natural coldness), which the sun converted into pearls."

232 **la vista absorta,** "my astonished eyes." The passage which follows emphasizes rhetorically the baroque awareness of the deceptiveness of sense perceptions.

235–242 The lines comprise an analogy: just as perspective in painting distorts shapes. . . . **tal** (240), understand **tal vez,** "now . . . then."

243–247 "so against blue landscapes lights and shadows, blending sea and sky, made out of the clouds and waves a thousand **trompe-l'oeil.**"

255–256 The imagery is of parturition: "to conceive in sapphire (the blue sea) rains which are prematurely born as crystal."

257 **fue bien pensado,** "our opinion was not so far-fetched after all."

258–260 The myriad of ships (not quite identifiable as ships) seemed as if it wanted to sip up the sea drop by drop because the vessels kept dipping like spoons into the water.

266 The sails flatter the wind by causing the ships to sail faster than the wind's strength warrants.

267–268 The fluttering sails are like sea-monsters' wings beating over the waves.

270–272 The fleet seemed like Babylon with the pennants resembling the floating gardens.

277–278 "as the foam, under pressure from the prows, sometimes curls, over, other times twists into a spiral."

282 "turned my bow to its cruel duty" of evading conflict with the Christian fleet.

284 "is the better part of victory."

286–287 **la boca tomé de una cala,** "I sailed through the narrows of a roadstead."

295–297 "of finding out which course the fleet was following, into the open sea."

307 **corrieron,** "rode out" unharmed.

310–311 "with the pumps unable to empty it, and it was drifting this way and that with each shift in the seas, uncertain whether it would be swallowed up or not."

318–320 "is so consoling that even an enemy tends to bring some comfort."

323 **al intento,** "for this purpose" (of saving their lives).

327–328 "telling them that to live with honor is to gain eternal life." The steadfast mariners tell their cowardly comrades that to surrender in dishonor saves only their temporal lives; by such acts they may lose their souls.

339 **quinas,** the coat-of-arms of Portugal, inaugurated by Don Alonso, the first Portuguese king, "en memoria de haber vencido a cinco reyes moros y haberles tomado cinco banderas y cinco escudos" (Covarrubias).

347–348 "of this world, which sees them crowned with victories."

349 **Cristo** and **Avís** are Portuguese military orders, whose emblems are the crosses described below.

354–356 Some soldiers were directly recruited by the king; others, by noblemen who were responsible for their pay, and who themselves received no remuneration.

358–360 Proud Spaniards raised the horses to be as fierce as tigers and as swift as ounces (used to hunt gazelles).

363–364 "when, if they are not already trampling its beaches, they are at least sailing off-shore."

367–368 "let Mahomet's scourge descend from heaven to be held by your valiant arm."

369–370 "and tear out the best page from the book of death," i.e. deal a just death to your enemies.

373 **Morábitos,** Mohammedan hermits.

379 "green and blue fields," i.e. grass and sea.

394 **le,** understand **al enemigo.**

401 **la sangre,** "bloodshed."

407 Muley expects to die in the forthcoming battle.

409–412 "for although my suspicions may treat your reputation with disrespect (it should be said that), since my anguish is caused by jealousy, no jealous man is courteous."

418–420 "it is enough, without my knowing who he may be, that I see him (his portrait) in your hand, without my hearing his name on your lips."

423 "it did not (give you permission) to be offensive and insulting."

425 "that this is no way to."

427 **en habiendo celos,** "when jealousy exists."

431 Muley, authorized by Fénix to love her, had to conceal his love because of the disparity in their social ranks. They are, in fact, cousins; but she is a princess.

435 **por mi opinión,** "for the sake of your regard for me."

439 **hayla,** "is there one" (an explanation).

440 "God bless you!" In 448 the phrase is negative.

444 **cuidado,** "love."

445–446 "wants these two kingdoms (Morocco and Fez, to be united)."

450 **lo trate,** "should negotiate it (my engagement)."

451 You are to blame "for having today accepted the portrait, even if he might have killed you" for refusing.

459 **¿qué pudo ser?,** "what might have been the cause?"

461–462 "And to avoid the certainty that you are fickle."

466 **lo,** i.e. **partido,** "heart-broken."

468 "where you may (return to) finish your complaints about my conduct.

473 "But for the King I would destroy it."

476 "him who forces me out of your heart." Muley is struggling to take the portrait from Fénix.

480–481 "you may feel on the back of your neck the mighty force which shall overpower you." Africa is personified: its shore is regarded as the neck which, in symbol of defeat, is proffered to the victor's foot.

484 Enrique interprets his fall in stepping ashore as an omen of disaster. Fernando sees the event as Africa's embrace, a recognition of his overlordship.

498–500 "Order it not to try to defend itself, for I shall win possession of it by blood and fire — blood which will flood its land, fire which will burn its buildings."

502–503 "even though a volcano of flames and thunderbolts may leave the sun invisible with dark clouds." However heavy the bombardment, he swears to rush forward to the gates of Tangiers.

504 **abriles piso y mayos,** "once again I am treading on lovely earth." The spring months symbolize flowers and plants — and renewed hope. Brito, oblivious of the military campaign ahead, is delighted to be off the ship, for he is evidently a poor sailor.

508–510 The ship is a wooden monster, that is, the product of an unnatural birth. The birth of such monsters was regarded as ominous, and so one "consulted" the monster. The ship may also be regarded as a "whipping judge," a judge much given to sentencing criminals to be beaten with **palos. Palo,** "stick," "mast," is a common synecdoche for "ship." **el más ligero,** "the swiftest-footed." **en una carrera,** "at a run."

513 **el postrero día,** "the last day of the world."

514–519 This speech was added by Calderón to satirize Fray Hortensio Paravicino, Preacher to the King, well known for his introduction of **culteranismo** into the art of writing sermons. The story of the dispute between Paravicino and Calderón, with pertinent documents, is given in Edward M. Wilson, "Fray Hortensio Paravicino's Protest Against **El príncipe constante,**" **Ibérida,** No. 6 (December, 1961), 245–266. The difficult passage might be rendered: "A funeral oration, a Barbary sermon, is being manufactured: it is a panegyric I am addressing to water, and I am complaining by way of Hortensian word-dropping; because this annoyance has stuck with me ever since wine was first mixed with water, and it's a long-standing annoyance." Brito has just spoken badly about water. He calls this remark a funeral oration because he is taking his last leave of water. He calls it a Barbary sermon because the Moors, forbidden by their religion to drink the wine they love so much, speak ill of water. Panegyric is ironical for vituperation. By **emponomio horténsico** he means that he is doing all this in high-flown language. He ends up by saying that he is against water because it is used to dilute wine. This interpretation is adapted from the explanation given to the King by Gabriel de Trejo y Paniagua in his review of the dispute. The text in Wilson, art. cit.

522 "should so disturb and distract you."

524 "I consider the cards stacked against me."

527 **al berberisco polo,** "against the Barbary land."

529 **Apolo,** "the sun."

536 **aves nocturnas,** "black-colored birds," such as ravens, considered omens (like the **sombras** and the **sangre**) of disaster.

537 Cf. III, 620–623.

539–541 "well, my love for you will now try to explain the cause of your attack of melancholy. The fact that a storm swallowed up one of our ships."

547 "it is not our presence that brought them here."

549–550 "that they foretell the savage, bloody end of a world inhabited by inhumane people."

552–553 "come to warn the Moors, who believe in them, not so that Christians may have their doubts about them."

556 **libros inmortales,** i.e. the books of Fame.

562 **éste,** i.e. God.

571–574 The cavalry is riding so fast that it seems to fly rather than gallop; the hooves seem not to touch the ground.

578–582 The harquebusiers form the first line of defense, in front of the cavalry.

583–584 "This clash of arms is starting well!"

586–588 Enrique has recovered from the depression caused by the supposed omens.

589–590 "My job is always to defend the tents in the rear, where all is safe." The phrase **cuartel de la salud** means "a safe place free from hazard and danger." The **gracioso** is often represented as preserving his life rather than his honor.

593 **juego de cañas,** a mock battle on horseback, in which rods are substituted for lances. Brito understates for comic effect.

594 "I must find a safe place."

595 **A ellos,** "After them!"

601 "He has been pressing them so hard."

605–608 The battlefield is no longer a theater of death (since the fighting has ended) but a common grave of the dead soldiers.

614 The dust is "raised"; the froth is "lost."

615 Muley is for Fernando one of the spoils of battle.

617 This line and the other italicized lines constitute a **romance** by Góngora, slightly modified. It can be read, with a commentary and notes, in Dámaso Alonso, **Góngora y el "Polifemo"** (Madrid, 1961), I, 277–280. The technique of amplifying and reapplying a poem is called glossing. See **El caballero de Olmedo,** note to II, 211.

620 "which brings me both fame and pride."

622 "bedecked with carnations," i.e. stained with blood.

625–630 Fernando's eyes were so determinedly compassionate that they averted their gaze from the slaughter to seek signs of life (the green grass) amidst the pools of blood.

636–637 "sues to be adopted by fire."

637–642 The horse's white color denies that it is the son of either wind or fire, for white is the color of water (the third element) turned to snow.

646 The line is not clear. Perhaps it means that the horse was cold-blooded (fearless) as a snake.

650 A slight trembling of the fetlocks is supposed to be a sign of courage in a horse.

653 "we charged through oceans of blood." The metaphor induces the comparison which follows between the horse and a vessel, consciously contrived (as 660 shows).

656 "Its forehead turned into a prow."

656–657 "breaking the mother-of-pearl globe (water) from head to tail." The horse's froth sprayed against his whole side as the ocean's foam sprays against the sides of a ship.

663–666 The horse is an Atlas since it bears the weight of two men plus the misfortunes of one of them.

669–672 The horse, captured from the Arabs, reasons that it is being disloyal if it carries a cheerful Spaniard and a sad Moor any further. Fernando, of course, is Portuguese, not Spanish. It should be remembered that from 1580 to 1640 Portugal was annexed to the Spanish crown. When Calderón was writing (probably 1628), the destinies of the two peoples seemed inseparable; it was thus natural for him to think of a Portuguese as a Spaniard.

674–678 "so sad that, although your heart dissembles as best it can the volcanoes which, kindled by your breast, erupt through your mouth and eyes." The eruptions are of sighs and tears, as the next lines explain.

682 "to see, every time I turn around." The subject is **mi valor.** Muley is riding behind Fernando.

687–690 "because it was neither just nor fitting that one who strikes so hard in battle should in softness weep for (his lost) liberty."

695–698 "my good will — if it deserves such a favor — asks this question of your trouble with courteous, restrained words."

701–702 "Once grief is shared, it diminishes even if it is not dispelled."

713–722 When Fernando captured Muley, he took possession of his life; his courteous inquiry gives him the right to Muley's soul in the sense that a man earns rights over his friend's soul.

728 **repetido y dicho,** "related and spoken aloud."

731–732 "and my misfortune so controls my pleasures." Muley, preferring his unhappiness to the consolation of sharing it, would rather not tell Fernando about it. As his prisoner, however, he is obliged to grant his captor's wish.

737 **la** refers back to **la causa de mis suspiros** (725–726).

738 "because I am the man I am and because you are the man you are."

743–746 Muley is so ill-starred from birth that he was born under the aegis of death.

751–752 Muley was born on the battlefield at Los Gelves (the island of Djerba) at the time of the famous defeat inflicted on the Spaniards (1510). There is an anachronism here, for the siege of Tangiers took place in 1437 and Fernando died in 1443. The mention of the defeat is a continued reminder of the vicissitudes of the struggle between Christians and Muslims.

760 "so that I might die (of love) at closer quarters."

766–774 Love was not, for Muley and Fénix, the thunderbolt it is reputed to be, for it struck at his lowly heart more powerfully than it did at her exalted heart; perforce it must have used two separate spears.

775–778 Muley uses the analogy of water wearing down a stone not because of its pressure, but because of its persistence. His tears were like these constant drops of water.

792 "I have said more than enough in saying 'I went away.'"

796 "he in her presence, I absent."

798 "my luck ran out."

805 "if your jealousy is as great as your sighing."

808 "you are fortunate to have such blessed suffering."

809–810 "For your ransom I ask no other price than that you accept your freedom."

812 **su,** "her."

814 **obligada,** "in gratitude."

816 "I give to you what she owes me."

817–818 "collect the debt in the form of love, and realize all the interest due you."

822 "that it has been restored to normal vigor."

828–829 "for the only way to flatter a man who gives so generously is to accept."

832–834 "You show that clearly by your acts. Whoever you may be, for better or for worse, I am your slave forever."

836 "Well, if you think it's late."

840 "especially when it's a man's life."

848 "If Allah is God, may he bring you good fortune."

852 **Marte,** Mars, the god of war.

860 "each army hems us in."

865–866 "for on both sides we are blinded by Mars's lightning," i.e. by flashes from artillery and small arms.

871–873 "when it would suffice to be two ordinary Portuguese for us not to know what fear's face was like?" The Maestres use the names of their orders as battle cries.

877–879 "We've certainly timed our landing badly. This is no time to worry about what might have been: let our strong arms attend to what must be done."

884 "What a villainous word!" He means **sin remedio,** "hopelessly."

889–891 **sin qué ni para qué,** "without rhyme or reason." (Brito, a common man, shares none of the war aims or valor of the nobility.) "But I'll play dead for a moment, and I'll play dead from now on."

893 The fourth sphere of the Ptolemaic system is the region of fire, from which lightning comes.

897–898 "my force of arms does not diminish, for it is this that best reveals the kind of man I am."

899 "Damn him; how hard he tramples!"

902–903 Muley, grateful to a Christian who has given him his freedom, is willing to be defeated in battle by a Christian who fights so well.

904–905 "Groping and clumsy, I stand on nothing but the bodies of Christians."

906–907 "I would forgive you, sir, if only you wouldn't trample at all."

916 **puesto delante,** "standing before you," i.e. between you and the enemy.

919 The well-meaning and loyal Don Juan has ruined Fernando's attempt to remain incognito.

930 **suspéndanse las armas,** "let there be an armistice."

923–924 "Since chance decreed your captivity or death with such a decisive sentence."

928 It would be an act of despair, tantamount to suicide, not to surrender to a king.

930 "let not your voice make public any further expression of sorrow."

938–940 The King of Fez is more honored by having such high-born captives than he would be by killing them in battle or executing them.

946–948 "but tell Duarte (the Portuguese King) that any attempt on his part to liberate Fernando will be in vain unless he delivers over Ceuta to me by his own hand."

950–952 The King treats his royal prisoner as an honored guest. Fernando replies with courtly courtesy. "I will go to the sphere whose rays I follow," i.e. the fourth sphere of the sun (the King).

954 Muley's suffering (**sentir**) because of his jealousy of his rival Tarudante is now augmented by his seeing his benefactor made a prisoner.

960 "Who doubts that he will act like the great man he is?" Enrique assumes that Duarte will authorize the exchange of Ceuta for Fernando's liberty.

963 **como tal,** "as I am a Christian."

964 "You are the prisoner, and yet you put nooses (of love) around me."

969–970 The emissary's fear and silence will convey the idea of Fernando's tears to Duarte.

974–976 "By my leaving your skulls wide open with my slashes and backhand strokes; for even when dead we're still Portuguese." Coward as he is, Brito regains his fighting spirit when he is to be thrown into the sea. The last line is in Portuguese.

NOTES TO ACT II

20 "and ungrateful (for my attention), because it ran away from me."

22–23 Fénix was out hunting.

25–30 "because at the crest of a small hill, crowned with carnations and garlanded with jasmines, on a crimson bed I made a depression of emerald." She lay down among the flowers; and (31–33) she *may* have gone to sleep. It is not clear to her whether she dreamed the encounter with the old hag or whether it actually took place.

37 She looked more like a ghost than a living being.

38–40 The old woman's frown seemed to be her only physical reality: it constituted, then, the living skeleton of this unsubstantial shade.

43–44 The old woman resembled a human shape carved from a tree trunk from which the bark had not been stripped (so wrinkled was she).

49–50 "and then I was sure that I was a tree trunk because of my roots." Fénix was "rooted to the ground" with fear.

53–56 "for as her voice rambled quickly on, filled with deadly poison, not properly articulated, I managed to understand that she was saying this."

61 **Dijo,** "She finished speaking."

63–68 "since at any moment I expect the ambiguous fulfillment of that fleeting trunk's prophecy, the forecast of that rigid oracle, and the certain end which shall be made of my life."

71 Muley's interpretation of Fénix's vision is not necessarily the correct one.

73–74 "for it symbolizes my unique distress."

78 "will prevent the act, so unbearable for me."

84 "rather than see this offensive marriage take place."

93 At this point Fernando, technically a prisoner of war, is still being treated as an honored guest by the King of Fez.

96 **este consuelo,** i.e. the consolation of seeing their prince.

98 "It is an act of mercy worthy of heaven."

107 **sentencia,** "decree."

113 **Fortuna** was a goddess for the Romans, and continued to be considered a kind of divinity even as late as Calderón's time. As the dramatist makes clear in his **auto sacramental, No hay más Fortuna que Dios,** true Christian belief requires the replacement of this superstition by the idea of Divine Providence.

114 Fortune, once so beautiful, turns out to be a symbol of death. Ever-changing, she is never still (115); she is represented as presiding over a wheel, a sort of treadmill, which keeps changing direction, raising some men swiftly to the top and causing others to fall. There is thus some comfort in the notion of Fortune for those, like the captives, who are presently at the bottom (116).

126 "my assets will be yours." Fernando, expecting a princely ransom to be sent (Ceuta is out of the question), plans to use it to redeem many humble captives.

130–131 The advice is contained in many epistles of Saints Peter and Paul. Cf. "Servants, be subject to your masters with all fear; not only to the good and gentle, but also to the froward" (1 Peter II, 18). The verses which follow illuminate much in Fernando's attitude to suffering and glory.

134–136 The phoenix was eternal in the sense that it was continually reborn from the ashes of its cremation. "The centuries of the pheonix's life are too short, sire, in comparison with those we wish you to live." It is not adventitious that the Moorish princess is named Phoenix.

139–140 **¡Quién pudiera socorrerlos!,** "If only I could do something to help them!"

146 "which you can see in those slaves."

149 "that I may have need of them."

157 "from being a captive to being even more a captive."

169 "more changeable than the moon" in its constant cycle of phases.

170 Fernando means: "I frequent court circles in Fez"; but he has heard nothing, from Muley or anyone else, about the love affair Muley related to him on the battlefield.

173–176 "The favors (my lady gave me) were kept concealed in me. I swore never to reveal my mistress' name; but in consideration of our friendship."

181–182 "because the phoenix and my love were born without a congener." Muley proceeds to describe his love as something unique; he chooses the phoenix (of which only one specimen existed at a time) as the symbol of uniqueness. The word **fénix** here thus means "unique." But by its repetition he clearly gives his friend Fernando to understand that his love is not only **fénix** ("unique") but also **Fénix** (the unattainable, beautiful princess). By means of this ambiguity he keeps his oath of discretion while at the same time yielding to the obligation to withhold nothing from a friend (175–178).

195 **Cuerdamente,** "Cleverly and prudently."

197–199 "since his suffering is unique (and caused by Fénix), I shall not challenge him in this area, for my suffering is a common one (common to all captives)." A hint is given here that Fernando feels some attraction for Fénix.

200–202 "I shall feign ignorance of it (the suffering of all prisoners); for many have undergone it, and it is full of vexations."

206 Imagery suggesting the western sea.

213 "they will never miss their homeland."

220–221 "that nature ever added to art." The ship looks like a marine monster (the creation of nature) which has been given form by art.

225–226 "so that, as you look at it, you wonder how its sadness could be cheerful." He implies: and yet it must be cheerful for it must be bringing the news of your liberation.

228 "crown its masthead."

232–233 "and they bring him his freedom while expressing their sorrow."

237–238 "as a token of my liberation, the hangings would be cheerful."

242 **dicha,** the expected joy of possessing Ceuta.

254 "you might better have asked for a reward for bringing good news," rather than wearing mourning.

258 "Because as long as he is in good health."

264–266 They are in a forest, where the King has been hunting. It is an inappropriate place (a "rustic palace") for a royal audience.

267–268 **des** is the verb governing not only **audiencia** but also **libertad** and **atención.**

277–282 "he enveloped his heart in such a sadness that, the original melancholy changing into lethargy, he proved false, by dying, all those who maintain that one cannot die of a broken heart."

291 **poderes,** "power of attorney," "authority."

293–294 The **lucero** (the "morning-star") is the new King Alfonso; the **sol** is the dead Duarte.

299 **no,** "not only."

315–316 "is as much as to say: go as far as this extreme in making extraordinary efforts" to secure his release. Fernando uses great subtlety to suggest that Duarte intended the surrender of Ceuta to be thought of as only a symbolic gesture.

332 "would it be a clear mandate of our religion."

336 The churches are Atlases in the sense that their high towers and spires seem to support the heavenly spheres.

337–339 that the churches of Ceuta "should see Ottoman darkness rather than golden (Christian) light in which the sunlight itself is reflected."

340 **lunas opuestas,** "hostile crescents," the symbol of Islam. They are seen as eclipses (341), forebodings of disaster.

355–357 The first time was at Christ's birth.

358 "but if the churches were turned into mosques, they would be an epitaph — nay, rather a birth certificate of our everlasting infamy." They would not commemorate our death as true Christians so much as our emergence as dishonored men.

365 "speaking now on the level of ethics."

371–372 "and that we should defend the door for him." The picture is almost that of an allegorized **comedia de capa y espada,** whose protagonist is Vice.

375–378 "Its Catholic inhabitants might renounce their faith in order not to lose their families and property."

392–394 Fernando has just asked if he is more than just "one man." He goes on: "If this number (one) is increased by my being a prince, I am now merely a captive." Although a prince may be reckoned as more than one man, a captive is less than one man.

398–400 "Since I am not a prince, who commands that the life of a slave should be sold so dearly?"

407 **poderes,** the document authorizing Enrique to ransom Fernando at the cost of Ceuta.

409–410 He means to burn the scraps of paper, but he changes his mind in 411.

425–426 "captives, today a companion joins you in your suffering."

429–430 "sea, a wretched man swells your waters with his tears."

433–434 **duplica,** by the echoing of his laments.

445 **cuando,** "if."

448 **Concepción,** the Immaculate Conception of Mary.

451–452 "I would lose — I swear it by Mary herself — a thousand lives to defend it (the Church of the Immaculate Conception)."

458–460 "But since (by my leave) you rule more in my kingdom than in your own, is it surprising that you should not resent slavery?"

465–466 The King subjects Fernando, a prince, to the supreme indignity of kissing his feet in submission.

470 "and you'll derive little vengeance from the fact."

471–478 Man's life is here allegorized as a day's journey on this earth away from God, the sole object of which is to rejoin God at the destination point, which is death.

480 **títulos ni rentas.** Ranks or properties of any kind.

495–496 "for he who sins by command sins nevertheless."

499 **vive muriendo,** I order you to "live a living death." The King will "make life hell" for Fernando.

507–509 "let him attend to my horses and be on duty in the prison and the garden, and let him be humiliated like everyone else."

515 "and to his servants and vassals."

520 **llega a más,** "extends further."

523 **seguro,** "guarantee," "safe-conduct."

533–534 "and it grieves my heart that I do not stay to share it with him."

538 **como puedas,** "if you can."

544–545 "and do not resist his authority by disobeying."

550–551 The song will not permit Fernando to forget his royal blood or his historical role.

554 The second Captive, not recognizing his prince, takes him for the fellow-slave he wants him to be.

567 **corriente de mis ojos,** "flow of tears."

580 **Digo,** "I repeat" (cf. 568–569).

585 "for it is time (the temporal world) which presents these miseries (as if in a play)."

590 **descubrirme,** "revealing my identity."

594–595 The second Captive asks forgiveness for having ordered his prince to do menial work (560–563).

597 "do not stand on ceremony with me now."

600–601 "What title of Highness shall belong to one living in such lowliness?" Cf. the similar word-play in **El médico de su honra,** III, 414–415.

603–604 "To think that heaven will not let loose a thunderbolt to strike me dead!"

610–611 "and she commands that hues and colors embroider this basket with their flowers," that is, that an arrangement of variously colored flowers be made in the basket.

618–621 "and since your fate and mine — tomorrow, if not actually today — shall be made equal by death, it will not be irresponsible of us if we do not put off until tomorrow what must be done today."

626–628 "To think, my lady, that, if we believe your visions, those melancholy states of yours are so serious!" Rosa means that Fénix is easily distracted from her gloom.

632–634 Fénix believes that an unfortunate person's dreams of riches may come true or at least that the dream is worth having; but if the same unfortunate person dreams of misfortune, this part of his dream is bound to come true. **que desdicha le concierta,** "that some misfortune is in store for him."

644–645 "And since **you** feel it so badly, what is there left for the dead man to feel?"

651 **Yo.** Does Fernando, overhearing Fénix's question, answer it in this bald fashion? Or are we to suppose dots of suspension, implying that her interjection (652) cuts him off from making a statement such as: "Yo...aquí te traigo flores." On the possibility that this central scene may reflect an amorous relationship between Fernando and Fénix, see Leo Spitzer, "The Figure of Fénix in Calderón's **El príncipe constante**" in Bruce W. Wardropper, ed., **Critical Essays on the Theatre of Calderón** (New York, 1965), pp. 137–160. The problem of the **Yo** is discussed on pp. 146–147.

662–665 "When (the day) first discovered this flower it called it a marvel (marigold, in English). What flower, tell me, is not a marvel when I bring it to you as a servant?"

667 **novedad,** "change in your status."

670 **el hombre,** "all men," "mankind." Note, however, that Fénix in her reprise of this statement emphasizes woman's subjection to fortune and death (708–709). She has taken **el hombre** to refer to males like Fernando.

676 "Well, has he lost his regard for you today?" Fénix does not know the King's decision to degrade Fernando (503–516).

679 "to disjoin two stars." The stars in this scene, especially in Fénix's sonnet (716–729), symbolize fate, perhaps the Arabic kismet. She considers that the King and Fernando, two persons of royal blood, were two stars in parallel orbits. But the reference may also include, as Spitzer suggests, the previous conjunction of **her** fate with Fernando's.

680 "To stand in for them presumptuously." The sonnet which follows has been much anthologized. For a survey of the theme — flowers as symbols of the swiftness of human time — see Eduardo M. Torner, **Lírica hispánica** (Madrid, 1966), pp. 63–71.

684 **lástima vana,** "vain objects of pity."

687 "a rainbow with its gold, white, and red stripes."

689 "so much happens in the course of one day!"

695 "for, once centuries have passed, they were but hours." All time is equal **sub specie aeternitatis.**

698–699 "be the first unhappy person from whom another unhappy person has fled." She finds his degradation and the deterioration in his physical appearance repulsive.

700–703 "Since you have found a secret significance (their symbolism of human mortality) in them, my cruel severity can only destroy them, tear them to pieces."

705 The flowers, once a source of beauty and distraction, are now irrevocably associated in Fénix's mind with stars, the symbols of fate (and now she knows that her fate, like all men's, is death).

707 **rosicler,** the "color of dawn," here symbolizing beauty. Flowers have lost their pure (esthetic rather than meaningful) beauty for Fénix.

710–711 "and in this tiresome star I have seen the true value of my life."

712 You compare "flowers with stars"?

713–714 "Although I weep the cruelty of the stars (of man's destiny), I am ignorant of that property of theirs (their similarity to flowers)."

716–719 The allusions are to stars. "Those streaks of light, those flashes which with lofty threats garner from the sun foodstuffs in the form of brilliance, live for just so long as one is sorry for them."

721 **sus ardores,** "the sun's heat."

724 **primavera fugitiva,** springtime or youth which has no time to mature into summer or full adulthood.

726 **registro,** "record book," record of our vital statistics.

727–729 "What duration of life may a man expect, or what sudden change may occur, that he does not receive from a star, born and dead each night?"

732–733 According to the bestiaries, the eagle loves the sun, can look at it without harming his eyesight, flies straight into its rays. Once in a while, though, says Muley, he needs to avoid the light: so now he needs to avoid Fénix, his sunlight.

739–745 "nor do I know if I can tell you how sorely I regret this inconstant jilting of you by time, this unjust harassment of you by fate, this cruel example made of you by the world, and this fluctuation in your fortune."

750–751 "And so, letting my grief speak instead of my mouth."

754 "I am your slave."

757 "a debt which I incurred some time ago."

759–761 Muley has already stated this belief (I, 845–846). The formula is often found in Calderón's plays.

763 "with my feet shackled by fear."

764–765 Muley, in proposing to free Fernando, risks death, either in sword-play if caught in the act or by hanging as a traitor if detected later.

770–773 "in the embrasures (glassless window-slits) of the keep I will place tools for disconnecting your shackles; later, I will break open the locks to the outside."

777 **en él,** i.e. **en el bajel.**

779 **lo,** i.e. **seguro,** "safe."

782–784 "and in the way we'll both have saved something; I, my honor and you, your life."

785–788 "for it is certain that, if the King knew my intention, he would rightly regard me as a traitor; but death would not be a matter of concern for me."

790 "to assure oneself of the good will of others," i.e. to suborn or bribe.

791–793 "here you have a considerable sum reduced in size to a few precious jewels."

794–799 Muley considers himself Fernando's slave because of his debt of honor. By paying off the debt in giving Fernando his freedom, he metaphorically ransoms himself.

813–814 "I'll try to allay my fears."

819 "wearing a victory wreath of laurel."

820–821 "it can hardly defend itself successfully against your valor."

834–835 "are upset, and I'm afraid they may rise in revolt because of him."

837 **el interés,** "the temptation of money."

838–839 "for the wards of locks (and guards) are easily shattered with gold."

847 "to smash my power."

850–851 "you will not be swayed by either fear or corruption."

863–865 "and between my friend and my King friendship and honor are today in conflict."

870–874 "What am I to do — help me, heaven! — when the King delivers into my custody the very man I have approached with the intention of freeing him to make the King feel secure in his trust of me?"

877 "But to be sure of doing right."

880–882 "Muley, love and friendship exist on a lower level than loyalty and honor."

889 "I, too, will be my own guard." Fernando promises as a man of honor not to attempt to escape.

894–895 "Fernando, your advice to me is based more on courtesy than on loyalty."

907–908 Can it be just that "I should, like a cruel man, kill the honor of him who is offering me my life?"

914–916 "Shall I allow someone to be cruel to his own honor so that he may be kind to me?"

924 **Sí aconsejas,** understand **bien.**

NOTES TO ACT III

2 "because the King has so many guards on duty."

3–4 **hacer quiero sus ausencias,** "I mean to speak up for him in his absence."

15–17 "Because you deny me that opportunity of doing what you ask by the fact that you intercede on his behalf."

22–23 A man of such extraordinary reputation (**fama**) deserves the compassion denied him by his lot.

25 "the misbegotten son of Fortune."

26 Muley corrects his true but discourteous statement: your authority had better be called powerful than cruel.

29 **ser,** "existence."

31–35 "that, cast into such a lowly and wretched place that it is unworthy to be named in your presence, sick, penniless, and maimed, he demands compassion of every passer-by."

42 **natural,** "physique."

44–45 "and so his vitality and majesty surrendered to the powers of disease."

54 Muley finally names the unmentionable place (cf. 33).

55–58 "because he stinks so much that no one can bear him near his living quarters; and so everyone drives him away."

62–63 Brito and Don Juan Coutiño. The two are the subject of the singular verbs in 64.

65–67 "Both of them share their rations with him, but to no avail, since each ration is barely enough for one man."

69 **pecho,** here "intestines."

75 "however greatly it (**rigor** or **crueldad**) may persecute them."

79–80 "with him (Fernando) who has nothing to console him but his misfortune and trouble."

82–85 "sire, feel horror, if not pity, and amazement, if not tearfulness, for the Prince, now that he is in such a ruined state of health."

86 "That's enough, Muley" (Cf. 92).

109–111 "let him surrender Ceuta, and he will cease to suffer and undergo such pains and cruelties."

114–116 The "ambassadors" are in fact Tarudante and Alfonso arriving incognito.

122 **estrado,** a movable platform covered with rugs on which the royal throne would be set.

124–135 The representatives of Portugal and Morocco, each claiming precedence in protocol over the other, speak simultaneously, in parallel speeches of greeting. The student should read each speaker's words separately from beginning to end. This division of a dialogue, found in Greek drama, is called stichomythia. Calderón often uses the device. At 128–129 Fénix is included in the expression of good wishes.

142–143 "for strangers are not given preference over one's own kith and kin." Tarudante is a foreigner in the sense that he is a Moroccan in the kingdom of Fez; but both kings are brothers in the sense that they are both Arabs and coreligionaries.

144–147 Alfonso replies that the rules of courtesy demand that the stranger be given priority over the native.

148–151 "Even if that line of reasoning were reasonable, it still would not convince me; because only the first **place** (not the first **word**) is the guest's prerogative."

155 **por de otra ley,** "because he belongs to another faith."

160 **lenguas de bronce,** an allusion to the clarions of Fame.

161 "however much envy and death may conspire to deprive him of fame."

164–165 "as long as the price of his life is the city of Ceuta."

166–169 Alfonso, not yet identified, says that King Alfonso begs the King of Fez "to reduce Fernando's value today to any pecuniary amount that the greatest miser might covet or the most generous man despise." The monetary value of Fernando is of course infinite.

176–179 "by force of arms, to accomplish which he is already constructing on the unstable back of the sea cities of a thousand armed vessels." The fleet is so populous that it can be described as "cities."

184–187 "so that, when the sun rises, it will find the (naturally) green hues (of grass) the color of emeralds, and it will lose (sight of) them colored like rubies when it retires." Between sunrise and sunset the field will have been colored red with Arabic blood.

190 "in so far as it is my King's privilege."

193 **hijo,** "son," in the sense of "loyal subject."

200–203 "these fields in their death-throes, so much so that the heavens may think that God forgot to create any flowers other than carnations." The skies will see the carnation-red of Christian blood obliterate all other natural colors.

204–207 Alfonso, a king, does not deign to challenge a presumably inferior person, an ambassador, to single combat.

211–213 Tarudante, seeing through Alfonso's incognito, reveals his own identity. The single combat is now possible.

218 **Hidra.** The hydra was a many-headed monster, incapable of being destroyed unless all its heads were severed at one time. Its destruction was one of Hercules' labors.

223–225 The parenthesis means that this display of anger has finally moved the King of Fez to speak: "since your wrath has drawn aside the curtains which disguise and darken the sun."

226–228 "take note that in my land a battle cannot be arranged without my consent."

243 "I await your reply."

247 **le,** i.e. Fernando.

261–263 "do not shower compliments and honors on one who has such esteem for you, since she knows what she owes to herself." An ambiguous statement: Fénix means that she esteems Tarudante so much that she has no need of his gallantry; privately she means that she deserves another love than Tarudante's. (Note that she is making a generalized statement, and so uses masculine forms.)

268–269 "please excuse the shortcomings in my hospitality."

275 "as you have seen fit to dispose." The King had approved of Fénix's accompanying the ambassador to Morocco to marry Tarudante.

276–279 "since I am my own ambassador, my courtesy deserves no delay in my happiness." He wishes to marry Fénix as soon as possible.

280–282 "both to liquidate my obligation to you and because so many wars are in the offing."

287 "the hosts with which we have been threatened."

304–307 "This was all I needed to make me, in my absence, incapable of giving help to Fernando."

315 Job, III.

316–317 Original sin.

343 **porqué,** "because." The accent is required by the rhyme and the scansion.

348–349 "although I am asking for the moon."

358–362 Fernando rejoices in his suffering, so that he wishes to prolong it.

364–365 "which makes it inevitable that the Prince will see and notice you."

369–370 "Give this poor man some food today as an act of charity."

382–383 "in the name of that holy long-shanks, the great prophet Mahomet." Brito still jests.

384–385 "That he should still have faith, while in such a wretched, miserable state."

396–397 "Now, though it means stirring myself from the ground, I shall drag myself."

410 "the divine authority of kings."

412 "that it begets in them a disposition to mercy."

417 **nombre,** the name of king.

418–420 "that natural law dictates obedience to one's proper king."

421 "in the animal kingdoms."

425–426 **ser piadoso.** The syntax is: **leemos...al león...ser piadoso,** "We read . . . that the lion . . . is compassionate" "for he never took a submissive man for his prey." The lore in this speech is based on the knowledge and belief about the natural world collected in medieval bestiaries, herbals, and lapidaries. The point of each example is that even the non-human is capable of displaying humanity to a man in need.

428 **el delfín** should be read **al delfín.**

429–432 "gold and silver scales trace crowns on his azure back."

437–438 "whom the wind twirls like a tuft of feathers in its lofty spheres."

442–447 "so that man in his joy will not drink in the pure silver (of a stream) the death that the cruel poison of an asp mixed with its crystal drops, it (the eagle) disturbs and muddies the waters with its beak and wings."

450–453 The curious jagged calix on the pomegranate was said to have inspired the design of Solomon's crown. "La granada puede ser símbolo de una república, cuyos moradores están muy conformes y adunados, y está adornada con corona, que significa dominio e imperio, porque la granada está coronada con una corona de puntas" (Covarrubias).

454 "when poisonous (it) causes the ruby-color which gives it fame to fade, converting it into the languid, sad color of the topaz."

459–460 "not even loadstone wields its (magnetic) power."

462–467 "is so noble that it does not dissemble the treachery of its owner; its hardness, incapable of being worked by engraving tools, crumbles of its own accord, turning into tiny pieces of dust."

473–475 "the fact that you belong to another faith does not excuse you, for cruelty is the same whatever the faith."

482–483 "which courses through my limbs with icy frailty."

485–487 "for my tongue does not utter a sound but its breath stabs me like a sharp sword."

489 **hora segura,** "hour safe from death."

490–493 "and that's why reason gave one form to one material in one likeness to both the coffin and the cradle."

497 **en esta manera,** Fernando cups his hands in a gesture of receiving.

502 Understand the illustration of how the hands are set in receiving and discarding (494–501) to be analogous to the rational shapes (**razón,** 492) of the cradle and coffin about to be described.

514–517 "Just as close, then, as we live to our death, so close do we have, at birth, the sickbed to the cradle."

520–521 "It is obvious that he does not seek life."

526 **desesperación,** "an act of despair."

528 **afecto,** a "passionate desire."

532–533 "and so, although I may ask for death, my passion (for sacrifice) exonerates me from sin." To seek death for any other reason would be a real act of despair, suicide, a sin.

535–536 Failing in his appeal to the King's pity, Fernando tries to achieve his purpose of dying soon by appealing to his cruelty. Act, he says, like the royal savage beast (etc.) that you are: revert to your true inhuman nature.

546 **árbol real,** the pomegranate tree.

546–549 "then bare all your branches to the violence of time which is the effect of God's wrath."

551 Diamonds, worn as jewelry, were supposed to protect one from poison; swallowed, they were thought to be poisonous. See Lope de Vega, **La Dorotea,** ed. E. S. Morby (Madrid, 1958), p. 120, n. 153.

563–565 The subject of **es** is in each case **mi fe.**

572 "Since they are self-inflicted, what do you find to condemn?"

579 "Fernando, and **then** I'll take pity on you."

592–595 "madam, it is right that you should know that, even though you judge yourself to be so beautiful, you are not worth more than I am, and I perhaps am worth more than you." The dénouement will reveal the significance of these words and their connection with Fénix's vision at the beginning of Act II.

597 **aliento,** for "speech." The word may also contain an allusion to Fernando's fetid breath, which adds to Fénix's revulsion.

599 It should be recalled that Fénix is presented from the first scene onward as above all a sentient woman.

604 The consequence of original sin.

611 **confuso abismo,** this world.

612 The sickness in man's very nature, his mortality as a result of original sin.

622–623 "and every step he takes is on his own grave."

626–629 "each step — what a disaster! — is taken to move forward (in time, towards death), and not even God's power is great enough to prevent his taking that step."

632 **lazos,** "embrace."

637 The robe of his military order, with its great cross on the breast.

640 **descubierto.** He probably means "bareheaded," "unhelmeted," but he may mean "without a coffin."

643 **Esta señalad,** "Put a marker on my burial place."

645–646 "rescued (after death) I may receive the spiritual benefit of the altar." He hopes for a Christian burial after Fez is taken.

650 **inconstante,** because of the tides.

651 **máquina,** "war machine."

653 **nevados hombros,** i.e. foamy waves.

655–657 "let the pregnant sea-mountains (ships) abort (discharge) their men, for each vessel with its firearms is a Trojan horse."

661 **infeliz fuiste,** "you made an unfortunate decision."

663 **el numeroso Marte,** i.e. a great host of soldiers.

664–665 "whose army is so huge that it stills the wind and causes the hills to grow in size."

669 "But just listen to the echo of their voices."

671–672 "for this choice was not accidental."

675 "I would have found there both these men and the men of Fez."

678–679 "and before they get wind of us, sound the call to arms."

680 **sin tiempo,** "inopportune," "untimely."

681 **alcanza,** "accepts."

683–684 "let my strong arm introduce into Africa the scourge of death."

689–690 "for the faith which encourages me is discouraged by neither time nor might."

694 Early editions have: **mío será el honor, mía la gloria.** I follow the reading proposed by A. A. Parker. For its justification see his edition of the play (Cambridge, 1938), pp. vi–vii.

695 "Enrique's reference to Alfonso's **orgullo altivo** is directed not against a show of personal ambition, but against his blind faith in providence and in Fernando's intercession" (Parker, p. vii).

696 Fernando appears in ghostly form from this point on. It is not certain whether Alfonso and the Portuguese soldiers recognize this fact.

703 "because heaven, recognizing its obligation."

706 The subject of **pretende** is **el cielo.**

708 "in exchange for all the temples (of Ceuta which I have saved for him) God offers me a temple (for my interment)."

710 "torch commandeered from the Orientals" or "torch disengaged from the Eastern Sun."

713–716 "so that today, great Alfonso, in a triumph commensurate with your desire, you may reach Fez, not to crown yourself at this time (as its king), but to liberate my sunset (my dead body) in the dawn (east)." Remember that **aurora** is the epithet that has been applied to Fénix.

727–728 There are numerous cases in legend and history of dogs which refuse to leave their master's dead body.

732 I say justice "because vengeance for affronts done to royal persons may not be called cruelty."

742 **estrecha cárcel,** i.e. the grave.

744 Having denied that he acted with **rigor** (732), the King now boasts of his **rigores.**

745 "and exposed to public shame."

753–756 "With bedraggled flags and drums out of tune, loosened bowstrings and extinguished lights, these are all gloomy signs." They are signs not so much of mourning as of grief (cf. 882).

759–760 The sun is dispersing the darkness.

765 "Ho, you on the walls!"

791 **la mía,** i.e. **mano.**

795 **la mía,** i.e. **voz.**

799 **los míos,** i.e. **ojos.**

813–816 "at the same time as the sun he reached his decline, the sun and the Prince being buried together in two seas, the sea of death and the sea of foam."

820 "avenge your blood (the blood of your kinsman Fernando) on my blood (that of my daughter)."

829 **en sombras,** "in the darkness," "in ghostlike form."

831 "he said it with respect to his corpse."

840–844 The symbols of the coldness and hardness of death — **nieve, enero, diamantes** — are ranged against those of living beauty: **cristales, mayos, rosas.**

848 "Heaven fulfilled its word."

851–852 "to make the exchange (of hostages) I am going to cast myself at his feet."

858–859 An ironic, rather than humorous, exclamation: "A fine account of the Prince you have given me!" "Fine care you've taken of the Prince for me!"

860–861 "until I saw him freed (now in death)."

867 **mayor.** Death is greater than any of us, even a **gran señor** (866).

869 **templo soberano,** "cathedral."

876 **tuvo.** The implied subject is **Muley.**

880 "It is just and proper that we should all escort him." The King of Fez finally sees the grandeur of his captive's **porfía.**

884–888 "so that an end may here be put — asking forgiveness now for errors that have been so great — to (the play about) Catholic Fernando, the **Prince Constant in Faith.**"

CALDERÓN DE LA BARCA

El gran teatro del mundo

INTRODUCTION

El gran teatro del mundo is presented here as an example of a still somewhat neglected form of drama, the *auto sacramental.* Although it is by no means Calderón's best *auto*, it is one of the most attractive for students who have not previously encountered allegory in drama. Calderón was recognized as the master of this genre; some of his finest works belong to it.

Autos sacramentales will remind students of English literature of medieval morality plays because of their common allegorical form. But the forces represented in Calderón's allegories are not limited to those of good and evil, virtue and sin.

The word *auto* (from Latin *actus*) tells us that the plays are one-acters, and are, like *autos de fe*, acts of devotion. The single acts run from one-and-a-half to two times the length of a standard *comedia* act.

The word *sacramental* tells us that the plays are related to the sacraments. The sacraments, which are seven in number (Baptism, Confirmation, Eucharist, Penance, Extreme Unction, Orders, and Matrimony), are perpetual miracles, means by which God's grace is imparted to men. The keystone of the whole sacramental edifice is the Eucharist, the Holy Communion. Although based on an historical fact, a sacrament is the universalization of that event. God's institution of marriage or the Last Supper are the historical bases of the sacraments of Matrimony and the Eucharist. But in so far as the rituals of Matrimony and Communion are means of grace at all times and all places, they transcend their historical origins. The mysteries they embrace (the union of two separate fleshes through Matrimony, the conversion of bread and wine into the Body and Blood of Christ through the Communion) must be accepted as articles of faith. The intellectual formulations of these mysteries are called dogmas. The dogma associated with the Eucharist is termed Transubstantiation.

To a non-believer the Catholic belief in the sacraments will appear to involve the acceptance of a metaphor as being literally true. To say that a husband and wife share a common flesh will be to him a poetical statement, a flight of the imagination containing a beautiful truth which is not however to be taken literally. For a Catholic this truth is a literal one.

Calderón's art, even in his secular plays, demands of his reader a sacramental approach, a willingness to be persuaded of the essential, mysterious truth contained in a metaphor. To read *La vida es sueño* properly it is necessary to believe that in a sense defined in the play life is indeed a dream. The quasi-literal truth of Segismundo's words "El rey sueña que es rey" is demonstrated more dogmatically in *autos* like *El gran teatro del mundo*. Sacramental thinking of this sort infuses all of Calderón's dramatic work, even when he wishes to point out the wrong-headedness of pressing such modes of thought into purely secular, if not immoral, areas of conduct. It was Don Gutierre's error in *El médico de su honra* that he extended this process of taking a metaphor literally beyond its proper limits in order to justify the murder of his wife: he conferred a kind of dogmatic authority on a mere figure of speech. While it would be unreasonable to interpret a secular play in the light of a specific *auto sacramental*, it is desirable for the student to reconsider Calderón's other plays, both worldly and religious, from the perspective of his sacramental drama. For this reason *El gran teatro del mundo* is placed after Calderón's other works.

A sacrament, according to Saint Thomas Aquinas, is a "sign of a sacred thing, in so far as it implies the sanctification of men." He explains further that "signs are properly given to men, for it is in their nature to attain the unknown by means of the known." This is the way in which a great deal of poetry works. Signs in literature are metaphors (taken in a broad sense to include similes, imagery, symbols, and allegory as well as metaphor in the strict sense). An extended metaphor, one which embraces an entire work, is an allegory; and allegory subsumes all other figures of comparison. While all poetry draws heavily on metaphor, sacramental dramatic poetry depends on allegory. Allegory, the language of signs, helps men to understand what it is difficult for them to know by analogy with what they do know. And dramatic allegory — embodying personifications of ideas in an allegorical plot — gives a plastic, three-dimensional, mobile form to those abstractions which tend to baffle limited human understanding. In making this point, a peasant woman in the prologue to Calderón's *La segunda esposa* gives an excellent definition of an *auto sacramental*:

Sermones
puestos en verso, en idea
representable cuestiones
de la Sacra Teología,
que no alcanzan mis razones
a explicar ni comprender...

In *El gran teatro del mundo* the known is the hoary comparison (going back to classical antiquity) between men's lives and a stage performance. So familiar was this theme that Shakespeare could have Jaques, in *As You Like It*, establish the comparison in a rather deprecating fashion: "All the world's a stage, / And all the men and women, *merely* players." Cervantes makes even the illiterate Sancho Panza disparage a development of the theme by Don Quixote (Part II, Chapter 12) as a hackneyed cliché of thought: "*Brava comparación — dijo Sancho — aunque no tan nueva que yo no la haya oído muchas y diversas veces....*" So the audience at the first performance of *El gran teatro del mundo* must have been extremely familiar, perhaps even bored, with the idea that the world is a stage. It was Calderón's purpose not to stress the metaphor, but to predicate less familiar ideas on this widely held assumption. *Because* the world is a stage, certain conclusions about man's condition must be drawn. The play is really about these conclusions. To those who would lead a full spiritual life Calderón recommends a certain attitude toward life that is valid in both a practical and a theological sense. The play is concerned with moral questions: not just the need to "obrar bien," for that would be assumed by his Christian audience, but how to "obrar bien." The spectators had heard in sermons that they should live each day as if it were their last. Through the *auto sacramental* they could visualize (or more literally "see") the consequences of leading or not leading lives of this quality. Sermons in poetry and theological issues performed as ideas are more persuasive, as well as more intelligible, than sermons from the pulpit or theological tracts.

The *autos* were criticized for being always the same. It is true that they invariably present for public viewing aspects of sacramental living. But variety abounds within these limitations. Calderón distinguished between the *asunto* and the *argumento* of his sacramental plays. The *asunto* of all *autos* is indeed the Eucharist. But the *argumento*, the analogy upon which he relies to lead us to the right attitude towards the sacramental life, may be infinitely varied. Even in secular plays there is some monotony in the *asunto*, which generally treats of courtship or love. It is always to the *argumento* that one must look for the richness of the dramatist's inspiration. With a "willing suspension of disbelief," then, even the non-Catholic may expect to find an esthetic pleasure from *El gran teatro del mundo*.

SUGGESTED READING:

ALEXANDER A. PARKER, *The Allegorical Drama of Calderón* (Oxford-London, 1943). Chapter III contains an excellent analysis of *El gran teatro del mundo*, with some important emphasis on the sociological ideas. Chapter II discusses the dramaturgy of the *autos* in general. A fundamental book.

ANGEL VALBUENA PRAT, "Prólogo" to Calderón de la Barca, *Autos sacramentales*, I (Clásicos Castellanos).

BRUCE W. WARDROPPER, *Introducción al teatro religoso del Siglo de Oro* (Madrid, 1953 and, revised ed., Salamanca, 1967). Does not deal with Calderón, but the early chapters contain information about the performance and the art of the *autos.*

MARCEL BATAILLON, "Ensayo de explicación del 'auto sacramental,' " in *Varia lección de clásicos españoles* (Madrid, 1964). Chiefly concerned with the *auto* before Calderón, but contains some very perceptive remarks about the nature of the genre and particularly about the relation between *auto* and *comedia.*

El gran teatro del mundo

Auto sacramental alegórico

PERSONAS

EL AUTOR.	EL RICO.
EL MUNDO.	EL LABRADOR.
EL REY.	EL POBRE.
LA DISCRECIÓN.	UN NIÑO.
LA LEY DE GRACIA.	UNA VOZ.
LA HERMOSURA.	ACOMPAÑAMIENTO.

Sale el AUTOR *con manto de estrellas, y potencias en el sombrero.*

AUTOR. Hermosa compostura
de esa varia inferior arquitectura,
que entre sombras y lejos
a esta celeste usurpas los reflejos,
cuando con flores bellas 5
el número compite a sus estrellas,
siendo con resplandores
humano cielo de caducas flores.
Campaña de elementos,
con montes, rayos, piélagos y vientos: 10
con vientos, donde graves
te surcan los bajeles de las aves;
con piélagos y mares donde a veces
te vuelan las escuadras de los peces;
con rayos donde ciego 15
te ilumina la cólera del fuego;
con montes donde dueños absolutos
te pasean los hombres y los brutos:
siendo, en continua guerra,
monstruo de fuego y aire, de agua y tierra. 20
Tú, que, siempre diverso,
la fábrica feliz del universo

eres, primer prodigio sin segundo,
y por llamarte de una vez, tú el Mundo,
que naces como el Fénix y en su fama 25
de tus mismas cenizas.

Sale el MUNDO *por diversa puerta.*

MUNDO. ¿Quién me llama,
que, desde el duro centro
de aqueste globo que me esconde dentro,
alas visto veloces?
¿Quién me saca de mí, quién me da voces? 30

AUTOR. Es tu Autor Soberano.
De mi voz un suspiro, de mi mano
un rasgo es quien te informa
y a su oscura materia le da forma.

MUNDO. Pues ¿qué es lo que me mandas? ¿Qué me quieres? 35

AUTOR. Pues soy tu Autor, y tú mi hechura eres,
hoy de un concepto mío
la ejecución a tus aplausos fío.
Una fiesta hacer quiero
a mi mismo poder, si considero 40
que sólo a ostentación de mi grandeza
fiestas hará la gran naturaleza;
y como siempre ha sido
lo que más ha alegrado y divertido
la representación bien aplaudida, 45
y es representación la humana vida,
una comedia sea
la que hoy el cielo en tu teatro vea.
Si soy Autor y si la fiesta es mía
por fuerza la ha de hacer mi compañía. 50
Y pues que yo escogí de los primeros
los hombres y ellos son mis compañeros,
ellos, en el *teatro*
del mundo, que contiene partes cuatro,
con estilo oportuno 55
han de representar. Yo a cada uno
el papel le daré que le convenga,
y porque en fiesta igual su parte tenga
el hermoso aparato

de apariencias, de trajes el ornato, 60
hoy prevenido quiero
que, alegre, liberal y lisonjero,
fabriques apariencias
que de dudas se pasen a evidencias.
Seremos, yo el Autor, en un instante, 65
tú el teatro, y el hombre el recitante.

MUNDO. Autor generoso mío
a cuyo poder, a cuyo
acento obedece todo,
yo *el gran teatro del mundo,* 70
para que en mí representen
los hombres, y cada uno
halle en mí la prevención
que le impone el papel suyo,
como parte obedencial, 75
que solamente ejecuto
lo que ordenas, que aunque es mía
la obra el milagro es tuyo,
primeramente porque es
de más contento y más gusto 80
no ver el tablado antes
que esté el personaje a punto,
lo tendré de un negro velo
todo cubierto y oculto,
que sea un caos donde estén 85
los materiales confusos.
Correráse aquella niebla
y, huyendo el vapor oscuro,
para alumbrar el teatro,
(porque adonde luz no hubo 90
no hubo fiesta), alumbrarán
dos luminares, el uno
divino farol del día,
y de la noche nocturno
farol el otro, a quien ardan 95
mil luminosos carbunclos
que en la frente de la noche
den vividores influjos.
En la primera jornada,

sencillo y cándido nudo 100
de la gran ley natural,
allá en los primeros lustros
aparecerá un jardín
con bellísimos dibujos,
ingeniosas perspectivas, 105
que se dude cómo supo
la naturaleza hacer
tan gran lienzo sin estudio.
Las flores, mal despuntadas
de sus rosados capullos, 110
saldrán la primera vez
a ver el Alba en confuso.
Los árboles estarán
llenos de sabrosos frutos,
si ya el áspid de la envidia 115
no da veneno en alguno.
Quebraránse mil cristales
en guijas, dando su curso
para que el Alba los llore
mil aljófares menudos. 120
Y para que más campee
este humano cielo, juzgo
que estará bien engastado
de varios campos incultos.
Donde fueron menester 125
montes y valles profundos
habrá valles, habrá montes;
y ríos, sagaz y astuto,
haciendo zanjas la tierra,
llevaré por sus conductos 130
brazos de mar desatados
que corran por varios rumbos.
Vista la primera escena
sin edificio ninguno,
en un instante verás 135
cómo repúblicas fundo,
cómo ciudades fabrico,
cómo alcázares descubro.
Y cuando solicitados

montes fatiguen algunos 140
a la tierra con el peso
y a los aires con el bulto,
mudaré todo el teatro
porque todo, mal seguro,
se verá cubierto de agua 145
a la saña de un diluvio.
En medio de tanto golfo,
a los flujos y reflujos
de ondas y nubes, vendrá
haciendo ignorados surcos 150
por las aguas un bajel
que fluctuando seguro
traerá su vientre preñado
de hombres, de aves y de brutos.
A la seña que, en el cielo, 155
de paz hará un arco rubio
de tres colores, pajizo,
tornasolado y purpúreo,
todo el gremio de las ondas,
obediente a su estatuto, 160
hará lugar, observando
leyes que primero tuvo,
a la cerviz de la tierra
que, sacudiéndose el yugo,
descollará su semblante 165
bien que macilento y mustio.
Acabado el primer acto
luego empezará el segundo,
ley escrita en que poner
más apariencias procuro, 170
pues para pasar a ella
pasarán con pies enjutos
los hebreos desde Egipto
los cristales del mar rubio;
amontonadas las aguas 175
verá el Sol que le descubro
los más ignorados senos
que ha mirado en tantos lustros.
Con dos columnas de fuego

ya me parece que alumbro 180
el desierto antes de entrar
en el prometido fruto.
Para salir con la ley
Moisés, a un monte robusto
le arrebatará una nube 185
en el rapto vuelo suyo.
Y esta segunda jornada
fin tendrá en un furibundo
eclipse en que todo el Sol
se ha de ver casi difunto. 190
Al último parasismo
se verá el orbe cerúleo
titubear, borrando tantos
paralelos y coluros.
Sacudiránse los montes 195
y delirarán los muros,
dejando en pálidas ruinas
tanto escándalo caduco.
Y empezará la tercera
jornada, donde hay anuncios 200
que habrá mayores portentos
por ser los milagros muchos
de la *ley de gracia*, en que
ociosamente discurro.
Con lo cual en tres jornadas, 205
tres leyes y un estatuto,
los hombres dividirán
las tres edades del mundo;
hasta que al último paso
todo el tablado, que tuvo 210
tan grande aparato en sí,
una llama, un rayo puro
cubrirá porque no falte
fuego en la fiesta... ¿Qué mucho
que aquí, balbuciente el labio, 215
quede absorto, quede mudo?
De pensarlo, me estremezco;
de imaginarlo, me turbo;
de repetirlo, me asombro;

de acordarlo, me consumo. 220
Mas, ¡dilátese esta escena,
este paso horrible y duro,
tanto, que nunca le vean
todos los siglos futuros!
Prodigios verán los hombres 225
en tres actos y ninguno
a su representación
faltará por mí en el uso.
Y pues que ya he prevenido
cuanto al teatro, presumo 230
que está todo ahora; cuanto
al vestuario, no dudo
que allí en tu mente le tienes,
pues allá en tu mente juntos,
antes de nacer, los hombres 235
tienen los aplausos suyos.
Y para que desde ti
a representar al mundo
salgan y vuelvan a entrarse,
ya previno mi discurso 240
dos puertas: la una es la cuna
y la otra es el sepulcro.
Y para que no les falten
las galas y adornos juntos,
para vestir los papeles 245
tendré prevenido a punto
al que hubiere de hacer rey,
púrpura y laurel augusto;
al valiente capitán,
armas, valores y triunfos; 250
al que ha de hacer el ministro,
libros, escuelas y estudios.
Al religioso, obediencias;
al facineroso, insultos;
al noble le daré honras, 255
y libertades al vulgo.
Al labrador, que a la tierra
ha de hacer fértil a puro
afán, por culpa de un necio,

le daré instrumentos rudos. 260
A la que hubiere de hacer
la dama, le daré sumo
adorno en las perfecciones,
dulce veneno de muchos.
Sólo no vestiré al pobre 265
porque es papel de desnudo;
porque ninguno después
se queje de que no tuvo
para hacer bien su papel
todo el adorno que pudo, 270
pues el que bien no lo hiciere
será por defecto suyo,
no mío. Y pues que ya tengo
todo el aparato junto,
¡venid, mortales, venid 275
a adornaros cada uno
para que representéis
en el *teatro del mundo*! *Vase.*

AUTOR. Mortales que aun no vivís
y ya os llamo yo mortales, 280
pues en mi presencia iguales
antes de ser asistís;
aunque mis voces no oís,
venid a aquestos vergeles,
que ceñido de laureles, 285
cedros y palma os espero,
porque aquí entre todos quiero
repartir estos papeles.

Salen el RICO, *el* REY, *el* LABRADOR, *el* POBRE *y la* HERMOSURA, *la* DISCRECIÓN *y un* NIÑO.

REY. Ya estamos a tu obediencia,
Autor nuestro, que no ha sido 290
necesario haber nacido
para estar en tu presencia.
Alma, sentido, potencia,
vida, ni razón tenemos;
todos informes nos vemos; 295
polvo somos de tus pies.

Sopla aqueste polvo, pues,
para que representemos.

HERMOSURA. Sólo en tu concepto estamos,
ni animamos ni vivimos, 300
ni tocamos ni sentimos
ni del bien ni el mal gozamos;
pero, si hacia el mundo vamos
todos a representar,
los papeles puedes dar, 305
pues en aquesta ocasión
no tenemos elección
para haberlos de tomar.

LABRADOR. Autor mío soberano
a quien conozco desde hoy, 310
a tu mandamiento estoy
como hechura de tu mano,
y pues tú sabes, y es llano
porque en Dios no hay ignorar,
qué papel me puedes dar, 315
si yo errare este papel,
no me podré quejar de él,
de mí me podré quejar.

AUTOR. Ya sé que si para ser
el hombre elección tuviera, 320
ninguno el papel quisiera
del sentir y padecer;
todos quisieran hacer
el de mandar y regir,
sin mirar, sin advertir 325
que en acto tan singular
aquello es representar
aunque piense que es vivir.

Pero yo, Autor soberano,
sé bien qué papel hará 330
mejor cada uno; así va
repartiéndolos mi mano.
Haz tú el Rey.

Da su papel a cada uno.

REY. Honores gano.

AUTOR. La dama, que es la hermosura
humana, tú.
HERMOSURA. ¡Qué ventura! 335
AUTOR. Haz, tú, al rico, al poderoso.
RICO. En fin nazco venturoso
a ver del sol la luz pura.
AUTOR. Tú has de hacer al labrador.
LABRADOR. ¿Es oficio o beneficio? 340
AUTOR. Es un trabajoso oficio.
LABRADOR. Seré mal trabajador.
Por vuestra vida... Señor,
que aunque soy hijo de Adán,
que no me deis este afán, 345
aunque me deis posesiones,
porque tengo presunciones
que he de ser grande holgazán.
De mi natural infiero,
con ser tan nuevo, Señor, 350
que seré mal cavador
y seré peor quintero;
si aquí valiera un "no quiero"
dijérale, mas delante
de un autor tan elegante, 355
nada un "no quiero" remedia,
y así seré en la comedia
el peor representante.
Como sois cuerdo, me dais
como el talento el oficio, 360
y así mi poco jüicio
sufrís y disimuláis;
nieve como lana dais:
justo sois, no hay que quejarme;
y pues que ya perdonarme 365
vuestro amor me muestra en él,
yo haré, Señor, mi papel
despacio por no cansarme.
AUTOR. Tú, la discreción harás.
DISCRECIÓN. Venturoso estado sigo. 370
AUTOR. Haz tú al mísero, al mendigo.
POBRE. ¿Aqueste papel me das?

AUTOR. Tú, sin nacer morirás.
NIÑO. Poco estudio el papel tiene.
AUTOR. Así mi ciencia previene 375
que represente el que viva.
Justicia distributiva
soy, y sé lo que os conviene.

POBRE. Si yo pudiera excusarme
deste papel, me excusara, 380
cuando mi vida repara
en el que has querido darme;
y ya que no declararme
puedo, aunque atrevido quiera,
le tomo, mas considera, 385
ya que he de hacer el mendigo,
no, Señor, lo que te digo,
lo que decirte quisiera.

¿Por qué tengo de hacer yo
el pobre en esta comedia? 390
¿Para mí ha de ser tragedia,
y para los otros no?
¿Cuando este papel me dio
tu mano, no me dio en él
igual alma a la de aquel 395
que hace al rey? ¿Igual sentido?
¿Igual ser? Pues ¿por qué ha sido
tan desigual mi papel?

Si de otro barro me hicieras,
si de otra alma me adornaras, 400
menos vida me fiaras,
menos sentidos me dieras;
ya parece que tuvieras
otro motivo, Señor;
pero parece rigor, 405
(perdona decir cruel)
el ser mejor su papel
no siendo su ser mejor.

AUTOR. En la representación
igualmente satisface 410
el que bien al pobre hace
con afecto, alma y acción,

como el que hace al rey, y son
iguales éste y aquél
en acabando el papel. 415
Haz tú bien el tuyo, y piensa
que para la recompensa
yo te igualaré con él.

No porque pena te sobre,
siendo pobre, es en mi ley 420
mejor papel el del rey
si hace bien el suyo el pobre;
uno y otro de mí cobre
todo el salario después
que haya merecido, pues 425
en cualquier papel se gana,
que toda la vida humana
representaciones es.

Y la comedia acabada,
ha de cenar a mi lado 430
el que haya representado,
sin haber errado en nada,
su parte más acertada;
allí, igualaré a los dos.

HERMOSURA. Pues, decidnos, Señor, vos, 435
¿cómo en lengua de la fama
esta comedia se llama?

AUTOR. *Obrar bien, que Dios es Dios.*

REY. Mucho importa que no erremos
comedia tan misteriosa. 440

RICO. Para eso es acción forzosa
que primero la ensayemos.

DISCRECIÓN. ¿Cómo ensayarla podremos
si nos llegamos a ver
sin luz, sin alma y sin ser 445
antes de representar?

POBRE. Pues ¿cómo sin ensayar
la comedia se ha de hacer?

LABRADOR. Del pobre apruebo la queja,
que lo siento así, Señor, 450
(que son pobre y labrador
para par a la pareja).

Aun una comedia vieja
harta de representar,
si no se vuelve a ensayar, 455
se yerra cuando se prueba,
¿si no se ensaya esta nueva,
cómo se podrá acertar?

AUTOR. Llegando ahora a advertir
que, siendo el cielo jüez, 460
se ha de acertar de una vez
cuanto es nacer y morir.

HERMOSURA. Pues ¿el entrar y salir
cómo lo hemos de saber
ni a qué tiempo haya de ser? 465

AUTOR. Aun eso se ha de ignorar,
y de una vez acertar
cuanto es morir y nacer.
Estad siempre prevenidos
para acabar el papel; 470
que yo os llamaré al fin de él.

POBRE. ¿Y si acaso los sentidos
tal vez se miran perdidos?

AUTOR. Para eso, común grey,
tendré desde el pobre al rey, 475
para enmendar al que errare
y enseñar al que ignorare
con el apunto a mi Ley;
ella a todos os dirá
lo que habéis de hacer, y así 480
nunca os quejaréis de mí.
Albedrío tenéis ya,
y pues prevenido está
el teatro, vos y vos
medid las distancias dos 485
de la vida.

DISCRECIÓN. ¿Qué esperamos?
¡Vamos al teatro!

TODOS. ¡Vamos
a *obrar bien, que Dios es Dios!*

Al irse a entrar, sale el MUNDO *y detiénelos.*

MUNDO. Ya está todo prevenido
para que se represente 490
esta comedia aparente
que hace el humano sentido.
REY. Púrpura y laurel te pido.
MUNDO. ¿Por qué, púrpura y laurel?
REY. Porque hago este papel. 495

Enséñale el papel, y toma la púrpura y corona, y vase.

MUNDO. Ya aquí prevenido está.
HERMOSURA. A mí, matices me da
de jazmín, rosa y clavel.
Hoja a hoja y rayo a rayo
se desaten a porfía 500
todas las luces del día,
todas las flores del Mayo;
padezca mortal desmayo
de envidia al mirarme el sol,
y como a tanto arrebol 505
el girasol ver desea,
la flor de mis luces sea
siendo el sol mi girasol.
MUNDO. Pues ¿cómo vienes tan vana
a representar al mundo? 510
HERMOSURA. En este papel me fundo.
MUNDO. ¿Quién es?
HERMOSURA. La hermosura humana.
MUNDO. Cristal, carmín, nieve y grana
pulan sombras y bosquejos
que te afeiten de reflejos. 515

Dale un ramillete.

HERMOSURA. Pródiga estoy de colores.
Servidme de alfombra, flores;
sed, cristales, mis espejos. *Vase.*
RICO. Dadme riquezas a mí,
dichas y felicidades 520
pues para prosperidades
hoy vengo a vivir aquí.
MUNDO. Mis entrañas para ti

a pedazos romperé;
de mis senos sacaré 525
toda la plata y el oro
que en avariento tesoro
tanto encerrado oculté.

Dale joyas.

RICO. Soberbio y desvanecido
con tantas riquezas voy. 530
DISCRECIÓN. Yo, para mi papel, hoy,
tierra en que vivir te pido.
MUNDO. ¿Qué papel el tuyo ha sido?
DISCRECIÓN. La discreción estudiosa.
MUNDO. Discreción tan religiosa 535
tome ayuno y oración.

Dale cilicio y disciplina.

DISCRECIÓN. No fuera yo discreción
tomando de ti otra cosa. *Vase.*
MUNDO. ¿Cómo tú entras sin pedir
para el papel que has de hacer? 540
NIÑO. Como no te he menester
para lo que he de vivir.
Sin nacer he de morir,
en ti no tengo de estar
más tiempo que el de pasar 545
de una cárcel a otra oscura,
y para una sepultura
por fuerza me la has de dar.
MUNDO. ¿Qué pides tú, di, grosero?
LABRADOR. Lo que le diera yo a él. 550
MUNDO. Ea, muestra tu papel.
LABRADOR. Ea, digo que no quiero.
MUNDO. De tu proceder infiero
que como bruto gañán
habrás de ganar tu pan. 555
LABRADOR. Esas mis desdichas son.
MUNDO. Pues, toma aqueste azadón.

Dale un azadón.

LABRADOR. Esta es la herencia de Adán.

Señor Adán bien pudiera,
pues tanto llegó a saber, 560
conocer que su mujer
pecaba de bachillera;
dejárala que comiera
y no la ayudara él;
mas como amante cruel 565
dirá que se lo rogó,
y así tan mal como yo
representó su papel. *Vase.*

POBRE. Ya que a todos darles dichas,
gustos y contentos vi, 570
dáme pesares a mí,
dáme penas y desdichas;
no de las venturas dichas
quiero púrpura y laurel;
déste colores, de aquél 575
plata ni oro no he querido.
Sólo remiendos te pido.

MUNDO. ¿Qué papel es tu papel?

POBRE. Es mi papel la aflicción;
es la angustia, es la miseria, 580
la desdicha, la pasión,
el dolor, la compasión,
el suspirar, el gemir,
el padecer, el sentir,
importunar y rogar, 585
el nunca tener que dar,
el siempre haber de pedir;
el desprecio, la esquivez,
el baldón, el sentimiento,
la vergüenza, el sufrimiento, 590
la hambre, la desnudez,
el llanto, la mendiguez,
la inmundicia, la bajeza,
el desconsuelo y pobreza,
la sed, la penalidad, 595
y es la vil necesidad,
que todo esto es la pobreza.

MUNDO. A ti nada te he de dar,

que el que haciendo al pobre vive
nada del mundo recibe; 600
antes te pienso quitar
estas ropas, que has de andar
desnudo, para que acuda (*Desnúdale.*)
yo a mi cargo, no se duda.

POBRE. En fin, este mundo triste 605
al que está vestido viste
y al desnudo le desnuda.

MUNDO. Ya que de varios estados
está el teatro cubierto,
pues un rey en él advierto 610
con imperios dilatados;
beldad a cuyos cuidados
se adormecen los sentidos,
poderosos aplaudidos,
mendigos menesterosos, 615
labradores, religiosos,
que son los introducidos
para hacer los personajes
de la comedia de hoy
a quien yo el teatro doy, 620
las vestiduras y trajes
de limosnas y de ultrajes,
¡sal, divino Autor, a ver
las fiestas que te han de hacer
los hombres! ¡Ábrase el centro 625
de la tierra, pues que dentro
della la escena ha de ser!

Con música se abren a un tiempo dos globos: en el uno, estará un trono de gloria, y en él el AUTOR *sentado; en el otro ha de haber representación con dos puertas: en la una pintada una cuna y en la otra un ataúd.*

AUTOR. Pues para grandeza mía
aquesta fiesta he trazado,
en ese trono sentado, 630
donde es eterno mi día,
he de ver mi compañía.
Hombres que salís al suelo
por una cuna de yelo

y por un sepulcro entráis, 635
ved cómo representáis,
que os ve el Autor desde el cielo.

Sale la DISCRECIÓN *con un instrumento, y canta.*

DISCRECIÓN. Alaben al Señor de tierra y cielo,
el sol, luna y estrellas;
alábenle las bellas 640
flores que son caracteres del suelo;
alábele la luz, el fuego, el yelo,
la escarcha y el rocío,
el invierno y estío,
y cuanto esté debajo de ese velo 645
que en visos celestiales,
árbitro es de los bienes y los males. *Vase.*

AUTOR. Nada me suena mejor
que en voz del hombre este fiel
himno que cantó Daniel 650
para templar el furor
de Nabuco-Donosor.

MUNDO. ¿Quién hoy la *loa* echará?
Pero en la apariencia ya
la Ley convida a su voz 655
que como corre veloz,
en elevación está
sobre la haz de la tierra.

Aparece la LEY DE GRACIA *en una elevación, que estará sobre donde estuviere el* MUNDO, *con un papel en la mano.*

LEY. Yo, que Ley de Gracia soy,
la fiesta introduzco hoy; 660
para enmendar al que yerra
en este papel se encierra
la gran comedia, que Vos
compusisteis sólo en dos
versos que dicen así: 665
(*Canta.*) *Ama al otro como a ti,*
y obra bien, que Dios es Dios.

MUNDO. La Ley después de la loa
con el apunto quedó;

vitoriar quisiera aquí, 670
pues me representa a mí.
Vulgo desta fiesta soy,
mas callaré porque empieza
ya la representación.

Salen la HERMOSURA *y la* DISCRECIÓN *por la puerta de la cuna.*

HERMOSURA. Vente conmigo a espaciar 675
por estos campos que son
felice patria del Mayo,
dulce lisonja del sol;
pues sólo a los dos conocen,
dando solos a los dos 680
resplandores, rayo a rayo,
y matices, flor a flor.

DISCRECIÓN. Ya sabes que nunca gusto
de salir de casa yo,
quebrantando la clausura 685
de mi apacible prisión.

HERMOSURA. ¿Todo ha de ser para ti
austeridad y rigor?
¿No ha de haber placer un día?
Dios, di, ¿para qué crio 690
flores, si no ha de gozar
el olfato el blando olor
de sus fragantes aromas?
¿Para qué aves engendró,
que en cláusulas lisonjeras 695
cítaras de pluma son,
si el oído no ha de oírlas?
¿Para qué galas si no
las ha de romper el tacto
con generosa ambición? 700
¿Para qué las dulces frutas
si no sirve su sazón
de dar al gusto manjares
de un sabor y otro sabor?
¿Para qué hizo Dios, en fin, 705
montes, valles, cielo, sol,
si no han de verlo los ojos?

Ya parece, y con razón,
ingratitud no gozar
las maravillas de Dios. 710

DISCRECIÓN. Gozarlas para admirarlas
es justa y lícita acción
y darle gracias por ellas,
gozar las bellezas no
para usar dellas tan mal 715
que te persuadas que son
para verlas las criaturas
sin memoria del Criador.
Yo no he de salir de casa;
ya escogí esta religión 720
para sepultar mi vida:
por eso soy Discreción.

HERMOSURA. Yo, para esto, Hermosura:
a ver y ser vista voy. *Apártanse.*

MUNDO. Poco tiempo se avinieron 725
Hermosura y Discreción.

HERMOSURA. Ponga redes mi cabello,
y ponga lazos mi amor
al más tibio afecto, al más
retirado corazón. 730

MUNDO. Una acierta, y otra yerra
su papel, de aquestas dos.

DISCRECIÓN. ¿Qué haré yo para emplear
bien mi ingenio?

HERMOSURA. ¿Qué haré yo
para lograr mi hermosura? 735

LEY. (*Canta.*) *Obrar bien, que Dios es Dios.*

MUNDO. Con oírse aquí el apunto
la Hermosura no le oyó.

Sale el RICO.

RICO. Pues pródigamente el Cielo
hacienda y poder me dio, 740
pródigamente se gaste
en lo que delicias son.
Nada me parezca bien
que no lo apetezca yo;

registre mi mesa cuanto 745
o corre o vuela veloz.
Sea mi lecho la esfera
de Venus, y en conclusión
la pereza y las delicias,
gula, envidia y ambición 750
hoy mis sentidos posean.

Sale el LABRADOR.

LABRADOR. ¿Quién vio trabajo mayor
que el mío? Yo rompo el pecho
a quien el suyo me dio
porque el alimento mío 755
en esto se me libró.
Del arado que la cruza
la cara, ministro soy,
pagándola el beneficio
en aquestos que la doy. 760
Hoz y azada son mis armas;
con ellas riñendo estoy:
con las cepas, con la azada;
con las mieses, con la hoz.
En el mes de Abril y Mayo 765
tengo hidrópica pasión,
y si me quitan el agua
entonces estoy peor.
En cargando algún tributo,
de aqueste siglo pensión, 770
encara la puntería
contra el triste labrador.
Mas, pues trabajo y lo sudo,
los frutos de mi labor
me ha de pagar quien los compre 775
al precio que quiera yo.
No quiero guardar la tasa
ni seguir más la opinión
de quien, porque ha de comprar,
culpa a quien no la guardó. 780
Y yo sé que si no llueve
este Abril, que ruego a Dios

que no llueva, ha de valer
muchos ducados mi troj.
Con esto un Nabal-Carmelo 785
seré de aquesta región
y me habrán menester todos,
pero muy hinchado yo,
entonces, ¿qué podré hacer?

LEY. (*Canta.*) *Obrar bien, que Dios es Dios.* 790

DISCRECIÓN. ¿Cómo el apunto no oíste?

LABRADOR. Como sordo a tiempo soy.

MUNDO. El al fin se está en sus treces.

LABRADOR. Y aun en mis catorce estoy.

Sale el POBRE.

POBRE. De cuantos el mundo viven, 795
¿quién mayor miseria vio
que la mía? Aqueste suelo
es el más dulce y mejor
lecho mío que, aunque es
todo el cielo pabellón 800
suyo, descubierto está
a la escarcha y al calor;
la hambre y la sed me afligen.
¡Dadme paciencia, mi Dios!

RICO. ¿Qué haré yo para ostentar 805
mi riqueza?

POBRE. ¿Qué haré yo
para sufrir mis desdichas?

LEY. (*Canta.*) *Obrar bien, que Dios es Dios.*

POBRE. ¡Oh, cómo esta voz consuela!

RICO. ¡Oh, cómo cansa esta voz! 810

DISCRECIÓN. El Rey sale a estos jardines.

RICO. ¡Cuánto siente esta ambición
postrarse a nadie!

HERMOSURA. Delante
de él he de ponerme yo
para ver si mi hermosura 815
pudo rendirlo a mi amor.

LABRADOR. Yo detrás; no se le antoje
viendo que soy labrador,

darme con un nuevo arbitrio,
pues no espero otro favor. 820

Sale el REY.

REY. A mi dilatado imperio
estrechos límites son
cuantas contiene provincias
esta máquina inferior.
De cuanto circunda el mar 825
y de cuanto alumbra el sol
soy el absoluto dueño,
soy el supremo señor.
Los vasallos de mi imperio
se postran por donde voy. 830
¿Qué he menester yo en el mundo?

LEY. (*Canta.*) *Obrar bien, que Dios es Dios.*

MUNDO. A cada uno va diciendo
el apunto lo mejor.

POBRE. Desde la miseria mía 835
mirando infeliz estoy
ajenas felicidades.
El rey, supremo señor,
goza de la majestad
sin acordarse que yo 840
necesito de él; la dama
atenta a su presunción
no sabe si hay en el mundo
necesidad y dolor;
la religiosa, que siempre 845
se ha ocupado en oración,
si bien a Dios sirve, sirve
con comodidad a Dios.
El labrador, si cansado
viene del campo, ya halló 850
honesta mesa su hambre,
si opulenta mesa no;
al rico le sobra todo;
y sólo, en el mundo, yo
hoy de todos necesito, 855
y así llego a todos hoy,

porque ellos viven sin mí
pero yo sin ellos no.
A la Hermosura me atrevo
a pedir. Dadme, por Dios, 860
limosna.

HERMOSURA. Decidme, fuentes,
pues que mis espejos sois,
¿qué galas me están más bien?
¿qué rizos me están mejor?

POBRE. ¿No me veis?

MUNDO. Necio, ¿no miras 865
que es vana tu pretensión?
¿Por qué ha de cuidar de ti
quien de sí se descuidó?

POBRE. Pues que tanta hacienda os sobra,
dadme una limosna vos. 870

RICO. ¿No hay puertas donde llamar?
¿Así os entráis donde estoy?
En el umbral del zaguán
pudierais llamar, y no
haber llegado hasta aquí. 875

POBRE. No me tratéis con rigor.

RICO. Pobre importuno, idos luego.

POBRE. Quien tanto desperdició
por su gusto, ¿no dará
alguna limosna?

RICO. No. 880

MUNDO. El avariento y el pobre
de la parábola son.

POBRE. Pues a mi necesidad
le falta ley y razón,
atreveréme al rey mismo. 885
Dadme limosna, señor.

REY. Para eso tengo ya
mi limosnero mayor.

MUNDO. Con sus ministros el Rey
su conciencia aseguró. 890

POBRE. Labrador, pues recibís
de la bendición de Dios
por un grano que sembráis

tanta multiplicación,
mi necesidad os pide 895
limosna.

LABRADOR. Si me la dio
Dios, buen arar y sembrar
y buen sudor me costó.
Decid: ¿no tenéis vergüenza
que un hombrazo como vos 900
pida? ¡Servid, noramala!
No os andéis hecho un bribón.
Y si os falta que comer,
tomad aqueste azadón
con que lo podéis ganar. 905

POBRE. En la comedia de hoy
yo el papel de pobre hago;
no hago el de labrador.

LABRADOR. Pues, amigo, en su papel
no le ha mandado el Autor 910
pedir no más y holgar siempre,
que el trabajo y el sudor
es propio papel del pobre.

POBRE. Sea por amor de Dios.
Riguroso, hermano, estáis. 915

LABRADOR. Y muy pedigüeño vos.

POBRE. Dadme vos algún consuelo.

DISCRECIÓN. Tomad, y dadme perdón. *Dale un pan.*

POBRE. Limosna de pan, señora,
era fuerza hallarla en vos, 920
porque el pan que nos sustenta
ha de dar la Religión.

DISCRECIÓN. ¡Ay de mí!

REY. ¿Qué es esto?

POBRE. Es
alguna tribulación
que la Religión padece. 925

Va a caer la RELIGIÓN, *y la da el* REY *la mano.*

REY. Llegaré a tenerla yo.

DISCRECIÓN. Es fuerza; que nadie puede
sostenerla como vos.

AUTOR. Yo bien pudiera enmendar
los yerros que viendo estoy; 930
pero por eso les di
albedrío superior
a las pasiones humanas,
por no quitarles la acción
de merecer con sus obras; 935
y así dejo a todos hoy
hacer libres sus papeles,
y en aquella confusión
donde obran todos juntos
míro en cada uno yo, 940
diciéndoles por mi ley:

REY. (*Canta.*) *Obrar bien, que Dios es Dios.*
(*Recita.*) A cada uno por sí
y a todos juntos, mi voz
ha advertido; ya con esto 945
su culpa será su error.
(*Canta.*) *Ama al otro como a ti*
y obrar bien que Dios es Dios.

REY. Supuesto que es esta vida
una representación, 950
y que vamos un camino
todos juntos, haga hoy
del camino la llaneza
común la conversación.

HERMOSURA. No hubiera mundo a no haber 955
esa comunicación.

RICO. Diga un cuento cada uno.

DISCRECIÓN. Será prolijo; mejor
será que cada uno diga
qué está en su imaginación. 960

REY. Viendo estoy mis imperios dilatados,
mi majestad, mi gloria, mi grandeza,
en cuya variedad naturaleza
perfeccionó de espacio mis cuidados.
Alcázares poseo levantados, 965
mi vasalla ha nacido la belleza.
La humildad de unos, de otros la riqueza
triunfo son al arbitrio de los hados.

Para regir tan desigual, tan fuerte
monstruo de muchos cuellos, me concedan 970
los cielos atenciones más felices.
Ciencia me den con que a regir acierte,
que es imposible que domarse puedan
con un yugo no más tantas cervices.

MUNDO. Ciencia para gobernar 975
pide, como Salomón.

Canta una voz triste, dentro, a la parte que está la puerta del ataúd.

VOZ. Rey de este caduco imperio,
cese, cese tu ambición,
que en el teatro del mundo
ya tu papel se acabó. 980

REY. Que ya acabó mi papel
me dice una triste voz
que me ha dejado al oirla
sin discurso ni razón.
Pues se acabó el papel, quiero 985
entrarme, mas ¿dónde voy?
Porque a la primera puerta,
donde mi cuna se vio,
no puedo ¡ay de mí! no puedo
retroceder. ¡Qué rigor! 990
¡No poder hacia la cuna
dar un paso...! ¡Todos son
hacia el sepulcro...! ¡Que el río
que, brazo de mar, huyó,
vuelva a ser mar; que la fuente 995
que salió del río (¡qué horror!)
vuelva a ser río; el arroyo
que de la fuente corrió
vuelva a ser fuente; y el hombre,
que de su centro salió, 1000
vuelva a su centro, a no ser
lo que fue...! ¡Qué confusión!
Si ya acabó mi papel,
supremo y divino Autor,
dad a mis yerros disculpa, 1005
pues arrepentido estoy.

Vase por la puerta del ataúd y todos se han de ir por ella.

MUNDO. Pidiendo perdón el Rey,
bien su papel acabó.
HERMOSURA. De en medio de sus vasallos,
de su pompa y de su honor 1010
faltó el rey.
LABRADOR. No falte en Mayo
el agua al campo en sazón,
que con buen año y sin rey
lo pasaremos mejor.
DISCRECIÓN. Con todo, es gran sentimiento. 1015
HERMOSURA. Yo notable confusión.
¿Qué haremos sin él?
RICO. Volver
a nuestra conversación.
Dinos, tú, lo que imaginas.
HERMOSURA. Aquesto imagino yo. 1020
MUNDO. ¡Qué presto se consolaron
los vivos de quien murió!
LABRADOR. Y más cuando el tal difunto
mucha hacienda les dejó.
HERMOSURA. Viendo estoy mi beldad hermosa y pura; 1025
ni al rey envidio, ni sus triunfos quiero,
pues más ilustre imperio considero
que es el que mi belleza me asegura.
Porque si el rey avasallar procura
las vidas, yo, las almas; luego infiero 1030
con causa que mi imperio es el primero
pues que reina en las almas la hermosura.
"Pequeño mundo" la filosofía
llamó al hombre; si en él mi imperio fundo
como el cielo lo tiene, como el suelo, 1035
bien puede presumir la deidad mía
que el que al hombre llamó "pequeño mundo"
llamará a la mujer "pequeño cielo."
MUNDO. No se acuerda de Ezequiel
cuando dijo que trocó 1040
la soberbia a la hermosura
en fealdad la perfección.

VOZ. (*Canta.*) Toda la hermosura humana
es una pequeña flor.
Marchítese, pues la noche 1045
ya de su aurora llegó.

HERMOSURA. Que fallezca la hermosura
dice una triste canción.
No fallezca, no fallezca.
Vuelva a su primer albor. 1050
Mas ¡ay de mí! que no hay rosa
de blanco o rojo color
que a las lisonjas del día,
que a los halagos del sol
saque a deshojar sus hojas, 1055
que no caduque; pues no
vuelve ninguna a cubrirse
dentro del verde botón.
Mas, ¿qué importa que las flores,
del alba breve candor, 1060
marchiten del sol dorado
halagos de su arrebol?
¿Acaso tiene conmigo
alguna comparación
flor en que ser y no ser 1065
términos continuos son?
No, que yo soy flor hermosa
de tan grande duración,
que si vio el sol mi principio
no verá mi fin el sol. 1070
Si eterna soy, ¿cómo puedo
fallecer? ¿Qué dices, voz?

VOZ. (*Canta.*) Que en el alma eres eterna
y en el cuerpo mortal flor.

HERMOSURA. Ya no hay réplica que hacer 1075
contra aquesta distinción.
De aquella cuna salí
y hacia este sepulcro voy.
Mucho me pesa no haber
hecho mi papel mejor. *Vase.* 1080

MUNDO. Bien acabó el papel, pues
arrepentida acabó.

RICO. De entre las galas y adornos
y lozanías faltó
la Hermosura.

LABRADOR. No nos falte
pan, vino, carne y lechón
por Pascua, que a la Hermosura
no la echaré menos yo.

DISCRECIÓN. Con todo, es grande tristeza.

POBRE. Y aun notable compasión.
¿Qué habemos de hacer?

RICO. Volver
a nuestra conversación.

LABRADOR. Cuando el ansioso cuidado
con que acudo a mi labor
miro sin miedo al calor
y al frío desazonado,
y advierto lo descuidado
del alma, tan tibia ya,
la culpo, pues dando está
gracias de cosecha nueva,
al campo porque la lleva
y no a Dios que se la da.

MUNDO. Cerca está de agradecido
quien se conoce deudor.

POBRE. A este labrador me inclino
aunque antes me reprehendió.

VOZ. (*Canta.*) Labrador, a tu trabajo
término fatal llegó;
ya lo serás de otra tierra;
dónde será, ¡sabe Dios...!

LABRADOR. Voz, si de la tal sentencia
admites apelación,
admíteme, que yo apelo
a tribunal superior.
No muera yo en este tiempo,
aguarda sazón mejor,
siquiera porque mi hacienda
la deje puesta en sazón;
y porque, como ya dije,
soy maldito labrador,

como lo dicen mis viñas
cardo a cardo y flor a flor,
pues tan alta está la yerba
que duda el que la miró
un poco apartado dellas 1125
si mieses o viñas son.
Cuando panes del lindero
son gigante admiración
casi enanos son los míos
pues no salen del terrón. 1130
Dirá quien aquesto oyere
que antes es buena ocasión
estando el campo sin fruto
morirme, y respondo yo:
— Si, dejando muchos frutos 1135
al que hereda, no cumplió
testamento de sus padres,
¿qué hará sin frutos, Señor? —
Mas, pues no es tiempo de gracias,
pues allí dijo una voz 1140
que me muero, y el sepulcro
la boca, a tragarme, abrió;
si mi papel no he cumplido
conforme a mi obligación,
pésame que no me pese 1145
de no tener gran dolor. *Vase.*

MUNDO. Al principio le juzgué
grosero, y él me advirtió
con su fin de mi ignorancia.
¡Bien acabó el labrador! 1150

RICO. De azadones y de arados,
polvo, cansancio y sudor
ya el Labrador ha faltado.

POBRE. Y afligidos nos dejó.

DISCRECIÓN. ¡Qué pena!

POBRE. ¡Qué desconsuelo! 1155

DISCRECIÓN. ¡Qué llanto!

POBRE. ¡Qué confusión!

DISCRECIÓN. ¿Qué habemos de hacer?

RICO. Volver

a nuestra conversación;
y, por hacer lo que todos,
digo lo que siento yo. 1160

¿A quién mirar no le asombra
ser esta vida una flor
que nazca con el albor
y fallezca con la sombra?
Pues si tan breve se nombra, 1165
de nuestra vida gocemos
el rato que la tenemos,
dios a nuestro vientre hagamos.
¡Comamos, hoy, y bebamos,
que mañana moriremos! 1170

MUNDO. De la Gentilidad es
aquella proposición,
así lo dijo Isaías.

DISCRECIÓN. ¿Quién se sigue ahora?

POBRE. Yo.

Perezca, Señor, el día 1175
en que a este mundo nací.
Perezca la noche fría
en que concebido fui
para tanta pena mía.

No la alumbre la luz pura 1180
del sol entre oscuras nieblas;
todo sea sombra oscura,
nunca venciendo la dura
opresión de las tinieblas.

Eterna la noche sea, 1185
ocupando pavorosa
su estancia, y porque no vea
el Cielo, caliginosa
oscuridad la posea.

De tantas vivas centellas 1190
luces sea su arrebol,
día sin aurora y sol,
noche sin luna y estrellas.

No porque así me he quejado
es, Señor, que desespero 1195
por mirarme en tal estado,

sino porque considero
que fui nacido en pecado.

MUNDO. Bien ha engañado las señas
de la desesperación; 1200
que así, maldiciendo el día,
maldijo el pecado Job.

VOZ. (*Canta.*) Número tiene la dicha,
número tiene el dolor;
de ese dolor y esa dicha, 1205
venid a cuentas los dos.

RICO. ¡Ay de mí!

POBRE. ¡Qué alegre nueva!

RICO. ¿Desta voz que nos llamó
tú no te estremeces?

POBRE. Sí.

RICO. ¿No procuras huir?

POBRE. No; 1210
que el estremecerse es
una natural pasión
del ánimo a quien como hombre
temiera Dios, con ser Dios.
Mas si el huir será en vano, 1215
porque si della no huyó
a su sagrado el poder,
la hermosura a su blasón,
¿dónde podrá la pobreza?
Antes mil gracias le doy, 1220
pues con esto acabará
con mi vida mi dolor.

RICO. ¿Cómo no sientes dejar
el teatro?

POBRE. Como no
dejo en él ninguna dicha, 1225
voluntariamente voy.

RICO. Yo, ahorcado, porque dejo
en la hacienda el corazón.

POBRE. ¡Qué alegría!

RICO. ¡Qué tristeza!

POBRE. ¡Qué consuelo!

RICO. ¡Qué aflicción! 1230

POBRE. ¡Qué dicha!
RICO. ¡Qué sentimiento!
POBRE. ¡Qué ventura!
RICO. ¡Qué rigor! *Vanse los dos.*
MUNDO. ¡Qué encontrados al morir
el rico y el pobre son!
DISCRECIÓN. En efecto, en el teatro 1235
sola me he quedado yo.
MUNDO. Siempre lo que permanece
más en mí es la religión.
DISCRECIÓN. Aunque ella acabar no puede,
yo sí, porque yo no soy 1240
la Religión, sino un miembro
que aqueste estado eligió.
Y antes que la voz me llame
yo me anticipo a la voz
del sepulcro, pues ya en vida 1245
me sepulté, con que doy,
por hoy, fin a la comedia
que mañana hará el Autor.
Enmendaos para mañana
los que veis los yerros de hoy. 1250

Ciérrase el globo de la tierra.

AUTOR. Castigo y premio ofrecí
a quien mejor o peor
representase, y verán
qué castigo y premio doy.

Ciérrase el globo celeste, y en él el AUTOR.

MUNDO. ¡Corta fue la comedia! Pero ¿cuándo 1255
no lo fue la comedia desta vida,
y más para el que está considerando
que toda es una entrada, una salida?
Ya todos el teatro van dejando,
a su primer materia reducida 1260
la forma que tuvieron y gozaron.
Polvo salgan de mí, pues polvo entraron.
Cobrar quiero de todos, con cuidado,
las joyas que les di con que adornasen

la representación en el tablado, 1265
pues sólo fue mientras representasen.
Pondréme en esta puerta, y, avisado,
haré que mis umbrales no traspasen
sin que dejen las galas que tomaron.
Polvo salgan de mí, pues polvo entraron. 1270

Sale el REY.

Di. ¿Qué papel hiciste, tú que ahora
el primero a mis manos has venido?
REY. Pues, ¿el Mundo quién fui tan presto ignora?
MUNDO. El Mundo lo que fue pone en olvido,
REY. Aquel fui que mandaba cuanto dora 1275
el sol, de luz y resplandor vestido,
desde que en brazos de la aurora nace,
hasta que en brazos de la sombra yace.
Mandé, juzgué, regí muchos estados;
hallé, heredé, adquirí grandes memorias; 1280
vi, tuve, concebí cuerdos cuidados;
poseí, gocé, alcancé varias victorias.
Formé, aumenté, valí varios privados;
hice, escribí, dejé varias historias;
vestí, imprimí, ceñí, en ricos doseles, 1285
las púrpuras, los cetros y laureles.
MUNDO. Pues deja, suelta, quita la corona;
la majestad, desnuda, pierde, olvida; *Quítasela.*
vuélvase, torne, salga tu persona
desnuda de la farsa de la vida. 1290
La púrpura, de quien tu voz blasona,
presto de otro se verá vestida,
porque no has de sacar de mis crueles
manos, púrpuras, cetros, ni laureles.
REY. ¿Tú, no me diste adornos tan amados? 1295
¿Cómo me quitas lo que ya me diste?
MUNDO. Porque dados no fueron, no, prestados
sí para el tiempo que el papel hiciste.
Déjame para otro los estados,
la majestad y pompa que tuviste. 1300
REY. ¿Cómo de rico fama solicitas
si no tienes qué dar si no lo quitas?

¿Qué tengo de sacar en mi provecho
de haber, al mundo, al rey representado?

MUNDO. Esto, el Autor, si bien o mal lo has hecho 1305
premio o castigo te tendrá guardado;
no, no me toca a mí, según sospecho,
conocer tu descuido o tu cuidado:
cobrar me toca el traje que sacaste,
porque me has de dejar como me hallaste. 1310

Sale la HERMOSURA.

MUNDO. ¿Qué has hecho, tú?

HERMOSURA. La gala y la hermosura.

MUNDO. ¿Qué te entregué?

HERMOSURA. Perfecta una belleza.

MUNDO. Pues, ¿dónde está?

HERMOSURA. Quedó en la sepultura.

MUNDO. Pasmóse, aquí, la gran naturaleza
viendo cuán poco la hermosura dura, 1315
que aun no viene a parar adonde empieza,
pues al querer cobrarla yo, no puedo;
ni la llevas, ni yo con ella quedo.
El Rey la majestad en mí ha dejado;
en mí ha dejado el lustre, la grandeza. 1320
La belleza no puedo haber cobrado,
que expira con el dueño la belleza.
Mírate a ese cristal.

HERMOSURA. Yo me he mirado.

MUNDO. ¿Dónde está la beldad, la gentileza
que te presté? Volvérmela procura. 1325

HERMOSURA. Toda la consumió la sepultura.
Allí dejé matices y colores;
allí perdí jazmines y corales;
allí desvanecí rosas y flores;
allí quebré marfiles y cristales. 1330
Allí turbé afecciones y primores;
allí borré designios y señales;
allí eclipsé esplendores y reflejos;
allí aún no toparás sombras y lejos.

Sale el LABRADOR.

MUNDO. Tú, villano, ¿qué hiciste?
LABRADOR. Si villano 1335
era fuerza que hiciese, no te asombre,
un labrador, que ya tu estilo vano
a quien labra la tierra da ese nombre.
Soy a quien trata siempre el cortesano
con vil desprecio y bárbaro renombre; 1340
y soy, aunque de serlo más me aflijo,
por quien el *él*, el *vos* y el *tú* se dijo.
MUNDO. Deja lo que te di.
LABRADOR. Tú, ¿qué me has dado?
MUNDO. Un azadón te di.
LABRADOR. ¡Qué linda alhaja!
MUNDO. Buena o mala con ella habrás pagado. 1345
LABRADOR. ¿A quién el corazón no se le raja
viendo que deste mundo desdichado,
de cuanto la codicia vil trabaja,
un azadón, de la salud castigo,
aun no le han de dejar llevar consigo? 1350

Salen el RICO *y el* POBRE.

MUNDO. ¿Quién va allá?
RICO. Quien de ti nunca quisiera
salir.
POBRE. Y quien de ti siempre ha deseado
salir.
MUNDO. ¿Cómo los dos de esa manera
dejarme y no dejarme habéis llorado?
RICO. Porque yo rico y poderoso era. 1355
POBRE. Y yo porque era pobre y desdichado.
MUNDO. Suelta estas joyas. *Quítaselas.*
POBRE. Mira qué bien fundo
no tener que sentir dejar el mundo

Sale el NIÑO.

MUNDO. Tú que al teatro a recitar entraste,
¿cómo, di, en la comedia no saliste? 1360
NIÑO. La vida en un sepulcro me quitaste.
Allí te dejo lo que tú me diste.

Sale la DISCRECIÓN.

MUNDO. Cuando a las puertas del vivir llamaste
tú, ¿para adorno tuyo qué pediste?
DISCRECIÓN. Pedí una religión y una obediencia, 1365
cilicios, disciplinas y abstinencia.
MUNDO. Pues, déjalo en mis manos; no me puedan
decir que nadie saca sus blasones.
DISCRECIÓN. No quiero; que en el mundo no se quedan
sacrificios, afectos y oraciones; 1370
conmigo he de llevarlos, porque excedan
a tus mismas pasiones tus pasiones;
o llega a ver si ya de mí las cobras.
MUNDO. No te puedo quitar las buenas obras.
Estas solas del mundo se han sacado. 1375
REY. ¡Quién más reinos no hubiera poseído!
HERMOSURA. ¡Quién más beldad no hubiera deseado!
RICO. ¡Quién más riquezas nunca hubiera habido!
LABRADOR. ¡Quién más, ay Dios, hubiera trabajado!
POBRE. ¡Quién más ansias hubiera padecido! 1380
MUNDO. Ya es tarde; que en muriendo, no os asombre,
no puede ganar méritos el hombre.
Ya que he cobrado augustas majestades,
ya que he borrado hermosas perfecciones,
ya que he frustrado altivas vanidades, 1385
ya que he igualado cetros y azadones;
al teatro pasad de las verdades,
que éste el teatro es de las ficciones.
REY. ¿Cómo nos recibiste de otra suerte
que nos despides?
MUNDO. La razón advierte. 1390
Cuando algún hombre hay algo que reciba,
las manos pone, atento a su fortuna,
en esta forma; cuando con esquiva
acción lo arroja, así las vuelve; de una
suerte, puesta la cuna boca arriba 1395
recibe al hombre, y esta misma cuna,
vuelta al revés, la tumba suya ha sido.
Si cuna os recibí, tumba os despido.
POBRE. Pues que tan tirano el mundo
de su centro nos arroja, 1400
vamos a aquella gran cena

que en premio de nuestras obras
nos ha ofrecido el Autor.

REY. ¿Tú, también, tanto baldonas
mi poder, que vas delante? 1405
¿Tan presto de la memoria
que fuiste vasallo mío,
mísero mendigo, borras?

POBRE. Ya acabado tu papel,
en el vestuario ahora 1410
del sepulcro iguales somos.
Lo que fuiste poco importa.

RICO. ¿Cómo te olvidas que a mí
ayer pediste limosna?

POBRE. ¿Cómo te olvidas que tú 1415
no me la diste?

HERMOSURA. ¿Ya ignoras
la estimación que me debes
por más rica y más hermosa?

DISCRECIÓN. En el vestuario ya
somos parecidas todas, 1420
que en una pobre mortaja
no hay distinción de personas.

RICO. ¿Tú vas delante de mí,
villano?

LABRADOR. Deja las locas
ambiciones, que, ya muerto, 1425
del sol que fuiste eres sombra.

RICO. No sé lo que me acobarda
el ver al Autor ahora.

POBRE. Autor del cielo y la tierra,
ya tu compañía toda, 1430
que hizo de la vida humana
aquella comedia corta,
a la gran cena que tú
ofreciste llega; corran
las cortinas de tu solio 1435
aquellas cándidas hojas.

Con música se descubre otra vez el globo celeste, y en él una mesa con cáliz y hostia, y el AUTOR *sentado a ella; y sale el* MUNDO.

AUTOR. Esta mesa, donde tengo
pan que los cielos adoran
y los infiernos veneran,
os espera; mas importa 1440
saber los que han de llegar
a cenar conmigo ahora,
porque de mi compañía
se han de ir los que no logran
sus papeles por faltarles 1445
entendimiento y memoria
del bien que siempre les hice
con tantas misericordias.
Suban a cenar conmigo
el pobre y la religiosa 1450
que, aunque por haber salido
del mundo este pan no coman,
sustento será adorarle
por ser objeto de gloria.

Suben los dos.

POBRE. ¡Dichoso yo! ¡Oh, quien pasara 1455
más penas y más congojas,
pues penas por Dios pasadas
cuando son penas son glorias!

DISCRECIÓN. Yo, que tantas penitencias
hice, mil veces dichosa, 1460
pues tan bien las he logrado.
Aquí, dichoso es quien llora
confesando haber errado.

REY. Yo, Señor, ¿entre mis pompas
ya no te pedí perdón? 1465
Pues ¿por qué no me perdonas?

AUTOR. La hermosura y el poder,
por aquella vanagloria
que tuvieron, pues lloraron,
subirán, pero no ahora, 1470
con el labrador también,
que aunque no te dio limosna
no fue por no querer darla,
que su intención fue piadosa,

y aquella reprehensión 1475
fue en su modo misteriosa
para que tú te ayudases.

LABRADOR. Esa fue mi intención sola
que quise mal vagabundos.

AUTOR. Por eso os lo premio ahora, 1480
y porque llorando culpas
pedisteis misericordia,
los tres en el Purgatorio
en su dilación penosa
estaréis.

DISCRECIÓN. Autor divino, 1485
en medio de mis congojas
el Rey me ofreció su mano
y yo he de dársela ahora.

Da la mano al REY, *y suben.*

AUTOR. Yo le remito la pena
pues la religión le abona; 1490
pues vivió con esperanzas,
vuele el siglo, el tiempo corra.

LABRADOR. Bulas de difuntos lluevan
sobre mis penas ahora,
tantas que por llegar antes 1495
se encuentren unas a otras;
pues son estas letras santas
del Pontífice de Roma
mandamientos de soltura
de esta cárcel tenebrosa. 1500

NIÑO. Si yo no erré mi papel
¿por qué no me galardonas,
gran Señor?

AUTOR. Porque muy poco
le acertaste; y así, ahora,
ni te premio ni castigo. 1505
Ciego, ni uno ni otro goza,
que en fin naces del pecado.

NIÑO. Ahora, noche medrosa,
como en un sueño, me tiene
ciego sin pena ni gloria. 1510

RICO. Si el poder y la hermosura
por aquella vanagloria
que tuvieron, con haber
llorado, tanto se asombran,
y el labrador, que a gemidos 1515
enterneciera una roca,
está temblando de ver
la presencia poderosa
de la vista del Autor,
¿cómo oso mirarla ahora? 1520
Mas es preciso llegar,
pues no hay adonde me esconda
de su riguroso juicio.
¡Autor!

AUTOR. ¿Cómo así me nombras?
Que aunque soy tu Autor, es bien 1525
que de decirlo te corras,
pues que ya en mi compañía
no has de estar. De ella te arroja
mi poder. Desciende adonde
te atormente tu ambiciosa 1530
condición eternamente
entre penas y congojas.

RICO. ¡Ay de mí! Que envuelto en fuego
caigo arrastrando mi sombra
donde ya, a que no me vea 1535
yo a mí mismo, duras rocas
sepultarán mis entrañas
en tenebrosas alcobas.

DISCRECIÓN. Infinita gloria tengo.

HERMOSURA. Tenerla espero dichosa. 1540

LABRADOR. Hermosura, por deseos
no me llevarás la joya.

RICO. No la espero eternamente.

NIÑO. No tengo, para mí, gloria.

AUTOR. Las cuatro postrimerías 1545
son las que presentes notan
vuestros ojos, y porque
destas cuatro se conozca
que se ha de acabar la una,

suba la Hermosura ahora 1550
con el Labrador, alegres,
a esta mesa misteriosa,
pues que ya por sus fatigas
merecen grados de gloria.

Suben los dos.

HERMOSURA. ¡Qué ventura!
LABRADOR. ¡Qué consuelo! 1555
RICO. ¡Qué desdicha!
REY. ¡Qué victoria!
RICO. ¡Qué sentimiento!
DISCRECIÓN. ¡Qué alivio!
POBRE. ¡Qué dulzura!
RICO. ¡Qué ponzoña!
NIÑO. Gloria y pena hay, pero yo
no tengo pena ni gloria. 1560
AUTOR. Pues el ángel en el cielo,
en el mundo las personas
y en el infierno el demonio
todos a este Pan se postran;
en el infierno, en el cielo 1565
y mundo a un tiempo se oigan
dulces voces que le alaben
acordadas y sonoras.

Tocan chirimías, cantando el Tantum ergo *muchas veces.*

MUNDO. Y pues representaciones
es aquesta vida toda 1570
merezca alcanzar perdón
de las unas y las otras.

NOTES

Stage direction: *El Autor*, "The Producer." In the Golden Age the *autor* was the man who "authorized" the performance of a play. In this *auto* he is God, the authorizer or creator of the world. The *potencias* — small golden rods in three fasces of three each — were the nine rays of light which formed a crown in representations of God, signifying the power he wields over all creation.

2 **inferior arquitectura,** the structure of the world. The world is regarded as a piece of architecture set below the greater and higher architecture of heaven, God's dwelling place. **El Autor** is addressing, as he describes him, the character **El Mundo.**

4 The earth is a pallid reflection of heaven, diminished in the perspective (3) of one viewing it from on high.

5–6 "since, using beautiful flowers, its number competes with the stars." The flowers rival the stars in quantity and beauty.

7–8 The stars constitute a flowery sky for humans, and the flowers on earth a starry sky for celestial inhabitants.

9–20 In Calderón's cosmology the world is entirely composed of the four traditional elements: air, water, fire, earth. The elements are hostile to one another; thus water extinguishes fire and fire evaporates water; each tide represents a temporary victory of earth over water or of water over earth. At the time of the Creation, God imposed a truce on the warring elements: when there was no limit to their aggressiveness, there was Chaos; now that a limit is imposed, there is Nature. Occasionally an element breaks loose from God's restraining leash, as when a volcano erupts or a flood occurs. — Each element has characteristic creatures. So here **ave** is the creature of **viento** (air); **pez** of **piélago** (water); **cólera** of **rayos** (fire); **hombres** and **brutos** of **montes** (earth). Note that, to show the subtle interrelations among the elements, Calderón often transfers the attributes of the creature of one element to the creature of another. So the "vessels" (element, sea) which are "birds" (element, air) "plow" (element, earth) the "winds" (element, air). **Surcar,** of course, is commonly transferred from agriculture to navigation. For further details, see E. M. Wilson, "The Four Elements in the Imagery of Calderón," **Modern Language Review,** XXXI (1936), 34–47.

25–26 Like the phoenix the world continually renews itself: births succeed deaths; the seasons follow one another cyclically, etc.

29 "I put on swift wings," i.e. I make haste to present myself.

33 **rasgo,** "gesture." **te informa,** "shapes you."

37–38 "I trust you will applaud the execution of a plan I have."

42 **naturaleza.** Nature is **ancilla Dei,** God's handmaiden; she continues the work done by God at the Creation. But she also displays, celebrates, God's handiwork.

45 "the well-received performance of a play."

47–48 "let heaven today see a play in your theater."

51–52 Since God chose men to be his companions (by creating them in his own image), men shall form the "company" of actors.

54 **partes cuatro,** a reference to the four corners (**partes**) of the world: Europe, Asia, Africa, America.

56–57 "I will give each man the role which befits him best."

59–60 "the beautiful apparatus of scenery, the adornment of costumes." **apariencias,** the technical word for "flats" in the Golden Age, also refers to the insubstantial appearance in a world of time of what we — wrongly in the baroque view — call "reality." Another word for the same phenomena is **engaños. Desengaño** is the recognition that this "reality" is merely an appearance, while true reality exists, beyond the grave, in eternity.

64 Scenery "which will emerge from the dubious state (of Chaos) to the definite forms (of Creation)."

66 **recitante,** "actor." Another common word for "actor" was **representante** (cf. 45–46); so **representar** (71) means "act," "perform."

75 **obedencial,** "obedient" in the sense that orders are obeyed implicitly, with no questioning of the commander's motives.

77–78 "for although the work of creation belongs to me, the miracle is performed by you."

83–84 A curtain of mist will veil chaos on stage until the play is ready to begin.

92 **luminares,** i.e. the sun and the moon.

96 **carbunclos,** "carbuncles." The legend of the carbuncle is that it gave perpetual light; it was set in the forehead of some nocturnal animal to enable it to see at night. Cf. Góngora, **Las soledades,** I, 66–68: "piedra, indigna tiara / — si tradición apócrifa no miente — / de animal tenebroso, cuya frente / carro es brillante de nocturno día."

98 **influjos,** an ethereal fluid thought by astrologers to flow from the stars and to affect the actions of men.

100–101 **nudo.** Probably used in the technical sense in which dramatic art understands the word: the "imbroglio" which will be resolved by the denouement. Note that this "simple, pure dramatic situation" is provided by "natural law" (the unprescribed law of reason). Having described the setting of the first scene, World now gives a synopsis of the play of man's early history.

103 **jardín,** the Garden of Eden, the Earthly Paradise.

109–110 "The flowers, hardly emerging from their pink buds."

112 **en confuso,** "in profusion."

115–116 A premonition of the fruit of the tree of the knowledge of good and evil, which the serpent's envy poisoned for man.

117 **mil cristales,** i.e. a spring or stream.

119–120 The dawn will shed tears (dewdrops) over the breaking of glass on the stones (the effect of water tumbling over rocks).

121 **campee,** "it should be more excellent" (cf. "be a champion"). But the meaning also includes the **campos.** (124) **humano cielo,** "terrestrial paradise."

131 **brazos de mar** is in apposition with **ríos.**

139–142 "And when some importunate mountains tire the earth with their weight and the air with their mass." The allusion is to the race of giants (mountainous men) in Genesis, VI, 4.

144 **mal seguro,** "insecure."

146 **diluvio,** the Great Flood (Genesis, VII).

147 **tanto golfo,** "so great a gulf."

148 "in the ebbing and flowing."

151 **bajel,** i.e. Noah's ark.

156 **arco rubio,** "golden bow," i.e. rainbow.

159–163 "the whole faithful company of the waters, obedient to its (the rainbow's) statute (the covenant between God and the earthly creatures), will take their proper places, observing their original laws, on the earth's shoulders" (Genesis, VIII, 1–14).

163–166 The earth, freed of the flood waters, is like a giant shaking a yoke and pushing his wan, pale face through it.

169 The first act was the drama of the natural law (101); the second, of the written law, the Old Testament; the third, of the law of grace, the New Dispensation following Christ's sojourn on earth (203).

174 **mar rubio,** i.e. the Red Sea (Exodus, XIV, 21–22).

177 The "bosom" or bed of the sea.

179 In fact there was one pillar of fire by night (and a pillar of cloud by day). See Exodus, XIII, 21–22.

182 **prometido fruto,** an allusion to the promised land. Cf. Numbers, XIV, 27: "We came unto the land whither thou sentest us, and surely it floweth with milk and honey; and this is the fruit of it."

186 **rapto,** "rapid." According to some interpretations, Moses is taken up to Mount Sinai in a cloud (Exodus, XXIV, 18).

189–190 The "darkness over all the land unto the ninth hour" at the time of Christ's Crucifixion (Matthew, XXVII, 45).

191–194 **parasismo,** Christ's moment of death, followed by an earthquake (Matthew, XXVII, 50–54). "At the last paroxysm the azure sphere will be seen to tremble, erasing all parallels and colures." **paralelos,** "lines of latitude." **coluros,** "colures," "two circles of the celestial sphere intersecting at the poles, one passing through the equinoctial points, and the other at right angles to it."

198 **escándalo.** The walls of the temple were ruined by the earthquake; the temple represents a scandal since Judaism did not recognize the Messiah. **Escándalo** also has a metaphoric sense of "convulsion," "disturbance."

206 **un estatuto,** i.e. God's word.

209 **al último paso,** "in the final scene." The following lines describe the end of the world and the last judgment (Revelations, especially VIII and XXI).

213–214 "so that there will be no lack of lightning effects in the show."

230–231 **cuanto a,** "as regards."

239 "they may make their entrances and their exits."

248 "royal purple and majestic triumphal bays."

250 **triunfos,** "trophies." Note that among the allegorical costumes and props described we have both symbolic objects and characteristic qualities.

256 **libertades,** in the sense of "taking liberties," "license in violation of propriety."

258–259 **a puro afán,** "by sheer hard work." The **necio** is Adam, condemned by God to work "in the sweat of thy face" (Genesis, III, 19).

264 Woman's beauty is a "sweet poison" because it brings temptation to those who are attracted by it.

281 **en mi presencia.** The **mortales** exist eternally in God's mind (cf. 290–292). All men are equal in God's eyes. When they are living in time in this world, they exist temporarily in conditions of social inequality. At birth God gives each man his social status. The theme of the **auto** relates to these sociological questions.

285–286 "for wreathed in laurel, cedar, and palm leaves I await you." Laurel and palm leaves symbolize triumph; cedar, eternity.

288 "to hand out the parts."

293–294 "We are not endowed with soul, sense, faculty, life, or reason."

297–298 Cf. Genesis, II, 7: "And the Lord God formed man of the dust of the ground, and breathed into his nostrils the breath of life; and man became a living soul."

300 "we have neither soul nor life."

307–308 The future actors cannot choose because, not having been born yet, they have no free will.

314 God is omniscient.

316 "if I shall play my part badly."

319 **para ser,** "to exist."

321–322 "no one would want the role of sensitivity to suffering."

326–328 "that in such a unique act (as ruling) the whole thing is merely acting, even though he may think it is living." Cf. **La vida es sueño,** end of Act II: "**Sueña el rey que es rey, y vive / con este engaño mandando.**"

333 "You play the king."

350 "even though I am so newborn, Lord."

353 "if the phrase 'I don't want to' would avail me anything."

356 "saying 'I don't want to' resolves nothing."

360–362 "an occupation suited to my talent, and in this way you tolerate and conceal my poor judgment."

366 **él,** i.e. **mi papel.**

369 For Calderón "Discretion is not a **supernatural** virtue (like Prudence). It is very definitely a **natural** virtue, pointing to the perfection of the intellect that men can attain to by their own efforts, and leading them to the natural wisdom that is the threshold of the supernatural life into which men can step with the aid of faith and grace" (A. A. Parker, "Appendix" to his edition of Calderón's **No hay más fortuna que Dios,** Manchester, 1949, p. 90). In this play, however, **Discreción** represents the cloistered life, Monasticism; she is sometimes referred to as La Religión (cf. 922), but her true status as a member of a religious order is clarified at 1240–1242. "En las religiones llaman discretos a los que escogen y apartan de la comunidad para enviar a sus capítulos" (Covarrubias).

373–374 **Niño** plays the part of a stillborn child, which, as he explains, requires little study.

377 Distributive justice gives to each according to his deserts. "God's justice is distributive justice, because he fulfills in his creatures the obligation he owes to himself: which is . . . that each should conform to his wisdom and creative will by possessing those gifts without which its nature would remain imperfect — those gifts necessary for it to take the place intended for it in the order of nature" (Parker, ed. cit., p. 60).

383–384 "and since I cannot speak up, however much in my rashness I want to."

405–408 "but it looks like cruelty — forgive me the word 'cruel' — to give him (the King) a better part when his being is no better than mine."

410 "gives equal satisfaction."

419–422 The Poor Man's excessive suffering in no way detracts from the importance of his part.

438 "**Do good, for God is God.**"

451–452 "for the poor man and the peasant are fit to be as like as two peas in a pod."

454 "weary of repeated performances."

461–462 "everyone who is born and dies must succeed at the first attempt." Since one only lives once, rehearsal is out of the question.

469–470 "Always be prepared to end your role." Be ready at all times to die.

472–473 **Pobre** asks: What about the fallibility of human senses?

478 **Ley de Gracia** will be the prompter. God's grace will whisper to man the right words and acts.

485–486 "try out for size your two spans of life."

495 Each actor has his **papel** ("role") described on a **papel** ("sheet of paper").

501 The bright colors of flowers.

503–504 "let the sun fall into a mortal swoon of envy when it sees me (in all my brilliant beauty)."

508 As the sunflower turns around to see the sun, so let the sun turn around to see my beauty.

511 "I base my conduct on this piece of paper."

513–515 "Let crystal, crimson, snow, and scarlet (the colors of the proffered bouquet) give luster to dark shades and rough sketches (representing the ordinary or unadorned human face), and embellish you with their reflections."

523–528 For the rich man the world will mine its precious metals.

534 It may be helpful for the student to think of **Discreción** now as "Monasticism" or "Asceticism."

Stage direction following 536: The cilice is a rough, prickly hair-shirt worn next to the skin; the scourge, a whip consisting of a stick and several thongs, is used for self-flagellation. Both may be used by ascetics to mortify the flesh, so reducing its power over the spiritual life.

539 **sin pedir,** "without asking (for props)."

546 The prisons referred to are the womb and the tomb.

550 "Things I would gladly give to him," i.e. to the **Niño,** who receives nothing.

562 "sinned by opening her big mouth." The expression is quite colloquial.

563–564 "he might have let her eat (the forbidden fruit) without helping her out."

603–604 "so that there need be no doubt that I am attending to my responsibility."

605–607 Cf. Matthew, XXV, 29.

611 **dilatados,** "extensive."

612–613 "a beauty in the service of whom men's senses are dulled." Men are intoxicated by the sight of beauty and lose their command over their lives and their environment.

621–622 "charitable or outrageous costumes and dress." The costumes are accepted graciously or joyfully (although they are not deserved), or else they are accepted as one accepts an insult.

Stage direction following 627: **representación,** "set."

635 **entráis,** "you exit."

638–647 Here Calderón paraphrases parts of the hymn sung by Shadrach, Meshach, and Abednego when they are cast into the fiery furnace (Daniel, III, 52–90, in the Vulgate). The passage is not regarded as canonical by Protestants. See, however, the canticle **Benedicite, omnia opera Domini** in Mattins, **Book of Common Prayer.**

653 "Who will pronounce the prologue today?"

Stage direction following 658: **elevación,** a raised portion of the **carro. sobre,** "above."

662 **papel,** "manuscript."

670 **vitorear,** "to cry 'vítor' "; analogous to calling "encore" or "bravo" at a modern concert. World wishes to show his appreciation of Law of Grace's prologue.

672 **Vulgo,** "Audience."

679 The abstract personifications, although their names have grammatical gender, are themselves without sex; for this reason they sometimes are referred to in generalized masculine forms.

686 The "peaceful prison" is the convent.

690 **crio,** "did he create." Beauty begins to review the pleasures attainable by the five senses.

695–696 "which in soothing musical phrases are feathered lyres."

707 **lo,** "it all."

714 **no,** understand **no es justa y lícita acción.**

716–718 "that you may be persuaded that creatures exist in order to see them without remembering their Creator."

721 Religious men and women are buried or dead to the world.

731 "Of these two women, one plays her part well; the other, badly."

745–746 "let my table display all that runs or flies swiftly," i.e. game.

747–751 Rich man desires the deadly sins of unchastity, sloth, gluttony, envy, vainglory.

753–754 The peasant breaks open Nature's breast with his spade, although Nature freely offers her breast (the fruit of uncultivated trees and plants) to man.

760 The peasant speaks ironically of the "benefits" he gives Nature (i.e. increased fertility) by "slapping her in the face."

763–764 "against the vine-stocks, (fighting) with my spade; against the crops, with my sickle."

766 **hidrópica pasión,** "a mania for water." In the growing season the peasant is worried lest there be no rain.

769–772 "When taxes are to be collected, the reward of this earth, the gun-sights are aimed at the sad peasant." **pensión** is "annual income," although the peasant refers ironically to annual disbursements.

775–776 He, exploited by the tax-collector, has a chance to exploit the consumer. He does not observe the regulation fixing agricultural prices (**tasa**).

781–784 Lack of rain causes a shortage; scarcity raises prices; the peasant has had the foresight to stock his granary; he hopes to make a handsome profit.

785 Nabal was a fabulously wealthy farmer in Carmel (I Samuel, XXV, 2).

793 "when all is said and done, he's very stubborn." The peasant comically adds another degree to his mulishness.

819 **arbitrio,** "tax."

821–824 "As the provinces contained in this lowly contraption (the earth) are the narrow boundaries of my broad empire."

863–864 **me están,** "become me."

871 Rich Man resents Poor Man's direct approach to him.

881–882 An allusion to the parable of Dives and Lazarus (Luke, XVI, 19–31).

885 "I'll risk approaching the King himself."

890 "salved his conscience."

894 "such bountiful returns."

896 **la,** i.e. **bendición.** The beggar has said that the fruitfulness of the peasant's fields is a result of God's blessing.

901–902 "Get a job, damn you! Don't be such a lazybones."

914 "Give me something for the love of God."

921–922 He takes the bread as symbolic of spiritual nourishment, the Host.

926 "I'll manage to hold her up." The King, by sustaining Religion, does his duty as a Catholic monarch.

928 **la,** i.e. **la Religión.**

934–935 "in order not to deprive them of the merit earned by their good works."

951–954 "and since we are all traveling a road together, let the unceremonious customs of wayfaring lead to a general conversation." Travelers do not stand on ceremony, but introduce themselves and chat freely. The basic idea is the traditional interpretation of life as a pilgrimage.

964 "perfected gradually the objects of my royal concern."

966 "Beauty was born to be my vassal."

968 "are a victory over the determination of the fates."

970 The allusion is to the many-headed hydra, which in ancient political writings represents the disturbances that afflict a state.

973–974 "for it is impossible to tame so many rebellious necks with a single yoke."

976 Cf. I Kings, III, 6–9.

977–980 The King is the first actor to be cued off-stage, to die. The Voice of death tells each player in turn when his part is finished.

993–999 The King's life is ebbing away. He prays, in vain, for each small body of water to grow larger again.

Stage direction following 1006: The meaning is that, when their turn comes, "all shall leave by it," by the door painted like a coffin.

1007–1008 Whatever may be thought about the way the King played his part, he at least died well with a final act of penitence.

1011–1014 With good weather for the crops, who needs a king?

1023–1024 The bereaved are quickly consoled when their inheritance is large.

1033–1038 The idea that man was a "world in miniature," a microcosm, was widespread. As a consequence of the progressive deification of woman the corollary arose that she was a "heaven in miniature." Calderón often expresses this conceit.

1039 Possibly a reference to Ezekiel, XXVIII, 12–19.

1055 "which opens its petals but to lose them."

1061–1062 "should cause to fade (their color which is) a boon of the dawn of the golden sun."

1103–1104 "One who recognizes a debt (even if to the land rather than o God) comes close to being truly grateful."

1109 "now you will be a cultivator of another land."

1116–1118 "wait for a better season, if only so that I can put my estate (farm) in order."

1127–1130 "When my neighbor's wheat causes gigantic admiration, my wheat is almost dwarfed for it has hardly emerged from the ground."

1135 "If a man, leaving abundant fruit to his heir, failed to fulfill his parents' will, how much worse off will he be, Lord, if he has no fruits to leave?"

1145–1146 "I am sorry that I am not sorry not to be very upset about it." A subtle, if backhanded, act of penitence.

1160 After each death, the Rich Man has expressed no sorrow, merely a desire to carry on by returning to the conversation. Here, for the first time, even if only to be one of the crowd, he expresses his regret.

1161–1164 "Man that is born of a woman is of few days, and full of trouble. He cometh forth like a flower, and is cut down: he fleeth also as a shadow, and continueth not" (Job, XIV, 1–2).

1169–1170 "And in that day did the Lord God of hosts call to weeping, and to mourning, and to baldness, and to girding with sackcloth: And behold joy and gladness, slaying oxen, and killing sheep, eating flesh, and drinking wine: let us eat and drink; for tomorrow we shall die" (Isaiah, XXII, 13–14).

1175–1193 The Poor Man paraphrases Job's cursing the day he was born. "Let the day perish wherein I was born, and the night in which it was said, There is a man-child conceived. Let that day be darkness; let not God regard it from above, neither let the light shine upon it. Let darkness and the shadow of death stain it; let a cloud dwell upon it; let the blackness of the day terrify it. As for that night, let darkness seize upon it. . . . Let the stars of the twilight thereof be dark; let it look for light, but have none; neither let it see the dawning of the day" (Job, III, 3–6, 9).

1199–1200 "The signs of despair were misleading."

1203–1206 Cf. Psalm XC (King James Bible), esp. 12: "So teach us to number our days, that we may apply our hearts unto wisdom." **los dos,** i.e. **Pobre** and **Rico.**

1214 **con ser Dios,** "because he is God."

1216–1217 **della,** i.e. **de la pasión** (the fear of God). **el poder,** i.e. **Rey** (cf. also 1467, 1511).

1226 Poor Man's will is in harmony with God's. Cf. the words of Jorge Manrique's father as he dies a perfect Christian death: "que mi voluntad está / conforme con la divina / para todo."

1227 "I, as if to the gallows."

1248 The Producer will wind up the play completely in the future (**mañana**) at the Last Judgment. 1247–1250 correspond to the traditional final words of a play, in which a character asks forgiveness for its defects.

1260–1261 "the form (or station in life) which they had and enjoyed having been reduced to its raw material (dust)."

1266 "for the gift was only for as long as they were on stage."

1285–1286 "on magnificent thrones I wore the purple, I bore down on the scepters, I girded on wreaths of laurel."

1301–1302 "Why do you seek fame as a rich man, since you have nothing to give us for keeps?"

1317 Beauty is so insubstantial that it has disintegrated into dust, and therefore cannot be recovered by World.

1320 The memory of the King's grandeur survives his death.

1323 **cristal,** "glass," "mirror."

1327–1330 The nouns all allude to the elements of beauty, especially to the colors of the complexion.

1331 **turbé,** "I deteriorated."

1337–1338 The Peasant resents being called a **villano,** "churl."

1342 **él, vos, tú** are all potentially supercilious forms of address, from superior to inferior.

1345 "You must have acquitted yourself either well or badly with it."

1346–1350 "Who will not be brokenhearted at seeing that he will not be allowed to take with him from this wretched world, from the toil of his base greed, a mere shovel, that scourge of a man's health?"

1357–1358 "See how right I am in saying that I have no regrets at leaving the world."

1381 **en muriendo,** "after he is dead."

1389–1390 "Why did you welcome us so much more courteously than you now dismiss us?"

1391–1397 The analogy is the same as the one used in **El príncipe constante,** III, 490–517.

1398 "If I received you as a cradle, as a tomb I send you away."

1404–1405 The King is outraged at the Poor Man's failure to observe the order of precedence established by protocol.

Stage direction following 1436: The setting is the communion table.

1451–1454 The Eucharist is a means of grace in this world; the souls of the dead, although they cannot participate in it, can gain spiritual sustenance by worshiping its mystery.

1472 The Producer addresses the Poor Man. He is explaining that Beauty and King must cleanse their sins in purgatory before they can be admitted to the divine presence in heaven.

1475–1477 The reprimand given by Peasant to Poor Man was well meant: he intended to help the beggar by his advice.

1479 "for I disliked tramps."

1485–1488 Monasticism intercedes successfully for the full remission of King's period in purgatory on the grounds that he supported religion.

1493 **Bulas de difuntos,** "Indulgences," Papal bulls giving remission of stipulated periods of time spent in purgatory to those on whose behalf they are bought.

1495–1496 "so many that because some arrive first they will bump into one another."

1500 **cárcel tenebrosa,** i.e. purgatory.

1501–1510 Stillborn Child, having had no chance to play his part well or badly, deserves neither punishment nor reward. He is therefore deprived of both hell and heaven. If limbo appears to be something of a punishment, the answer is that he was born with original sin (1507), which was never cleansed by baptism.

1514 **tanto se asombran,** "are so overshadowed" in purgatory.

1515 "who with his groans (of remorse, in purgatory) would soften a stone."

1529–1532 Rich Man is sent straight to hell. "It is easier for a camel to go through the eye of a needle than for a rich man to enter into the kingdom of God" (Matthew, XIX, 24).

1535–1538 "to the place where, so that I may not even see myself, hard rocks will bury my entrails in dark closets."

1541–1542 "Beauty, you won't beat me in desire (to see God's presence)." The **joya** was a prize offered for the best performance of an **auto sacramental.** Literally, "you won't carry off the prize."

1543 **la,** i.e. **gloria.**

1545 The **postrimerías** are the four "last things" that await man: death, judgment, hell, and heaven.

1549 **la una,** i.e. the hope of heaven. Beauty and Peasant will now be symbolically transferred from purgatory to heaven.

1564 **Pan,** the "Host."

Stage direction following 1568: **Tantum ergo,** a hymn composed for the office of Corpus Christi by Saint Thomas Aquinas.

MORETO

El lindo don Diego

INTRODUCTION

The last play is a comedy, a *comedia de capa y espada.* We are back in the contemporary urban world of flirtation and courtship. Among bachelors and spinsters feelings may be hurt, tempers may flare up, but no one is killed for the sake of his honor. Even the threat of death, present in *El perro del hortelano*, is banished from this late comedy. As we read this play, which pokes fun at social customs and points with amused indignation at a central butt of ridicule, we are irresistibly reminded of Molière and the comic art of Versailles. The deceptions — *engaños* — no longer symbolize the illusoriness of this temporal world or man's inhumanity to man; they are stratagems designed to achieve a desired social end while making the audience laugh. There is nothing transcendental in this play, although there sometimes was in the *comedias de capa y espada* of Lope and Calderón. Indeed, the part of religion is diminished past zero to become a negative quantity: religious duties are little more than another social obligation; strong oaths form a part of regular speech; somewhat irreverent jokes based on religious institutions are fairly common. The play's purpose seems to be little more than the depicting or satirizing of manners. Social behavior has moved to the foreground of the dramatic interest. The anatomy of courtship is dissected in minute detail.

The student must expect to find the language more difficult. Moreto's characters (especially his servants) speak a racy, idiomatic Spanish. Idioms are clichés used to cover up imprecision of thought. In this play, they are the key to the insignificance of the theme. They also serve to associate the individual's response with the habitual response of the race. To the extent that they do this, they betray an affinity between the characters' interpretation of events and the spectators' interpretation of the same events. Moreto was writing for a cohesive society, complacently acquiescing in its standardized values and judgments. The servants now accept the same social norms as their masters. The gap between *gracioso* and *galán* has been perceptibly closed. The *gracioso* has thus been moved from the margin toward the center of the plot. In Moreto's comedies he manipulates the whole action as a kind of surrogate of the playwright. (It should be observed that Tristán in *El perro del hortelano* is hardly typical of Lope's *graciosos*, for he, too, wielded a considerable influence on the affairs of the hero.)

Yet, although we are concerned about the predicament in which the lovers, Doña Inés and Don Juan, find themselves, our attention focuses mainly on the title role of the fop, Don Diego. His eccentric self-esteem and narcissism are pilloried mercilessly in a series of vignettes, and in his consistently absurd reactions to normality. A society which has achieved such a remarkable degree of homogeneity has no use for nonconformists like Don Diego. He must be reduced to the general pattern of noble mediocrity, or he must be humiliated for his refusal to be so reduced. The comedy of manners is society's way of congratulating itself on its lack of initiative and tolerance. There is, of course, nothing praiseworthy about Don Diego's dandyism. There is no risk of our admiring him in our impatience with the society reflected in this play. Don Diego would be funny in any society. But the court of Philip IV had little cause for such self-congratulation.

SUGGESTED READING:

Although the play is very popular (a film version blended Moreto's comedy with *El sombrero de tres picos*), there is no monographic critical study of it. Critics are, inevitably, most interested in Moreto's skill as a writer.

RUTH LEE KENNEDY, *The Dramatic Art of Moreto* (Philadelphia, 1932).

FRANK P. CASA, *The Dramatic Craftsmanship of Moreto* (Cambridge, Mass., 1966). Chapter V compares our play with its source.

El lindo don Diego

PERSONAS

DON TELLO, *viejo.*
DON JUAN.
DOÑA INÉS.
DOÑA LEONOR.
MOSQUITO, *gracioso.*
BEATRIZ, *criada.*
DON DIEGO.
DON MENDO.
LOPE, *criado.*
MARTÍN, *criado.*

JORNADA PRIMERA

Sala en casa de DON TELLO

Salen DON TELLO, *viejo, y* DON JUAN, *galán.*

D. TELLO. Quiera Dios, señor don Juan,
que volváis muy felizmente.
D. JUAN. Breves los días de ausente,
señor don Tello, serán;
pues llegar de aquí a Granada 5
ha de ser mi detención.
D. TELLO. La precisa ocupación
de ser hora señalada
ésta de estar esperando
dos sobrinos que han venido 10
de Burgos, la causa ha sido
de no iros acompañando
hasta salir de Madrid;
que mi amistad no sufriera,
si este empeño no tuviera, 15
dejar de hacerlo.
D. JUAN. Asistid,
señor don Tello, a un empeño
tan de vuestra obligación;

que yo estimo la atención.
D. TELLO. Vos de la mía sois dueño; 20
que al hacer juntos pasaje
los dos de Méjico a España,
hace amistad tan extraña,
que el cariño de un viaje
casi es deudo; y más ahora 25
que mi obligación confiesa
favor tanto a la Condesa,
vuestra prima y mi señora.
y pues ha de ser tan breve
vuestra ausencia, hasta volver 30
las bodas no se han de hacer.
D. JUAN. ¿Qué bodas?
D. TELLO. De todo debe
daros cuenta mi atención.
Los dos sobrinos que espero
con mis hijas casar quiero. 35
D. JUAN. (*Ap.*) (¡Cielos! ¿Qué escucho?)
D. TELLO. Ellos son
don Mendo y don Diego. A Mendo,
hijo de hermana menor,
le quiero dar a Leonor;
y a Inés, en quien yo pretendo 40
fundar de mi honor la basa,
para don Diego la elijo,
porque de mi hermano es hijo
y cabeza de mi casa.
Su gala y su bizarría 45
es cosa de admiración;
de Burgos es el blasón.
D. JUAN. (*Ap.*) (¡Ay de la esperanza mía!
¡Ay, Inés, qué bien se advierte
que, de traición prevenida, 50
me has encubierto esta herida
para lograrme esta muerte!)
D. TELLO. ¿Qué decís, don Juan?
D. JUAN. Que apruebo
vuestros justos regocijos.
D. TELLO. Voy a esperar a mis hijos, 55

que ya este nombre les debo.
Adiós, don Juan.

D. JUAN. Él os guarde...

D. TELLO. Y a vos os vuelva con bien. *Vase.*

D. JUAN. Amor, el golpe detén,
que contra la vida es tarde. 60
Ya con tan cruel herida
mi amor no puede vivir;
pues ¿qué falta por morir,
si era amor toda mi vida?
¡Ay, fe muerta a una mudanza! 65
¿Cómo pudo, aunque se ve,
ser tan segura una fe
puesta en tan falsa esperanza?
¡Ah, Inés!, ¿para mi partida
me reservaste este daño? 70
Pero ¿cuándo un desengaño
no viene a la despedida?
Pues diré a voces aquí
mis ansias y mis desvelos,
y me quejaré a los cielos 75
para quejarme de ti.
Culpen, pues, tu tiranía
sus luces y sus estrellas;
pero ¿qué han de culpar ellas,
si entre ellas está la mía? 80

Sale DOÑA INÉS.

D.ª INÉS. Don Juan, ¿qué es esto? ¿Tú voces,
tú quejas y tú suspiros,
cuando de tu ausencia está
tan cercano mi peligro?
Esperando que se fuese 85
mi padre, me dio el aviso
tu voz de que estabas solo;
y cuando salgo, te miro
triste, enojado, quejoso.
¿Qué ha sido la causa? Dilo, 90
señor; que es cruel la duda.

D. JUAN. Pues ¿tú, ingrato dueño mío,

por la causa me preguntas?
¿Tú, que eres della el principio,
dudas la razón que tengo 95
para llorar tus desvíos?
No has de preguntar la causa,
sino si yo lo he sabido;
y entonces te respondiera
mi amor, aunque muerto, fino, 100
que ya he sabido tu engaño,
que ya tu traición he visto;
y que mi loca esperanza
fue de viento, y la deshizo
el viento que la formaba, 105
como luz de rayos tibios,
que de un suspiro se enciende
y muere de otro suspiro.

D.ª INÉS. Don Juan, señor ¿con quién hablas?
Que de tan bastardo estilo 110
no puedo ser el sujeto.
¿Tú, traición, tú, engaño has visto?
No sé, por Dios, lo que dices,
y turbada te replico;
que aunque no tenga razón 115
tu queja, que no averiguo,
tu tan horroroso estruendo,
para turbar basta el ruido.

D. JUAN. ¿No tiene razón mi queja?
¡Pluguiera al cielo divino 120
que yo comprara mi engaño
a precio de ese delito!
Pero mira si la tiene,
pues ya supe, dueño esquivo,
que estás casada, y tu padre 125
esperando a sus sobrinos,
que han de ser los dos dichosos
a costa de mi martirio:
con Leonor, tu hermana, el uno;
y el otro, ¡ay de mí!, contigo. 130
Don Diego, Inés, es tu dueño;
claro está que será digno,

tanto como por su sangre,
por haberte merecido.
Ya halló ocasión tu entereza 135
de disfrazar sus cariños,
dando en agrados de esposo
envuelto el nombre de primo.
De tu elección no me quejo;
pero ¿qué triunfo has tenido 140
en que muera de agraviado
quien pudo morir de fino?
¿Para qué ha sido engañarme?
¿Para qué alentarme ha sido?
Tu rigor...

D.ª INÉS. Don Juan, detente. 145
¿Qué don Diego, qué sobrinos,
qué casamientos son éstos?
¿Quién ese engaño te ha dicho?
Porque no sólo es engaño,
mas ni aun yo de él tengo indicio 150
que llegue a más que saber
que son esos dos mis primos,
que mi padre hoy los espera,
que de Burgos han venido;
mas a casarse no sé, 155
si no es que tú hallas camino
de que, sin saberlo yo,
pueda casarse conmigo.

D. JUAN. Pues ¿esto puede ser falso
cuando tu padre lo ha dicho? 160
O, ¿siendo tú su hija, puedes
ignorarle este disinio?
Yo, Inés, había deseado,
reconociendo el estilo
de las mujeres, saber 165
si habrá caso tan preciso
o tan claro desengaño
donde alguna se haya visto
sin tener qué responder,
concluida en su delito. 170
Pero, pues tú hallas en esto

a tu disculpa resquicio,
de que no le puede haber,
me doy, Inés, a partido.
Pero, ¡vive Dios!, tirana, 175
que no ha de lograr conmigo
tu traición sus agudezas;
y si era el intento mío
partirme para volver
en alas de mi cariño, 180
ha de ser ahora alejarme
de tu mentiroso hechizo,
tanto, que en mi larga ausencia
llegue a encontrar el olvido.
A esto voy, y ¡qué mal voy!; 185
pues si te dejo rendido,
a ti te logro el deseo
y a mí me doy el castigo.
Mas tendré, muriendo, el gozo
de saber en mi martirio 190
que eres tú la que me mata,
pero yo el que me retiro.
No has de lograr la traición,
huyendo yo mi peligro,
pues por malograrte el rayo 195
voy a morir del aviso.

D.ª INÉS. Don Juan, señor, oye, espera.

Sale LEONOR.

D.ª LEONOR. Inés, hermana, ¿qué miro?
¿Tú descompuesta? ¿Qué es esto?

D.ª INÉS. Esto es, Leonor, un delirio: 200
decir don Juan que mi padre
que estoy casada le ha dicho,
y que esposos de las dos
vienen a ser nuestros primos.

D.ª LEONOR. Pues, Inés, dice verdad, 205
porque él ahora me dijo
que prevenidas estemos,
porque él va por sus sobrinos,
que han de ser nuestros esposos;

y que por cierto motivo 210
que ha importado a su atención
nos ha callado este aviso.

D.ª INÉS. ¡Ay de mí! Leonor, ¿qué dices,
que ya te oigo sin sentido?

D. JUAN. Mira, Inés, si fue verdad 215
mi temor.

D.ª INÉS. Mas ya has oido
cómo pude yo ignorarlo.

D. JUAN. Pues ¿qué importa al temor mío?
Erré en culpar tu fineza,
mas no en temer mi peligro; 220
¿cómo se excusa mi muerte,
si ya perderte imagino?

D.ª INÉS. No sé, don Juan; que si es cierto,
como en mi mal lo colijo,
yo replicar a mi padre 225
podré, mas no resistillo.

D. JUAN. Luego ¿es preciso morir?

D.ª LEONOR. No, don Juan, no es tan preciso;
que en la elección del estado
dan fuero humano y divino 230
la proposición al padre
y la aceptación al hijo.
Las dos, don Juan, nos casamos,
aunque él nos busque el marido;
que la elección no ha de ser 235
de quien no fuere el peligro.
El riesgo de un casamiento,
que si se yerra es martirio,
ha de ser el escogello
de quien se obliga a sufrillo. 240
Siendo esto cierto, ¿qué temes
de que él tenga ese disinio?
¿Se ha casado alguna dama
con el sí que el padre dijo?
Y esto no es darte a entender 245
que podrá nuestro albedrío
openerse a su precepto,
porque si él lo ha concluido,

no hay resistencia en nosotras;
pero, cuando sabe él mismo 250
que nuestras dos voluntades
penden sólo de su arbitrio,
no es posible que una acción,
que es tan de nuestro albedrío,
la resuelva su decreto 255
sin lograrnos el aviso.

D. JUAN. Pues ¿qué puede ser, Inés,
haberme tu padre dicho
que ya estáis las dos casadas?

D.ª INÉS. Tener él ese disinio 260
y querernos proponer
para esposos nuestros primos;
mas si él ya no lo ha resuelto,
como mi hermana te ha dicho,
cuando esté en mi voluntad, 265
está, don Juan, sin peligro.

D.ª LEONOR. Inés, mira que es forzoso
que vamos a prevenirnos.

D.ª INÉS. ¡Ay, Leonor! ¿Cómo podremos
hallar las dos un camino 270
de parecerlos muy mal?

D.ª LEONOR. Apelar al artificio:
mucho moño y arracadas,
valona de cañutillos,
mucha color, mucho afeite, 275
mucho lazo, mucho rizo
y verás qué mala estás;
porque yo, según me he visto,
nunca saco peor cara
que con muchos atavíos. 280

D.ª INÉS. Tienes buen gusto, Leonor;
que es el demasiado aliño
confusión de la hermosura
y embarazo para el brío.

Sale MOSQUITO.

MOSQUITO. ¡Jesús, Jesús! Dadme albricias. 285

D.ª LEONOR. ¿De qué las pides, Mosquito?

MOSQUITO. De haber visto a vuestros novios;
que apenas el viejo hoy dijo
la sobriniboda, cuando
partí como un hipogrifo; 290
fui, vi y vencí mi deseo,
y vi vuestro par de primos.

D.ª LEONOR. Y ¿cómo son?

MOSQUITO. Hombres son.

D.ª LEONOR. Siempre estás de un humor mismo;
pues ¿podían no ser hombres? 295

MOSQUITO. Bien podían ser borricos;
que en traje de hombre hay hartos.

D.ª LEONOR. Y ¿cómo te han parecido?

MOSQUITO. El don Mendo, que es el tuyo,
galán, discreto, advertido, 300
cortés, modesto y afable;
menos algún revoltillo
que se le irá descubriendo
con el uso de marido.

D.ª LEONOR. Si él es tan afable ahora, 305
casado será lo mismo.

MOSQUITO. Eso no, que suelen ser
como espadas los maridos,
que en la tienda están derechas,
y comprándolas sin vicio, 310
en el primer lance salen
con más corcova que un cinco.

D.ª INÉS. ¿Y don Diego?

MOSQUITO. Ese es un cuento
sin fin, pero con principio;
que es lindo el don Diego, y tiene 315
más que de Diego de lindo.
Él es tan rara persona,
que, como se anda vestido,
puede en una mojiganga
ser figura de capricho. 320
Que él es muy gran marinero
se ve en su talle y su brío,
porque al arte suyo es arte
de marear los sentidos.

Tan ajustado se viste, 325
que al andar sale de quicio,
porque anda descoyuntado
del tormento del vestido.
De curioso y aseado
tiene bastantes indicios, 330
porque, aunque de traje no,
de sangre y bolsa es muy limpio.
En el discurso parece
ateísta, y lo colijo
de que, según él discurre, 335
no espera el día del juicio.
A dos palabras que hable
le entenderás todo el hilo
del talento, que él es necio,
pero muy bien entendido. 340
Y porque mejor te informes
de quién es y de su estilo,
te pintaré la mañana
que con él hoy he tenido.
Yo entré allá, y le vi en la cama, 345
de la frente al colodrillo
ceñido de un tocador,
que pensé que era judío.
Era el cabello, hecho trenzas,
clin de caballo morcillo, 350
aunque la comparación
de rocín a ruin ha ido.
Con su bigotera puesta
estaba el mozo jarifo,
como mulo de arriero 355
con jáquima de camino;
las manos en unos guantes
de perro, que por aviso
del uso de los que da,
las aforra de su oficio. 360
Deste modo, de la cama
salió a vestirse a las cinco,
y en ajustarse las ligas
llegó a las ocho de un giro.

Tomó el peine y el espejo, 365
y, en memoria de Narciso,
le dio las once en la luna;
y en daga y espada y tiros,
capa, vueltas y valona,
dio las dos, y después dijo: 370
"Dios me vuelva a Burgos, donde
sin ir a visitas vivo,
que para mí es una muerte
cuando de priesa me visto.
Mozo, ¿dónde habrá ahora misa?" 375
Y el mozo, humilde, le dijo:
"A las dos dadas, señor,
no hay misa sino en el libro."
Y él respondió muy contento:
"No importa, que yo he cumplido 380
con hacer la diligencia.
Vamos a ver a mi tío."
Este es el novio, señora,
que de Burgos te ha venido;
tal que primero que al novio 385
esperara yo un novillo.

D.ª INÉS. ¡Ay, don Juan! Con estas nuevas
es menos ya el temor mío,
pues mi padre no es posible
que me entregue a este martirio. 390

D. JUAN. Inés, por cualquiera parte
crece el temor y el peligro;
no es nuevo ser tú mi vida,
y ya en tus labios la miro.

D.ª INÉS. Vete, don Juan, que es forzoso 395
ir las dos a prevenirnos.

D. JUAN. Ya no es posible ausentarme.

D.ª INÉS. Albricias doy al peligro;
mas ¿cómo, si de mi padre
ya has quedado despedido? 400

D. JUAN. Fingiré algún embarazo.

D.ª INÉS. ¿Y lograrásme un alivio?

D. JUAN. A eso voy.

D.ª INÉS. ¡Guárdete el cielo!

D. JUAN. Guárdeste tú, que es lo mismo.
MOSQUITO. ¡Ah, señor don Juan!
D. JUAN. ¿Qué quieres? 405
MOSQUITO. Tres portes de papelillos,
que, a doblón, montan...
D. JUAN. Ve a casa,
y llevarás un vestido. *Vase.*
MOSQUITO. Pues si él ha de ser llevado,
no me le dé usted traído. 410
D.ª INÉS. Vamos, Leonor.
MOSQUITO. ¡Ah, señora!
D.ª INÉS. ¿Qué dices?
MOSQUITO. Tengo contigo
una intercesión y un ruego;
y aunque con sol tan divino
es osadía, me atrevo 415
a título de Mosquito.
D.ª INÉS. ¿Qué es lo que quieres?
MOSQUITO. Beatriz,
después que la has despedido,
anda pidiendo limosna.
D.ª INÉS. Pues si mi padre lo hizo, 420
¿qué puedo yo remediar?
MOSQUITO. Ese es rigor.
D.ª INÉS. Mas no mío.
MOSQUITO. Pues pide, dale; que es pobre.
D.ª INÉS. ¿Qué la he de dar?
MOSQUITO. Un recibo,
y vuelva a servirte a casa, 425
pues ya llora el pan perdido.
D.ª INÉS. Espero hoy otra criada.
MOSQUITO. No la llegará al tobillo
ninguna de cuantas vengan.
D.ª INÉS. ¿Por qué no?
MOSQUITO. Eso ¿no está visto? 430
Ella es golosa, chismosa,
respondona y alza el grito,
ventanera y todo el día
gasta en tratar de su aliño.
Pues ¿dónde has de hallar criada 435

que cumpla más con su oficio?

D.ª INÉS. Porque se ha criado en casa
siento haberla despedido;
mas como ella, por ahora,
quiera estarse en mi retiro 440
sin que la vea mi padre,
la recibiré.

MOSQUITO. ¡Ah, Dios mío,
lo que hace un buen abogado!

D.ª INÉS. Dila que venga, Mosquito.

D.ª LEONOR. Y entre sin verla mi padre. 445

MOSQUITO. ¿Y si está aquí?

D.ª INÉS. Entre contigo. *Vanse.*

MOSQUITO. Vitoria por mis camisas. —
¡Ah, Beatricilla!

Sale BEATRIZ.

BEATRIZ. ¿Qué ha habido?

MOSQUITO. Que estás recibida ya.

BEATRIZ. ¿Qué dices?

MOSQUITO. Que Tito Livio 450
no pudo hablar en tu abono
como yo de tu servicio.
Ponderé aquí tus labores,
tu cuidado y tu buen pico,
y hace tanto un buen tercero, 455
que te recibió al proviso.

BEATRIZ. Siempre conocí yo en ti
tu buena intención, Mosquito.

MOSQUITO. Mira, yo naturalmente
hablo bien de mis amigos. 460

BEATRIZ. Seré tuya eternamente.

MOSQUITO. Mas ya que te han recibido,
no me des carta de pago.

BEATRIZ. Tú verás si es mi amor fino.

MOSQUITO. Toca esos huesos y vamos. 465

BEATRIZ. Toco y taño.

MOSQUITO. Salto y brinco.

BEATRIZ. Y ¿esto ha de pasar de aquí?

MOSQUITO. ¡No, sino amarnos de vicio!

BEATRIZ. Pues querernos en silencio.
MOSQUITO. No podré, siendo Mosquito. 470
BEATRIZ. ¿Por qué no?
MOSQUITO. Porque los moscos,
para picar, hacen ruido. *Vanse.*

Sala en la posada de DON DIEGO Y DON MENDO

Salen dos CRIADOS *con dos espejos*, DON DIEGO *y* DON MENDO.

D. DIEGO. Poneos los dos enfrente,
porque me mire mejor.
D. MENDO. Don Diego, tanto primor 475
es ya estilo impertinente.
Si todo el día se asea
vuestra prolija porfía,
¿cómo os puede quedar día
para que la gente os vea? 480
D. DIEGO. Don Mendo, vos sois extraño;
yo rindo, con salir bien,
en una hora que me ven,
más que vos en todo el año.
Vos, que no tan bien formado 485
os veis como yo me veo,
no os tardéis en vuestro aseo,
porque es tiempo mal gastado.
Mas si veis la perfección
que Dios me dio sin tramoya, 490
¿queréis que trate esta joya
con menos estimación?
¿Veis este cuidado vos?
Pues es virtud más que aseo,
porque siempre que me veo 495
me admiro y alabo a Dios.
Al mirarme todo entero,
tan bien labrado y pulido,
mil veces he presumido
que era mi padre tornero. 500
La dama bizarra y bella
que rinde el que más regala,
la arrastro yo con mi gala;

pues dejadme cuidar della.
Y vos, que vais a otros fines, 505
vestíos de priesa, yo no,
que no me he de vestir yo
como frailes a maitines.

D. MENDO. Si lo hacéis con ese fin,
¿qué dama hay que os quiera bien? 510

D. DIEGO. Cuantas veo, si me ven,
porque en viéndome dan fin.

D. MENDO. ¡Que lleguéis a imaginar
locura tan conocida!
¿Habéis visto en vuestra vida 515
mujer que os venga a buscar?

D. DIEGO. Eso consiste en mis tretas,
que yo a las necias no miro;
y en las que yo logro el tiro
sufren, como son discretas. 520
Y aunque las mueva su fuego
a hablar, callarán también,
porque ven que mi desdén
ha de despreciar su ruego.

D. MENDO. ¿Vos desdén? Tema graciosa. 525

D. DIEGO. Pues ¿queréis que me avasalle,
fácil yo, con este talle?
No me faltaba otra cosa.

D. MENDO. Mirad que eso es bobería
de vuestra imaginación. 530

D. DIEGO. No paso yo por balcón
donde no haga batería;
pues al pasar por las rejas
donde voy logrando tiros,
sordo estoy de los suspiros 535
que me dan por las orejas.

D. MENDO. Vive Dios que eso es manía
que tenéis.

D. DIEGO. Mujer sé yo
que dos veces se sangró
por haberme visto un día. 540

D. MENDO. Yo desengañaros quiero.

D. DIEGO. ¿Cómo?

D. MENDO. Que a una dama vamos
a festejar, y veamos
a cuál se rinde primero.

D. DIEGO. Pues ¿no tenemos aquí 545
a nuestras primas yo y vos?
¿Cuánto va que ambas a dos
hoy se enamoran de mí?

D. MENDO. ¿No veis que en ellas es más
el honor que las refrena? 550

D. DIEGO. Hasta verme, norabuena;
pero en mirándome, ¡zas!

D. MENDO. (*Ap.*) (Loco soy, pues quiero yo
a tal necio disuadir.)

D. DIEGO. ¿Qué decís?

D. MENDO. Que ya temo ir 555
con vos.

D. DIEGO. ¡Pues no, sino no!
Mas dejadme que yo mismo
vuelva el talle a repasar;
que hoy por vos temo sacar
en mi gala un solecismo. — 560
Alzad esos dos espejos.

MARTÍN. Bien están así.

D. DIEGO. No están.

LOPE. Pues ¿cómo bien estarán?

D. DIEGO. Mirándose los reflejos.

MARTÍN. La luna se mira toda. 565

D. DIEGO. No tal.

LOPE. Pues ¿cómo ha de ser?

D. DIEGO. ¡Que no aprendáis a poner
los espejos a la moda!

MARTÍN. Di cómo, y no te alborotes.

LOPE. ¿Qué es moda?

D. DIEGO. ¡Mi rabia toda! 570
¡Que no sepan lo que es moda
hombres que tienen bigotes!

MARTÍN. ¿Están bien así?

D. DIEGO. Eso quiero,
que así todo me divisa.

D. MENDO. (*Ap.*) (Cayéndome estoy de risa 575

de ver a este majadero.)
D. DIEGO. ¡El pelo va hecho una palma!
¡Guárdese toda mujer!
Yo apostaré que al volver
en cada hebra traigo un alma. 580
Los bigotes son dos motes;
diera su belleza espanto
si hiciera una dama un manto
de puntas destos bigotes.
El talle está de retablo; 585
el sombrero va sereno:
de medio arriba está bueno,
de medio abajo es el diablo.
Lo bien calzado me agrada.
¡Qué airosa pierna es la mía! 590
De la tienda no podía
parecer más bien sacada. —
Pero tened, ¡vive Dios!,
que aquesta liga va errada.
Más larga está esta lazada 595
un canto de un real de a dos. —
Llega, mozo, a deshacella.
D. MENDO. ¡Que aqueso os cueste fatiga!
Pues ¿qué importará esa liga?
D. DIEGO. No caer pájaro en ella. 600
D. MENDO. Mirad que ésas son locuras,
que a quien las ve a risa obliga.
D. DIEGO. Sólo con aquesta liga
cazo yo las hermosuras.
MARTÍN. Ya está buena.
D. DIEGO. Ahora están 605
iguales las dos; bien voy.
Con el reparillo estoy
cuatro dedos más galán.
Siempre que el verme repito,
queda el alma más ufana. — 610
Mozo, acuérdate mañana
de traerme pan bendito.

Sale MOSQUITO.

MOSQUITO. Ya está aquí el coche, señor.
D. DIEGO. ¿Mosquito? — Vamos, don Mendo.
D. MENDO. Según vais, ya voy temiendo 615
que he de parecer peor.
D. DIEGO. ¿Voy bien?
D. MENDO. (*Ap.*) (La risa reprimo.
A desconfiar me obliga.)
D. DIEGO. Miren si importó la liga,
pues ya se rinde mi primo. 620
MOSQUITO. (*Ap.*) (Al mirarle estoy suspenso.
¡Que éste piense que es galán!
Mas hartos lo pensarán,
que lo piensan por el pienso.)
D. DIEGO. Mosquito, ¿hay gran prevención? 625
¿Cómo mis primas están?
MOSQUITO. Tales, señor, que podrán
tocarse entrambas a un son.
Cualquiera está tan bizarra
de las dos que al sol da cola, 630
y cualquiera prima sola
puede hacer una guitarra.
D. DIEGO. También acá arde la fragua,
que todo eso es menester.
MOSQUITO. ¿Pues no?
D. DIEGO. A fe que hemos de ver 635
quién se lleva el gato al agua.
MOSQUITO. Pues dudarse eso ¿no es yerro?
Sólo de oir tu retrato
las vi, que no sólo el gato
llevarás tú, sino el perro. 640
D. DIEGO. Pues ¿ves? Sólo me lastima...
MOSQUITO. ¿Qué, señor?
D. DIEGO. ...mi estrella mala.
¡Que venga toda esta gala
a parar en una prima!
MOSQUITO. Cierto que tienes razón, 645
y a mí también me lastima.
D. DIEGO. ¿No me malogro en mi prima?
MOSQUITO. Merecías tú un bordón.
Mas deso no te provoques.

D. DIEGO. El ser tan rica me anima. 650
MOSQUITO. Y yo pienso que la prima
saltará antes que la toques.
D. DIEGO. ¿Cómo saltar?
MOSQUITO. Es galante,
y baila famosamente.
D. DIEGO. ¡Oh, pues viéndome presente 655
bailará el agua delante!
Y ella ¿me merece a mí?
MOSQUITO. Ese es, señor, mi recelo,
porque es un ángel del cielo
y no te merece a ti. 660
D. DIEGO. ¿Qué dices?
MOSQUITO. Si no es que sea
ley de estrella poderosa.
D. DIEGO. Miren, si esto es siendo hermosa,
¿qué haría si fuera fea?
MOSQUITO. ¿Sabes quién estoy pensando 665
que te merecía?
D. DIEGO. ¿Quién fuera?
MOSQUITO. Una dama que estuviera
toda su vida ayunando.
D. MENDO. Vamos presto, que mejor
allá lo podréis juzgar. 670
D. DIEGO. Vamos, don Mendo, a matar
estas dos primas de amor.
MOSQUITO. Al verte será delito
si no se desmayan luego.
D. DIEGO. Juicios tienes de don Diego. 675
MOSQUITO. (*Ap.*) Y tú sesos de mosquito. *Vanse.*

Sala en casa de DON TELLO

Salen DON JUAN *y* DON TELLO.

D. JUAN. Suspendióse, don Tello, mi partida,
porque mi prima, estando prevenida
para ir a cumplir una novena
que tenía ofrecida a Guadalupe, 680
que me detenga ordena;

y es fuerza que me ocupe
en asistir sus pleitos entre tanto.
(*Ap.*) (No será sino el mío.)

D. TELLO. Estimo tanto
vuestra amistad, don Juan, que habiendo habido 685
justa ocasión que os haya detenido,
os he de suplicar que a honrarme asista
vuestra persona, ahora que a la vista
de mis hijas espero a mis sobrinos.

D. JUAN. Siempre de honrarme halláis nuevos caminos. 690
(*Ap.*) (¡Cielos, no haya logrado yo esta suerte
para ver la sentencia de mi muerte!)

D. TELLO. Ya aquí vienen las dos.

D. JUAN. Y yo quisiera
me aviséis, por no errar de adelantado,
si están ya los conciertos en estado 695
de poder dar el parabién.

D. TELLO. Sí, amigo;
bien se le podéis dar.

D. JUAN. (*Ap.*) (¡Cielos! ¿Qué espero?
Más que del golpe, de temello muero.)

D. TELLO. Que aunque Inés y Leonor no lo han sabido
ya yo el concierto tengo concluido, 700
y el haberle callado
ha sido por no estar asegurado
de la venida de mis dos sobrinos,
por tener ellas otros pretendientes,
amantes y parientes, 705
que estorbarlo intentaron. Y, en efeto,
se ha logrado el venir con el secreto;
y ésta la causa ha sido
de que Leonor y Inés no lo han sabido;
porque no fuera bien que yo un concierto 710
les propusiese que saliera incierto;
mas ya, por mi palabra asegurado,
nos dais el parabién adelantado.

D. JUAN. Muy como vuestra la atención ha sido.
(*Ap.*) (¡Cielos, yo estoy hablando sin sentido!) 715

Salen CRIADAS, LEONOR *e* INÉS *tocada de boda.*

D.ª INÉS. ¡Muerta salgo!
(*Ap. a* DOÑA LEONOR.)
D.ª LEONOR. Tus dudas son forzosas.
D. TELLO. ¡Bien prevenidas salen! ¡Son curiosas!
D. JUAN. (*Ap.*) (Esfuércese el corazón
a este tormento también.)
En tan dichosa ocasión 720
es precisa obligación,
señoras, mi parabién.
Logréis el feliz estado
a medida del deseo.
(*Ap.*) (Y a costa de un desdichado.) 725
D.ª INÉS. No sé a qué va encaminado
el parabién ni el empleo.
D. TELLO. El parabién da don Juan
de los casamientos hechos
con vuestros primos.
D.ª INÉS. Y ¿están 730
en estado que podrán
admitirle nuestros pechos?
D. TELLO. ¿Pues no, si ellos han venido
de mi palabra fïados?
D.ª INÉS. No habiéndolos admitido 735
nosotras, en vano ha sido
darlos por efetuados.
D. TELLO. Pues ¿podéis las dos hacer
a mi gusto resistencia?
D.ª LEONOR. Yo, señor, no sé tener 740
voluntad, y si ha de ser
alguna, ésa es mi obediencia.
D.ª INÉS. Contigo también, señor,
es mi voluntad ajena,
sólo tu gusto es mi amor; 745
mas este mismo primor
tu resolución condena.
Porque cuando yo he de estar
pronta siempre a obedecer,
no me debieras mandar 750
cosa en que puedo tener

licencia de replicar.
Y si me da esta licencia
el cielo, y tu autoridad
me la quita con violencia, 755
casaráse mi obediencia,
pero no mi voluntad.
Siendo este estado, señor,
de tantos riesgos cercado,
¿no pudiera algún error 760
dar asunto a mi dolor
y empeños a tu cuidado?
Luego, aunque yo me concluyo,
debieras a mi albedrío
proponerlo, no por suyo, 765
sino porque, aunque él es tuyo,
tiene el título de mío.

D. TELLO. Aunque es la queja tan vana,
por queja de amor la he oído,
Inés, callando tu hermana, 770
que no eres tú tan liviana
que tuviera otro sentido;
ni yo tan poco mirado
que a todo vuestro deseo
no le exceda mi cuidado, 775
habiendo ya examinado
los peligros de este empleo.
En gusto, quietud y honor,
lográis toda la ventura
que pudiera vuestro amor 780
y el mío, que es el mayor,
que vuestro bien asegura;
y mi palabra empeñada
ya, Inés, no tiene lugar
tu queja, aunque bien fundada, 785
pues, sobre que estás casada,
no tienes que replicar.

D. JUAN. (*Ap. a* DOÑA INÉS.) (¡Cielos! Yo de mi tormento
he venido a ser testigo.

D.ª INÉS. Y yo del dolor que siento.) 790

Pues si ya mi casamiento
das por hecho, sólo digo
que, aunque tan llano lo ves,
falta una duda por ti
no fácil.

D. TELLO. Y ésa ¿cuál es? 795

Sale MOSQUITO.

MOSQUITO. Los novios están aquí.
D. TELLO. Déjalo para después. —
(*A* DOÑA INÉS.) ¿Dónde están?
MOSQUITO. Vedlos allí,
que el coche, con gran sosiego,
los va ya dando de sí. 800

Salen DON MENDO, DON DIEGO *y* CRIADOS.

D. TELLO. Prevenid sillas aquí.
MOSQUITO. (*Ap.*) (Y albarda para don Diego.)
D. DIEGO. Buen lugarillo es Madrid.
D. MENDO. Dadnos, señor, los pies vuestros.
D. TELLO. Llegad, hijos, a mis brazos, 805
que ya de padre os prevengo.
D. DIEGO. Bravos lodos hace, tío.
D. TELLO. Pues ¿qué embarazo os han hecho
viniendo los dos en coche?
D. DIEGO. Antes lo digo por eso, 810
que hemos perdido ocasión
de venir gozando dellos.
D. TELLO. ¿Pues echáis menos los lodos?
MOSQUITO. Es adamado don Diego,
y le ha olido bien el barro. 815
D. TELLO. Hablad a Inés.
D. DIEGO. Eso intento.
(*Ap.*) (Lo primero que habla un novio,
dicen todos los discretos
que es necedad; pues aposta
que he de hablar yo poco y bueno.) 820
Señora, ya os habrán dicho
que sois mía y yo soy vuestro;
mas os puedo asegurar

que en mí os da mi tío un dueño
que hay muchas que le tomaran 825
con dos cantos a los pechos. —
(*Ap.*) (Con decir una verdad
se excusa uno de ser necio.)

D.ª INÉS. (*Ap.*) (¡Muerta estoy!) — En mí, señor,
la voluntad que yo tengo 830
es de mi padre y no mía,
y vuestra, por su precepto.
(*Ap.*) (¿Qué hombre, ¡cielos!, es aquéste
tan torpe, exquisito y necio?)

D. DIEGO. ¡Alto! Clavóse hasta el alma. 835

(*A* MOSQUITO.) Ya por mí perderá el seso.

MOSQUITO. Si ella se casa contigo,
que lo perderá es bien cierto.

D. TELLO. Hablad, don Mendo, a Leonor.

D. MENDO. En su hermosura suspenso, 840
del primer yerro en mi labio
tendrá disculpa el proverbio;
y ya turbado, señora,
a las luces del sol vuestro
con tanta razón, sería 845
acertar el mayor yerro.

D.ª LEONOR. Nada puede errar quien lleva
por norte tan buen lucero
como la desconfianza.
(*Ap.*) (Discreto y galán es Mendo; 850
yo he sido la mas dichosa.)

D. DIEGO. Mi primo, con lo modesto,
vence el no ser muy galán.

D.ª LEONOR. Vos lo sois con tanto extremo,
que haréis menos a cualquiera. 855
(*Ap.*) (¡Hay más loco majadero!)

D. DIEGO. (*Ap.*) (También cayó la Leonor.
Buena mi primo la ha hecho
en ir a vistas conmigo.)

D. TELLO. Tomad, sobrinos, asiento. 860

D. DIEGO. Yo por mí, ya estoy sentado.

D. TELLO. Muy llano venís, don Diego.
(*Ap.*) (Muy tosco está mi sobrino;

	mas la corte le hará atento.)	
D. DIEGO.	(¡Hola! Por Dios, que también	865
(*Ap. a* MOSQUITO.)	se me ha enamorado el viejo.	
MOSQUITO.	Dicha tienes en que aquí	
	no esté también el cochero.)	
D. JUAN. (*Ap.*)	(¡Cielos! Mienten los que dicen	
	que puede ser de consuelo	870
	el competidor indigno;	
	que antes es de más tormento,	
	pues el uso de las dichas	
	se aseguran en el necio.)	
D. TELLO.	Los dos al señor don Juan	875
	conoced; que es a quien debo	
	tan íntima obligación	
	que le viene el nombre estrecho	
	de amistad a nuestro amor.	
D. JUAN.	Y en mí tendréis un deseo	880
	de serviros, que dará	
	indicios de aqueste empeño.	
D. MENDO.	Ya, señor don Juan, le logro	
	en las noticias que tengo.	
D. DIEGO.	Y yo desde hoy con más veras	885
	he de ser amigo vuestro;	
	que tiráis algo a galán,	
	y para mí es bravo celo.	
D. JUAN.	Delante de vos no puede	
	ningún galán parecerlo;	890
	que tiráis tanto que dais	
	en el blanco dese acierto.	
D. DIEGO.	No; antes doy poco en el blanco,	
	porque es color que aborrezco,	
	y el usarse aquestas mangas	895
	de garapiña me han hecho	
	sacar blanco algunas veces;	
	pero ya es todo mi anhelo	
	una color de pepino	
	que ha traído un extranjero.	900
D. JUAN.	¿De pepino? Pues ¿no es verde?	
D. DIEGO.	Es gran color.	
MOSQUITO.	Será bueno	

para aforrar ensaladas.

D. DIEGO. Sólo unos guantes me he puesto
deste color, pero estaba 905
que era prodigio con ellos.

D.ª INÉS. (*Ap. a* DOÑA LEONOR.) (Leonor, este hombre no tiene
uso del entendimiento.)

D.ª LEONOR. Ni aun del sentido tampoco. 910

D. DIEGO. (*Ap.*) (Ya hablan las dos en secreto.
Luego dije yo que había
de parar el caso en celos.)
¿Qué se murmura, señoras?

D.ª LEONOR. Alabaros de discreto. 915

D. DIEGO. ¿Y no de galán?

D.ª LEONOR. También.

D. DIEGO. Pues eso es cuento de cuentos,
porque en Burgos unas damas
trataron de hacer lo mesmo,
y en sólo los pies tardaron 920
un día.

MOSQUITO. Según son ellos,
bien de priesa los pasaron.

D. MENDO. (*Ap.*) (¡Corrido estoy, vive el Cielo,
de venir con este tonto!)

D. TELLO. (*Ap.*) (Mi sobrino está algo necio; 925
mas yo le reprehenderé
para que enmiende este yerro.)
Venid a ver vuestro cuarto.

D. DIEGO. Sí, señor, vamos a eso;
porque el mío ha menester 930
mucha luz para el espejo.

D. MENDO. Señora, no se despide
quien deja el alma asistiendo
al culto de vuestros ojos
desde que vive de vellos.

D. DIEGO. Yo, prima, no sé de cultos, 935
porque a Góngora no entiendo,
ni le he entendido en mi vida;
pero después nos veremos.

Vanse DON DIEGO, DON MENDO, DON TELLO *y* CRIADOS.

D.ª INÉS. ¿Qué dices desto, Leonor?
D.ª LEONOR. No sé, hermana, ni me atrevo 940
a hablar, y viendo tu pena
por no afligirte, te dejo. *Vase.*
MOSQUITO. ¿Y si yo me atrevo a hablar,
y a decirte que, aunque luego
te case con él tu padre, 945
yo a descasarte me atrevo?
Porque este novio es un macho,
y hace mulo el casamiento.
D. JUAN. Inés, señora, ¿qué dices?
¿Quédale ya a mi tormento 950
esperanza que le alivie?
Ya todo el peligro es cierto,
ya dio palabra tu padre,
ya está aceptado el empeño;
ya yo te perdí, señora, 955
y ya... Pero ¿cómo puedo
referir mayor desdicha
que haber dicho que te pierdo?
D.ª INÉS. Don Juan, según yo he quedado,
ni aun para hablar tengo aliento. 960
Ni yo sé si me has perdido,
ni de mi padre el empeño,
ni si ya ha dado palabra,
ni aun razón tampoco tengo
para saber de mi pena; 965
mira qué haré del remedio.
Si hay alguno en el discurso,
es no tenerle don Diego,
ser sujeto tan indigno,
y mi padre no tan ciego 970
que no lo haya conocido.
A él con mis quejas apelo,
y a decirle que el casarme
con hombre tan torpe y necio
es condenarme a morir 975
o a vivir en un tormento.
MOSQUITO. Y que es pecado nefando
casarte con un jumento.

D. JUAN. Y si a tu padre le obliga
de su palabra el empeño, 980
y desprecia tu razón
por su atención que es primero,
¿qué haré perdiéndote yo?

MOSQUITO. Lo que yo hago cuando pierdo.

D. JUAN. ¿Qué haces tú?

MOSQUITO. Romper los naipes 985
o llevármelos enteros.

D.ª INÉS. Don Juan, mi padre no es
en mi amor tan poco atento
que viendo tan justa causa
como de quejarme tengo, 990
a toda una vida mía
anteponga otro respeto.
Esta apelación me falta;
si es tan uno nuestro riesgo,
admítela, que parece 995
que no es tuyo mi deseo.

D. JUAN. ¿Cómo he de admitirla, Inés,
viendo a tu padre resuelto
a cumplir con su palabra,
y es de su honor este empeño? 1000

D.ª INÉS. Y el mío, ¿no es de mi vida?

D. JUAN. Sí, pero con él es menos.

D.ª INÉS. ¿No puede ser que se mueva
a mi llanto?

D. JUAN. No lo espero.

D.ª INÉS. Pues, don Juan, si tu temor 1005
da mi peligro por cierto,
resolvernos a morir,
que aquí no hay otro remedio.

D. JUAN. Pues ¿para cuándo es, Inés,
un atrevido despecho, 1010
que tiene tantas disculpas?

D.ª INÉS. Don Juan, no hables en eso;
que aunque es tan grande mi amor,
es mi obligación primero.

D. JUAN. ¿Y ése puede ser amor? 1015

D.ª INÉS. Amor es; pero sujeto

a la ley de mi decoro.

D. JUAN. ¿Que, en fin, niegas un aliento
al temor de mi esperanza?

D.ª INÉS. ¿Ya no te doy el que puedo? 1020

D. JUAN. ¿Qué puede importar, si es poco?

D.ª INÉS. Pudiendo bastar lo menos,
¿por qué he de empeñar lo más?

D. JUAN. ¿Y si lo requiere el riesgo?

D.ª INÉS. Vete, don Juan; que los daños 1025
empeñan a los remedios.

D. JUAN. Esa esperanza me alivia.

D.ª INÉS. Pues deja ver el suceso...

D. JUAN. Quiera Amor que sea feliz.

D.ª INÉS. Más de mi parte está el ruego. 1030

D. JUAN. ¡Qué temor!

D.ª INÉS. Adiós, don Juan.

D. JUAN. Guárdete, señora, el cielo.

MOSQUITO. Miren si es verdad que ya
pierde el juicio por don Diego.

JORNADA SEGUNDA

Sala en casa de DON TELLO

Salen DON JUAN *y* MOSQUITO.

MOSQUITO. Vuelvo a decirte que hay medio
para curar tu dolor.

D. JUAN. Mosquito, en tanto rigor,
¿cuál puede ser el remedio?
Don Tello ha determinado 5
el dar a Inés a don Diego,
y ha despreciado su ruego,
y su palabra ha empeñado.
No hay medio en tanta aflicción.

MOSQUITO. Dígote que le ha de haber. 10

D. JUAN. Necio, ¿cómo puede ser?

MOSQUITO. ¿Hal tal desesperación?
Ese hombre ¿no es un rocín?
Luego tu duda es crüel.

D. JUAN. Pues ¿qué medio hay para él? 15
MOSQUITO. El medio de un celemín.
D. JUAN. ¿Búrlaste de mi dolor?
MOSQUITO. Pues si no quieres creer,
¿qué tengo de responder?
No desesperes, señor, 20
que en esto hay medio y remedio
y tataremedio y todo.
D. JUAN. Pues viviré de ese modo.
MOSQUITO. Y ha de ser pared en medio.
Pero para aqueste efeto, 25
tu licencia me has de dar
de lo que yo he de trazar.
D. JUAN. Esa yo te la prometo.
MOSQUITO. Pues, señor, yo, conocida
la liviandad de don Diego, 30
deseando tu sosiego,
hallé el medio por su herida.
Alabéle con intento
a tu prima la condesa,
que ya de viuda profesa 35
se le anda el casamiento.
Abrió tanto ojo a la mía,
y muy fïado de sí,
dijo: "Si ella me ve a mí,
yo me veré señoría." 40
Yo le prometí llevar
donde ella verle pudiera,
y él dijo: "Desa manera,
condeso de par en par."
Si trazamos que en él cuaje 45
esta esperanza, después
despreciará a doña Inés,
y al viejo y a su linaje.
Conque tú puedes tratar
de tu boda a tu placer, 50
porque él, por encondecer,
no ha de querer emprimar.
D. JUAN. Sí; mas no halla mi desvelo
modo de verlo logrado.

MOSQUITO. Pues veslo aquí ejecutado 55
como el huevo de Juanelo.
Tú con tu prima has de hacer
que un favor no le recate.

D. JUAN. ¡Jesús! ¡Qué gran disparate!
¿Yo me había de atrever 60
con mi prima a esa indecencia?
Demás de que ausente está
en Guadalupe, aunque acá
no se sabe de su ausencia;
pues su casa está asistida 65
como si ella aquí estuviera.

MOSQUITO. Pues mejor desa manera
la industria está conseguida.

D. JUAN. ¿De qué modo?

MOSQUITO. Con mi maña.
Yo tengo aquí una mujer 70
que fingirá, sin caer,
la Princesa de Bretaña;
tan sabia, que por su cholla
dijo aquel refrán feliz:
"De las hembras, la Beatriz, 75
y de las aves, la olla."
Ella, que mi industria anima,
por finísima embustera,
es tan delgada tercera
que se sabrá fingir prima. 80
Sin costarte más trabajo
que permitirme la empresa,
le haré tragar la condesa
envuelta en el estropajo.

D. JUAN. ¿No es fuerza que eso se ajuste 85
con las criadas?

MOSQUITO. Mejor.
Pues ¿qué criadas, señor,
se niegan para un embuste?

D. JUAN. Si dese modo ha de ser,
yo permitillo no puedo. 90

MOSQUITO. Si ha de saberse el enredo,
ella, ¿qué puede perder?

Y si esto te escarba aún,
¿hay más de hacer yo el papel
in solidum, sin que en él 95
entres tú de mancomún?

D. JUAN. Sin que me des por autor,
hazlo tú.

MOSQUITO. Pues, caballero,
¿soy yo tan pobre embustero,
que he menester fïador? 100

D. JUAN. Si lo logras desa suerte,
le darás vida a mi amor.

MOSQUITO. Pues vete luego, señor;
que conmigo no han de verte,
y vienen aquí los dos 105
con mi señor.

D. JUAN. Mi sosiego
fío de ti.

MOSQUITO. Vete luego.

D. JUAN. Pues adiós. *Vase.*

Salen DON TELLO, DON MENDO *y* DON DIEGO.

MOSQUITO. (*Ap.*) (¡Válgame Dios!
¿Sin importarme, esto noto?
¿Quién en tal bulla me mete? 110
Mas esto es que un alcahuete
siente mucho ahorcar el voto.)

D. TELLO. Sobrino, esto es atención.

D. DIEGO. Tío, eso es mucho apretar;
yo me tengo de alabar 115
en cuanto fuere razón.

D. TELLO. No puede serlo alabaros
neciamente de galán;
y donde damas están,
no es luciros, sino ajaros. 120

D. DIEGO. ¿Esa, señor, se usa aquí?

D. TELLO. Y en todo el mundo.

D. DIEGO. Eso no;
que sería mentir yo
si dijera mal de mí.

D. TELLO. Tampoco os digo eso yo. 125

D. DIEGO. Pues si yo tengo buen talle,
¿tengo de echar en la calle
la gala que Dios me dio?
D. TELLO. ¿Perderéis vos lo galán
por no alabaros modesto? 130
No os desairéis vos en esto,
que otros os alabarán.
D. DIEGO. Peor es eso que esotro.
D. TELLO. ¿No es mejor que aplauso os den?
D. DIEGO. Pues lo que a mí me está bien, 135
¿para qué lo ha de hacer otro?
D. TELLO. En otro os está mejor.
D. DIEGO. Y si callan en mi mengua,
¿para qué tengo yo lengua?
MOSQUITO. Para ir a Roma, señor. 140
D. DIEGO. ¿Yo a Roma? ¿Por qué accidente?
MOSQUITO. A absolveros.
D. DIEGO. Bien, por Dios.
¿Maté yo alguien?
MOSQUITO. No; que vos
de todo estáis inocente.
D. MENDO. Señor, tu atención se apura, 145
y es en vano refrenalle.
D. TELLO. (*Ap.*) (Y ignorancia en mí irritalle
por tan ligera locura.
¿Qué importará que él se alabe
de galán, para que Inés 150
desprecie el noble interés
que por su sangre le cabe?
Resístanlo o no sus pechos,
pues conviene a sus recatos,
he de hacer que los contratos 155
esta noche queden hechos.)
Hijos, yo voy a sacar
vuestros despachos. Adiós,
que aquesta noche los dos
os habéis de desposar, 160
porque estiméis a mi amor
lo mismo que él os estima.
D. DIEGO. Eso, estímelo mi prima,

que es a quien le está mejor.
D. TELLO. Tú, Mosquito, ten cuidado 165
de acompañarlos. *Vase.*
MOSQUITO. Sí haré;
Yo los acompañaré,
como canten ajustado.
D. DIEGO. Muy cansado está mi tío.
D. MENDO. Por viejo está impertinente. 170
MOSQUITO. (*Ap.*) (Aquí entro yo bravamente.)
¿No hay más hablar, señor mío?
D. DIEGO. Mosquito, ¿qué hay?
MOSQUITO. (*Ap. a* DON DIEGO.) (Que he informado
a la condesa de suerte,
que a instantes espera verte. 175
D. DIEGO. ¿Qué dices?
MOSQUITO. Que te ha alabado
de modo, que me ha pedido
que yo te lleve a su casa.
Pero tú de lo que pasa
no te has de dar por sabido, 180
sino fingir un intento
con que irla a visitar;
que en viéndote, no hay dudar
que se cuaje el casamiento.
D. DIEGO. Pues cairá.
MOSQUITO. Eso para *nobis.* 185
D. DIEGO. ¡Sólo de oírlo se incita!
Pues ¿qué hará la condesita
en viéndome el *coramvobis*?
MOSQUITO. Pues si tomas mi consejo,
ve luego.
D. DIEGO. Eso quiero hacer. 190
Mas antes he de volver
repasarme al espejo.
Espérame aquí.)
D. MENDO. Mirad
que están mis primas aquí.
D. DIEGO. ¿Me han visto?
D. MENDO. Pienso que sí. 195
D. DIEGO. No importa, con brevedad

dellas me despediré.
Espérame tú allá fuera.

MOSQUITO. Pues dispónlo de manera
que vamos luego.

D. DIEGO. Sí haré. 200

MOSQUITO. (*Ap.*) (Voy a avisar a Beatriz
por que se ponga en adobo;
que ha de tragar este bobo
la condesa fregatriz.) *Vase.*

Salen LEONOR *e* INÉS.

D.ª LEONOR. Aquí está don Diego, hermana. 205

D.ª INÉS. Pues yo me quiero volver;
que ansí le doy a entender
lo que ha de saber mañana. *Vase.*

D. MENDO. Nunca el sol tarde salió
a quien con su luz da vida. 210

D.ª LEONOR. A vuestra fe agradecida,
por mí antes saliera yo.

D. MENDO. Con vuestra gracia mi amor,
de méritos tan desnudo,
sólo mereceros pudo 215
tan venturoso favor.

D.ª LEONOR. Supuesto, don Mendo, el trato
de mi padre, a vuestro amor
debe mi agrado el favor
que permite mi recato. 220

D. DIEGO. Si eso a vos, señora, os mueve,
¿mi prima quiere enojarme?
¿Por qué no viene a pagarme
los favores que me debe?

D.ª LEONOR. Está indispuesta.

D. DIEGO. ¿De qué? 225

D.ª LEONOR. Saliendo aquí, de repente
le dio agora un accidente.

D. DIEGO. ¡Miren si lo adiviné!
Dila por el corazón;
y es preciso que esto sea, 230
y de otra vez que me vea
ha de pedir confesión.

D. MENDO. ¿Y de eso no te lastimas?
D. DIEGO. Pues ¿tengo la culpa yo?
D. MENDO. Pues ¿quién lo hace, si vos no? 235
D. DIEGO. Mi talle, que es mata-primas.
D. MENDO. (*Ap.*) (¡Que en este error tan cerrada
esté su imaginación!)
D. DIEGO. Digo: ¿el mal de corazón
la dejó muy apretada? 240
D.ª LEONOR. No ha tenido ella ese mal.
D. DIEGO. Pues ¿qué mal ha padecido?
D.ª LEONOR. No estar buena.
D. DIEGO. ¿Y eso ha sido
causa de retiro tal?
D.ª LEONOR. Pues ¿no es bastante el tener 245
alguna indisposición?
D. DIEGO. ¿Cómo es eso? Con la unción
había de venirme a ver.
D.ª LEONOR. A tan necia grosería
y delirio tan extraño 250
castigará el desengaño
que recataros quería;
y agora os haré saber
que mi hermana está muy buena,
y por no darse esa pena 255
no os quiere salir a ver.
Y aquí, para entre los dos,
dejad empresa tan vana,
porque es cierto que mi hermana
no se ha de casar con vos. 260
D. DIEGO. (*A* DON MENDO.) ¡Miren el diablo, la gana
por donde brota el humor!
D. MENDO. ¿Qué dices?
D. DIEGO. Que la Leonor
tiene celos de su hermana. —
Y aqueso de "entre los dos" 265
¿es cierto?
D.ª LEONOR. Esperadlo a ver.
D. DIEGO. Digo, y ¿es eso querer
tratar de pescarme vos?
D.ª LEONOR. El que de necio la pierde,

	no ofende la estimación.	270
D. DIEGO.	¿No lo escucháis? Celos son,	
(*A* DON MENDO.)	con su puntica de verde.	
D. MENDO.	Si hacéis favor del desdén,	
	bien descansado vivís. —	
D. DIEGO.	Pues si vos lo consentís,	275
	yo lo consiento también.	
D.ª LEONOR.	Señor don Diego, si fuera	
	sin mi padre vuestro intento,	
	por risa y divertimiento	
	la ignorancia os permitiera;	280
	porque no puede haber cosa	
	que más pueda deleitar	
	que veros disparatar	
	en vanidad tan graciosa.	
	Pero no pudiendo hacer	285
	por él desprecio de vos,	
	por mi hermana, o por las dos,	
	pues nos llegáis a ofender,	
	os advierto que en secreto	
	desistáis la pretensión,	290
	o llegaréis a ocasión	
	de ajaros más el respeto.	
D. DIEGO.	¿Pensáis doblarme? Pues no;	
	que eso, por lo que sentís,	
	vos sola me lo decís.	295

Sale DOÑA INÉS.

D.ª INÉS.	No lo digo sino yo.	
D. DIEGO.	Oigan el demonio: estotra	
	lo ha estado oyendo, a la cuenta,	
	y sale también celosa.	
	Si se arañan es gran fiesta.	300
D.ª INÉS.	Señor don Diego, si el lustre	
	de la sangre que os alienta	
	a su misma obligación	
	se sabe pagar la deuda,	
	ninguna puede ser más	305
	que la que agora os empeña,	
	pues una mujer se vale	

de vuestro amparo en su pena.
La dificultad está,
para que más os suspenda, 310
en que, siendo contra vos,
os pido a vos la defensa.
Mas cuanto puedo deberos
os pago en querer atenta
que, si habéis de ser vencido, 315
vuestro el vencimiento sea.
Mi padre, señor don Diego,
a cuya voz tan sujeta
vivo, que por voluntad
tiene el alma mi obediencia, 320
trató la unión de los dos
tan sin darme parte della,
que de vos y del intento
al veros tuve dos nuevas.
Casarme sin mí es injusto; 325
mas dejo aparte esta queja,
porque al blasón de obediente
tiene algún viso de opuesta.
La aversión o simpatía
con que se apartan o acercan 330
las almas pende en el cielo
de influjo de sus estrellas.
Ésta es más o menos grave,
según es más la violencia
de los astros que la influyen 335
o la sangre en que se engendra;
de donde la inclinación
no puede ser acción nuestra,
pues sin albedrío un alma
o se inclina o se desdeña. 340
Siendo ansí, cuando yo os diga
que mi inclinación no es vuestra,
no os ofendo en la razón,
aunque en el gusto os ofenda.
Esto supuesto, señor, 345
no sólo eso el alma os niega,
mas a mi pecho y mis ojos

hace horror vuestra presencia.
Desde el instante que os vi
discurrió un hielo en mis venas, 350
a que no halla el alma amparo,
más que el que de vos intenta.
Y advertid que ya os declaro
mi aversión con tal llaneza,
porque antes he prevenido 355
que la inclinación no es nuestra;
y estoy a vuestro decoro
y a vuestro amor tan atenta,
que os di primero el escudo
por no ofender con la flecha. 360
Casarme con vos, don Diego,
si queréis, ha de ser fuerza;
pero sabed que mi mano,
si os la doy, ha de ser muerta.
De caballero y de amante 365
faltáis, don Diego, a la deuda
si, sabiendo mi despecho,
vuestra mano me atropella.
De caballero, porque,
por gusto o por conveniencia, 370
no hacéis precio de la vida
de una mujer sin defensa;
de amante, porque en tal caso
corre el cariño perezas,
y aquí, sin mi voluntad, 375
queda agraviada la vuestra.
Vencer mi aborrecimiento
o mi desdén, si lo fuera
con porfías y festejos,
fuera garbosa fineza; 380
pero valeros de un medio
donde no está la violencia
de parte de vuestro amor,
sino de quien me sujeta,
y arrastrarme sin vencerme, 385
es acción tan descompuesta,
que aja la galantería,

el amor y la nobleza.
Luego en dejarme, aunque ahora
mi sentimiento os lo ruega, 390
más garbo en vos que en mí alivio
vuestro decoro interesa.
Pero aunque destas razones
pudiera bastar cualquiera,
no quiero yo que esta acción 395
hagáis por ninguna déstas,
sino porque yo os lo pido,
que pues la acción es la mesma,
no os quiero yo malograr
el mejor fin que hay en ella. 400
Vos, don Diego, habéis de hacer
a mi padre resistencia,
y escoged vos en la causa
la razón que más convenga.
Aborrecedme, injuriadme, 405
que yo os doy toda licencia
para tratar mi hermosura
desde desgraciada a necia.
Despreciadme vos a mí,
que yo os doy palabra cierta 410
de tenéroslo por bien,
aunque sepa que es de veras.
Esto os pido, y el secreto
que requiere acción como ésta;
pues por último remedio 415
a vos mi dolor apela.
Haced cuenta que una dama
a vencer otro os empeña,
que es lance que no le puede
excusar vuestra nobleza. 420
Teneos vos para venceros
por otro en la competencia,
y lograd, de vos mandado
a vos vencido, la empresa.
Que si por el gran contrario 425
más la vitoria se precia,
vos no podéis escoger

enemigo de más prendas.
Sabed, don Diego, una acción
que es por entrambos bien hecha: 430
por mí, porque yo os lo pido;
por vos, porque en vos es deuda.
Y advertid que yo a mi padre,
poy la ley de mi obediencia,
para cualquiera precepto 435
el "sí" ha de ser mi respuesta.
Si vos no lo repugnáis,
yo no he de hacer resistencia,
y si deseáis mi mano,
desde luego será vuestra; 440
pero mirad que os casáis
con quien, cuando la violentan,
sólo se casa con vos
por no tener resistencia.
Y ahora vuestra hidalguía, 445
o el capricho, o la fineza,
corte por donde quisiere,
que, cuando pare en violencia,
muriendo yo acaba todo,
pero no vuestra indecencia, 450
pues donde acaba mi vida
vuestro desdoro comienza.

D. DIEGO. ¿Pudo el diablo haber pensado
más graciosísima arenga
para disfrazar los celos, 455
y está dellos que revienta?
Señora, todo ese enojo
nace, con vuestra licencia,
de celos que os da Leonor.
Si teméis que yo os ofenda, 460
os engañáis, ¡juro a Dios!,
que, ¡por vida de mi abuela!,
y ansí Dios me deje ver
con fruto unas viñas nuevas.
que plantó mi padre en Burgos, 465
que es lo mejor de mi hacienda,
como yo nunca le he dicho

de amor palabra, ni media,
que ella es la que a mí me quiere,
y si no, dígalo ella. 470

D. MENDO. Tener no puedo la risa
de tan graciosa respuesta.

D.ª LEONOR. Hermana, este hombre no tiene
sentido, y en vano intentas
que se reduzca a razón. 475

D.ª INÉS. Sean celos o no sean,
señor don Diego, yo os pido,
porque una dama os lo ruega,
que aquí me deis la palabra
de hacer por mí esta fineza. 480

D. DIEGO. (*Ap.*) (No haré yo tal hasta ver
cómo pinta la condesa.)
Señora, eso es una cosa
que es para dormir sobre ella.
Yo me veré bien en ello 485
para daros la respuesta,
que aquí tengo yo un agente
que es quien mejor me aconseja.

D.ª INÉS. Pues ¿qué hay que pensar en esto
para que nadie os advierta? 490

D. DIEGO. Pues ¿no queréis que me informe
si puedo hacerlo en conciencia?

D.ª LEONOR. ¡Hay más raro desatino!

D. DIEGO. (*A* DOÑA LEONOR.) Eso es porque vos quisierais
que respondiera que sí, 495
para verme libre della
y echarme luego la garra.

D.ª INÉS. La vuestra locura necia
pasa el término de loca,
y a mí que hacer no me queda 500
más que volver a advertiros
que cuanto os he dicho atenta
os lo repito ofendida;
y si tras esta advertencia
os queréis casar conmigo, 505
aunque mi sangre os alienta,
sois hombre indigno de honor.

Pensad o no la respuesta. *Vase.*

D. DIEGO. ¿Qué llama indigno? Escuchad.

D.ª LEONOR. Eso, don Diego, es perderla 510
de muchas veces. Haced
lo que Inés os aconseja,
o en mayor desaire vuestro
parará su resistencia. *Vase.*

D. DIEGO. ¿Desaire?

D. MENDO. Tened, don Diego: 515
un hombre noble ¿qué espera
oyendo este desengaño?

D. DIEGO. Hombre, ¿no ves que te quemas,
y Leonor, porque me adora,
es quien causa esta revuelta? 520

D. MENDO. ¡Vive Dios, que es imposible
sacarle de la cabeza
esta aprehensión! — Pues, don Diego,
¿en qué conocéis que tenga
fundamento ese cariño? 525

D. DIEGO. ¿Hay más graciosa simpleza?
Bueno sois para marido
si no entendéis esta lengua.
Pues ¿no veis que hablan los ojos
y la Leonor está muerta? 530
Si no es que vos, por casaros,
no miráis delicadezas.

D. MENDO. ¡Vive Dios!, que a no saber
que habla la ignorancia vuestra
más que la malicia en vos, 535
desta sala no salierais
sin ser el último aliento
necedad tan desatenta.
Pero pues es incurable
vuestra locura, ella mesma 540
de tanta desatención
la que os dé el castigo sea. *Vase.*

D. DIEGO. ¿Hay tonto como mi primo?
Pero a mí, allá se lo avenga.
Yo me voy a ver si puedo 545
derribar esta condesa,

y si no saliera cosa,
fijas las dos primas quedan.
Yo escogeré entre las dos,
y, cuando todas me quieran, 550
a más moros, más ganancia,
que el turco tiene trescientas. *Vase.*

Sala en casa de la CONDESA

Salen BEATRIZ, *de condesa viuda,* MOSQUITO *y una* CRIADA.

BEATRIZ. ¿Qué me dices, Mosquito, vengo buena?
MOSQUITO. Beatricilla, estás hecha una azucena.
BEATRIZ. De condesa viuda tengo aseo. 555
MOSQUITO. Puedes ser la viuda de Siqueo.
CRIADA. Y no tema que en nadie duda deje.
MOSQUITO. ¿Qué llama duda? La creerá un hereje.
CRIADA. Eso importa ocultallo a los criados,
y sólo los que estamos avisados 560
lo habemos de saber.
MOSQUITO. Claro está eso.
Beatricilla, cairá como con queso.
BEATRIZ. Y ¿dónde está?
MOSQUITO. A la puerta le he dejado,
y, fingiendo yo entrar con el recado,
subí a ver si ya estabas prevenida, 565
y me ha admirado el verte ya vestida,
que apenas ha un instante
que desde casa te envié delante.
BEATRIZ. Rabio yo por lograr tan buenos ratos.
MOSQUITO. Seis veces se ha limpiado los zapatos. 570
BEATRIZ. Llámalo, pues, que muero por hablallo.
MOSQUITO. Mira, Beatriz, si quieres acertallo,
cuanto hablares sea escuro y sea confuso.
Habla crítico agora, aunque no es uso;
porque si tú el lenguaje le revesas, 575
pensará que es estilo de condesas;
que los tontos que traen imaginado
un gran sujeto, en viéndole ajustado
a hablar claro, aunque sea con conceto,
al instante le pierden el respeto, 580

	y en viendo que habla voces desusadas,	
	cosas ocultas, trazas intrincadas,	
	para dar a entender que lo comprehenden,	
	le dicen que es gran cosa y no la entienden.	
	Conque si le hablas culto prevenida,	585
	te tendrá por condesa, y entendida.	
BEATRIZ.	Pero si él me pregunta algo corriente,	
	forzoso es reponderle vulgarmente.	
MOSQUITO.	De ningún modo, que ése no es su paso.	
BEATRIZ.	Y si él pregunta "¿Cómo estáis?," acaso,	590
	¿qué le he de responder?	
MOSQUITO.	En garatusa:	
	"Libidinosa, crédula y obtusa."	
BEATRIZ.	Pues ¿qué ha de entender él, si eso no es nada?	
MOSQUITO.	Acaso entenderá que estás preñada.	
BEATRIZ.	Déjame a mí, que yo sabré hablar culto	595
	cuando importe, que no ha de ser a bulto.	
MOSQUITO.	Pues él viene hacia acá, voy a sacalle,	
	que aquí don Juan también está a escuchalle.	

Sale DON DIEGO.

D. DIEGO.	Mosquito, ¿está aquí?	
(*Al paño.*)		
MOSQUITO.	¿No ves	
	que es la que está en esta pieza?	600
D. DIEGO.	¿Es ésta? ¡Rara belleza	
	descubre por el envés!	
BEATRIZ.	¿Quién anda en los corredores?	
	Míralo, Isabel.	
D. DIEGO.	Ya ha hablado.	
	Hasta el tono es delicado.	605
	En fin, manjar de señores.	
CRIADA.	¿Quién es?	
D. DIEGO.	Respóndele apriesa.	
MOSQUITO.	Diga usted cómo don Diego,	
	mi señor, quisiera luego	
	ver a mi sa la condesa.	610
CRIADA.	Ya la tenéis avisada.	
	Entre.	
D. DIEGO. (*Sale.*)	El norte lo asegura.	

CRIADA. (*Ap.*) (¡Jesús, qué extraña figura!)
D. DIEGO. Ya ha caído la criada. —
(*Ap. a* MOSQUITO.) (Mosquito, ¿ves lo que pasa? 615
Todo caerá.
MOSQUITO. Aqueso es llano;
mas, señor, vete a la mano,
no caiga también la casa.)
D. DIEGO. El cielo guarde esa aurora.
BEATRIZ. La vuestra sea bien venida. 620
D. DIEGO. (No he visto en toda mi vida
(*Ap. a* MOSQUITO.) mejor bulto de señora.)
BEATRIZ. ¿Qué intento os lleva neutral
a mis coturnos cortés?
D. DIEGO. ¡Jesús, cuál habla! Esto es 625
estilo de sangre real. —
Señora, bueno he venido.
MOSQUITO. Qué quieres te preguntó.
D. DIEGO. Estar bueno quiero yo;
luego bien he respondido. 630
BEATRIZ. (*Ap.*) (De risa me estoy cayendo,
y disimular no sé.)
D. DIEGO. (También me parece que
(*Ap. a* MOSQUITO.) va la condesa cayendo.)
BEATRIZ. En fin, ¿venís rutilante 635
a mi esplendor fugitivo
para ver si yo os esquivo
a mi consorcio anhelante?
D. DIEGO. (¿No ves, Mosquito, al hablarme,
(*Ap. a* MOSQUITO.) con qué gracia me enamora? 640
MOSQUITO. Pues ¿qué es lo que dice agora?
D. DIEGO. Todo aquesto es alabarme.)
Si yo aquí os he parecido
como vos significáis,
cierto que no lo arriesgáis, 645
porque soy agradecido.
BEATRIZ. Explicaos de una vez.
D. DIEGO. Hablaros de espacio intento.
BEATRIZ. Pues apropincuad asiento.
D. DIEGO. (Mosquito, ya pica el pez. 650
(*Ap. a* MOSQUITO.)

MOSQUITO. Ya yo le he visto tragar.
D. DIEGO. Yo soy cebo de mujeres.
MOSQUITO. Ahora digo que tú eres
linda caña de pescar.
D. DIEGO. Hablarla importa con frases 655
de un estilo levantado.
MOSQUITO. Sí, que el estilo acostado
es para cuando te cases.)
D. DIEGO. Vuestra fama sonorosa,
(*A* BEATRIZ.) con curso, no de estudiante, 660
sino de trompa volante...
(*Ap. a* MOSQUITO.) (¡Bravo pedazo de prosa!
MOSQUITO. Bueno va; adelante pasa.)
D. DIEGO. desde Burgos me ha traído
a daros en mí un marido 665
que sea honor de vuestra casa.
BEATRIZ. Súbito, no meditado,
vuestro pretexto colijo.
MOSQUITO (¿Qué es lo que agora te dijo?
(*Ap. a* DON DIEGO.)
D. DIEGO. Que lo aceta de contado. 670
Della desde hoy no me aparto.
MOSQUITO. Pues ¿no te lo dije yo?
D. DIEGO. Luego vi que el pez picó.
MOSQUITO. ¿Qué hará en viendo que es lagarto?)
BEATRIZ. Algo de bobería en vos 675
presumo en cándido pecho.
D. DIEGO. (¡Jesús, qué favor me ha hecho!
(*Ap. a* MOSQUITO.) Buena pascua te dé Dios.)
MOSQUITO. (*Ap.*) (De risa el tonto me apura.)
Prosigue, que ya está tierna. 680
D. DIEGO. Ahora me alabó la pierna. —
Pues si vierais mi cintura
por de dentro, os admirara
su medida tamañita,
porque a mí el sastre me quita 685
dos dedos de media vara.
MOSQUITO. En eso no hay que dudar.
D. DIEGO. Y aun me la achica después.
MOSQUITO. Mas la media vara es

de vara de torear. 690

D. DIEGO. Eso, en torear, no hay hombre
como yo. Con un jaez
en Burgos salí una vez,
y tembló el toro mi nombre.
Yo me anduve por allí 695
en la plaza hecho un Medoro
y no osó llegarse el toro
a treinta pasos de mí.

MOSQUITO. ¡Bravas suertes!

D. DIEGO. Y hasta el fin
ningún rocín me mató. 700

MOSQUITO. Pues si a ti no te alcanzó,
seguro estaba el rocín.

D. DIEGO. Paréceme que un poquito
vos estáis de mí pagada.

BEATRIZ. Adusta, si no implicada. 705

D. DIEGO. (*Ap. a* MOSQUITO.) (Toma si escampa, Mosquito.)

MOSQUITO. (*Ap.*) (¡Jesús! A Beatriz aprisa
señas le haré por detrás,
porque si esto dura más
he de reventar de risa.) 710

Hace señas a Beatriz.

BEATRIZ. Remito, por lo que expreso,
la locución otro día. *Levántase.*

D. DIEGO. ¿En efeto seréis mía?

BEATRIZ. Cogitación habrá en eso.

D. DIEGO. Ese sí al alma regala. 715

BEATRIZ. Pensáislo con juicio agreste.

D. DIEGO. (*Ap. a* MOSQUITO.) (¡Mira qué favor aquéste!)
¡Ah, bien haya aquesta gala!

BEATRIZ. Adiós.

D. DIEGO. Hasta nuestras bodas.

CRIADA. (*Ap.*) (¡Bravo tonto!)

BEATRIZ. Ya os entiendo. *Vanse.* 720

D. DIEGO. La mujer se va cayendo;
pero lo mismo hacen todas.

MOSQUITO. (*Ap.*) (Lográronse mis cuidados.)
¿Qué dices de aquesta empresa?

D. DIEGO. Que la mujer es condesa 725
de todos cuatro costados.

MOSQUITO. (*Ap.*) (Ahora entra aquí don Juan
para acreditar el caso.)
Señor, si esto va a este paso,
tus dos primas ¿qué dirán? 730

D. DIEGO. *Volaverunt.*

MOSQUITO. Yo querría
que lo sepas recatar.

D. DIEGO. Ya bien puedes empezar
a llamarme señoría.

D. JUAN. (*Dentro.*) ¿Hola? ¿Mateo? ¿Benito? 735
¿No hay algún criado aquí?
¿Qué modo es éste?

MOSQUITO. ¡Ay de mí!

D. DIEGO. ¿Qué es esto?

MOSQUITO. ¡Cristo bendito!
Don Juan, eso que no es nada,
primo de aquesta señora, 740
y celoso.

D. DIEGO. ¿Eso hay agora?
Pues requeriré la espada.

MOSQUITO. Y ¿qué hemos de hacer con eso?

D. DIEGO. ¡Voto a Dios si me habla en nada,
que a la primer cuchillada 745
le rebane como queso!

MOSQUITO. ¿Qué, eres valiente?

D. DIEGO. Los chinos
son enanos para mí.

MOSQUITO. ¡Ay, Madre de Dios, que aquí
se matan como cochinos! 750

Sale DON JUAN.

D. JUAN. Siempre en casa ha de haber priesa...
Pero, don Diego, ¿aquí estáis?
Pues ¿qué en la casa buscáis
de mi prima la condesa?

D. DIEGO. ¿Yo?

D. JUAN. Sí.

D. DIEGO. No lo puedo creer. 755
¿A mí?...

D. JUAN. ¿No habéis escuchado?

D. DIEGO. (*Ap.*) (¡Vive Dios, que me he turbado
y no sé qué responder!)

D. JUAN. ¿No habláis?

MOSQUITO. Yo, señor, de un tiro
con mi señor iba al Prado, 760
y aquí nos hemos topado
por la plaza del Retiro.

D. DIEGO. (*Ap. a* MOSQUITO.) (¿Qué haces?

MOSQUITO. El diablo lo fragua.
¡De quien me parió reniego!)

D. JUAN. ¿Por qué no me habláis, don Diego? 765

MOSQUITO. Tiene la boca con agua.

D. JUAN. ¿Qué dices?

MOSQUITO. Que él iba aprisa,
y se entró aquí.

D. JUAN. ¿A qué se entró?

MOSQUITO. Yo... cuando... sí... ¿qué sé yo?
Los dos íbamos a misa. 770

D. JUAN. ¡Villano! ¿Es eso burlar
de mí?

D. DIEGO. (*Ap.*) (Ya yo me cobré,
y ansí lo remediaré.)
Don Juan, yo os vengo a buscar.

D. JUAN. ¿Vos a mí?

D. DIEGO. A solas os quiero. 775

D. JUAN. Pues por mí, yo solo estoy.

D. PIEGO. Pues vete tú.

MOSQUITO. Ya me voy.
(*Ap.*) (Clavóse este majadero.) *Vase.*

D. JUAN. Ya estamos solos.

D. DIEGO. Don Juan,
yo me caso con mi prima, 780
que, aunque ella no me merezca,
en efeto, ha de ser mía.
Yo, en efeto, como digo,
vengo aquí, porque en mi vida...
(*Ap.*) (¡Por Dios, que he perdido el hilo 785
de lo que decir quería!)

D. JUAN. Proseguid.
D. DIEGO. Ya voy al caso;
la memoria es quebradiza.
Desde Burgos a Madrid
hay cuarenta leguas chicas... 790
Pienso que hay más... No, no hay tantas.
D. JUAN. Pues eso ¿a qué se encamina?
D. DIEGO. Las leguas ¿no son del caso?
D. JUAN. Pues el camino ¿a qué tira?
D. DIEGO. ¿Tan poco importa el camino? 795
D. JUAN. Pues ¿qué importa?
D. DIEGO. ¿Esto no estriba
en resolución? Pues alto.
Señor mío, yo quería
saber de vos a qué intento
entráis en cas de mi prima. 800
D. JUAN. Pues ¿por qué lo preguntáis?
D. DIEGO. ¿Por qué? ¡La duda es muy linda!
Porque he de ser su marido.
D. JUAN. (*Ap.*) (¡Vive Dios, que la salida
que ha buscado, aunque el engaño 805
que yo deseo acredita,
pues lo hace por deslumbrarme,
a un grave empeño me obliga,
que aunque es necio es caballero!)
D. DIEGO. ¿No habláis? ¿Me dais con la misma? 810
Pues yo esto vengo a saber.
D. JUAN. La pregunta es tan indigna,
que no merece respuesta;
pero si ha de ser precisa,
yo os la daré.
D. DIEGO. No, tened, 815
que yo tengo en esta villa
más de cuatrocientas damas
que a mi casamiento aspiran.
Yo os lo digo por si acaso
vuestro amor a Inés se inclina, 820
que yo alzaré mano della,
porque vuestra bizarría
me ha enamorado, y no quiero

que os dé mi boda un mal día.
D. JUAN. Yo os digo que no os respondo. 825
D. DIEGO. Según eso, ¿vuestra mira
no debe ser a Inés,
sino a Leonor?
D. JUAN. Esa misma
es la pregunta pasada,
que ya tenéis respondida. 830
D. DIEGO. ¡Ah, cómo os di yo en el alma!
En los ojos se averigua.
Leonor es la que os abrasa.
D. JUAN. No hagáis vos respuesta mía
la que yo no os quiero dar, 835
y si el negarlo os irrita,
ya os digo...
D. DIEGO. No os enojéis,
que aquesto, ¡por vida mía!,
es querer ser vuestro amigo.
D. JUAN. Mi voluntad os lo estima; 840
mas no hablemos más en esto.
D. DIEGO. Mi duda está concluida.
Quedad con Dios.
D. JUAN. Él os guarde.
D. DIEGO. Y entended que en mi caricia
tenéis el lugar de un primo. 845
D. JUAN. Deuda es de mí agradecida.
D. DIEGO. (*Ap.*) (No es nada el equivoquillo.
Mi ingenio es todo una chispa.)
Quedaos, no paséis de aquí.
D. JUAN. No me excuséis que yo os sirva. 850
D. DIEGO. Yo os iré sirviendo a vos.
D. JUAN. Yo he de lograr esa dicha.
D. DIEGO. (*Ap.*) (¡Ah, qué bien que se la pego!)
D. JUAN. (*Ap.*) (Ya él me ha creído la prima.) *Vanse.*

Zaguán en casa de DON TELLO

Sale MOSQUITO *y* BEATRIZ *de criada.*

MOSQUITO. Dame cuatro mil abrazos, 855
ingeniosa Beatricilla,

que has hecho el papel mejor
que pudiera Celestina.

BEATRIZ. ¿Parecía yo condesa?

MOSQUITO. ¿Qué es condesa? Parecías 860
fregona en paños mayores.

BEATRIZ. ¿Y si él creyó la postiza,
en qué ha de parar el cuento?

MOSQUITO. Pues eso ¿no lo imaginas?
En que te casas con él. 865

BEATRIZ. ¿Yo? ¡Madre de Dios bendita!
Primero fuera beata
de aquestas arrobadizas.

MOSQUITO. Calla, boba, que don Juan,
que es a quien le va la vida, 870
lo ha de pagar por entero,
y de la paga la liga
tomarás tú y yo la media.

BEATRIZ. Eso de la media explica,
porque tiene muchos puntos. 875

MOSQUITO. Entremos en casa aprisa,
que aquí en el zaguán estamos
a riesgo de una avenida.

BEATRIZ. Vamos, no me vea el viejo.

MOSQUITO. ¿Y hemos de entrarnos a frías? 880
¿No me darás un abrazo?

BEATRIZ. Y quince.

MOSQUITO. ¿Con eso envidas?

Sale DON DIEGO *y cógelos abrazados.*

D. DIEGO. (*Ap.*) (Grande empresa he conseguido,
y escaparme fue gran dicha.
Pero ¿qué miro?)

BEATRIZ. (*Ap. a* MOSQUITO.) (¡Ay, Dios mío! 885
Don Diego, y a letra vista,
nos ha cogido.

MOSQUITO. ¡Jesús!)

D. DIEGO. (*Ap.*) (O estoy loco o juraría
que es la condesa.)

BEATRIZ. ¡Villano!
(*Dale a* MOSQUITO.) ¿Tú a mí engañarme querías? 890

¡Viven los cielos, traidor,
que en ti he de vengar mis iras!

MOSQUITO. (*Ap.*) (¿Qué haces, mujer del demonio?)

BEATRIZ. ¡Traidor! ¿Tú a engañarme ibas?
¡A una mujer de mi estado 895
le finges alevosías!

D. DIEGO. (*Ap.*) (¡Viven los cielos, que es ella!)
Señora, pues, ¿qué os irrita
este pícaro, que os hallo
en una acción tan indigna 900
y en tan indecente traje?

BEATRIZ. Siendo vuestra la malicia,
¿lo dudáis, mal caballero,
que con aleves caricias
engañáis nobles mujeres? 905
¿Es bien robarme la vida,
prometiendo ser mi esposo,
estando con vuestra prima
para desposaros hoy?

D. DIEGO. Señora, ¿quién tal mentira 910
os ha dicho? (*Ap.*) (¡Vive Dios,
que sabe ya la cartilla!)

MOSQUITO. (*Ap.*) (¡Remediólo bravamente!)

BEATRIZ. Yo lo sé de quien me avisa
de todos vuestros engaños; 915
y por ver vuestra malicia
con mis ojos, he venido,
llena de ansias y fatigas,
disfrazada y sin respeto,
donde he sabido que es fija 920
la boda para esta noche.

MOSQUITO. (*Ap.*) (¡Oh gran Beatriz, fondo en tía!)

D. DIEGO. (*Ap.*) (No es nada lo que obra el talle.
Tomen si purga la niña.)
Señora, ¡viven los cielos! 925
que aunque está ya prevenida,
es sin mi consentimiento,
y porque quedéis vencida,
yo haré aquí un remedio breve.

BEATRIZ. ¿Cuál es?

D. DIEGO. Daros una firma 930
con tres testigos.
BEATRIZ. Pues yo,
¿qué he de hacer della, ofendida?
D. DIEGO. Sacarme por el vicario,
si este tío me da prisa.
MOSQUITO. Esto es peor, que en mentando 935
el ruin, es sentencia fija
que ha de cumplirse el refrán.
El viejo viene.
BEATRIZ. Sería
gran desdicha que me viera
en una acción tan indigna. 940
D. DIEGO. ¿Os conoce?
BEATRIZ. No, mas basta
que me vea.
D. DIEGO. Pues, aprisa,
escondeos.
BEATRIZ. ¿Dónde puedo?
D. DIEGO. Detrás desa puerta misma.
BEATRIZ. Todo es decente en un riesgo. 945
Mirad que mi honor peligra
en que ninguno me vea. *Vase.*
D. DIEGO. Si viniera Atabaliba
y Montezuma, no os viera
hasta costarme la vida. — 950
Disimula tú, y finjamos
que bajábamos de arriba.
MOSQUITO. Pienso que el viejo lo ha visto;
que trae aceda la vista.

Sale DON TELLO.

D. TELLO. ¿Don Diego?
D. DIEGO. ¿Tío y señor? 955
D. TELLO. ¿Es deshecha esa alegría?
¿Paréceos acción decente
que en casa de vuestra prima
habléis con una mujer
tapada, la tarde misma 960
que con ella os desposáis?

D. DIEGO. ¿Yo mujer?

MOSQUITO. (*Ap.*) (¡Ay, Beatricilla!;
que aquí dio fin el enredo.)

D. TELLO. Negarlo es buena salida,
acabando yo de ver 965
que está en mi casa escondida.

D. DIEGO. Mirad, señor, que es engaño.

D. TELLO. ¡Vive, Dios!, que si porfía
vuestro desacato, yo
la he de sacar.

D. DIEGO. Poca prisa; 970
porque esta caza es vedada,
y está la guarda a la mira.

D. TELLO. Pues ¿a mí me decís eso?

D. DIEGO. A vos y a vuestras dos hijas.

D. TELLO. ¿Yo no he de entrar en mi casa? 975

D. DIEGO. A eso, ni vos ni mi tía.

D. TELLO. Villano, ¡viven los cielos!,
que de tan grande osadía
tomaré satisfacción.

D. DIEGO. Aunque perdiera mil vidas, 980
no habéis de ver esta dama.

Empuñan las espadas.

D. TELLO. Pues yo haré que lo permitas.

Sale DOÑA INÉS *por la puerta del medio, y* DON JUAN *por otra.*

D.ª INÉZ. Padre y señor, ¿vos la espada?

D. JUAN. Don Tello, aquí está la mía.

D. TELLO. Para el castigo que intento 985
sobran armas a mis iras.

D. DIEGO. (*Ap.*) (¡Esto es peor, vive el cielo!;
que si don Juan ve a su prima,
no tiene salida el lance.)

D. TELLO. Villano, a esa mujercilla 990
sacaré yo deste modo.

D. DIEGO. (*Ap. a* DON TELLO.) (Detente, señor, y mira
que esta dama es de don Juan,
con mucho estrecho, y peligra
su honor y mi vida en esto. 995

D. TELLO. ¿Quién? ¿Esta dama?

D. DIEGO. Esta misma.)
D.ª INÉS. (*Ap.*) (¡Ah, traidor! ¿Qué es lo que escucho?
¿Esto encubierto tenías?)
D. TELLO. (*Ap.*) (¡Buena la intentaba yo!
Turbado me ha la noticia.) 1000
¡Cuerpo de Dios! ¡No dijerais
que aquesa mujer venía
a ampararse a vos de un riesgo!
Llamadla, y idos aprisa,
que yo os guardaré la espalda. 1005

Saca DON DIEGO *a* BEATRIZ.

D. TELLO. (*Primero a Beatriz; luego a Don Diego.*)
Tapaos, señora, y seguidla.
D. DIEGO. Señora, venid tras mí.
Perdonad, señora prima;
que yo con quien vengo vengo.

Vase con ella tapada por delante de ellos.

MOSQUITO. (*Ap.*) (Escapóse Beatricilla; 1010
salto y brinco de contento.
Mas preciso es que la siga;
que librarla deste bobo
es acción no menos fina.) *Vase.*
D. TELLO. (*Ap.*) (Detener yo ahora a don Juan, 1015
porque no pueda seguilla,
será lo más importante.)
Don Juan, fuerza es que yo siga
a don Diego, por si acaso
en este empeño peligra. 1020
Quedaos vos aquí.
D. JUAN. Eso fuera
faltar yo a la deuda mía,
sabiendo que va con riesgo.
D. TELLO. Es que para la acción misma
os he menester yo aquí. 1025
D. JUAN. Siendo así, aquí está mi vida
para arriesgarla por vos.
D. TELLO. Mi amistad de vos lo fía.
(*Ap.*) (Hasta que él esté seguro
le guardaré yo esta esquina.) *Vase.* 1030
D. JUAN. Inés, señora, a este lance

queda mi fe agradecida,
por hablarte con seguro.

D.ª INÉS. Si eso a engañarme camina,
ya no lo podrás, ingrato; 1035
pues tu traición conocida,
por no dudarla, me ha puesto
el desengaño a la vista.

D. JUAN. ¿Qué es lo que decís, señora?
¿Yo traición? ¿En qué imaginas 1040
que la tenga una fineza
que no hay luz que la compita?

D.ª INÉS. Pero hay luz que la descubra,
y a bien poco se averigua;
pues es tal su desenfado, 1045
que tienes dama tan fina
que, ofendiendo tu decoro,
a un hombre que no ha tres días
que está en Madrid, tus finezas
y su liviandad publica. 1050

D. JUAN. Señora, ¡viven los cielos!
que, ajeno de esas malicias,
no puedo entender tu queja,
ni sé de qué se origina.

D.ª INÉS. Pues yo, no ajena, don Juan, 1055
de tu traición fementida,
y ya más desesperada,
negándomelo a la vista
te lo diré, aunque al decirlo
mayor empeño se siga; 1060
piérdase lo que se pierda,
donde se pierde mi vida:
esa dama que a su amparo
aquí a don Diego le obliga,
tú eres de quien la recata, 1065
y ella de ti se retira;
y pues sabe un forastero
que es tan tuya, que peligra
hallándola tú con otro,
mira si es tu alevosía 1070
tan recatada, que al verla

de mucha luz necesita.
Y sabiendo que la he visto,
sabrás que más en tu vida
no has de ponerte a mis ojos; 1075
que yo, pues la culpa es mía
en dar el alma a un traidor,
pues mi muerte me castiga,
obedeciendo a mi padre,
me vengaré de mí misma. 1080

D. JUAN. Oye, señora.
D.ª INÉS. Es en vano.
D. JUAN. Tente, por Dios.
D.ª INÉS. Más me irritas.
D. JUAN. Pues ¿no me oirás?
D.ª INÉS. ¿Qué he de oírte?
D. JUAN. Que ha sido ilusión.
D.ª INÉS. Mi dicha.
D. JUAN. ¿Quién te ha dicho esos engaños? 1085
D.ª INÉS. Don Diego, que lo publica,
y yo que lo vi.
D. JUAN. ¿No sabes
su locura?
D.ª INÉS. Si porfías,
harás, don Juan, que en mi ofensa,
pase a despecho la ira. *Vase.* 1090
D. JUAN. ¡Vive el cielo que este necio
ha de costarme la vida!
Iré a buscarle, y a ver
de dónde nace este enigma.

JORNADA TERCERA

Calle

Salen BEATRIZ, *tapada,* DON DIEGO *y* MOSQUITO.

BEATRIZ. Ya será el pasar de aquí
arriesgarme a otro cuidado.
D. DIEGO. Compañía de ahorcado
no es, señora, para mí.

Yo os he de dejar segura 5
y sin lesión, ¡vive Dios!,
y hasta que lo estéis, con vos
he de ir a Dios y a ventura.

BEATRIZ. (*Ap. a* MOSQUITO.) (Mosquito, ¿qué hemos de hacer
si él da en este desatino? 10

MOSQUITO. Aquí no hay otro camino
sino arrancar a correr
para escapar de este lobo.

BEATRIZ. ¿No le sabrás tú apartar?

MOSQUITO. Nadie se sabe librar 15
de un bobo, sino otro bobo.)

D. DIEGO. ¡Secreto para conmigo!
¿Qué te dice?

MOSQUITO. Que va agora
la condesa, mi señora,
muy asustada contigo. 20

D. DIEGO. Eso es tomallo al revés;
pues ¿no voy a defendella,
aunque venga contra ella
el Armada del Inglés?

MOSQUITO. Es que estáis junto a la entrada 25
de su casa, y si los dos
llegáis, la verán con vos.

D. DIEGO. ¿Qué importa, si va tapada?

MOSQUITO. Pues si ven a tu beldad
seguirla, ¿no es cosa expresa 30
que han de creer que es la condesa?

D. DIEGO. Eso es la pura verdad;
pero si dejarla intento
cuando de mí se amparó,
y sucede algo, estoy yo 35
obligado al saneamiento;
y así, es imaginación
que yo haga esa liviandad.

BEATRIZ. ¿No veis que eso es necedad?

D. DIEGO. Mas que sea discreción. 40
Vos no os habéis de ir sin mí;
y creed, si esto no os basta,
que he de acompañaros hasta

	el postrer maravedí.	
BEATRIZ.	Ya que estáis determinado,	45
	venid, pues eso queréis,	
	y a la puerta no lleguéis.	
D. DIEGO.	No he de ir sino hasta el estrado;	
	no lo excuséis.	
MOSQUITO. (*Ap.*)	(¡Guarda, Pablo!)	
BEATRIZ.	¿Vos en mi casa tras mí?	50
	Pues ¿qué peligro hay allí?	
D. DIEGO.	¿Qué sé yo lo que hará el diablo?	
MOSQUITO. (*Ap.*)	(Por aquí la he de escapar.)	
	Señor, advierte una cosa:	
	que esta condesa es golosa,	55
	y esto lo hace por entrar	
	sola en este confitero	
	a comprar dulces sin susto.	
D. DIEGO.	Tiene lindísimo gusto;	
	a eso entraré yo el primero.	60
MOSQUITO.	¿Llevas dinero?	
D. DIEGO.	Ni blanca.	
MOSQUITO.	Pues ¿a qué has de entrar allá?	
D. DIEGO.	Pues ¿qué riesgo en eso habrá?	
MOSQUITO.	Donde está tu mano franca	
	¿has de consentirla que	65
	pague lo que a comprar va?	
D. DIEGO.	¿Eso dudas? Claro está	
	que se lo consentiré.	
MOSQUITO.	¿A la condesa?	
D. DIEGO.	¿Pues no?	
	¿Eso quieres que la arguya?	70
	Ni aun a una criada suya	
	no se lo estorbara yo.	
MOSQUITO.	¿Qué dices? Que eso es quedar	
	en una acción afrentosa.	
D. DIEGO.	Hermano, si ella es golosa,	75
	¿téngolo yo de pagar?	
MOSQUITO. (*Ap.*)	(Aquesto es cosa perdida.)	
BEATRIZ.	¡Ay, desdichada de mí!	
	Don Juan viene por allí.	
MOSQUITO.	¡Su primo, pese a mi vida!	80

D. DIEGO. ¿Quién?
MOSQUITO. Don Juan, de par en par.
D. DIEGO. Pues ahora, ¿qué hemos de hacer?
MOSQUITO. Irnos, y tú defender
que no nos pueda alcanzar.
D. DIEGO. Y si no puedo atajalle, 85
si acaso viene muy fuerte,
¿qué he de hacer?
MOSQUITO. Dalle la muerte.
D. DIEGO. ¿Dalle la muerte?
MOSQUITO. O matalle.
D. DIEGO. ¿Y si no trae mal humor
y detenelle por bien 90
puedo?
MOSQUITO. Matalle también.
D. DIEGO. Pues ¡sus! Manos a labor.
BEATRIZ. No permitáis que se acabe
de arriesgar la vida mía.
D. DIEGO. Váyase vueseñoría, 95
que ya estoy pensando el cabe.
MOSQUITO. Detenedle bien.
D. DIEGO. Sí haré.
MOSQUITO. Ya podemos escurrir.
BEATRIZ. Detenedle sin reñir.
D. DIEGO. Sin reñir le mataré. 100
MOSQUITO. (Arranquemos a correr
(*Ap. a* BEATRIZ.) mientras él queda en arrobo.
BEATRIZ. ¡Jesús! Harta voy de bobo.
MOSQUITO. No es poco para mujer.) *Vase.*
D. DIEGO. A mucho quedo empeñado, 105
si este hombre en seguirla da.
Pero bien hecho será:
que un primo es medio cuñado.

Sale DON JUAN.

D. JUAN. En haberme detenido
con tal cuidado don Tello 110
reconozco que es verdad
lo que les dijo don Diego;
y pues aquí le he alcanzado,

	he de averiguar su intento.	
D. DIEGO. (*Ap.*)	(Hombre, mira lo que haces,	115
	que vas andando y muriendo.)	
D. JUAN.	¿Señor don Diego?	
D. DIEGO.	Don Juan,	
	¿qué queréis?	
D. JUAN.	Buscando os vengo.	
D. DIEGO.	Como no paséis de aquí,	
	seré muy servidor vuestro;	120
	mas si pasáis adelante,	
	¡por las llamas de San Pedro!	
	que lo habéis de pasar mal.	
D. JUAN.	Lo que yo deciros quiero	
	aquí os lo puedo decir.	125
D. DIEGO.	De vida sois, según eso.	
D. JUAN.	Vos habéis dicho delante	
	de vuestra prima y don Tello	
	que aquella mujer tapada,	
	que agora os iba siguiendo,	130
	la recatabais de mí	
	por importarme su empeño.	
	Yo sé que esto es imposible,	
	porque yo en Madrid no tengo	
	mujer que pueda importarme	135
	ni por amor ni por deudo;	
	y siendo ansí que es fingido,	
	de vos entender pretendo	
	para qué fin lo fingisteis.	
D. DIEGO. (*Ap.*)	(Esto es peor, ¡vive el cielo!,	140
	porque si él fuera tras ella	
	le matara sin remedio,	
	porque ya lo había pensado;	
	pero matarle por esto	
	no lo he pensado, y no es fácil.)	145
D. JUAN.	¿Qué decís?	
D. DIEGO.	Ya voy a ello.	
	Señor don Juan, que yo dije	
	a mi tío ese embeleco	
	para escaparme de allí	
	es verdad, y no lo niego;	150

que lo que yo una vez digo
ha de estar dicho *in aeternum.*
Pero eso, ¿a vos qué os importa?

D. JUAN. Pues, ¿vos, siendo caballero,
lo dudáis? El que se entienda 155
que dama o parienta tengo
tan liviana que de mí
anda con otros huyendo.

D. DIEGO. Pues si vos sabéis que es falso,
y os aseguráis en eso, 160
¿qué importa que yo os lo diga?

D. JUAN. El que no lo piensen ellos;
que la opinión no es lo que es,
sino lo que entiende el pueblo.

D. DIEGO. Pues, ¿mi tío es pueblo acaso? 165

D. JUAN. Es parte dél, que es lo mesmo.

D. DIEGO. Don Juan, esto no os importa
más de que no tenga celos
Leonor de lo que yo dije,
como es vuestro galanteo. 170
Remediado esto, ¿habrá más?

D. JUAN. Yo no os pido nada de eso.

D. DIEGO. Pues veis aquí que lo dije,
que es la verdad; ¿qué remedio?

D. JUAN. Que vos habéis de decir 175
a todos los que lo oyeron
el intento que tuvisteis,
y que yo os obligo a ello.

D. DIEGO. No es nada la añadidura:
¿desdecirme yo? Eso es bueno. 180
Antes me volviera moro.

D. JUAN. Pues aquí no hay otro medio.

D. DIEGO. Pues más que nunca le haya.
¡Bien quedaba yo con eso
para ir a la plaza en Burgos 185
a hablar con los caballeros;
que el toro de las dos madres
no hiciera más ruido entre ellos!

D. JUAN. Pues ¿cómo habéis de excusallo?

D. DIEGO. ¿Cómo? ¡Por Dios, que me huelgo! 190

¿Usted me tiene por rana,
con dos manos y diez dedos,
y cinco palmos de espada,
y libra y media de acero?

D. JUAN. Pues aguardad, y veamos 195
si es más posible otro medio:
¿esa mujer os importa?

D. DIEGO. Y mucho; y a no ser eso,
si ella no me importa, a ella
le importo yo, que es lo mesmo, 200
porque me quiere que rabia.

D. JUAN. Pues si vos sabéis que es cierto
que ella no me importa a mí,
dadle a entender a don Tello,
con acaso o con industria, 205
quién es, para que con esto
que sepa que no es mujer
con quien dependencia tengo.

D. DIEGO. (*Ap.*) (¡Por Dios, que la hacíamos buena!
¡Que me pida el majadero 210
que yo publique a su prima!
¡Válgate el diablo el empeño!
Yo no sé cómo él lo oyó,
porque lo dije bien quedo.)

D. JUAN. ¿Os parece esto mejor? 215

D. DIEGO. ¿Vos tenéis entendimiento?
¿Yo manifestar la dama?
No se pide eso a un gallego.

D. JUAN. Pues, don Diego, aquí no hay modo
de excusarse nuestro duelo, 220
porque yo no he de apartarme
de vos sin ir satisfecho.

D. DIEGO. Pues veníos a mi lado;
que yo os doy licencia de eso,
(*Ap.*) (como durmamos aparte). 225

D. JUAN. Pero esto ha de ser riñendo.

D. DIEGO. (*Ap.*) (¡Más matalla! ¡Vive Dios
que si reñimos por esto,
se ha de enojar la condesa;
porque es fuerza del empeño 230

de librarla de su primo
y si le mato, la pierdo.
Pues matalle si reñimos,
ya pienso que lo estoy viendo,
que al primer *uñas abajo* 235
se me resbala, y *laus Deo.*)

D. JUAN. Don Diego, si esto ha de ser,
ya es en vano perder tiempo.

D. DIEGO. ¿En fin, hemos de reñir?

D. JUAN. No tiene el lance otro medio, 240
y si ha de ser...

D. DIEGO. Aguardad.

D. JUAN. Pues, ¿qué queréis?

D. DIEGO. Que primero
protesto que soy forzado,
porque importa para el cuento.

D. JUAN. Eso a mí nada me importa. 245

D. DIEGO. ¡Válame Dios! Yo me entiendo.

D. JUAN. Sacad, don Diego, la espada.

D. DIEGO. Comenzad diciendo el Credo,
y abreviadle.

D. JUAN. ¿Para qué?

D. DIEGO. Por no daros hasta el tiempo 250
de la vida perdurable.

D. JUAN. Eso agora lo veremos.

Sale DON MENDO.

D. MENDO. ¿Qué es esto, primo? — ¿Don Juan?

D. JUAN. Los dos tenemos un duelo
que nos obliga a reñir, 255
y vos, como caballero,
no nos lo habéis de estorbar.

D. MENDO. Si es justo, yo lo prometo.

D. JUAN. Es justo, y él lo dirá.

D. DIEGO. No es sino injusto y muy necio. 260
(*Ap.*) (Yo me he de escapar del lance,
enredando en él a Mendo.)
Primo, don Juan galantea,
como lo muestra su intento,
a nuestra prima Leonor. 265

Yo, por salir sin empeño
con una mujer de casa,
queriéndola ver mi suegro,
que era cosas de don Juan
dije a mi tío en secreto, 270
llegando él a esta ocasión,
por salir della sin riesgo.
Desto resulta sin duda
que Leonor dél tenga celos,
y él, para satisfacerla, 275
que esto no puede ser menos,
quiere que yo me desdiga;
yo le digo que no puedo.
Sobre esto hemos de reñir;
venistes vos a este tiempo, 280
y no he de reñir yo agora,
porque no es igual el riesgo,
que un primo al lado es ventaja,
como lo dice el proverbio.
Esto supuesto, don Juan, 285
buscadme vos cuerpo a cuerpo,
que solo yo os reñiré
cuanto fuere gusto vuestro,
menos lo que fuere justo.
Adiós, primo. *Vase.*

D. JUAN. Oíd, don Diego. 290

D. MENDO. Esperad, señor don Juan,
que ya con mi primo el duelo
no tenéis, sino conmigo,
y aquello es después de aquesto.

D. JUAN. ¿Por qué?

D. MENDO. Porque habiendo causa 295
de reñir en dos empeños,
de ser llamado a llamar,
el ser llamado es primero.

D. JUAN. Pues vos ¿por qué me llamáis?

D. MENDO. Porque yo a casarme vengo 300
con doña Leonor, mi prima,
siendo vos testigo dello,
y habiéndoos hecho mi amigo,

galantearla en secreto
es traición, y vos debierais, 305
a ley de buen caballero,
decírmelo llanamente
antes que yo hubiera hecho
empeño en la voluntad,
que entonces estaba a tiempo 310
de ver lo bien que me estaba
sin el dolor de los celos.
Y pues esta queja es justa,
salgamos al campo luego,
que allí de esta sinrazón 315
me satisfará mi acero.

D. JUAN. Si la queja que tenéis
por lo que dijo don Diego,
antes de llamarme al campo
me la hubiérades propuesto, 320
yo os dejara aquí sin ella.
Mas ya llamado al empeño,
no os quiero satisfacer,
aunque era razón y puedo,
porque después de reñir 325
quiero que vos, satisfecho,
sepáis que, por no excusarlo,
no os satisfice, pudiendo.

D. MENDO. Si eso es así, yo os lo pido.

D. JUAN. Yo os respondo que no puedo. 330

D. MENDO. Pues vamos a la campaña.

Sale DON TELLO.

D. TELLO. Tened; ¿dónde vais, don Mendo?

D. MENDO. Señor, yo a don Juan al campo
a divertirnos le ruego
que vamos, y este favor 335
recibo dél.

D. JUAN. Yo os lo debo,
por serviros. —A esto vamos,
si dais licencia, don Tello.

D. TELLO. Yo a don Mendo he menester,
y de tal divertimiento 340

siento estorbaros el gusto.
(*Ap.*) (En lo que oí y lo que veo
en sus semblantes, conozco
que iban los dos a algún duelo,
y habiéndomelo negado, 345
averiguarlo no puedo.
Esto sin duda resulta
de aquel lance de don Diego,
que no le he podido hallar,
para saber el empeño. 350
Estorbarlo aquí es forzoso,
hasta ver el fundamento.)
Don Mendo, veníos conmigo.

D. MENDO. Voy, señor, a obedeceros.
(*Ap. a* DON JUAN.) (Forzoso es disimular, 355
por mi tío, nuestro intento.

D. JUAN. Sois atento, yo lo estimo,
mas ya faltaros no puedo.

D. MENDO. Yo en pudiendo os buscaré.

D. JUAN. Forzosamente soy vuestro.) 360

D. TELLO. ¿Qué es lo que decís, don Juan?

D. JUAN. Me despido de don Mendo.

D. TELLO. No os despidáis, que también
a vos os pido lo mesmo.

D. JUAN. Iré gustoso a serviros. 365

D. TELLO. (*Ap.*) (Ansí asegurarlos quiero.)
Venid conmigo.

D. JUAN. Ya vamos.

D. MENDO. (Lo dicho, dicho.
(*Ap. a* DON JUAN.)

D. JUAN. Eso ofrezco.) *Vanse.*

Sala en casa de DON TELLO

Salen DOÑA INÉS *y* LEONOR.

D.ª INÉS. Esto pasa, Leonor; don Juan, ingrato,
me pagó con tal trato 370
la fe que me debía.

D.ª LEONOR. Y ¿sabes tú si la verdad sería
lo que dijo Don Diego?

D.ª INÉS. Mira tú si es verdad, pues se fue luego,
y en su traición vencido, 375
aun no me ha vuelto a ver.

D.ª LEONOR. Eso habrá sido
porque te vio irritar de su porfía,
y tú que no te vea le has mandado.

D.ª INÉS. Si por eso no ha vuelto, Leonor mía,
o no sabe de amor o está culpado; 380
que en celos que despiden al amante
nunca habla el corazón sino el semblante.
El pecho más furioso y enojado,
de celos asaltado,
cuando de oir satisfacción se excusa, 385
no la despide porque la rehusa,
sino la esfuerza, y cuando la revoca
para oirla mayor, no quiere poca;
que la mujer de celos mal herida
que a su amante despida, 390
cuando él vuelve y rendido se le ofrece,
aun la satisfacción tibia agradece;
porque, cuando es de poco fundamento,
no agrada la razón, sino el intento.
Yo, Leonor, por mi daño 395
he visto cara a cara el desengaño,
y pues yo de mi culpa soy testigo,
le lograré aunque sea en mi castigo.
Yo a mi padre no tengo resistencia;
mi decoro es la ley de mi obediencia. 400
A esta atención, aun dél correspondida,
por no faltar perdiera yo la vida,
pues ya que dél estoy tan agraviada,
con mi muerte he de verme castigada.
Hoy a don Diego le daré la mano. 405
Si tarde he de morir, alivio gano,
pues sólo de esta suerte
puedo abreviar los plazos a mi muerte.

D.ª LEONOR. Pues caso que don Juan te haya faltado,
casarte con un hombre tan privado 410
de razón y de gusto ¿es buen remedio?

D.ª INÉS. Para morir más presto, ese es el medio.

D.ª LEONOR. Don Juan viene aquí dentro.
D.ª INÉS. Pues, hermana,
yo sé de Amor la condición tirana,
y aunque en mi mismo honor haga el estrago, 415
lo atropellaré todo por su halago.
Si le veo, aunque sea desatento,
no me he de resolver a lo que intento.
Tú mi resolución le manifiesta,
que yo a esperarte voy con la respuesta. 420
D.ª LEONOR. Pues ¿eso intenta tu rigor? ¿No advierte
que él sin duda vendrá a satisfacerte?
D.ª INÉS. De eso quiero excusarme,
porque más creo que vendrá a engañarme.
D.ª LEONOR. Pues hasta verlo, espérale siquiera. 425
D.ª INÉS. ¿Qué le faltaba a Amor si ver pudiera?
D.ª LEONOR. En fin, ¿no le has de ver?
D.ª INÉS. Eso pretendo.
D.ª LEONOR. Pues yo se lo diré.
D.ª INÉS. De él voy huyendo;
pero ¿qué les importa a mis enojos
si dejo el corazón con huir los ojos? 430
Pero si vuelvo, ¡por quien soy!, no miro
que perezosamente me retiro.
Mucho rigor es este que resuelvo.
De aquí le oiré, que ni me voy ni vuelvo.

Sale DON JUAN.

D. JUAN. Llegando don Tello a casa 435
nos mandó en ella esperarle,
y fue a buscar a don Diego;
sin duda presume el lance.
Si entretanto hablar pudiese
a Inés, fuera alivio grande 440
de la pena en que me tiene.
D.ª LEONOR. Señor don Juan, Dios os guarde.
D. JUAN. ¿Hermosa Leonor?
D.ª LEONOR. Mi hermana,
viéndoos pasar adelante,
al entrar por esa sala, 445
se retiró; perdonadme

que os diga que por no hablaros,
que no puedo yo quitarle
a esta noticia forzosa
lo que tiene de desaire. 450
De dárosla me excusara;
mas me ha obligado a que os hable
por ella, y entre ella y vos
es fuerza que a vos os falte.
Mi hermana, señor don Juan, 455
(no sé si quejas lo causen
o la precisa obediencia
del precepto de mi padre:
uno u otro o esto solo,
que aunque nazca de ambas partes, 460
es sin duda que esta ley
será lo que más la arrastre)
hoy se casa con mi primo,
y desto el retiro nace,
que no fuera justo hablaros 465
estando en este dictamen
con esta resolución.

D. JUAN. No paséis más adelante,
señora, si no intentáis
que el corazón me traspasen 470
las flechas que mi desdicha
de mis finezas le hace.
Si eso nace de su queja,
la luz del cielo me falte,
o la de sus ojos bellos, 475
que es otra, por más suave,
si he dado causa a su enojo,
y piérdala yo esta tarde
si en mí de otro pensamiento,
aun lo que no es culpa, cabe. 480
Si su primo me ha culpado,
malicioso o ignorante,
cualquiera engaño es delito
si no se espera el examen.
Condenar sin causa a un reo 485
es rigor, y, ya que pase,

no otorgarle apelación
es gana de condenarle.
Y si es tan severa ley
el precepto de su padre, 490
máteme su ejecución,
mas ella no la adelante.
Muera yo a no poder más,
porque mi estrella me ultraje;
mas no ella, que no es todo uno 495
que ella o mi estrella me maten.

D.ª INÉS. (*Ap.*) (Bien huía yo de oirle.
¡Oh, Amor tirano, cobarde,
a la ofensa tan ligero
como al rendimiento fácil!) 500

D.ª LEONOR. Don Juan, a vuestras razones,
aunque muevan mis piedades,
no puedo yo responderlas,
que, aun por consuelo, es en balde.
Esto me mandó deciros 505
mi hermana, y agora darle
esa respuesta por vos
es cuanto está de mi parte.
A esto voy. ¡Guárdeos el cielo!

D. JUAN. ¿Podré esperar?

D.ª LEONOR. No se agravie 510
vuestro amor si no saliere,
que, si no es que ella lo mande,
yo no tengo a qué volver.
Adiós.

Sale DON DIEGO *al paño, oyendo el postrer verso.*

D. JUAN. Leonor, escuchadme.

D. MENDO. ¡Válgame el cielo! ¿Qué veo? 515

D.ª LEONOR. ¿Qué dices?

D. JUAN. Pues son crueldades,
que las templéis os suplico.

D.ª LEONOR. Cuanto está aquí de mi parte,
ya lo sabes, eso haré.

D. JUAN. En fin, ¿no decís que aguarde? 520

D.ª LEONOR. No está en mi mano, don Juan:

	esto es fuerza, perdonadme. *Vase.*	
D. JUAN.	Pues yo, antes que su rigor,	
	iré a que mi amor me mate.	
D. MENDO.	Para eso está aquí mi espada,	525
	cuando ese despecho os falte.	
D.ª INÉS. (*Ap.*)	(¡Cielos, don Mendo ha venido	
	y salir no puedo a hablalle!)	
D. JUAN.	¿Qué es lo que decís, don Mendo?	
D. MENDO.	Que ya en mi enojo no caben	530
	más dilaciones, don Juan,	
	cuando, después de avisarme	
	que amáis a Leonor don Diego,	
	de esa culpa hallo este alarde.	
	Salgamos, don Juan, al campo,	535
	que ya, aunque pudierais darme	
	satisfacción muy precisa,	
	no la quiere mi coraje.	
D. JUAN.	Pues hacéis mal, ¡vive Dios!,	
	que ya roto el primer lance,	540
	en éste por muchas causas	
	os la diera yo bastante.	
D. MENDO.	Pues salgamos a reñir.	
D. JUAN.	Vuestro es el puesto, guiadme.	
D.ª INÉS. (*Ap.*)	(¿Qué escucho? ¡Válgame el cielo!)	545
D. MENDO.	A vos os toca ir delante.	
D. JUAN.	No toca eso sino a vos,	
	que habéis de escoger la parte.	
D. MENDO.	Pues venid, si a mí me toca.	
D. JUAN.	Ya os voy siguiendo.	
D.ª INÉS.	¡Ay, pesares! —	550
(*Saliendo.*)	Escuchad, señor don Mendo.	
D. MENDO.	¿Quién es?	
D.ª INÉS.	Quien, oyéndoos, sale	
	a excusaros ese empeño.	
D. MENDO.	No presumo que eso es fácil.	
D.ª INÉS.	Sí es, que yo puedo deciros,	555
	fiada de vuestra sangre,	
	lo que, de atento, don Juan	
	es forzoso que os recate.	
	Vos al campo le llamáis	

creyendo que a Leonor ame, 560
y sabed que va a reñir
de noble, mas no de amante.
Don Juan, señor, ha seis años
que, viéndome en el pasaje
de Méjico a España, puso 565
los ojos en mí, y él sabe
los desdenes, los rigores
que lloró su amor constante,
hasta ganarme licencia
para pedirme a mi padre. 570
Desde aquí les di a mis ojos
licencia para agradarse
de verle, y a los oídos
del contento de escucharle;
pero no a pasar de aquí, 575
porque el mismo sol no arde
en tan puros esplendores
como él recatos me aplaude;
que aunque confieso que tuve
inclinación a sus partes, 580
a su atención, su fineza,
en la mujer noble nace
la inclinación y el agrado
tan dentro de los umbrales
de su decoro, que apenas 585
el que la logra lo sabe.
Y inferid con la pureza
que pudo serme agradable
la asistencia de su amor,
pues siendo ya, por mi padre 590
y vuestro primo, imposible
que yo con don Juan me case,
sin escrúpulo lo dice
una mujer de mi sangre.
Esto supuesto, don Mendo, 595
conoceréis cuán de balde
vuestro temor os provoca,
cuando don Juan es mi amante.
De esto no os quedará duda,

porque fuera error notable 600
presumir que una mujer
de mi obligación os llame
y, compasiva del riesgo
que ve en reñir dos galanes,
quiera fingirse un desdoro 605
para excusarles un lance.
La fineza que don Juan
por mí en su silencio añade,
se la pago en publicar
lo que en él fuera desaire. 610
Y a vos os pido, en albricias
de que sé que Leonor hace
tanta estimación de vos
como es justo que ella os pague,
que, cesando esto, no sólo 615
de este caso no se hable,
mas, quedando en vuestro oído,
a la memoria no pase. —
Y vos, don Juan, pues ya veis
el empeño de mi padre, 620
y que vuestra petición
no se previno a ser antes,
olvidad vuestro cariño,
que en los hombres es muy fácil.
Digo fácil, ¡ay de mí!... 625
Es pena más tolerable,
porque ellos pueden tener
sin culpa las variedades.
Y si esto os cuesta dolor,
que lo imposible lo aplaque, 630
o el retiro le mitigue,
o el sufrimiento le sane,
o para que se la lleve,
dad vuestra esperanza al aire,
que, a ser el de mis suspiros, 635
yo sé que fuera bastante,
porque yo, siendo forzoso,
para el plazo desta tarde
he dispuesto mi obediencia,

como debo. Dios os guarde, 640
que yo, dejándoos amigos,
como es deuda en pechos tales,
voy contenta de haber sido
el iris de vuestras paces.

D. MENDO. Oíd, señora, escuchad, 645
que en un alivio tan grande
como el que de vuestro aviso
a mis esperanzas nace,
os debo yo, agradecido,
fineza que las iguale. 650

D.ª INÉS. ¿Vos fineza a mí? ¿En qué modo?

D. MENDO. En hacer que vuestro padre,
sea o no contra mi primo,
a vos con don Juan os case.

D.ª INÉS. Esa fineza es por él, 655
si él la solicita amante,
que para mí no es lisonja.

D. JUAN. Señora, pues, ¿tanto vale
el crédito de un engaño,
que por él así me trates? 660
Y agora, que estando ya
don Mendo de nuestra parte,
no importa que esto más sepa:
seguí a don Diego, y él sabe
que confesó en su presencia 665
que sólo porque tu padre
no viese aquella mujer...

D.ª INÉS. No vais, don Juan, adelante,
que aqueso es satisfacción,
y aquí no os la pide nadie. 670
(*Ap.*) (¡Oh, lo que miente el recato!)

D. MENDO. Señora, si deso nace
algún descontento vuestro,
yo, por hallarme delante,
soy testigo que don Juan 675
no la conoce ni sabe
quién es, y que él lo fingió.

D.ª INÉS. Eso, don Mendo, es tratarme
con más llaneza que es justo.

Don Juan, ni mujer, ni nadie 680
me ha dado desabrimiento;
pues ¿por qué me satisface?
(*Ap.*) (¡Quiera Amor que sea verdad,
que, aunque le pierda, es suave!)

D. JUAN. Si tu enojo lo publica, 685
¿qué importa que lo recates?

D.ª INÉS. Por no oir eso me voy.

D. JUAN. Señora, escucha un instante.

D.ª INÉS. ¿Qué me queréis?

D. JUAN. Esto solo:
si don Mendo malograse 690
la dicha que ha prometido,
¿será tu amor de mi parte?

D.ª INÉS. ¿Yo amor? No sé qué es amor.
Después de que yo me case
sabré deso, que ahora ignoro. 695

D. JUAN. Aunque en mi pena lo calles,
lo permitirá tu agrado.

D.ª INÉS. Mirad que viene mi padre.

D. MENDO. Retirémonos, don Juan. *Vase.*

D. JUAN. Ya yo os sigo; id vos delante. — 700
Señora, no me permitas
que con tal dolor me aparte
de tu presencia.

D.ª INÉS. Don Juan,
¿qué me quieres? ¿Ya no sabes
los pesares que me cuestas? 705

D. JUAN. Pues ¿ya no ves de qué nacen?

D.ª INÉS. ¿Qué importa el verlo al perderte?

D. JUAN. ¿Eso no puede enmendarse?

D.ª INÉS. ¡Pluguiera al cielo pudiese!

D. JUAN. ¿Qué dices?

D.ª INÉS. Que no te pares. 710

D. JUAN. Eso es desvío.

D.ª INÉS. Es temor.

D. JUAN. ¡Qué pena!

D.ª INÉS. Que entra mi padre,

D. JUAN. ¡Mal haya el peligro!

D.ª INÉS. Amén.

D. JUAN. Quédate adiós.
D.ª INÉS. Él te guarde. *Vase.*

Sale BEATRIZ.

BEATRIZ. ¿Señora?
D.ª INÉS. Beatriz, ¿qué es eso? 715
BEATRIZ. Con el viejo en este instante,
si no corro doy de hocicos.
D.ª INÉS. ¿Dónde has estado esta tarde?
BEATRIZ. Señora, en un gran empeño.
D.ª INÉS. ¿Qué ha sido?
BEATRIZ. Fui a echar los naipes 720
porque don Diego te deje,
y, según las cartas salen,
o mentirá el rey de bastos,
o no ha de querer casarse.
D.ª INÉS. ¿Crédito das a esas cosas? 725
¿No ves que son disparates?
BEATRIZ. Pues ¿un rey ha de mentir?
D.ª INÉS. Deja esas vulgaridades.
BEATRIZ. Tú verás en lo que para.
Mas dejando esto a una parte, 730
¿hasta cuándo ha de durar
el estar yo, por mis paces,
de embozada en el retiro,
que es ya cosa intolerable?
D.ª INÉS. A mi padre hablaré agora. 735
BEATRIZ. Pues él y Mosquito salen,
y más que vienen hablando
en el caso de los naipes.
D.ª INÉS. ¿Qué dices? Pues ¿eso es cierto?
BEATRIZ. Tú verás lo que ello pare, 740
y si quieres entendello,
retírate aquí un instante.
D.ª INÉS. Harélo, aunque es desatino,
por ver en ello a mi padre.

Salen DON TELLO *y* MOSQUITO.

D. TELLO. Tú has de saber de este caso 745
todo lo que en ello hubiere.

MOSQUITO. Señor, cuanto yo supiere
lo diré más que de paso.

D. TELLO. Pues yo te hallé en el zaguán.
¿Quién era aquella mujer? 750

MOSQUITO. La condesa era, a mi ver.

D. TELLO. ¿Quién?

MOSQUITO. La prima de don Juan.

D. TELLO. ¿Qué dices?

MOSQUITO. Como ahora es día,
la vi ella por ella expresa.

D. TELLO. ¿La condesa?

MOSQUITO. La condesa 755
condada, su señoría.

D. TELLO. ¡Válgame Dios!

MOSQUITO. Y a mí, y todo.

D. TELLO. De gran empeño salí
estando don Juan allí.

MOSQUITO. Y yo no andaba en el lodo. 760

BEATRIZ. (*Aparte a* DOÑA INÉS, *oculta.*) (Verás lo que se alborota.

D.ª INÉS. Pues ¿qué semejanza tiene
con los naipes que previene
la condesa?

BEATRIZ. Esa es la sota.

D.ª INÉS. ¡Cielos! Yo mi desengaño 765
agradezco haber sabido.)

D. TELLO. Mosquito, estoy aturdido
de un suceso tan extraño.
Pues ¿ella buscóle a él,
o cómo llegó allí a estar? 770

MOSQUITO. (*Ap.*) (¡Cielos! ¿Cómo he de escapar
de aqueste viejo cruel
que a dudas me ha de moler
y se aventura el enredo?
Mas sólo librarme puedo 775
no dejándome entender.)
Yo señor, al conocella
la vi que al zaguán entró,
y un pobre entonces llegó,
que no dio limosna ella. 780

El pobre pasó adelante,
don Diego vino tras él,
y repitiendo el papel
vino el pobre vergonzante.
Traía un vestido escaso 785
de color, y Dios me acuerde
que no era tal, sino verde.

D. TELLO. ¿Pues el vestido es del caso?

MOSQUITO. Habiendo el pobre salido,
vino la condesa luego, 790
y cuando vino don Diego,
vino porque había venido.

D. TELLO. ¿Quién había venido?

MOSQUITO. Él.

D. TELLO. Luego, ¿ella le fue a buscar?

MOSQUITO. No, señor, porque al entrar 795
ella entraba con aquél,
y el pobre, que entraba cuando
entraba él, no llegó.

D. TELLO. Pues ¿quién era aquel que entró?

MOSQUITO. Eso es lo que voy contando. 800
Entró ella, y cuando entraba
entró el pobre, y fue don Diego,
y como entró con sosiego,
después de entrado allí estaba.
Y de esto se quedó loco, 805
porque entraba muy esquivo.

D. TELLO. No lo entiendo ¡por Dios vivo!

MOSQUITO. (*Ap.*) (Pues eso, ni yo tampoco.)

D.ª INÉS. (*Aparte a* BEATRIZ.) (Beatriz, ¿qué es lo que está hablando
Mosquito?

BEATRIZ. Los naipes son. 810

D.ª INÉS. Pues ¿qué es esta confusión?

BEATRIZ. ¿No ves que está barajando?)

D. TELLO. ¿Quién a quién vino a buscar?

MOSQUITO. Luego, ¿no has entendido?

D. TELLO. No, ni explicarte has sabido. 815

MOSQUITO. Pues vuélvotelo a explicar.
Él buscó a quien le buscaba,
porque ella buscando vino,

y buscando de camino
él buscó lo que allí estaba, 820
y el pobre que los buscó
no buscó duelos ajenos.

D. TELLO. Agora lo entiendo menos.

MOSQUITO. Pues ¿qué culpa tengo yo?

D. TELLO. Tú has de apurar mis enojos. 825
¿Qué dices?

MOSQUITO. ¿Hay tal rigor?
¡Viven los cielos, señor,
que lo vi con estos ojos!

D. TELLO. ¿Qué es lo que viste?

MOSQUITO. Esta historia.

D. TELLO. ¿Qué historia? Que en tu torpeza 830
no tiene pies ni cabeza.

MOSQUITO. Pues no será pepitoria.

D. TELLO. ¿Sabes tú si él della es dueño,
o tiene empeño?

MOSQUITO. ¿Hay tal? ¿Cómo?
Yo no soy su mayordomo. 835
¡Qué sé yo si tiene empeño!

D. TELLO. Anda, vete, mentecato,
que eres un simple.

MOSQUITO. (*Ap.*) (Eso quiero.)

D. TELLO. ¿Para qué apuro yo dudas
donde me avisa un ejemplo? 840
No hay honra puesta en mujer
segura de aquestos riesgos.
Y hoy, pues me le da este acaso,
lograr el aviso quiero
casando luego a mis hijas. 845

D.ª INÉS. Beatriz, aunque yo no entiendo
a Mosquito, el desengaño
he logrado de mis celos,
y en albricias, salgo a hablar
por ti a mi padre.

BEATRIZ. Eso espero. 850

D.ª INÉS. (*Sale con* BEATRIZ.) Padre y señor.

D. TELLO. Inés mía,

¿quién viene contigo?

D.ª INÉS. El ruego
de Beatriz me ha condolido.
Por ella a pedirte vengo
que vuelvas a recibilla. 855

D. TELLO. Si es tu gusto, ¿cómo puedo
negártelo? Quede en casa.

Sale DON DIEGO *al paño.*

D. DIEGO. A decir vengo resuelto
a mi tío que disponga
de mi prima, pues yo tengo 860
mejor boda en la condesa.

D.ª INÉS. Ya se logró tu deseo.
Agradécelo a mi padre.

BEATRIZ. Los pies mil veces te beso.

D. TELLO. Ya tú quedas recibida, 865
y yo dello muy contento.

MOSQUITO. (*Aparte a* BEATRIZ.) (¿Qué es lo que miro? ¡Ay, Jesús,
que hemos dado con los huevos
en la ceniza, Beatriz!

BEATRIZ. ¿Qué es lo que dices?

MOSQUITO. Don Diego 870
está viendo esta función.

BEATRIZ. Salióse todo el puchero.)

D. TELLO. Inés, ven a prevenirte,
que ya todo está dispuesto,
y os habéis de desposar 875
luego que venga don Diego. *Vase.*

D.ª INÉS. ¡Ay de mí, Beatriz! ¿Qué dices?

BEATRIZ. (*Aparte a* DOÑA INÉS.) (Vete, señora, allá dentro,
que estoy en un gran conflicto,
y estriba en él tu remedio. 880

D.ª INÉS. Sin vida voy a esperarte.) *Vase.*

BEATRIZ. ¡Villano, no hagas extremos
viendo mi resolución,
que con Amor no hay respetos!
Yo he de ser de su traición 885
testigo estando aquí dentro,
y aquí he de ver si a mis ojos

se atreve el falso a ofendellos.
MOSQUITO. (*Ap.*) (¡Jesús, qué bien la ha enhebrado!)
Señora, pues ¿tú haces eso? 890
¿Una mujer de tus prendas
se finge humilde en desprecio
de su honor y se acomoda
por criada de don Tello,
que puede ser tu lacayo? 895
BEATRIZ. El Amor dora los yerros.
Yo he de ver con esta industria
si se casa o no don Diego.
D. DIEGO. (*Ap.*) (Señores, ¿qué es lo que escucho?
Mil cruces me estoy haciendo. 900
¡Y dirán que no me alabe!
Un testimonio de aquesto
tengo de enviar a Burgos.)
MOSQUITO. Y ¿qué ha de decir don Diego
si esto ve?
BEATRIZ. ¿Qué ha de decir? 905
El alma, ¡viven los cielos!,
le he de sacar si se casa.
Déjame ya, o mi despecho
dará voces como loca.
D. DIEGO. (*Sale.*) Señora, oíd, deteneos. 910
MOSQUITO. ¡Ay, señor, pues ha venido,
mira qué locura ha hecho!
¡Témplala, que está hecha un tigre!
BEATRIZ. Y un basilisco, un veneno.
Aquí vengo a ver, ¡traidor!, 915
si se hace hoy el casamiento.
D. DIEGO. ¿Qué casamiento? Pues yo,
¿no sabéis ya que soy vuestro?
BEATRIZ. No fío de eso, tirano.
D. DIEGO. Pues ¿de que fiáis?
BEATRIZ. De mi incendio, 920
que ha de abrasar esta casa
si aquí ofendida me veo.
D. DIEGO. (*Ap.*) (Señores, ¿esto es encanto?
¿Mi talle es pacto secreto?)
Señora, pues ¿no advertís 925

que yo permitir no puedo
esto siendo vuestro esposo?

BEATRIZ. No hay que tratar: yo he de verlo.

D. DIEGO. ¿Qué habéis de ver?

BEATRIZ. Si esta noche
te casas.

D. DIEGO. No temáis eso. 930

BEATRIZ. No puede un amor que es fino.

D. DIEGO. Pues ¿el lustre?

BEATRIZ. Todo es menos.

D. DIEGO. ¿Y el decoro?

BEATRIZ. No hay decoro.

D. DIEGO. ¡Por Dios, que os volváis!

BEATRIZ. No quiero.

Sale DON TELLO.

D. TELLO. ¿Hola? ¿Qué voces son éstas? 935

MOSQUITO. (*Aparte a* DON DIEGO.) (Señor, por tu honor te ruego
que disimules agora.)

BEATRIZ. Señor, el señor don Diego
de mi señora está hablando.

D. TELLO. ¿Qué habláis, sobrino? ¿Qué es esto? 940

BEATRIZ. Señor, me dice que diga...

D. TELLO. ¿Qué has de decir tú? ¡Esto es bueno!
Apenas te han recibido
¿y empiezas ya a hacer enredos?

D. DIEGO. (*Aparte a* MOSQUITO.) (¿Y he de sufrir yo que trate 945
este vejezuelo clueco
a mi mujer deste modo?

MOSQUITO. ¡Disimula, por San Pedro!)

BEATRIZ. Yo, señor, no enredo nada.

D. TELLO. Entrate, loca, allá dentro. 950

D. DIEGO. (*Ap.*) (Tú lo eres, y tu alma,
y mientes como mal viejo.

MOSQUITO. Sufre, señor, que te pierdes.)

D. TELLO. ¿No te vas?

BEATRIZ. Ya te obedezco.

D. DIEGO. ¡Vive Dios!...

BEATRIZ. (*Aparte a* DON DIEGO.) (¡Calla, cruel! 955

D. DIEGO. ¿Qué dices?
BEATRIZ. Que ahora veremos
si te casas.
D. DIEGO. ¿Eso dudas?
BEATRIZ. A oirlo voy.
D. DIEGO. Yo me huelgo.
BEATRIZ. Pues aquésta es la ocasión.
D. DIEGO. Aquí lo verás.)
D. TELLO. ¿Qué es eso? 960
BEATRIZ. Hacer lo que me has mandado. *Vase.*
D. TELLO. Llama a tus señoras luego.
D. DIEGO. (*Ap.*) (Más señora es ella que ellas,
lo que va de mí a un cochero.)
D. TELLO. Sobrino, con vuestras cosas 965
estoy en tanto desvelo,
que hasta veros desposado
yo no he de tener sosiego.
Todo está ya prevenido,
y sólo a vos os espero 970
por salir deste cuidado.
D. DIEGO. ¿De tanto gusto es ser suegro
que a serlo os dais tanta priesa?
¿No es mejor, pues estáis viejo,
que lo dilatéis un poco 975
y os dure el oficio menos?
D. TELLO. ¿Qué es dilatarlo, o por qué?
D. DIEGO. Por unos días; que aquesto
no ha de ser cochite hervite;
que una boda no es buñuelo. 980
D. TELLO. ¿Qué días?
D. DIEGO. Cuatro o seis años;
que ello se hará, andando el tiempo.
D. TELLO. ¿Qué llamáis cuatro o seis años?
Ni una hora, ni un momento;
luego os habéis de casar. 985
D. DIEGO. Pues yo casarme no puedo.
MOSQUITO. (*Ap.*) (Acabóse, esto dio lumbre.)
D. TELLO. ¿Qué decís, que no os entiendo?
D. DIEGO. Que no me puedo casar.
¿Lo entendéis agora?

MOSQUITO. Menos. 990
D. TELLO. ¿Por qué?
D. DIEGO. Porque soy casado.
MOSQUITO. Y yo soy testigo dello.
D. TELLO. ¿Vos casado?
D. DIEGO. *In facie Ecclesiae.*
D. TELLO. Pues ¿con quién?
D. DIEGO. Eso no puedo
decir, porque es un amigo. 995
D. TELLO. Pues, villano, ¡vive el cielo!,
que en ti he de tomar venganza
de tan osado desprecio.
MOSQUITO. ¡Ay, señores, que se matan!

Salen por una parte DOÑA INÉS *y* LEONOR; *por otra,* DON JUAN *y* DON MENDO.

D. JUAN. ¿Qué es esto, señor don Tello? 1000
D. MENDO. Tío, ¿qué es esto?
D.ª INÉS. (¡Ay, Leonor,
(*Aparte a* LEONOR.) que mi muerte estoy temiendo!)
D.ª LEONOR. Padre, ¿qué enojo os irrita?
D. TELLO. Un agravio de don Diego,
que dice que está casado, 1005
cuando yo darle prevengo
a mi hija por esposa.
D. MENDO (*Ap.*) (Esto es que tomó el consejo
de doña Inés, y lo excusa
valiéndose deste medio; 1010
mas yo en favor de don Juan
he de enmendar el empeño.)
Tío, aunque don Diego ha dicho
que está casado, no es cierto.
Él, después que vino, supo 1015
que don Juan tenía intento
de pediros a mi prima;
y él ha sido tan discreto,
que lo calló enamorado,
por veros en otro empeño. 1020
Don Diego por él lo deja.

D. DIEGO. No lo dejo tal por eso,
sino porque estoy casado,
digo otra vez, y no puedo;
¿quiere usted que me encorocen? 1025

D. TELLO. Hagáislo o no por aquello. —
Don Juan, ¿es esto verdad?

D. JUAN. Yo, señor, si la merezco,
no aspiro a mayor ventura
que la de ser hijo vuestro. 1030

D. TELLO. Yo me honro mucho con vos,
y el castigo más severo
deste necio es que la pierda.
Dadle a Inés la mano luego.

D. JUAN. Con el alma y con mil vidas. 1035

D.ª INÉS. Con otras tantas le aceto.

D. TELLO. Vos, Mendo, dadla a Leonor.

D.ª LEONOR. Con gozo se la prevengo.

D. DIEGO. Pues ahora verán mi boda,
supuesto que ésas se han hecho. 1040

MOSQUITO. Antes se ha de ver la mía.
Señor, yo hago lo que veo;
Beatriz se casa conmigo.

D. TELLO. Yo darla el dote prometo;
dila que salga acá fuera. 1045

MOSQUITO. Señor, tened a don Diego,
porque no me descalabre;
que aquí se acaba el enredo. —
¡Ah, Beatriz! Dame esa mano.

Sale BEATRIZ.

BEATRIZ. Yo, aunque indigna, te la ofrezco. 1050

D. DIEGO. ¡Ah, pícaro! ¿A mi mujer
tienes tal atrevimiento?

D. TELLO. ¿Qué mujer?

D. DIEGO. Esta que veis
es mi mujer.

D. TELLO. ¡Bien, por cierto!
¿Y por aquesta criada 1055
dejáis a mi hija?

D. DIEGO. ¡Esto es bueno!

	¿Qué criada? Que es condesa,	
	y se disfrazó de celos. —	
	Descubríos ya, señora.	
BEATRIZ.	Yo descubriros no puedo	1060
	más de que soy Beatricilla	
	y vos *el lindo don Diego.*	
D. DIEGO.	Pues ¿cómo es esto?	
MOSQUITO.	Mamola.	
D. DIEGO.	Villano, ¡viven los cielos...!	
MOSQUITO.	Aquí no hay a qué apelar;	1065
	que no lo sufriera el pueblo.	
D. DIEGO.	Pídase si quedo mal.	
MOSQUITO.	Y castigando este necio	
	a gusto de los oyentes,	
	aquí, con aplausos vuestros,	1070
	dichosamente el poeta	
	da fin al *lindo don Diego.*	

NOTES TO ACT I

3–6 "My absence, Don Tello, will be just for a few days; I will be delayed only for the time it takes to make a trip to Granada."

7–13 "The reason I can't see you off is my wife is busy preparing for the arrival of two nephews who are expected any time now."

24–25 "The affection generated on an ocean voyage is tantamount to kinship."

51–52 "You have concealed this blow from me in order to accomplish my death."

55 **hijos.** Tello expects the nephews soon to be his sons-in-law, immediate members of his family.

58 **con bien,** "safely."

65 **fe,** "love." Inés' love appears to Juan to have died at the first change in the lovers' fortune.

79–80 The stars of heaven, Juan feels, can hardly complain about Inés' ill treatment of him, because his own star — his ill-fated destiny — is among them.

81–82 **das** is implied: **¿Tú das voces?** Why, asks Inés, is Juan shouting, lamenting, and sighing since harm **to her** is involved in his departure.

103–109 Juan is describing the fragility of his courtship of Inés. His "hope" of marrying her was as insubstantial as the "wind," and this wind blew it away. In just this manner a feeble flame may be kindled by a light breath from the one who lights a fire, and yet a second similar breath may extinguish it.

115–118 Inés asserts that, although her lover's complaint is groundless, it is so vociferous that it destroys her equanimity.

120–121 "Would to heaven that the only cost of my deception were your crime (in suggesting that my complaint is groundless)!"

123 **la,** i.e. **razón.**

125 **casada.** Juan anticipates; he means "betrothed."

131 **dueño,** "husband-to-be."

132–134 Juan says — somewhat ironically — that Diego deserves to marry Inés because of his noble blood and because he has won her approval as her official suitor.

135–138 "Your integrity has already found a means of concealing his affection for you, by calling him 'cousin' while at the same time enveloping that name in the pleasing name of 'future husband.' "

140 Juan suggests that Inés has won an empty victory in making him "die" aggrieved when he might have died "finely" as a courtly lover should. The deaths referred to are of course metaphorical.

155–158 "but I know nothing about one of them coming to marry me, unless you have found some way for him to marry me without my knowledge." She implies that she will refuse to consent to her father's plan.

162 **disinio,** archaic for **designio,** "plan."

163–170 "I wanted to find out (considering the normal behavior of women) if there could be any situation so evident or any revelation so clear that a woman, caught in her crime, would have nothing to say."

174 "I give up, Inés."

186–188 "since if compliant I leave you, I accomplish your desire, and I succeed only in punishing myself." **Rendir,** in the language of gallantry, usually means "to cause to surrender," "to win the affections of," "to seduce." Cf. 482. It may mean simply "to give up," as in 620. Images of besieging and waging warfare throughout the play reflect the analogy Moreto sees between courtship and battle.

195 "since, although the lightning misses you, I shall die from the premonition (that lightning is about to strike)."

221 **excusa,** "avoid."

229–232 "for in the choice of a marriage partner human and divine laws give the power of proposal to the father and the power of acceptance to his child."

233 "We are the ones who are getting married."

237–239 "To choose the risk of a marriage, which wrongly contracted is sheer martyrdom, must be the right of the one obliged to suffer it."

243–244 "Has any lady ever married merely on her father's say-so?"

245–255 Inés' point is that, while a daughter's free will in the selection of a husband must yield to her father's determination, a good father does not act tyrannically against his daughter's wish.

269–271 "How will we two contrive to make a bad impression on them (on the two cousins)?"

274 **valona de cañutillos,** "highly fluted ruff."

277 **mala,** "unattractive."

281–284 "You've got the right idea, Leonor: overdressing blurs beauty and impedes elegance."

289 **sobriniboda,** a comic coinage of Mosquito's, "nephiwedding."

290 **hipogrifo,** the mythical steed (half-horse, half-griffin) on which Astolfo sped from one place to another in Ariosto's **Orlando furioso** (1516).

291 A play on Caesar's **veni, vidi, vinci:** "I went, I saw, I overcame my curiosity."

307–312 Mosquito maintains that swords, like husbands, are straight and free of defects in the store, but when first used, they become more crooked than the figure 5. **sin vicio,** "innocently."

313–314 An allusion to the theological definition of God as being "without beginning, without end."

316 The idea of a pretty, foppish Don Diego is proverbial. The seventeenth-century paroemiologist Gonzalo Correas cites the following: "¡Qué lindo don Diego, y él era de corcho!"; "¡Qué lindo don Diego, si no fuera muerto!"; "¡Qué hermoso don Diego, si fuera de alcorza!" Covarrubias, s.v. **lindo,** comments: "Decir el varón lindo absolutamente es llamarle afeminado."

319 **mojiganga.** Originally a troupe of strolling players, the word came to mean "masquerade" or "carnival procession."

324 **marear,** "bewilder," but literally, "to make seasick," hence the punning on **marinero.**

329 **curioso,** "meticulous," "careful."

331–332 Although his clothing is not clean, Diego has pure blood (**limpieza de sangre**) and no money (his purse has been "cleaned out").

339 Although fully informed about everything, Diego is silly.

347 **tocador,** "nightcap." Mosquito is reminded of the skull caps worn by Jews.

352 Mosquito puns: comparing Diego's hair to a horse's mane, he thinks of a **rocín** ("nag," "wretched horse") and, by verbal association, of a **ruin** ("wretched, low fellow"). He inverts the terms of a proverb, "De ruin a rocín," which means that ignorance is the cause of base conduct.

352 **bigotera,** a strip of chamois or paper covering the mustache so that it will not lose its shape while its proud possessor is asleep.

356–360 **guantes.** The dandy wears gloves, lined with dog fur, as he sleeps. His **oficio** is to be a dog, a rascal (360).

364 **de un giro,** "in no time at all."

366 Narcissus, so beautiful that he fell in love with his own reflection.

367 "The clock struck eleven as he was making up in front of the mirror-glass (**luna**)." **luna** may also refer to the glass or crystal of a clock.

368 **en,** "by the time he had put on." **tiros,** literally "artillery pieces," a grotesque reference to pistols.

369 **vueltas,** velvet or woolen strips of cloth used to decorate the inside of a cloak.

377 Until the relaxation of the rule in the mid-twentieth century, Mass had to begin before noon.

380–381 "Never mind. I have done my Christian duty by attending to my obligations." The obligations Diego speaks of are, however, to himself (not to God or his neighbor). Later (494–496) he will tell us that he regards dressing as a virtue and his body as one of God's masterpieces.

385–386 "I would rather wait for a bull than for such a bridegroom" (punning on **novio** and **novillo**).

391–394 "Inés, my fear and my peril are increasing in every direction; you've been my life (my love) for some time, and now I see it hanging from your lips." Juan means that Inés' reply (**sí** or **no**) to her father's request that she marry Diego is a matter of life and death to him.

398–400 Inés, pleased that the unexpected turn of events has canceled Juan's trip to Granada, wonders how he will explain his decision to her father.

402 "And will you find some remedy for me?"

404 Moreto plays with religious formulas almost to the point of irreverence. In equating Inés thus with heaven, Juan makes a **piropo.**

406–407 Mosquito, asking for a reward for having delivered the love letters, is promised something to wear.

409–410 Mosquito calls insolently after the departing Juan: "Since it must be **worn,** don't give me something **worn out.**" The two verbs are often coupled: **traer y llevar,** "to gossip."

416 The **gracioso** is conscious of the implications of his name. A mosquito is no respecter of persons.

426 **pan,** figuratively "means of earning a livelihood."

430 "Isn't that obvious?"

431–436 Mosquito says ironically that Beatriz has all the marks of the perfect maid: she is gluttonous, she gossips, she answers back, she screams, she peers out of windows, she is always making up.

439–442 Inés agrees, out of pity for an old retainer, to see Beatriz in her boudoir provided that (**como**) she can get in without Tello's seeing her.

447 A comic cry of exultation. During night attacks on the enemy the attackers wore distinctive shirts to distinguish them from their adversaries.

450 Livy is not remembered as an orator or advocate, but his history of Rome is full of rhetorical passages attributed to the great orators of the Republic.

454 **tu buen pico,** "your fine speech."

463 Mosquito expects more than a thank-you letter for his services. Beatriz understands his scarcely veiled meaning.

465–468 **huesos,** for "hand." Mosquito says, in effect, "Shake on it." Beatriz adds to **tocar** the idea of **tañer,** "to play castanets (made of bone)." Mosquito dances to her suggestion of "making music together." **amarnos de vicio,** "make love just for the fun of it."

472 **picar.** In addition to the stinging of insects, the verb contains an obvious allusion to the sexual act.

482 "I make (more) conquests, by appearing well dressed."

490 **sin tramoya,** "without trickery," "naturally."

491 **joya,** "gem of a lady."

501–504 Since Diego can seduce with his beauty a lady whom other men can seduce only with extravagant gifts, he begs Mendo to let him take good care of his appearance.

508 **maitines.** Mattins, the first of the canonical hours, are sung before dawn. The religious who take part in the service must therefore get dressed quickly.

512 **dan fin,** "they give up."

517–524 Diego's stratagem is to concentrate on intelligent, discreet victims, who suffer in silence.

528 "What an idea!"

532 "at which I fail to open fire." **batería,** "el estrago que se hace en los muros con la artillería" (Covarrubias).

539 In the vain hope of curing her lovesickness.

547–548 "What do you bet they'll both fall in love with me?"

551–552 "Sure, honor will hold them back until they see me; but afterwards, watch out!"

556 **no, sino no.** "La frase en elíptica. Es lo mismo que si se dijera: '¡No faltaría otra cosa sino que no fuera así!' " (Narciso Alonso Cortés).

560 A solecism is, strictly speaking, a grammatical error. Diego applies the term to his sense of sartorial propriety.

564 "with each mirror capturing the full reflection of the other."

574 "this way it reveals my whole body."

577 "My hair is a veritable triumphal palm."

581 "Each side of my mustache is a motto" (in the ancient sense of the armorial inscription on a knight's shield proclaiming the nobility of its owner).

585 "My figure is a work of art." **Retablo,** "conjunto o colección de figuras pintadas o de talla, que representan en serie una historia o suceso" (Acad.).

588 The brim, set at a rakish angle, is as great a tempter, or seducer, as the devil.

591–592 "One couldn't have bought a better leg!"

595–596 "This bow is a shade longer than it should be." The proverb "Del bien al mal no hay un **canto de real**" means that there is a "hair's breadth" between happiness and unhappiness. The garter was a ribbon tied around the leg with a bow like that of a shoestring.

599–600 **liga** means both "garter" and "bird-lime" (used for catching birds). Punning on these meanings Diego suggests that the garters are intended to trap ladies.

607–608 "With this little adjustment I'm quite a bit more dashing." **Dos dedos** refers to a small amount; **cuatro,** then, means "a fair amount."

611–612 **pan bendito,** bread blessed at Mass and distributed to the congregation. Diego, who never rises in time to go to Mass, orders his servant to go and bring him some of this bread so that he can attend vicariously to his religious duty.

624 "they think he is (dashing) because of what they will get out of it." **Pienso,** the daily ration of fodder given to a domestic animal. Mosquito implies that those who find Diego stylish do so for reasons of self-interest.

627–632 Mosquito says that both girls are equally lovely ("both may be played to the same tune"). Either one is so dazzling that she turns her back (**da cola**) on the sun. Either cousin (**prima**) or treble string (**prima**) is so musical that she or it is the equivalent of a whole guitar. The punning is even more contrived, since **cola** is a musical "coda" and **sol,** a musical note.

633 Diego likens himself to a forge on which these already fine specimens of womanhood will be beaten into even finer ones.

635–636 "We'll see who will have his way." Covarrubias (s.v. **gata**) explains the idiom: "Veamos quién lleva el gato al agua, esto es, quién sale con la suya. Antiguamente debieron usar cierto juego en la ribera del río con un gato, y ganaba el que le metía dentro de él; pero como se defiende con uñas y dientes, era dificultoso y peligroso. Otros lo entienden diferentemente, no afirmo nada."

640 **sino el perro.** Mosquito's point is that he will win hands down, by taking not just a cat but a dog to the water. **Perro** means colloquially a "conquest" of a woman.

643–644 "To think that all my splendor should be wasted on a mere cousin!"

648 **bordón,** the bass string of a guitar. Mosquito cannot refrain from punning on the two meanings of **prima** (see note to 627–632). He continues this pun in 651–652.

655–656 "Well, then, when they see me, they'll dance attendance on me!" "Bailar el agua delante es servir con gran diligencia y promptitud; está tomada esta manera de hablar de las criadas que en tiempo de verano, cuando sus amos vienen de afuera, refrescan las piezas y los patines con mucha presteza, y el agua va saltando por los ladrillos y azulejos, que parece baile" (Covarrubias).

661–662 "Unless by obedience to some powerful star (some strong pull of destiny)."

667–668 Mosquito may mean that a woman who "abstains" from men because she is ugly would appreciate and "deserve" even Diego.

675–676 Diego says: "You have the wisdom of a D. Diego." Mosquito answers **sotto voce:** "You have the brains of a fly." Each attributes to the other a characteristic of his own personality.

677–684 Juan, to explain the cancellation of his trip to Granada, claims that the Countess, his cousin (see 27–28), having vowed to make a religious retreat, needs a relative to look after her legal affairs. The (legal) wrangle, he adds in an aside, is really his (with Tello). A novena is a series of devotions lasting nine days. Guadalupe, a small town in the Sierra de Guadalupe southwest of Madrid, has a monastery, then Hieronymite, now Franciscan.

724 "to the extent of your heart's desire."

727 **empleo,** "expression of good will," "betrothal."

740–745 Both Leonor and Inés say that they have no will of their own; their only desire is to obey their father. In theory a father cannot force his daughter to marry against her will; but to oppose a father's will is to be guilty of unfilial behavior. This dilemma underlies a good deal of Golden Age comedy.

748–752 Inés reminds her father that there is such a thing as paternal, as well as filial, duty. He ought not to order her to do what she has a right to refuse to do.

758 **este estado,** i.e. matrimony.

760–763 "might not some error cause me sorrow and cause you anxiety?"

763–767 "So, even though I must assent, you should have proposed this marriage to my free will, not as something my free will must accept (**por suyo**), but because, while it is your choice in reality, it is my choice in theory."

768–787 Tello regards Inés' protest as evidence of her being in love. But his concern for her welfare obliges him to insist on his choice of a husband. Furthermore, the fact that he has already pledged his word deprives Inés of all right to object, for she would surely not want her father, a gentleman, to go back on his word. Tello persists in regarding her as already married, so confident is he that she will never gainsay his promise to Diego.

800 "is already spewing them out."

802 "And get a packsaddle ready for Diego." Mosquito implies that he is a mule. **Silla** (801) means "chair," but Mosquito insists on its secondary meaning of "saddle."

803–815 Diego, a provincial, disparages Madrid for its muddy streets before having the courtesy to greet his hosts. The joking about mud and clay has to do with the fact that ladies (Diego is **adamado,** "effeminate," "lady-like") ate clay in an effort to improve their complexion. **Barro** also suggests that Diego is not quite masculine: "una cierta señal colorada que sale al rostro, y particularmente a los que empiezan a barbar" (Covarrubias).

825–826 "whom many women would be overjoyed to have." **Darse uno con un canto en los pechos,** "darse por contento cuando lo que ocurre es más favorable o menos adverso de lo que podía esperarse." Diego, in telling Inés how extremely lucky she is to have him as a husband, doubles the number of stones in the idiom.

834 **exquisito,** "foppish."

835 "Hold it! (My words) drove home right into her soul."

842 **el proverbio.** Mendo refers to the saying, alluded to in Diego's aside (817–819), to the effect that a betrothed's first words are always foolish.

858–859 "My cousin made a fine blunder in going with me to see his bride for the first time." **Ir a vistas,** "hacer la primera visita un novio, en concepto de tal, a su prometida" (Narciso Alonso Cortés).

862 "You're an easy man to get along with, Diego." **Hombre llano,** "el que no tiene altiveces ni cautelas" (Covarrubias). Tello overtly praises his guest for his straightforwardness, but (as his aside shows) he really considers him rude in sitting down before being invited to.

878 "The name of friendship scarcely fits our love."

883–884 "Juan, I already have an earnest of your good will (**le,** understand **empeño**) in the news I have (of my betrothal)."

891–892 Juan picks up Diego's rude remark ("you almost qualify to be called a gallant," 887) and courteously converts it into an ironic compliment: "you qualify so well that you've made it as a gallant"; literally, "you shoot so much that you hit the bull's-eye of success." Diego continues this social game of punning by using **blanco** in its other sense of "white" (893).

895–896 **mangas de garapiña,** modish white fluffy sleeves.

917 "That's an old story."

921–922 Mosquito implies that Diego's feet are so fancy that the ladies of Burgos did rather well in taking only a day to comment on them.

935–937 Diego, who does not pay the expected compliment to Inés before taking his leave, is so silly that he does not understand Mendo's compliment regarding his worship (**culto**) of Leonor's eyes. Instead he thinks of the great **poeta culto,** Góngora, who is also too much for his understanding.

946 Mosquito undertakes to prevent the wedding from taking place.

948 **mulo.** Mosquito has just called Diego a mule (**macho**), which is a beast of uncertain gender; therefore he jokes that the marriage is **mulo** (for **nulo**), "null and void."

967–971 The only remedy Inés sees lies in the fact that Diego has no remedy, no real hope; her father cannot be so blind that he will fail to recognize her suitor's unworthiness.

981–982 "and he despises your arguments in favor of his own obligation, which came first."

985–986 When Mosquito loses at cards, he either tears them to shreds (displaying his anger) or runs off with them (stoically cutting his losses by stealing the pack).

993 "I must make this appeal to him."

1009–1011 Juan asks Inés when she will build up her courage to show her indignation in a normal way.

1025–1026 "Leave me, Juan; the hurt determines the remedy."

NOTES TO ACT II

14 "Your doubt is self-inflicted cruelty."

16 "El único medio de arreglar a don Diego creía Mosquito que era el medio celemín, medida que se ha utilizado siempre para dar el pienso a las caballerías" (Narciso Alonso Cortés).

22 **tataremedio.** To compound or emphasize the prefixes **re-** and **tata-** are used colloquially. Here they are used to build on **medio,** with a comic effect because **remedio** already exists as a word.

24 **pared en medio,** "next door." Mosquito perhaps means: "You will stay within an ace of solving your difficulty."

32 **su herida,** "his weak spot."

36 "she is on the marriage market."

37 **a la mía,** a metaphor from card playing. One must understand a word like **carta.** "He opened his eyes so wide at my ploy."

40 **señoría,** "member of the nobility."

44 **condeso,** a coined verb. "I'll become a count from head to foot." **encondecer** (51) is a similar coinage; **emprimar** (52) likewise, "to wed a cousin."

56 Juanelo Turriano of Cremona, the inventor of the waterworks for raising Tagus water to the Alcázar of Toledo, is credited (as is Columbus) with making an egg stand on its end by crushing it slightly against a table. His disparagers, failing to make the egg stand erect, were thus advised that everything is simple once one has seen it done. See Miguel Herrero García, **Ideas de los españoles del siglo XVII** (Madrid, 1966), pp. 341–343.

57–58 "You've got to make sure you don't do your cousin the favor of tipping her off."

71 **sin caer,** "without falling into error."

75–76 Mosquito parodies a saying which purports to identify the best of a category: "De las carnes, el carnero; / de los pescados, el mero; / de las aves, la perdiz; / de las mujeres, Beatriz." Tradition has it that the Beatriz of the quatrain was Doña Beatriz de Castro Osorio, a daughter of the second Conde de Lemos, famed for her extraordinary beauty.

79 "is such a skilled matchmaker." **delgada,** for **delicada.**

83–84 "I'll make him swallow the Countess hook, line, and sinker"; literally, "wrapped up in a scouring pad."

93–96 "And if this still bothers you, is there any reason why I shouldn't play the whole part without your being involved?" **in solidum** (correctly, **in solido**), "all together," "**en masse.**" **de mancomún,** "by common consent."

109 **esto noto,** "I take this thing on." **Notar,** "to dictate" the scenario of this play within a play.

111–112 "But once a pimp, always a pimp." Literally: "But the fact is that a pimp hates to break his vow." It was popularly supposed that **alcahuetes** (like monks, doctors, and other professionals) took a vow on entering their profession.

113 "Nephew, this is a matter of courtesy." Tello reprimands Diego for his discourtesy in always praising his own appearance in the presence of ladies.

117 **lo,** i.e. "reasonable" (the idea behind **razón**).

121 **Esa,** understand **razón,** "way of thinking."

138 "And if, by remaining silent, they diminish my attractiveness."

140 Mosquito alludes to the proverb: "Quien tiene lengua, a Roma va."

144 **inocente,** "innocent" and "ignorant."

149–152 "Who cares if he praises his own dashing appearance as long as Inés scorns the attraction of the nobility contained in his blue blood?"

153 "Whether or not her heart resists."

158–159 "I am going to have the documents drawn up."

168 "as long as they sing in tune."

170 "That's understandable in an old man."

185 **cairá,** for **caerá. Eso para nobis,** "That will be to our advantage."

186 "Just hearing about it eggs me on!"

188 **coramvobis,** "seriousness."

207–208 She turns away from him as a sign that she will reject his hand in marriage.

211–212 "In my gratitude for your love, I would for my part have risen earlier."

217 "In view, Mendo, of my father's agreement."

227 **accidente.** "Decimos comúnmente el accidente de la calentura y otra cualquiera indisposición que de repente sobreviene al hombre" (Covarrubias).

229 "I touched her heart." He implies that he has "slain" her to the degree that she must make her last confession (232).

236 "My appearance, which is of the cousin-slaying kind."

247 **unción,** the sacrament of extreme unction, given to the dying. Diego poses metaphorically as a father confessor (231) whose penitent is dying (with love for him).

257–258 "And at this point, **entre nous,** give up this vain endeavor."

261–262 "What a little devil! That (sexual) desire really lets you see her true nature!"

269–270 "He who loses others' esteem by his foolishness does not hurt another's self-esteem."

272 "with just a touch of wantonness."

274 "You've nothing much to worry about."

275–276 "Well, if you consent (to loving me), I consent to it, too."

277–278 "if your intention (of marrying Inés) did not involve my father."

293 "You're trying to make me change my mind."

296 "I'm the one who says it."

305 **ninguna,** understand **deuda.**

315–316 "that, if you are to be defeated, yours may be the victory."

323–324 "your arrival and my father's intention were two separate items of news for me."

325 **sin mí,** "without my consent."

327–328 "because (this complaint) seems to be somewhat contrary to my boast of being an obedient daughter."

329–332 Attraction or revulsion between human beings is fated.

333 **Esta,** understand **aversión** and **simpatía** jointly.

345 "Having established this principle, sir."

364 **muerta,** "lifeless," "frigid."

371 "you do not prize the life."

374 "affection is exposed to neglect."

384 She means her father.

391–392 "your decent behavior in this respect creates more nobility in you than relief in me." Inés is trying to persuade Diego that it is to his interest to give her up.

407–408 "to abuse my beauty by calling it anything from hopeless to silly."

418 **otro,** i.e. her father.

421–424 "Prepare yourself to be beaten by a rival, and accomplish this undertaking on orders given by you to yourself already in defeat."

425 **por el gran contrario,** "because of the great merits of an adversary."

437 "If you do not stand firmly against it."

447 "let it take whatever action it pleases."

456 "and she's bursting with jealousy."

463–466 An absurd reinforcement of the two oaths just uttered: if I lie, may I never live to see fruit on my new vines.

467 **le,** i.e. **a Leonor.**

482 "how the Countess turns out." Intransitively **pintar** means "empezar a mostrarse la cantidad o la calidad buena o mala de una cosa" (Acad.).

485 "I will think hard about it."

497 "to get your claws on me."

510–511 "What you've done, Diego, is to lose her over and over again."

518 **te quemas,** "you're madly in love."

528 **esta lengua,** "the language of love."

544 "But, as far as I'm concerned, it will all straighten out eventually."

548 "my two cousins will still be there."

551–552 "The more Moors (enemies) there are, the greater will be the spoils, and as for the Turk, why he has three hundred (wives, women)." Diego, certain that his charms will always triumph, will take on any number of ladies.

553 **vengo buena,** "do I look all right?"

556 Sichaeus' widow was Dido, Queen of Carthage.

562 "He'll fall for it as a mouse does for cheese."

574 **crítico,** i.e. in the **culterano** style.

589 **paso,** "style."

591 **En garatusa,** "Poker-faced."

593 **es,** "means."

596 "at the right time, not indiscriminately."

599–600 The subject understood is "the Countess."

610 **mi sa,** for **mi señora.**

612 Diego means that, like a magnetic north, the Countess attracts him to her.

617 "but, sir, feel your way carefully."

620 **la vuestra,** understand **aurora,** "beautiful appearance."

623–624 "What courteous intent brings you naturally to my buskins?" The cothurnus, or buskin, was the high boot worn by tragic actors in antiquity. Beatriz, speaking **culto,** means **a mis pies.**

627 Unable to penetrate Beatriz's style, Diego assumes she is asking him how he is. Mosquito corrects him. During this exchange Diego consistently misconstrues Beatriz's ornate speeches as compliments.

635–638 "So, you come shining bright to my coy splendor to see if I deny you access to my desirous company?"

657–658 Mosquito parodies the phrase "lofty style" ("stand-up style") to form the risqué phrase "lying-in-bed style."

660–661 "with the speed of a flying top, rather than the snail's pace of a student."

667–668 "I conclude that your decision to come was sudden, unpremeditated."

671 **lo,** understand "my proposal."

683 **por de dentro,** "inside my clothing."

686 "two inches from a half-yard of cloth." Diego has such a small waist that conventional measures of cloth must be reduced in making his clothes.

690 The **vara de torear,** to which the **rejón** or spear was attached, measured about five-and-a-half feet. Mosquito suggests that Diego is exaggerating. Not nonplussed, the latter flies off on a tangent about bullfighting.

696 **Medoro,** the extremely handsome Moor whom Angelica, Princess of Cathay, nursed back to health and love (in Ariosto's **Orlando furioso,** canto XIX, stanzas 16–37).

702 Mosquito means that the real animal was Diego.

704 "you are not displeased with me."

705 "Unmoved, if not opposed."

711–712 "With these words I defer our colloquy until tomorrow."

714 "I'll have to think about it."

725–726 "That the woman is a countess from top to toe."

731 **Volaverunt,** "They have flown." He means: "They are no longer in the running."

734 **señoría,** "Your Lordship."

739 "That's really something to worry about, Juan."

747 The Chinese had a reputation for ferocity.

760–762 **Prado,** a street in Madrid. **Retiro,** a royal park in Madrid.

763–764 "It's the work of the devil. Damn my own mother!"

766 Mosquito means that Diego is salivating (with pleasure or fear) so much that he cannot speak.

778 "This fool's got himself into a mess."

790 **chicas,** "short."

792 "What is all this leading up to?"

794 "Well, what has the road to do with it?"

796–797 "What I'm saying is getting us nowhere? Well, we'll stop and try again."

800 **cas,** for **casa.**

804–809 Diego's evasiveness has led to his affronting of Juan.

810 **la misma,** understand **respuesta,** i.e. silence.

816 **villa,** royal borough. Madrid is known as the **Villa y Corte.**

821 "I'll lay off her."

831 "Ah, I've hit you where it hurts!" He means: I have found out the truth about the object of your affection.

838 **aquesto,** i.e. "what I am saying to you."

847–848 "The little conceit was nothing. I've such a sparkling wit." The pointless pun is on **primo,** "cousin" and "shoemaker."

858 Celestina is here thought of as a cunning trickster. See M. Herrero García, **Estimaciones literarias del siglo XVII** (Madrid, 1930), p. 47.

860–861 "Some Countess! You looked like a scullery maid all dolled up." **paños mayores** is a phrase coined on the basis of **paños menores,** "underclothes."

867–868 "I'd sooner be a religious zealot always in an ecstatic trance." A **beata** is a "mujer que viste hábito religioso y, sin pertenecer a ninguna comunidad, vive en su casa con recogimiento" (Acad.).

870 "who is the one whose life is at stake."

872–873 "and we'll take equal shares of the loot." **liga,** in addition to "garter" and "bird lime," means the "alloy" of which coins are made. There is a pun involved between **liga** and **media,** "half" and "stocking," which is carried on by Beatriz. **puntos,** the stiches in a stocking, also its size.

877–878 "here in the hall we risk being mobbed."

880 **a frías,** "standing on ceremony."

882 "You challenge me to such high stakes?"

886 **a letra vista,** literally, "payable on sight." The commercial term here means "without delay."

889 **Dale,** "She slaps."

908–909 "when you are about to marry your cousin today."

912 "she's learned her lesson well!"

922 "what an auntly background you display!" Beatriz, like a solicitous aunt, is watching out for Inés' welfare. "**Fondo en:** El símil está tomado de la fabricación de paños y es muy frecuente en la literatura de la época: 'Un mancebo con fondos en tonto'...; 'el fondo es en majadero...' " (S. Gili Gaya's note in Mateo Alemán, **Guzmán de Alfarache,** Clásicos Castellanos, IV, 191–192).

923–924 Diego speaks ironically: "Not at all a bad impression her figure makes!" **Obrar** also means **exonerar el vientre,** "to empty the bowels"; hence the unappetizing conceit: "My, how the girl evacuates!"

928 **vencida,** "convinced."

930 **firma,** "signed statement."

993–934 "Drag me in front of the curate (to marry me) if the old boy puts the pressure on."

937 The proverb Mosquito has in mind is probably: "**Ruin con ruin, que así casan en dueñas.**" Since Diego is **ruin** and refers to Tello as a **tío** (equivalent to **ruin,** as well as "uncle"), that makes two of them.

948–949 **Atabaliba,** Atahualpa, the last of the Incas. **Montezuma,** the last of the Aztec rulers.

950 "except at the cost of my life."

972 "and the game warden is on the look-out."

975 **ni mi tía,** "nor anyone else." A disrespectful expression; Tello is presumably a widower.

984 Juan rushes to Tello's side in the skirmish.

986 "my anger is so great that it makes arms unnecessary."

999 "A fine mess I nearly made."

1045 "since it is so clear."

NOTES TO ACT III

3 The "company of a hanged man" means "dangerous company."

8 "I shall go through thick and thin." **a Dios y a ventura:** "cuando emprendemos lo que de suyo es dudoso" (Covarrubias).

12 "but to start running."

37 "and so it's out of the question."

43–44 "I'll stay with you until I'm down to my last penny."

48 "I mean to go in and sit down." The **estrado,** a raised platform with cushions on it, was where women usually sat.

49 **¡Guarda, Pablo!,** "Look out, boy!"

53 "This is the way I'll help her escape."

61 **Ni blanca,** "Not a cent."

70 "Do you expect me to put up a fight about it?"

80 "Her 'cousin,' darn it."

81 **de par en par,** "obviously."

83 **defender,** "prevent."

90 **por bien,** "without harm."

92 "Well, all right. On with the job." **Sus** is an interjection designed to inspire courage.

96 "I'm figuring out the play." The **cabe** is a delicate move in the game of **argolla,** which is somewhat like croquet.

102 "while he is in a state of excitement."

103 "Lord! I'm fed to the teeth with fools."

104 "That's quite something for a woman," since women suffer fools gladly.

116 "for you're already a walking corpse."

119 "Provided you go no further."

122 A grotesque oath.

126 "In that case you're still one of the living."

152 **in æternum,** "for all eternity."

155 **El que se entienda,** "The possibility that it might be inferred."

163–164 "one's reputation depends not on what is really so but on what the community infers."

170 "since it is she you are wooing."

179 "Your last remark means nothing."

184–186 Diego means that, if he called himself a liar, he would not be acceptable in the company of gentlemen. Until the present century bullfighting was a gentleman's sport.

187–188 The allusion is not clear.

191 "Do you take me for a fool?" **No ser rana,** "Ser hábil y apto en una materia o sobresaliente en otro concepto cualquiera" (Acad.).

201 "because she loves me madly."

209 "Good Lord, we're going along fine!"

211 **publique,** "publicize."

217 "I should reveal the lady's identity?"

218 The **gallegos** had a reputation for stupidity.

225 Diego, with his somewhat dirty mind, alludes to a secondary meaning of **satisfecho,** which has to do with sexual satiety.

227 "**¡Más matalla!,**" "He's going too far!" The phrase is used "cuando parece que es mucho lo que otro dice" (Correas).

233–236 Diego is sure he will kill Juan (by accident) if they fight. **uñas abajo,** a particular thrust in fencing. **laus Deo,** "God be praised": Diego means it will be all over with Juan.

246 **Yo me entiendo,** "I know what I have in mind."

250–251 Diego asserts that Juan will be dead before he reaches the final words of the Apostles' Creed: "Life everlasting."

281–284 Diego refuses to fight on the grounds that the odds are no longer equal, since he has moral support from his cousin. The proverb is not identified.

285–286 "This being so, Juan, seek me out for single combat," i.e. without witnesses. **cuerpo a cuerpo,** "face to face," "in hand-to-hand combat."

294 "and your quarrel with him comes after your quarrel with me."

297–298 "between being challenged and being the challenger, being challenged takes precedence."

306 "in accordance with the code of gentlemen."

308–309 "before I had committed myself to this love."

311–312 "to see how pleasant this love was without the pangs of jealousy."

321 "I would have shown you that you had no grounds for complaint." But Juan, having been challenged, cannot as a man of honor refuse the duel.

358 "but you may be sure I won't let you down."

368 "I'll keep my word.—So will I."

379 Inés begins a speech about the niceties of lovers' behavior. She argues that Juan should have sensed her real intention rather than believed her words.

387 **sino la esfuerza,** "but rather bolsters it," i.e. the **satisfacción.**

407–408 Inés means that marriage to Diego will shorten her life.

426 "What would have been wrong with Cupid if he had been able to see?" (Cupid is represented either as blind or blindfolded.)

454–455 "and since I must choose between you and her, I have to take her side against you."

466–467 "now that her mind is made up to take this course of action."

470–472 "that my heart should be pierced by the arrows which my misfortune makes for it out of my love."

478 **piérdala,** "may I lose it," i.e. the light of heaven: "may I die."

479 **otro pensamiento,** "the thought of another lady."

483–484 "any mistake is criminal if one refuses to hear the explanation."

486–488 "is an act of cruelty and, although it may happen this way, to deny him the right to appeal is evidence of the judge's eagerness to condemn him."

491–492 "may I be killed in carrying out this law, but let her not further the act."

493 **a no poder más,** "if there is nothing else to be done."

495 **no es todo uno,** "it is not at all the same thing."

499–500 "as swift in giving offence as easy in yielding."

508 "is all that it is in my power to do."

540 **roto,** "broken off."

542 "I would give you every cause" for dueling.

544 **puesto,** "choice of the dueling ground."

556 "trusting in your good breeding."

562 "because he is obliged to as a noble man, but not as a lover."

571–573 "From that time on I permitted my eyes to look on him with pleasure."

578 "as he approves of my being modest."

615–618 I ask you "when this is over, not only to speak about this matter, but to let it remain in your ear without its passing into your memory."

627–628 "because men are not blamed for being flighty."

630–631 "let the impossibility of your love soothe your pain, or let absence mitigate it."

633–634 "or cast your hope to the winds so that they may waft it away."

644 "the rainbow which betokens the peace which shall be between you."

663 **esto más,** "this additional fact."

713 "Curse danger!"

720 "I went to consult the cards," to foretell the future.

732–733 "my remaining in hiding, with my face covered, to keep the peace." Beatriz wants Inés to have her restored to her father's good graces as a servant of the household.

748 **más que de paso,** "more than parenthetically," i.e. frankly.

753–754 "As sure as it's daylight now, I saw her as plain as plain could be."

755–756 "The courtly Countess, her Grace."

757 "God bless me. And me, too."

760 The meaning is: "And it was a comfort to me, too."

764 "She is the knave," the cunning card which takes a trick unexpectedly.

773–774 "who is crushing me with his doubts and jeopardizing the whole affair."

776 Mosquito determines to relate a rigmarole which Tello will not understand. The reader must expect not to understand it either.

780 "and she didn't give him alms."

786 **de color,** "red." **Dios me acuerde,** "may God prompt me."

788 "Well, is his dress relevant?"

807 **¡por Dios vivo!,** "by the living God!"

812 "Don't you see that he is shuffling them?", i.e. causing confusion while stalling for time.

825 "You'll make me get really mad."

832 A **pepitoria** is a chicken stew, generally made of the offals. The "feet" and "head" which Mosquito's story lacks would be prime candidates for such a stew.

835–836 Mosquito chooses to interpret **empeño** as meaning a pledge with a pawnbroker; he is not the steward in charge of such financial arrangements.

838 **simple,** both "simpleton" and "simple" (a primary pharmaceutical). Mosquito "wants" a "simple," i.e. a remedy for his predicament.

843–845 "And today, since chance makes it possible, I mean to heed this warning and marry off my daughters without delay."

846–848 "Although I don't understand Mosquito's tale, I have as a result been disabused about the cause of my jealousy."

859 **disponga,** "he may dispose freely."

868–869 "we've hit a sudden reef, Beatriz." N. Alonso Cortés defines the expression: "tropezar con una contrariedad inesperada, que estropea el asunto que se tenía entre manos e iba realizándose con felicidad."

872 "We've had it!" Salírsele a uno el puchero: "fallarse su plan, idea o empreso" (Acad.).

889 "How skillfully she threaded the needle!" Mosquito admires Beatriz's ability to return quickly to her earlier role as the Countess.

896 "Love makes errors bearable," as a gilded pill is less distasteful than a plain one.

914 The basilisk kills with a glance from its eyes.

920–921 "Well, what do you trust in? My ability to commit arson, which will burn down this house."

924 "Has my beautiful figure some secret pact," with the devil, to create this magical transformation in the Countess? He is delighted at her fierce expression of her love for him.

927 **esto,** i.e. the marriage with Inés.

928 "This is no time for talking; I must see it with my own eyes."

934 "For God's sake, go home!"

964 "as much more than I am above a coachman."

976 "so that you'll have less time to spend in the (disreputable) function of being a father-in-law?"

978–979 "For a few days; in this matter you don't want to stand over the kettle while it boils." **cochite hervite:** "proverbio común, aunque de palabras bárbaras; tráese a propósito cuando alguno quiere que se haga alguna cosa en un instante, sin guardar modo ni término, como el que pusiese la olla y quisiese que luego en llegando al fuego cociese y hirviese, y se sazonase para poderla comer" (Covarrubias).

980 **buñuelo,** a kind of doughnut, a quick snack because it is fried, and eaten hot.

982 "for that will be determined by the passage of time."

987 "It's all over; at last the flint has given off sparks."

993 **In facie Ecclesiae,** "In the eyes of the Church."

1025 "Do you want me to wear a placard saying I'm married?" **Encorozar** means "to be punished by having to wear a **coroza.**" This latter is a "capirote de papel engrudado y de figura cónica, de menos de un metro, que como señal afrentosa se ponía por castigo en la cabeza de ciertos delincuentes, y llevaba pintadas diversas figuras alusivas al delito" (Acad.).

1026 Tello implies that Diego's "previous marriage" may well constitute a crime punishable with the **coroza.**

1033 **la,** i.e. **a Inés.**

1042 "Sir, I do what I see everybody else do."

1047 "so that he won't beat my brains out."

1059 "Reveal your identity now, my lady."

1063 **Mamola,** "Got you!" "Modo de expresar que una persona había caido en la red tendida para hacerla víctima de un engaño" (N. Alonso Cortés).

1066 **el pueblo,** "the audience."

1067 "Ask the audience if I'm not in a sorry state."

GLOSSARY

Designed to be helpful to students reading their first Golden Age texts, the glossary omits only those very common words which mean the same today as in the seventeenth century.

Abbreviations used: *adj.* adjective, *f.* feminine, *m.* masculine, *n.* noun, *pl.* plural.

A

abonar to certify as good, to go bail for
abono security, guarantee, support, testimonial
absolver to absolve, give absolution
absorto amazed, terror-struck
acaso *n.* chance
accidente sudden indisposition, blow, setback
acedo sour, disagreeable
acémila beast of burden
acero steel, blade, sword
acordado in tune
acordar to agree, harmonize
acosar to harass
acreditar to give credence, support, bolster
acrisolar to refine (in a crucible)
acudir to repair to, show up, attend to, have recourse
achaque illness, subject, occasion
adamado effeminate
adelantado in advance, rash
aderezo beautification, cooking, seasoning
adobo make-up, dressed-up state
adusto austere, stiff, melancholy
advertido considerate
advertir to recognize, heed, bear in mind, inform, pay attention
afecto passion (of the soul), love
afeitarse to make up
afeite cosmetics
aforrar to line
agraz, en prematurely, inopportunely
agudeza witticism, perspicacity
agüero omen
ah de ho (a call for attention)
ahijar to attribute
ahorcar to hang, hang up, renounce
airado angry
airoso graceful
ajar to tarnish, show in a bad light, reduce
ajustado tight-fitting, right, proper
ajusticiar to bring to justice, execute
alameda poplar grove
alanceador lancer
alarbe Arab
alarde display, ostentation
alazán sorrel horse
albarazado ashen, grayish
albedrío free will
albergue shelter
albor whiteness, dawn
alborotar to excite, panic, disturb, impress
albricias reward for good news, token of welcome
alcahuete pimp, match-maker
alcaide jailer, warden, castellan
alcalde mayor
alentar to encourage
aleve perfidious
alevosía perfidy, breach of trust
alfaquí fakir, Moslem divine
alforja saddlebag, provisions for the road
algarabía gibberish, Arabic
aliño ornament

alistar to enlist, recruit
alfanje scimitar
almagre red ocher
almena battlement
almendro almond tree
almofrej coarse mattress cover
almohada pillow, cushion
alojar to billet, lodge
alterar to disturb, irritate
altivez haughtiness, pride
alzar to raise, rise; **— la mano** to keep hands off
allegar to bring together
allende over there
amago threat, promise
amohinar to irk, depress; **-se** to get angry
amortajar to shroud
amotinarse to mutiny
amparar to protect, intercede
andas stretcher (for parading holy images); **andar en —** to be made a fuss of
anteponer to give precedence to, place before
antepuerta curtain hung before a door
antimonio antimony
antojos whims, spectacles
anzuelo fishhook
aojado hexed
apariencias appearances, scenery
aplazar to postpone, appoint (a time and place)
aporrear to bludgeon
aposta deliberately
aprisco sheepfold
apropincuar to approach, draw up
apunto prompting, prompter's book
apurar to drain, exhaust, investigate, purify, assay
arbitrio judgment, scheme, assessment, tax
arcabucero harquebusier
arcabuz arquebuse (a primitive firearm)
arcaduz bucket (of a well)
archero guardsman
Arlés Arles
arma weapon; **tocar al —** to call to arms
armas *pl.* escutcheon, coat-of-arms
armenio Armenian
arnés armor, arms
arracada long earring
arrebol ruddiness, first flush of dawn
arriero muleteer
arroba weight (about 25 lbs.)
arrobadizo entranced, ecstatic
arrobo ecstasy
arropar to clothe
artesa trough (for kneading dough)
asaetar to shoot (with arrows)
asco nausea; **tener —** to feel revulsion
ascua ember
asear to spruce up
áspid asp
atabal kettledrum
atajo short cut
atrio atrium, antechamber
atufarse to be annoyed
austral southern
autor producer, impresario
avasallar to enthrall, make subservient
avecinarse to draw near
avellana hazelnut, filbert
avenida concourse, crowd, flood
avenir to agree, get along (with); **-se** to make up (with), patch up a quarrel
aventajar to be first
ayuda help, enema
ayunar to fast, abstain
azada spade
azadón shovel, spade
azafate long basket
azogue quicksilver, mercury
azor hawk
azotar to whip
azucena lily
azumbre liquid measure (about 2 quarts)

B

báculo staff
bachiller talkative, indiscreet; *n.* chatterbox
bachillería chatter, foolishness
bajá pasha
bajel vessel
bajeza vileness, vile act

balanza scale
balbuciente stammering
balde, de free, gratuitously
balde, en in vain
baldón insult
baldonar to insult
balumba paraphernalia
ballesta crossbow
banda broad embroidered ribbon
bandolero highwayman, bandit
baño bagnio (prison for slaves)
barajar to shuffle (cards)
barbecho fallow land
barbero barber-surgeon
barbo barbel (a fish)
barrenar to puncture
barriga belly, pregnancy
barro mud, clay
basa base, foundation
basilisco basilisk
basquiña full-bodied skirt
bastos clubs (suit in cards)
batán fulling mill (for pounding clay into cloth)
Bayona Bayonne
beata devout woman
Belcebú Beelzebub
belerbey man-at-arms
bellaco villainous, rascally, wicked
bellota acorn
beneficio benefit, benefice
Berbería Barbary
berberisco Berber
besugo sea bream (fish)
bieldo winnowing-fork
bien *n.* good, happiness, good fortune, darling, love
bigotera moustache case
bizarría elegance, noble bearing
bizarro extravagantly elegant, bold, daring, magnificent
blanca *n.* small coin, made of *vellón*
blanco *n.* bull's-eye, objective
blandir to brandish
blasón heraldry, honor, source of pride
blasonar to boast, brag, bluster
bodegón tavern, cellar
bofetada slap
bofetón slap
bolo tenpin
bomba pump
boquiabierto agape, open-mouthed
boquirrubio simple, inexperienced
bordón staff
Borgoña Burgundy
borrasca storm, squall
borrico ass
borrón blot, smudge, rough draft, imperfection
bosquejar to adumbrate, sketch
bosquejo rough draft, sketch
boticario apothecary
botón bud
bramar to bellow, roar
braveza fury
bravo fine, wild, fierce; *n.* gangster, hired assassin
Bretaña Brittany
brevedad swiftness, speedy conclusion
bribón idler, "lazybones"
brincar to bounce, jump
brindar to toast, offer voluntarily
brío energy, élan, vitality, determination
brocado brocade
bronco rough, unpolished
bruñido burnished, polished
buey ox
buho owl
bujía candle
bula Papal bull; **— de difuntos** indulgence
bulto bulk, mass, vague form
bulla uproar, diversionary tactic
buñuelo kind of doughnut
buril graver, engraving tool
burla jest, deception
burlar to make fun, mock, deceive, mislead

C

cabal just, exact, perfect
cabizbajo with bowed head
cabriola caper
cadera hip

caducar to die of old age
caduco decrepit, senile, frail
caja box, candy, quiver, kettledrum, coffin
cala roadstead
calabazón giant pumpkin
calabozo cell, dungeon
calahorreño from Calahorra (in Navarre)
calandria skylark
calar to ooze, drip
Calés Calais
caliginoso caliginous, dark
cáliz chalice
camarón shrimp
campiña large plowed field
canalla rabble, bastard
cancel latticed screen
cándido candid, white, innocent, pure
candil lamp
canto song, edge, corner, rock
cañutillo small glass tube
capitular capitulary (pertaining to the chapter of a religious order)
capón capon, eunuch
capricho caprice, whim
capullo bud
capuz kind of overcoat
cardenal cardinal, bruise
cardo thistle
carmesí crimson
carmín carmine, crimson
carta letter, playing card; **— de pago** receipt
cartilla primer, catechism
cáscara eggshell, fruit rind
casta breed
castañeta castanet
castaño chestnut tree
catedrático professor
catre cot
caudal capital, estate, possessions
causa cause, case (in a legal sense)
cautela ruse
cebo bait
cedro cedar
cédula legal document, scroll, piece of parchment or paper
céfiro zephyr
celaje lightly clouded sky
celar to be zealous
celemín dry measure (about a peck)
celo zeal
celos *pl.* jealousy; **pedir —** to accuse of infidelity
ceñir to gird, encircle
ceño frown
cepa vine-stock, tree stump
cercar to surround, besiege
cerco circle, siege, coven (of witches)
cerneja tuft of hair behind a horse's fetlock
cerúleo cerulean, azure
cerviz back of the neck
cerrar to close, close in, attack fiercely
cerro hill
cesto basket; **ser un —** to be ignorant
cetro scepter
cifra cipher, abbreviation
cilicio cilice, hair shirt
cítara lyre
clarín clarion, trumpet
clausura enclosure, cloister
clavellina pink (a flower)
clueco broody
cobro, ponerse en to seek refuge, find a safe place
codón leather sheath fitting over a horse's tail
cofre coffer, chest
cohechar to suborn, bribe
colchón mattress
colegir to deduce, infer
colmar to overfill, heap up
colmena beehive
colmo abundance, heap; **en —** abundantly
colodrillo back of the neck
colorar to turn red
collado hill, mountain pass
comedia play, comedy
comedido courteous, modest, prudent
compadecer to arouse pity; **-se** to feel pity
cómplice accomplice
componer to compose, make up, beautify
compostura loveliness, neatness, toilette, construction, artistic arrangement

compuesto composed, circumspect, in harmony, well attired, made up
comulgar to commune, take communion
concejo town council
concepto concept, idea, thought, conceit, play on words
concertar to harmonize, arrange, bring together, patch up a quarrel
concierto pact, agreement, contract (often said of marriage)
condoler to inspire sympathy
confitero confectioner
conjuro incantation
consorcio consortium, company
consumirse to feel distressed
contado, de instantly
contino continually
contrastar to resist, oppose, repel, rebuff
conveniencia advantage, negotiation, agreement
copete forelock
copia copy, abundance
copla song, stanza
coraje fury, anger
corcova hunched back
cordel rope, hanging
cordura good sense, prudence, sanity
corneta cornet, bugle
corona crown, gold coin (also called *escudo*, about $1.65)
coronista chronicler
corredor corridor
correo courier, mail carrier, mail
correr to run, draw (a curtain) fight (a bull); **-se** to be ashamed
corresponder to correspond, belong, return (love)
corrido angry, ashamed, crestfallen
corte court, capital (of a kingdom)
corteza bark (of a tree), rind (of cheese)
coso bullring
costilla rib
costurón visible scar
cotejar to compare, collate
coturno buskin
coyuntura juncture, opportunity
coz kick
criador creator
criar to rear, bring up, create
crisol crucible
cristiandad Christendom, Christianity
crucifijo crucifix
cruzar to cross; **— la cara** to slap in the face
cuadra room, stable
cuadrar to match, fit in with
cuadrilla gang
cuajar to solidify, curdle
cuartana quartan (a fever which returns every fourth day)
cuartel quarters, barracks
cuba cask, barrel
cubierta envelope
cubierto place setting
cubo bucket
cuchilla knife (for fighting), sword
cuchillada slash, knifing
cuenta bill, account; **— de la ropa** laundry list; **a la —** apparently; **dar —** to give an account, take care, assume an obligation (for)
cuerdo sane, sensible
cuerpo body; **— a —** hand-to-hand (fighting); **en —** coatless, naked
cuervo crow
cuidado anxiety, loving concern, attention
cuitado reticent, silly
culebra snake
cursar to frequent

CH

chacota joke
chapín lady's slipper (fancy, with high heels)
chillido scream
Chipre Cyprus
chirimía shawm (a musical instrument of the oboe family)
chismoso gossipy
cholla pate, "savvy" (a colloquialism)
chorizo a hot sausage (like pepperoni)

D

daga dagger
damisela damsel
dar to give, strike (said of a clock); — **a entender** to hint, suggest; — **con** to stumble on, come across; — **en** to persist in; **-se a partido** to give up, yield
dardo dart
decente proper, becoming
decoro decorum, propriety, reputation, good literary expression
decreto decree
degollado beheaded
delfín dolphin, Dauphin
Delfinado Dauphiné
delicia sensual pleasure
delirar to be delirious, rave
delito crime
demanda quest
dentro within, off-stage, in the wings
depósito deposit, depot, warehouse
derrota defeat, course
desabrimiento distaste, displeasure
desacato irreverence, disrespect, irresponsibility
desaguisado outrage
desahuciar to despair, give up for dead
desairar to belittle, demean
desaire unpleasantness, displeasure, disdain
desamar not to love, to have no regard or affection
desangrar to let blood, drain all blood
desasir to liberate, release
desasosegar to cause uneasiness, disturb
desasosiego anxiety
desatención impoliteness
desatento discourteous
desatino nonsense, wild or mad behavior, clumsiness
desazonado unproductive (said of land)
desbocarse to bolt
descalabrar to strike on the head
descalzar to remove shoes
descartar to discard, get rid of (as in a card game)
descarte excuse, escape, way out, discard (as in a card game)
descasar to unmarry
descolgar to slide down, fall gently, lower, unhook, take down
descolorido pale
descollar to stick out, stand out
descompostura lack of restraint
descompuesto perturbed, immodest, unharmonious, ill attired
descomulgar to excommunicate
desconfiado distrustful, faithless
desconfianza distrust, lack of confidence
desconfiar to distrust, lack self-confidence
desconsolarse to be discouraged
desconsuelo disconsolateness, affliction
descoyuntado disjointed
descubierto discovered, uncovered, unveiled, bareheaded
descubrir to discover, reveal, make known; **-se** to reveal oneself, remove one's hat
descuidado careless, negligent, unprepared
descuidar to neglect, pay little attention
descuido neglect; **al** — nonchalantly
desdecir to contradict, withdraw, retract
desdén disdain, scorn
desdoro defect, eclipse, abasement, dishonor
desechar to reject
desembarcar to disembark
desencarcelar to release, free from prison
desenfado relief
desengañar to illuminate, open the eyes, reveal; **-se** to come to one's senses, learn the truth
desengaño moment of truth, revelation, enlightenment
desenvainar to unsheathe
deseo desire, love
desesperarse to despair, commit suicide
desgarro tear, rip
desgraciarse to fall out (said of friends), be displeased
deshecha pretense designed to remove suspicion

deshojar to remove leaves or petals
desierto deserted; *n.* desert, wilderness
designio intention, plan
desigual unequal, inconstant
desistir to desist, renounce
deslucido deprived of light
deslumbrado dazzled, blind
deslumbrar to dazzle, deceive
desmarañar to untangle
desmayar to dismay, faint; **-se** to faint, weaken
desmentir to give the lie, call a liar
desmerecer to be unworthy
desobligado free (from all obligations)
desocupar to empty, relieve
despachar to dispatch, finish off (i.e. kill), get over with, pay up, dispose of, sell
despacho document
despecho spite, anger, despair
despedazar to tear to shreds, destroy
despedida dismissal, farewell
despedir to dismiss; **-se** to take leave
despego inertia, listlessness
despejar to clear out, clear up (of weather and visibility)
despensero steward, provisioner
despeñado hurtling (from a height)
desperdiciar to waste, fritter away
desplegar to unfold, unfurl
despojos *pl.* spoil, booty
desposar to marry, betroth
desposada bride
desposorio marriage, betrothal
despuntar to blunt, show off, open (of flowers)
desquitar to recover a loss, take revenge
destapar to uncover
destemplado out of tune
desterrar to exile, banish
destreza cunning, skill, trickery
desusado old-fashioned, archaic
desvanecer to vanish, cause pride, dissipate
desvarío delirium, extravagant speech or action
desvelado sleepless, cautious
desvelar to go without sleep
desvelo insomnia
desviarse to go out of one's way, make a detour
desvío evasion, displeasure, brush-off
deuda debt, indebtedness, obligation
deudo kinsman, relative
deudor debtor
dibujo drawing, proportion
dictamen opinion, judgment
dicha happiness, good fortune; **por —** perchance
diestro skillful, right-handed
diez ten, "Gawd" (euphemism for *Dios*)
dilatar to postpone, prolong, extend, dilate, expand
diligencia diligence, promptness, speed, attention
diluvio flood
discreción discretion, smartness
discreto discreet, intelligent, clever, prudent, reasonable
disculpa excuse, exculpation, forgiveness
disculpar to forgive
discurrir to discourse, reflect, think, race, run
discurso reasoning, argument, discourse, speech; **— de la vida** course of one's life
disfrazar to disguise
disgusto displeasure
disimular to dissemble
disinio plan, scheme
disparar to fire
disparatar to prattle, talk nonsense
disparate nonsense, foolishness
distraído absent-minded, disorderly
divertir to amuse, distract
divisar to make out, see with difficulty
doblar to fold, dissuade
doblez fold
doblón doubloon (a multiple of the *escudo*: **— de a dos, de a cuatro, de a ocho**); **— de a ocho** "piece of eight"
dolerse to be grieved
doliente sick
dolor grief, sorrow, pain
donaire joke, jest, witticism, humor
doncella maiden, unmarried girl, virgin
dosel canopy

dote *m.* dowry; *f.* endowment, quality
ducado ducat (about $2.00)
duelo duel, sorrow
dueña duenna, chaperone, owner
dueño master, owner, husband, beloved, wife (the *m.* form is sometimes used in reference to women)
dulce *n.* candy
durazno peach

E

ea come on! (an interjection of encouragement)
efetuar to achieve, complete
efímero ephemeral, lasting one day
embarazo impediment, obstacle
embeleco trick, deception
embotar to blunt
embozo muffler (part of cloak thrown over lower part of face)
embuste trick, deception
embustero trickster, deceiver
empeñar to pawn, pledge, obligate, insist; **-se** to go into debt
empeño pledge, obligation, commitment
emplasto poultice
empleado used, employed, loved, engaged
emplear (en) to marry, betroth
empobrecer to impoverish
empresa undertaking, imprint, emblem
emprestar to lend
empréstito loan
empuñar to grasp (the hilt of a sword)
enano dwarf
enarbolar to fly (a flag), hoist
encadenar to link together, chain
encaminar to guide, show the way
encanto charm, magic
encarar to aim
encarecer to praise, esteem highly
encargar to charge
encina oak
enclavar to fix (one's eyes)
encontrado opposite, antithetical
encrespar to curl
encubierto concealed, hidden
encubrir to cover up, conceal
endecha dirge
endurecer to harden
enfadar to annoy, anger
enfado annoyance, irritation
enfrenar to bridle, restrain
engaste setting (of a jewel)
engendrar to engender, beget, create
engrandecer to magnify, exalt
enhebrar to thread
enhoramala damn it
enjundia stoutness, sturdiness
enjuto dry, drought-stricken
enloquecer to drive mad
enmendar to rectify
enmienda emendation
enmudecer to grow silent, make dumb
enredar to involve, implicate, create confusion
enredo entanglement, intrigue, mix-up, confusion, trick, plot, pretext
enriquecer to enrich
ensanchar to expand, take pride
ensartar to string (as beads)
ensayar to rehearse
ensayo essay, rehearsal, trial
ensillar to saddle, saddle up
entendido expert, informed, sophisticated; **no darse por —** to feign ignorance
entendimiento understanding, realization, the reasoning faculty, intelligence
entereza integrity
enternecer to soften, make tender, move to compassion
enterrar to inter, bury
entierro burial
entorchar to twist
entrambos both
entraña entrail, gut, bowel, heart (seat of the emotions)
entregar to hand over, deliver, surrender
entretener to entertain, amuse, distract; **-se** to dally
entristecer to sadden
envés reverse, back
envidar to stake
envidiar to envy

epitafio epitaph
equívoco pun, play on words
era threshing floor
erizarse to stand on end (of hair)
ermitaño hermit
errar to wander, bungle, err
esbirro police assistant, bailiff
escala ladder
escalar to scale
escalera stairs, ladder
escama scale (of fish)
escampar to give up, yield
escaramuza skirmish, military engagement
escarbar to scratch (earth)
escarcha frost
escarmentado experienced
escarmentar to be taught a lesson
escarmiento warning, lesson
escopeta shot gun
escribano notary, town clerk
escrupulizar to have scruples
escuadra squad, squadron
escudero squire, groom
escudo shield, crown (a gold coin, about $1.65)
escurecer to darken, outshine
escuro dark; **a escuras** in the dark
escurrir to make one's escape
esencia essence; **quinta —** quintessence
esfera sphere (esp. one of the spheres surrounding the earth in Ptolemaic astronomy)
esforzar to give courage, give support
esgrima fencing
esgrimir to fence, wield (a sword, etc.)
eslabón link
esmaltado brightly colored
esmaltar to enamel, beautify, adorn
espaciar to relax
espacio space, interval of time, slowness, deliberation; **de —** slowly, at leisure
espalda shoulder, back
esparcir to shed
espeluznarse to have one's hair (feathers, etc.) stand on end
espetar to put on a spit, be stiff
espuela spur
espuma froth, foam
esqueleto skeleton
esquivar to refuse, deny
esquivez avoidance, asperity
esquivo elusive, coy
establo stable
estado status, station in life, civil status (single, married, etc.); **tomar —** to get married
estafar to swindle
estafeta mail, mail service
estancia room, restricted place
estandarte standard, flag
estanque pool
estatua statue
estera coarse mat (of sisal, straw, etc.)
estocada sword thrust
estrado platform (on which the ladies sat or a throne might be set)
estrago devastation, carnage
estrecho *n.* strait, fix, danger
estrella star, destiny
estremecer to tremble
estrenar to wear for the first time, break in
estribar to depend, be based, support
estribo stirrup
estropajo loofah, scouring pad
estruendo din
evidencia obviousness, clarity
excelso lofty
excusado unnecessary
excusar to excuse, avoid, forbid, prevent
exhalar to exhale
expirar to expire
expreso clear, obvious
extremado inordinate, immoderate
extremo end, extreme, fuss, extravagance, excess

F

fábrica structure, fabric (of a cathedral), manufacture, factory
facineroso criminal, delinquent
facistol lectern
falda skirt, foot (of a hill)
faldellín short skirt

fallar to adjudge, pass sentence, find (in the legal sense)
fallecer to die
fanfarrón boaster
fantasía fancy, imagination
farol lantern, lamp
farsa farce, primitive play
favor favor, sign of requited love
faz face
fe faith, fidelity, love, troth; **a —** really, in truth; **a — que** I swear that; **dar —** to give evidence, swear on oath
felpa plush (kind of velvet)
fementido false, faithless
fénix phoenix
feria fair (important festival of longer duration than a *fiesta*)
feriar to sell
festejar to woo, celebrate, entertain
festejo courtship
fiador guarantor, bondsman
fiel faithful, loyal; *n.* pointer, indicator (of scales)
fieltro felt, felt hat
fiera wild beast
fiereza wildness, savagery
fiero cruel, ferocious
figura figure, puppet, role, actor
filo sharp edge
fin end, purpose, intent; **dar —** to come to an end
fineza courtesy, expression of love, delicacy
fingir to feign, pretend, imagine
fiscal prosecutor
flámula pennant
Flandes Flanders
flecha arrow
fluctuar to fluctuate, float
flujo flux, flow
forajido outlawed
forastero stranger, newcomer
forzar to force, violate, rape
forzoso inevitable, obligatory, necessary
fraguar to forge
franco generous
fregatriz scouring maid, scullery maid
fregona kitchen wench
freno restraint
fuelle bellows
fuero right, law
fuerza force, necessity, obligation; **es —** it is necessary; **por —** inevitably
fugitivo fugitive, fleeing, fleeting
función show, event
furibundo furious, raging
furrier quartermaster

G

gabán overcoat
gala exquisite beauty, elegance; *pl.* finery
galán gallant, good-looking, attractive; *n.* gallant, lover, suitor
galantear to court, woo
galanteo courtship
galardón guerdon, boon, reward
galardonear to favor, reward
galeaza galleon
galera galley
gallardo magnificent, elegant, lively, swashbuckling, swaggering, unrestrained
gallego Galician
gallina hen, chicken, coward
gana desire, appetite, lust
ganado cattle, flock (of sheep)
ganapán laborer
gañán farmboy, fieldworker
garatusa bluff, feint
garbo nobility, gracefulness, elegance
garboso gallant, graceful, noble
garito gambling house
garra claw
Gascuña Gascony
generoso noble
genio genius, temperament
genovés Genoese
gentil well-bred, remarkable, Gentile
gentileza deportment, gentility
gentilhombre equerry, gentleman's gentleman, valet, fine fellow
gentilidad Gentiles
girasol sunflower
gloria glory, bliss, heaven

gobernador governor, magistrate
goloso sweet-toothed
gorjear to warble
gracioso *n.* clown, fool
grado degree, step, rung
grana scarlet, cochineal-red
granada pomegranate
granjear to acquire, wheedle, captivate
gregüescos breeches
gremio guild
grey flock, congregation
grillo cricket
grita uproar, shouting, mockery
gruñir to grunt
gruta grotto
guadamecí embossed leather
guadaña scythe
guarda guard, ward (of a lock)
guardasol sunshade, parasol
guarnecer to adorn
guarnición adornment
guedeja mane, long hair
guija pebble
guirnalda garland
gula gluttony
gúmena hawser
gusano worm

H

habitación room, dwelling
hábito costume, clothing
hacienda property, possessions, estate
hacha torch
hado fate
halago flattery, token of affection
halcón falcon
hato sheepherding
haya *n.* beech
haz face, bundle
hazaña feat of arms
hebra thread, strand, hair
hebreo Hebrew
hechicería witchcraft
hechizo charm, enchantment, witchcraft
hechura creature, creation, making
henchir to fill (to the brim)
heredad inherited land
hereje heretic
herir to wound, strike
herrero blacksmith
hidra hydra
hidrópico hydropic, dropsical, pathologically desirous of water
hiedra ivy
hierro iron, shackle
hilera file (of soldiers)
hilo thread
hincar de rodillas to kneel
hincha enmity, hatred
hinchado vain, well-off
hipocondría hypochondria
hocico snout, nose; **dar de —s** to run smack into
hogaño this year
hoja leaf, petal
holgar to be idle; **-se** to be delighted, take pleasure
holgazán lazy, idle
hombrazo strapping man
homenaje homage, oath of loyalty
Homero Homer
homicida murderer, killer
honestidad modesty
honesto decent, modest, reasonable, honorable
honor honor (intrinsic)
honra honor (extrinsic)
honrado honored, honorable
honrar to honor, do honor
hopalandas *pl.* academic robe
horca gallows
hosco frowning
hostia Host (the Eucharistic wafer)
hoyo hole
hoz sickle
huella footprint, tread, track, trace
huesa grave
hueste host, army
humanar to make human
humero chimney, fireplace
húngaro Hungarian
hurón ferret

I

ijar flank
ilustrar to illustrate, ennoble
imán magnet, loadstone, magnetic force
imperio empire, rule, sway, authority
impertinente impertinent, irrelevant, inopportune, out of place, unfashionable
implicar to involve, oppose, contradict
improviso, de suddenly, unexpectedly
incontinente straightaway
inconveniente obstacle, nuisance, difficulty
inculto uncivilized, rustic, wild
indecencia ignoble behavior
indecente unbecoming
indiciar to bring under suspicion
indicio indication, sign
indispuesto indisposed, unwell
industria scheme, stratagem, skill, cleverness
inefable ineffable, unspeakable
infamar to defame, dishonor
infante prince, infantryman
informe shapeless
ingenio ingenuity, wit, intellectual brilliance, intuition
ingrato ingrate, disdainful
injuria insult
injuriar to insult
inmediato immediate, near
inmundicia filth
inocente innocent, ingenuous
inquietud impatience, restlessness, anxiety
inquirir to investigate
instante instant; **a —s** at once, soon; **por —s** at any moment, quickly
intentar to attempt, try to obtain
intento plan, scheme, intention
interés interest, return, reward, money
intrincado intricate, complicated, dense
invención scheme, trick, deception, idea, poetic creativity
invicto undefeated, victorious
iris rainbow

J

jabalí boar
jaco coat-of-mail
jaez harness, equipment (including ribbons) used to adorn a horse
jáquima headstall (made of fine cord)
jara spear, brier
jarabe syrup
jaral brier patch, clump of rock roses
jarifo showy, sporty
jaspe jasper
jaspeado streaked, spotted
jazmín jasmine
jergón paillasse, straw pallet
jeroglífico hieroglyphic, symbol
jilguero goldfinch
jinete rider, cavalryman
jirón swatch, shred
jironado streaked
jornada act (of a play), day's journey, campaign
judío Jew
juego game, gambling
juicio judgment; **quitar el —** to drive insane
jumento ass
junco rush
junta committee, group, conglomeration, medical consultation
justiciero justice-dealer, just

L

laberinto labyrinth, maze
labor needlework, craftsmanship, labor, labor force, hired man
labrador farmer, peasant
labrar to work (a material), fashion, carve, cut (previous stones), cultivate
lacayo lackey, flunky
lagar wine-press
lagarto lizard
lance dispute, fight, crisis, emergency
lanza lance, spear
lanzada stab with a spear
lascivo lascivious
lastimar to trouble, disturb; **-se** to complain, be upset
lastimoso pitiful
latrocinio larceny

laurel bay, laurel, laurel wreath, token of victory
lazada bow
lazo knot, curl, noose, embrace
lechón suckling pig
legua league
lejía lye
lejos *n.* distances (in painting), distant object depicted in perspective
Lenguadoc Languedoc
lenzuelo kerchief
lerdo dull, stupid
lesión lesion, bodily harm
lesna awl
letargo lethargy
letra letter, handwriting, words (of a song)
letrado advocate, lawyer
ley law, obligation, faith, religion
liberal generous
libidinoso libidinous, lustful
libra pound
librea livery
licencia permission
licenciado licentiate, master of arts
liebre hare
lienzo canvas, painting, piece of cloth, handkerchief, sheet
liga garter, ribbon used to control (stockings, hair, etc.), belt, sash, bird-lime
ligero light, swift
limosna alms, act of charity
limosnero almoner
lince lynx
lindero adjacent, neighboring
lindo foppish, pretty, fine
lisiar to do bodily harm
lisonja flattery
lisonjero flattering, pleasant, soothing, attractive
listado striped
listón ribbon
liviandad wantonness
liviano licentious, frivolous, wanton, flighty
loa prologue
lóbrego dark, sad
locución manner of speech
lodo mud
lograr to achieve, succeed, fulfill; **— el tiro** to shoot right on target, hit the mark
losa flagstone, tombstone
lozanía vitality, vigor, pride
lozano haughty, luxuriant, fresh, young
lucimiento splendor
lucir to show off
lugar place, village, hometown, opportunity, occasion
luminar luminary, light-giving body
luna moon, mirror
lunario calendar
lusitano Lusitanian, Portuguese
lustre luster, reputation
lustro lustrum (period of five years)
luto mourning

LL

llaga wound
llamar to call, knock, challenge
llaneza plainness, simplicity, frankness, straightforwardness
llano straightforward, simple; *n.* plain
llave key; **— maestra** skeleton key

M

macilento weak, discolored
macho male, mule
madrugar to rise at dawn
maestre master (of a military order)
magnate important personage
Mahoma Mahomet
majadero fool
malicia malice, evildoing
malicioso malicious, evil, mischievous
malogrado premature
malograr to fail, disappoint, waste, deprive
malva mallow
manada flock, pack
mancebo adolescent, young man
mancilla spot, blemish, cause for shame or pity

manchar to stain
manducar to guzzle
manera manner, way; **a — de** as a kind of
manga sleeve
manía mania, obsession
manifestar to declare, make public
manjar victual, foodstuff, delicacy
mano hand, pestle (of a mortar); **en su —** in one's power
manso gentle
manto mantle, cloak
mar sea, abundance
maravedí farthing (coin of least value)
maravilla wonder, marvel, miracle, marigold
marfil ivory
margen margin, bank, shore
mariposa butterfly, moth
mariscal marshal
maroma halyard, rope, line
marquesote foppish marquis
Marruecos Morocco
martirio martyrdom
más more; **no —** only, merely
máscara mask, masked man
mastín mastiff
matar to kill, extinguish (a light)
materia matter, subject; **en — de** about, on the subject of
material raw material
matiz hue, nuance
mayar to mew
mayo May, springtime
mayoral head shepherd
mayorazgo primogeniture, estate of the eldest son
mayordomo majordomo, steward
mazmorra dungeon
medida measure, size; **a — de** in proportion to
medio means, middle course, half, way out, solution
medrar to thrive
mejorar to improve, better; **-se** to get better
melindre preening; **-s** finickiness, prudery, affected manners
melindroso finicky
melocotón peach
memoria memory, memorandum
memorial memorandum, document, letter
mendigo beggar
mendiguez beggary
menester need; **haber —** to need; **ser —** to be needed, be necessary
menesteroso needy
mengua diminishment
menguar to wane, dwindle
mentar to mention
mentecato stupid, fool
menudear to make swift movements
merced grace, favor
merienda picnic lunch
mesón inn
meter to put in, insert; **— mano** to draw (a sword)
mezquita mosque
miembro limb, member
mies crop
migas croutons
milagro miracle
ministro steward, subaltern, agent, operator, prelate
mira aim, ambition, objective
mirador spectator
mirlado prudish, affected, priggish
mirto myrtle
misa Mass, missal
miserable pitiable
misericordia mercy
mísero wretched
mocedad youth; **-es** wild oats, riotous behavior
moda fashion
modo means, moderation
Moisés Moses
mojar to soak, drench
mojicón punch or slap (on the face)
mojiganga troupe of actors, masquerade
moler to grind
moneda coin, coinage
monje monk
monjil dress worn by ladies to denote their somber mien or their state of mourning

monstruo hybrid, monster (the result of a malfunction of natural breeding processes)
montaña mountain, forest
monte hill, bush
moño bun (on a woman's hair)
morada dwelling place
morcillo black with reddish lights
moreno brown, brunette, dark-skinned
morigerar to moderate, chasten
morir to die, kill, die figuratively (of love, fear, etc.)
moro Moor
mortaja shroud
moscatel greenhorn, boob
mote motto
motete motet
mucho much; **es — que** is it surprising that; **qué — que** is it surprising that
mudar to change; **-se** to change, change one's mind
mudo mute, dumb, silent
muela molar, tooth
muermo glanders
muestra sample, display, sign, indication
mugir to low, bellow
muladar dunghill, garbage dump
muñeca wrist, doll
muralla fortified wall
murciegalero (for *murcielaguero*) bat hunter
murciélago bat
mustio sad, languid

N

naipe playing card
nao ship
Nápoles Naples
napolitano Neapolitan
natural *n.* nature, temperament
nave ship
neblí falcon
niña girl, pupil (of the eye)
niñería trifle, bauble
Noé Noah
nogal walnut tree
nonada trifle
Normandía Normandy
norte North, guiding star
notar to note, annotate, dictate
notorio noteworthy, famous, well known
novedad novelty, new turn of events, unexpected news
novicio novice
nueva news
nuevo new, strange, unheard-of, novel
número number, category, social rank

O

obrar to do, act, perform, produce an effect
ocasión occasion, cause, reason, danger
ocaso west, sunset
ocioso lazy, idle
octava octave (eight days of a festivity)
oficial officer, chief clerk, executioner, worker, tradesman
oficio trade, occupation, profession, rank
ojeriza ill will
ojo eye; **de mis -s** darling
oler to smell; **— a** to smack of
olfato sense of smell
olmo elm
olla pot, casserole, stew
onza ounce
opimo rich, fertile, abundant
opinión opinion, reputation, honor
oportuno opportune, timely, appropriate
oprobio opprobrium, ignominy
opuesto *n.* opponent
oración prayer
oratorio oratory, private chapel
orbe orb, orbit
ordenar to order, ordain, provide (in a will); **-se** to be ordained
oriente East, sunrise, birth
oso bear; **— colmenero** honey bear
Ovidio Ovid
oyente member of the audience

P

pabellón canopy
padrastro stepfather

padrino godfather, sponsor
padrón census list, birth certificate, register of taxpayers, column with a public inscription on it, sign, poster, mark of infamy
paja straw
paje page boy
pajizo straw-colored, pale yellow, straw-covered
palaciego courtier
palma palm leaf, triumph; **andar en —s** to be feted, universally praised
palmo palm's breadth, $8\frac{1}{4}$ inches
palo stick, blow; **dar de —s** to beat with sticks
pámpano young vine branch
pandero tambourine
panza belly
paño cloth; **— de manos** hand towel
papel paper, letter, document, role, part
par pair, couple, peer, equal; **de — en —** wide open, completely
parabién congratulations
parábola parable
paraninfo paranymph, bearer of good tidings
parar to stop; **— en** to end up with, be wasted on
parca fate
parche patch, drum
pardiez good Lord!
pardo brown, earth-colored
parecer to seem, appear, put in an appearance; *n.* opinion
pariente relative
parir to give birth
parola chitchat
parra grape vine
parte part, place, side, direction, plaintiff, defendant, party (to a dispute), power, human quality, attraction; **a una —** on the one hand; **dar —** to inform; **ser — a** (or **para**) to give an opportunity for, give occasion to
partesana partisan (a kind of halberd or pike)
partido contract
parto birth, parturition
pasaje passage, journey, crossing
pasajero traveler
pasar pass by, disappear, spend (time); **— de** to exceed; **— de aquí** to go further
pascua one of the great feasts of the ecclesiastical year (Easter, Christmas, Epiphany, Pentecost); **Buena — te dé Dios** God bless you
paso passage, step, pace, pass, errand, scene (in a play), passage (in a book); **dar un —** to take a step; **de —** in passing
pastilla pastille, cube of incense
patente clear, obvious, evident
patio inner courtyard
pavesa embers, snuff of a candle
pavo turkey
pavoroso fearful
pecado sin
pecar to sin
pedernal flint
pedigüeño begging
pedrada stoning
pegar to stick, strike; **-sela** to cheat, deceive
peine comb
pelota ball, a game like tennis played with hands instead of rackets
pena grief, sorrow, suffering
penacho crest (of feathers)
penalidad hardship
pendencia brawl, quarrel
pendón banner, pennant
pensil hanging garden
peña rock, cliff
peñasco cliff
pepino cucumber
pepitoria fricassee
pera pear
perder to lose, ruin, cause to fall in love
perdido lost, ruined, in love
perdiz partridge
perdurable everlasting, enduring
perecer to perish
peregrinar to roam

peregrino *adj.* strange, wonderful
perfil profile, outline
pernil leg (of game or meat)
pero *n.* peartree
perro dog; — **de muestra** pointer
personaje character
pertinacia pertinacity, stubbornness
pesadumbre anxiety, apprehension, annoyance, irritation, hurt, injury
pésame condolence
pesar trouble, concern, sorrow, hurt
pescar to fish, catch, catch out, cadge
pescuezo nape of the neck
pesebre manger
peso weight
peste plague
petición suit, request, plea
peto breastplate
piadoso compassionate, merciful
picaño rascal
picar to pique, nettle, infuriate, sting, bite (as a fish); **-se** to be proud
Picardía Picardy
picaresco picaresque, roguish, delinquent
pícaro rogue, rascal, picaroon
pico beak, mouth, gift of the gab
pichón pigeon
pie foot; **a — juntillas** firmly
piedad piety, pity, merciful act
piélago high sea
pienso fodder
pieza room, chessman, artillery piece
pila font, holy-water basin
pimpollo flower shoot, sprout
pinar pine grove
pincel paint brush
pío piebald (of a horse), pious, merciful
pira pyre
pirámide pyramid
pisada footstep
pisar to tread
planta foot, plant
plasta paste
platería silver shop, jeweler's shop
pleito lawsuit, trial
pliego sheet of paper
plumaje plumage
pobrete pauper
pollino ass foal
ponderar to ponder, extol
poner to put; **-se** to settle, perch (as a bird)
poniente West, sunset
Pontífice Pontifex, Pope
ponzoña poison
porción ration
porfía insistence, persistance, stubbornness, effort, struggle
poro pore
porte postage, delivery
portento portent, prediction
portero jailer, gatekeeper
portillo breach (in a wall)
posada inn, abode, lodging, room
posta post house, post office
postigo wicket, concealed door
postizo false, artificial
postrimerías Last Things (of life)
potestad power
poyo stone bench built into the entrance way of a house
pozo well
prado pasture, meadow
precepto precept, instruction, order, royal command
preciarse to pride oneself; **de —** proud, boast
precio price, sum of money
precipitado cast down
preciso precise, necessary
predicador preacher
predicar to preach
pregonar to proclaim
pregonero town crier, common crier
premiar to reward
premio prize, reward
prenda good quality, token, pledge
prender to capture, take prisoner
preñada pregnant
presa prey
presagio presage, foreboding, forecast
preso prisoner
presumir to presume, conjecture, imagine, boast, be conceited

presunción presumption, suspicion, allegation, conceit
pretal poitrel (armor to protect the breast of a horse)
pretender to claim, make pretensions, try, intend
pretendiente suitor, claimant (of a position to be bestowed by the king)
pretensión suit, claim, intention
pretensor suitor
prevaricar to apostatize
prevención preparation, precaution, anticipation
prevenir to arrange, determine, plan, anticipate, give notice, instruct
priesa (for *prisa*) haste
primero first, before
primo cousin, cobbler
primor graciousness
principal main, noble
principio beginning, principle, motive
prisión shackle, imprisonment
privado royal favorite
privanza favorite, favoritism
privar to deprive, favor
proa prow, bow
probar to prove, test, try
proceder *n.* procedure, behavior
proceso bill of indictment
procrear to procreate
procurar to try, endeavor, procure, seek after, solicit
prodigio prodigy, wonder
pródigo prodigal, profligate, liberal
prolijo prolix, extensive, drawn-out, long-winded, uncomfortable
promotor fiscal attorney general
pronosticar (for *prognosticar*) to prognosticate, foretell
proscenio proscenium, front stage
proseguir to continue
provecho advantage, profit
Provenza Provence
proviso, al immediately, spontaneously
prueba proof, test, experiment
puchero clay cooking pot, stew
puerco hog
puesto que since, although
pulga flea
pulido polite, neat, elegant
pulir to polish
punta stab, jab, tip, lace
puntería aim, sights (of a gun)
punto point, period, full stop, moment; **a —** at once, ready; **al —** straightaway; **de todo —** completely; **en su —** ready; **por —s** from one moment to the next
puntualidad punctuality, punctiliousness
puñal dagger
puñalada stab (with a dagger)
puño hilt (of a sword), fist
purgar to purge, evacuate
púrpura purple, deep red
puta prostitute

Q

quebradizo fragile, weak
quebranto plight, shattering, breakdown
quedo calm, quiet
queja lament, complaint
quemar to burn
quicio, salir de to get out of joint
quimera chimera, monster, wild flight of the imagination
quinta country house
quintero cultivator

R

rábano radish
rabia rage
rabiar to rage
racimo bunch (of grapes)
raíz root
rajar to split
ramillete bouquet
rana frog
rancioso vintage, venerable
randas lace
rapante rapacious
rapar to shave
rapaz boy, young man
raposa fox

rasgar to rip, tear
rasgo trait, feature, streak
raya limit, extent
rayo ray, sunbeam, moonbeam, flash of lightning, thunderbolt
raza race, pedigree
razón reason, word, speech
real real, royal; *n.* a coin
rebanar to slice
rebaño flock
rebosar to overflow
rebozado muffled (in a cloak)
rebuznar to bray
recado message, errand, care, precaution; **— de escribir** writing materials
recatado modest, circumspect
recatar to conceal
recato propriety, pudeur
recelar to fear, suspect; **-se** to distrust
recelo suspicion, fear
receta receipt, recipe, prescription
recetar to prescribe (medicine)
recibir to receive, employ (a servant)
recibo receipt, reception
recitante actor, speaker
recogerse to retire, withdraw
reconocer to reconnoiter
recorrer to reconnoiter, review, run over
recreación recreation, pleasure house
rédito dividend
referir to relate, narrate
refrenar to restrain
regalo gift, luxury, comfort
regar to water, irrigate
regidor alderman
regir to rule, govern, control, guide
regocijo rejoicing
regostarse to take a fancy
reja grille, grilled window, blade (of a plow)
rejón prodding lance (used in bullfighting)
relinchar to neigh, whinny
relincho neigh
rematar to end, top off
remate end, top
remediar to remedy, rectify, put right
remedio remedy, cure, solution, success
remiendo patch, tattered clothing
remitir to postpone
remojar to soak
rémora remora (a parasitical fish, which slows down the larger fish to which it adheres), drawback, hindrance, cause of delay
renacuajo tadpole, little man
rendido vanquished, in humility
rendir to defeat; **-se** to surrender, consent (to marriage or courtship)
renta income
reñir(se) to quarrel, fight, duel, scold
reo convict, criminal
reparar to repair, take note, heed, hesitate
reparo hesitation
repartir to distribute
repasar to review
repecho slope
repelar to pull out hair
replicar to answer back
reportar to restrain
reprehender to reprehend, reprimand
representación performance (of a play), show
representar to perform, act (in a play)
república state, nation, commonwealth
repugnar to oppose
requebrar to flirt, court, make love to
requerir to require, test, try out
requiebro compliment, loving words
resbalar to slip, slide
rescate ransom
resonar to resound
resplandeciente resplendent
resplandor resplendency
respondón impudent
resquicio crack, subterfuge
restante remainder
resucitar to resuscitate
resuelto resolved, resolute
retablo retable, picture, puppet show
retama broom (a wild plant)
retiro withdrawal, boudoir
reto challenge, defiance
retrete private room, closet
retroceder to go back, retreat

reventar to burst
revés reverse, opposite, backhand slash (with a sword)
revesar to reverse, turn inside out
revoltillo mass of defects, confusion
revolver to turn upside down
revuelta revolt, altercation; **de —** topsy-turvy, upside down, in confusion
ribera shore, bank
rifa game of chance, raffle
rigor harshness, cruelty, a cruel act; **en —** strictly speaking
rincón corner, neck of the woods
risa laughter; **tener la —** to stop laughing, restrain laughter
risco tall cliff
rito rite
rizar to curl
roble oak
rocín nag
rocío dew
Rochela La Rochelle
Ródano Rhone
rodar to turn, slip
rodela small round shield
rodilla knee; **de —s** kneeling
romance ballad, vernacular
romper to break, wear (a garment), tear up (paper)
rondar to prowl, walk up and down
ropero clothing merchant
rosario rosary
rosicler rose-color of dawn
rúbrica flourish (the personal design which is a part of Spanish signatures)
rufían procurer, bully
rugir to roar
ruin despicable, base, lowly, humble
ruiseñor nightingale
rumbo course
rumor sound, croaking, uproar, disturbance
rutilante brilliant

S

sábana sheet
sabandija worm, loathsome creature
sabihondo conceited, hypocritically wise
Saboya Savoy
sabroso delicious
sacerdote priest
sacristán sexton, sacristan
sacudir to shake (off)
sagaz sagacious
sagrado shrine, sanctuary
salero salt-cellar
salida exit, way out, recourse, solution
salir to go out, leave, enter (a stage); **— con** to succeed, carry out
salobre brackish
Salomón Solomon
saltar to jump, dance
salteador highwayman, robber
salteamiento highway robbery
salva, salvo burst of gunfire
saneamiento reparation, indemnity
sangrar to let blood
sangría blood-letting
sano sound, whole, healthy
Sansón Samson
Santidad Holiness (i.e. the Pope)
santiguar to bless, cross (oneself), purify
saña wrath, ire
sañudo angry
sarga serge
sarta bead, necklace
sastre tailor
sauce willow
saya skirt
sayal sackcloth
sayo jerkin
sazón season, seasoning
sazonar to season
seguro *n.* safety, security, guarantee
selva forest
sellar to seal
semblante countenance
sembrar to sow, broadcast
seno bosom
sentido sense, common sense, meaning; **quitar el —** (or **los —s**) to drive insane
sentimiento sentiment, feeling, regret, malaise
sentir to feel, think, hear, regret

seña sign, indication, signal; *pl.* description
señalar to point out, indicate, make a wound or hit (in fencing)
sepulcro sepulcher, tomb
sepultar to bury
serrana inhabitant of the sierra, highlander, country girl
servicio service, servants
servir to serve, love, woo; **-se** to be pleased
seso brain, mind; **perder el —** to lose one's mind
sien temple
siglo century, world
significar to mean, imply, convey, express
silvestre wild
simpatía sympathy, fellow-feeling
simple simpleton
siniestro left-handed, sinister
sinrazón wrong
Siqueo Sichaeus
sitiador besieger
sitiar to besiege
soberano sovereign, supreme
soberbia pride
soberbio proud, arrogant
sobrescrito address (on an envelope)
socorrer to succor, help
socorro help
soga rope
solar house, lineage
solecismo solecism
solicitar to beseech, implore, seek
solio canopied throne
soltar to release, let go
soltura release, exemption
sombra shadow, darkness, ghost
son sound
Sona Saône
soplo blow, gust
sorber to sip, suck
sordo deaf
sortija ring, a game consisting of passing a lance through a ring, played by mounted knights
sosegar to calm; **-se** to calm down, relax
sosiego calm, peace of mind
sota knave (in cards)
sotana cassock
soto riverside grove of trees
sucesión progeny, descendants
suceso event, outcome
sucinto succinct
suegro father-in-law
suerte way, manner, luck, fate
sufragio suffrage, intercession, succor
sufrir to suffer, stand, bear, be patient
sujetar to subject, overpower, enslave
sujeto submissive, tied to; *n.* individual subject
suma addition, consummation
sumo supreme, highest
surcar to plow, navigate
surco furrow, wake, path (of a ship)
surgir to emerge
suspender to amaze, keep in suspense
suspenso in suspense, amazed
susto shock, astonishment, fright, alarm
susurro whispering

T

tabardo sleeveless overcoat
tabla board, plank
tablado stage
tablilla bulletin board
tafetán taffeta
tajo slash
talego money bag
talle stature, appearance, beauty
tamboril small drum (played with one stick)
tapar to cover, veil, conceal the face
tapete small rug
tapia wall (made of pressed earth or brick)
tapiz carpet, tapestry
tasa fixed price
tasar to set a price
tate hold it!
teja roof tile
tejado roof

tejer to weave, intertwine
tema *f.* obstinacy, mania, idée fixe
temeridad rashness, rash act
templado tuned
templar to temper, moderate, temper (steel), tune (a musical instrument)
tenazas pincers, extraction forceps
tender to stretch, extend; **-se** to lie down
tendido lying, stretched out
tener to have; **— para sí** to consider, maintain
teñir to dye, stain
tercero intermediary, mediator, go-between, match-maker, pimp
término space, time, term, conduct, bearing, mien
terreruelo long neckless cloak
terrón clod
testamento will
testigo witness, evidence
testimonio evidence, testimony, testimonial
tibio lukewarm, tepid
tiento touch
tierno tender, tender-hearted, impressionable
tierra earth; **poner — en medio** to put distance between
tieso rigid
tinaja enormous stone jar
tiniebla(s) darkness
tirano *adj.* despotic, cruel, overweening
tirar to throw, shoot; **— a** to tend to
tiro shot, theft
titubear to stagger, be uncertain, vacillate
título title, titled person
toca head-covering (not a hat, but similar to the uniform headgear worn by nurses or nuns)
tocador headcloth, boudoir
todopoderoso almighty
tolanos disease of horses (characterized by tumors in the gums)
tomillo thyme
tono tune
topacio topaz
tornasol sunflower
tornasolado litmus-blue
torneo tourney, tournament
tornero turner (in carpentry)
toros *pl.* bullfight
torpeza sluggishness, clumsiness, ugliness
torrezno rasher (of bacon)
tortilla omelette
tosco rustic, coarse, rough
tragar to swallow
tramoya stage machinery, trick
trance crisis, critical moment
trápala Babel, confused sound of voices
traslado transfer, translation, copy
traspasar to penetrate, pierce, cross
trasponer to put out of sight
tratar to try, negotiate, discuss
trato business, treatment
travesura mischief
traza appearance, ruse; **a —** in this way
trazar to trace, design, scheme, set up a ruse
trece thirteen; **estarse en sus —s** to be stubborn
trecho distance
trenza tress, plait
treta feint (in fencing), stratagem, ruse
tribunal law court
tributo tax
trigo wheat
trinar to warble, trill
tripa gut, tripe
trocar to exchange, change
trofeo trophy
troj granary, silo
trompa horn, trumpet, top (toy)
trompeta trumpet
tronar to thunder
tronera embrasure
trono throne
tropa troop, gang, fleet
tropel throng, rush
tropezar to stumble
trueco, a in exchange
truhán clown, jester
tuerto one-eyed
tullido maimed, crippled

tullirse to become crippled
turbante turban
turbar to perturb, disturb
turco Turk

U

uced (for *vuestra merced*) you
ufano proud, content, conceited
ultrajar to outrage
ultraje outrage
umbral threshold
umbroso shady
uña finger nail, claw
usanza custom
uso fashion, custom
usurpar to usurp
uva grape

V

vagamundo vagabond
vaivén coming-and-going, vicissitudes
valentía courage, bullying, group of bullies
valeroso valiant
valiente *n.* brave man, thug, bully, tough criminal
valona ruff
valor courage, worth
vanagloria vainglory
vara rod, yardstick, yard
varear to hit with sticks
vario various, several, changeable
varón man
vasallo vassal, subject
vaya *n.* laughter, fun, joke, trick; **dar —** to laugh (at)
vedar to forbid, prohibit
vega fertile plain
vela candle
velar to be vigilant, be awake
veleta weathervane
velo veil
veloz swift
vellón fleece, alloy of silver and copper (used in coinage)
vena vein
vencer to vanquish, conquer, defeat; **— el sueño** to fall asleep
vendar to bandage, blindfold
vendaval southwest wind, any stormy wind
veneno poison, cause for displeasure
venganza vengeance
ventaja advantage, promotion
ventanero inquisitive (fond of looking out of the window)
ventura happiness, good fortune, stroke of luck; **por —** perchance
ver to see; **a mi —** in my opinion; **echar de —** to notice, recognize
veras, de in truth, seriously
verde green, young, obscene, licentious
verdemar sea-green
verdugo executioner
vergonzante shaming, shameful
vergüenza shame, modesty, embarrassment
verso verse, line (of poetry)
verter to shed, pour
vestidura costume
vestuario tiring house, dressing room, theatrical costumes
vez time; **de una —** once and for all; **tal —** perhaps, on occasion
víbora viper
vicario curate
vicio vice; **de —** needlessly, without motive
vidriera glass window (usually of stained glass)
vientre belly
vihuela lute (early form of the guitar)
villa township (on which royal privileges have been conferred)
villanaje peasantry
villanía rusticity, boorishness
villano villain, churl, peasant
viña vineyard
violentar to force, pressure, rape
virilla welt
virrey viceroy
viso eminence, appearance, sheen
vísperas Vespers (one of the canonical hours)

vitorear to applaud (cry out "victor" or "bravo")
vividor living, life-giving
vivir to live; **vive Dios** by God
voarced (for *vuestra merced*) you
vocear to shout
volcán volcano
voluntad will, faculty of loving
volver to return; — **en sí** to recover consciousness; — **la espalda** to turn one's back; **-se** to turn around, go back, withdraw
voraz voracious
voto a I swear to (an expletive)
voz voice, word, sound; **dar voces** to cry out, shout, scream
vuarced (for *vuestra merced*) you
vuelo flight; **andar al** — to fly past, flit around
vuelta turn, change of face, walk, lining of cloak; **dar una** — to take a walk, make a tour
vuesasté (for *vuestra merced*) you
vueseñoría (for *vuestra señoría*) your grace
vulgar low-class, everyday
vulgo masses, rabble, lower orders
vuseñoría (for *vuestra señoría*) your grace

Y

yacer to lie
yegua mare
yelo (for *hielo*) ice
yerno son-in-law
yerro error
yerto rigid
yugo yoke

Z

zafir sapphire
zagal shepherd, countryman
zagalejo shepherd
zaguán vestibule, hallway
zancarrón shank, scraggy man
zanja rift, cleft, ditch
zarandaja trifle
zas zowie
zozobrar to founder, flounder